Germanische Götter- und Heldensagen

Germanische Götter- und Heldensagen

Nach den Quellen neu erzählt
von Reiner Tetzner

Reclam

Umschlaggestaltung: Stefan Schmid Design, Stuttgart
Satz: Reclam, Ditzingen
Druck und buchbinderische Verarbeitung: GGP Media GmbH, Pößneck
Printed in Germany 2015

ISBN 978-3-15-011047-8

www.reclam.de

Inhalt

Göttersagen

Heldensagen

Anhang

Göttersagen

Die Asen-Götter werden geboren und bauen die Welten

Am Anfang waren Kälte und Dunkel im Norden, Hitze und Helle im Süden und dazwischen Ginnungagap, die gähnende Schlucht. In dieser Urzeit gab es weder Himmel noch Erde, weder Götter noch ein Büschel Gras.

Die Eisgegend des Nordens heißt Niflheim und war grimmig und voll Nebel. In ihrer Mitte sprudelte die Quelle Hvergelmir; diesem brausenden Kessel entsprangen elf Flüsse, die führten auch Salze und Giftiges mit und ergossen sich in den gähnenden Abgrund. Weit genug von der Urquelle entfernt stockten die Fluten und erstarrten zu Eis, und das wurde hart wie Stein. Gischt sprühte darüber und gefror mit dem Giftig-Fließenden. So schoben sich Eis und Reif in die Urschlucht und füllten sie im Norden auch mit Sturm und Schnee.

Aber im Süden, Muspellsheim genannt, loderte Feuer – das würde einst niemand aufhalten können –, und von dort stoben Funken in die Urschlucht und brachten Milde. Heiße Winde schmolzen das Eis und den Reif, es zischte und tropfte und sprühte. Und die fallenden Tropfen wurden lebendig durch die Kraft, die das Feuer sandte. So entstand ein Urwesen, das wurde Ymir genannt und war Mann und Frau zugleich.

Als das menschengestaltige Riesenwesen schlief, begann es zu schwitzen; da wuchsen unter seinem linken Arm ein Mann und eine Frau, und ein Fuß bekam mit dem anderen einen Sohn. Von diesen Nachkommen stammen alle Riesen, auch die Frostriesen und die gewalttätigen Bergriesen.

In der Hitze von Muspellsheim taute das Eis weiter; da entstand aus dem tropfenden Reif eine Kuh, die hieß Audumla. Diese hornlose Kuh war sehr milchreich. Vier fette Ströme flossen aus ihrem Euter, davon nährte sich Ymir und wuchs zu gewaltiger Größe.

Und die Urkuh Audumla nährte sich, da doch kein Gras wuchs, von den salzigen Eisblöcken. Als sie am ersten Tag das steinerne Eis beleckte, kam abends das Haar eines Mannes hervor, am zweiten Tag der Kopf, am dritten Tag der ganze Stammvater der Götter, Buri. Er war schön von Ansehen, groß und stark und zeugte einen Sohn, Burr. Der nahm Bestla, die Tochter eines Riesen, zur Frau.

Die Riesin Bestla gebar die ersten Götter, den ältesten Sohn Odin und seine Brüder Vili und Vé.

Die jungen Götter waren stark und klug und wollten etwas erbauen, die kahlen Orte der Riesen genügten ihnen nicht. Aber die Frostriesen ließen Flüsse aus der Urquelle frieren und schoben die Eisblöcke knirschend gegen Stätten, wo sich die drei Brüder zu behaupten versuchten. Auch Ymir lärmte und toste, und sein massiger Leib wuchs und wuchs und belegte immer mehr Plätze – da töteten die Götter Ymir. Aus seinen Wunden strömte so viel Blut, dass es eine Flut ergab, darin ertränkten die jungen Götter das ganze Geschlecht der Riesen. Nur der schlaue Riese Bergelmir bestieg mit seiner Frau und seinen Hausleuten einen starken ausgehöhlten Baumstamm und entkam. Von Bergelmir stammen alle neuen Geschlechter der Riesen und ihr späterer Hass gegen die Götter. Über die Taten und Untaten der Götter und die Kämpfe mit ihren Feinden soll hier erzählt werden.

Odin und seine Brüder schleppten den riesigen Leib Ymirs mitten in die Urschlucht und bauten aus ihm die Welten. Aus seinem Fleisch machten sie die Erde, aus seinem Blut das Wasser und die Meere. Die Götter hoben Ymirs Schädel über die Erde und machten daraus den Himmel. Unter jede der vier Enden des Schädeldaches setzten sie dann einen Zwerg. Die heißen Vestri, Sudri, Austri und Nordri und tragen wie Säulen den Himmel. Die Götter hoben die Erde weiter aus dem Meer und festigten sie. Da spross das erste grüne Kraut. Das Meer liegt wie ein Ring um die Erde.

Aus Ymirs Gebeinen schufen die Götter die Berge, aus seinen Kinnbacken, Zähnen und zersplitterten Knochen die Steine. Die Bäume wirkten sie aus Ymirs Haaren und die Wolken aus seinem Hirn. Und dann schufen die Götter Midgard, die mächtige mittlere Welt, und machten ihre Bewohner, die Menschen – davon wird noch zu erzählen sein. Aus Ymirs Wimpern bauten die Götter einen Wall um Midgard zum Schutz gegen die Welt außerhalb, die heißt Utgard und ist für Götter und Menschen unbewohnbar. In Utgard sind die Gebirge baumlos und eisig, der Urwald aus Bäumen wie Eisenstangen ist undurchdringlich, und die Moore sind gierig. Dort wiesen die Götter den Riesengeschlechtern, die von Bergelmir abstammen, Plätze zu. Auch Trolle und andere Unholde hausen an öden Stränden und in kahlen Gebirgen.

Erst als sie den Wall um die Menschenwelt genug aufgeschüttet hatten, errichteten die Götter in deren Mitte ihre eigene Welt, bauten auf einem Berg eine befestigte Stätte, die in den Himmel ragt. Das von Odin abstammende Göttergeschlecht sind die Asen, deshalb heißt ihr Wohnort Asgard. Zu den Asen gehören Thor, der älteste Sohn Odins – er zeugte ihn mit Jörd, der Erde –, und andere Nachkommen.

Die jungen Götter gruben Erz, schmolzen das Metall aus dem tauben Gestein. Sie bauten Öfen mit Essen und starken Blasebälgen, machten sich Ambosse, Hämmer, Zangen und andere Werkzeuge. Sie schmiedeten neben Hausgerät Äxte, Schwerter und Speerspitzen; diese Waffen genügten in der Frühzeit. Und die Götter förderten goldreiches Gestein, verarbeiteten es, hämmerten kunstvolle Schüsseln, Becher und Geschmeide aus reinem Gold und verzierten Schilde und Schwerter. Nicht nur deshalb sprach man damals vom goldenen Zeitalter.

Die Götter bauten auch mit Holz und brachen Steine. Thor schleppte die schwersten Felsbrocken auf Asgard. Zuerst wurde die Halle für die Versammlung der Asen fertig. Halten die Götter Rat, sitzen sie dort auf ihren Hochsitzen. Kein Gebäude ist größer und besser als diese Wohnstätte für Odin. Sie heißt Freudeheim, und innen und außen glänzt vieles von rotem Gold. Auch Walhall, die Halle der Gefallenen, befindet sich hier.

Für die Göttinnen wurde ein eigener Saal errichtet und reich mit Gold und Silber ausgestattet. Auch für Odins Söhne wurden Wohnstätten gebaut, die für Thor heißt Kraftheim. Und der höchste Wohnort Asgards hat die stärksten Mauern und ist gegen jedes Feuer geschützt.

Die Asen-Götter hatten Midgard, Utgard und Asgard geschaffen und hielten die drei Welten für ewig. Und sie hatten die gewaltige Asenbrücke erbaut, die Götterburg und Menschenwelt verbindet. Diese Brücke heißt Bifröst, lodert in feurigem Rot, was die Bergriesen abschreckt, schimmert in vielen anderen Farben und wird Regenbogen genannt. Bifröst ist mit mehr Scharfsinn und Kunstfertigkeit gemacht als andere Gebilde, aber wird trotzdem brechen, wenn einst die Feinde angreifen werden. Scheint die Sonne bei Regen, leuchtet Bifröst für jeden sichtbar wie aus tausend mal tausend funkelnden Steinen in den Himmel gebaut. Hell glänzt auch der Ase Heimdall, der Wächter bei der Asenbrücke. Er wohnt in der Stätte Weitglanz am Rande der Götterburg. Heimdall hat Zähne aus Gold und reitet das Pferd Goldzopf, und sein blinkendes Schwert leuchtet über die Welten.

Auf Odins Wohnstätte steht ein Aussichtsturm mit einem Platz am Fenster, das ist Odins Hochsitz Hlidskjalf; von ihm beobachtet er alle Welten und behält die Taten der Menschen im Gedächtnis. In dieser Frühzeit lebten die Asen mit den Riesen oft einträchtig nebeneinander; fast alle Bewohner von Utgard begnügten sich mit den Randorten. Doch einige Frostriesen und Bergriesen hassten die Menschen, weil die Götter denen die fruchtbaren Ebenen frei hielten, und traten Felsblöcke gegen Gehöfte der Menschen oder warfen Unwetter aus Sand oder Hagel gegen Midgard. Erspähte der Göttervater von Hlidskjalf derartige Friedensbrecher, gab er Thor Nachricht, und der schlug sie zurück.

Die Götter pflegten mit den Menschen Freundschaft, lehrten sie Lebensrunen und Freude bringende Runen. Die Gesichter der Asen und Menschen glänzten von Glück. In Midgard trugen die Felder so üppige Ernten, dass einigen Menschen von übermäßigem Essen die Bäuche platzten.

Odin zähmte die Raben Huginn und Muninn und lehrte sie klug zu sprechen. Morgens fliegen sie hinaus in die Welten, kehren abends zurück, setzen sich auf Odins Schultern und flüstern ihm Neuigkeiten ins Ohr. Der Göttervater sieht darauf, dass außer seiner Frau Frigg niemand Hlidskjalf betritt. Odin behauptet, anderen Göttern fehle die Weisheit, alles Beobachtete zu deuten, oder ihre Sinne würden von dem Gesehenen verwirrt. Wie rasch das geschehen konnte, wird bald zu erzählen sein.

Von seinem Hochsitz beobachtete Odin auch das zweite Göttergeschlecht, die Vanen in Vanenheim, über deren Herkunft nichts überliefert ist. Die Vanen lebten in größerem Wohlstand als die Asen. Und die Raben Huginn und Muninn flüsterten Odin zu, die Vanen besäßen mehr und reineres Gold als die Asen.

Die Asen-Götter nehmen den Riesen Loki auf

Manchmal steigt Odin von Hlidskjalf, wirft seinen blauen Wolkenmantel über, setzt seinen breitkrempigen Hut auf und sieht in den Welten selber nach dem Rechten. Zuweilen kehrt er in Midgard bei schönen Mädchen und anmutigen Frauen ein.

Odin ist hochgewachsen und der vornehmste aller Götter. Jeder, der ihn ansieht, freut sich über seine stattliche Erscheinung. Er spricht so gewandt und eindringlich, dass alle Zuhörer meinen, allein er sage die Wahrheit. Und durch seine Zauberkunde kann er nach Belieben Aussehen und Gestalt wechseln, von einem Augenblick zum anderen in ferne Länder fahren, durch Worte Feuer löschen, Stürme besänftigen, Winde drehen, nach welcher Seite er will. Und er versteht Krankheiten zu heilen und Unheil abzuwenden. Aber er kann auch jemandem Kraft und Verstand rauben und anderen verleihen oder gar Krankheiten, Unglück und Tod verhängen, über wen und wie er es will. Auch setzt er sich unter Gehenkte nieder und weckt andere Tote auf.

So erfahren und weise Odin auch ist, allein kann und will er nicht herrschen. Das vollziehen die Götter gemeinsam im Rat; dort treffen sie sich täglich, halten Gericht und besprechen, wie die Welten zu erhalten sind. Auch die Göttinnen gehören zum Rat und werden für ebenso mächtig gehalten wie die Götter.

Odins Frau Frigg ist die angesehenste Asin, sie besitzt ein Falkengewand und fliegt damit häufig nach Midgard. Die Menschen verehren sie als Göttin der Familie und der Frauen. Ihre Wohnstätte heißt Meer-Säle. Die Asin Fulla hütet ihre Schatzkiste, bewahrt ihre Schuhe auf und kennt Friggs Geheimnisse. Die Jungfrau Fulla trägt ihr Haar offen und ein Goldband um die Stirn.

Odin und Frigg vertreten bei Streitfällen der Menschen oft verfeindete Parteien und suchen einander zu hintergehen, aber sonst führen beide, wie es heißt, eine gute Ehe. Frigg kränkt, dass Odin manchmal Mädchen verführt, doch auch ihr werden Liebesabenteuer nachgesagt. Odin und Frigg verbindet vor allem die Liebe zu ihrem Sohn Balder.

Die Menschen verehren, auch durch Opfer, am meisten Odins ersten Sohn Thor, den stärksten Gott und Herrn des Gewitters. Thor trägt einen wallenden roten Bart, braust mit seinem Bocksgespann über die Wolken, schickt milde Gewitter und warme Regen für Saaten und Weiden oder sendet Blitze gegen Feinde aus Utgard.

In der Frühzeit hielten die Asen nach dem Rat fröhliche Gelage, speisten von goldenen Schüsseln, tranken Bier und Met aus kostbaren Trinkhörnern; funkelnde Steine zierten ihr Tischgerät; die lärmige Halle schimmerte im Feuer des Goldes.

Odin trinkt Wein, das ist zugleich seine Speise. Als größter Esser und Trinker wird Thor gerühmt; Lachs schmeckt ihm am besten; zu mancher Mahlzeit verspeist er einen ganzen Ochsen. Es heißt, der hemmungslose Appetit Thors, des Sohnes von Jörd, der Erde, sei Zeichen seiner Kraft.

Die Göttinnen und Götter feierten das Geschaffene, ihre Befreiung von der rauhen Welt der Riesen. Sie liebten das Brettspiel mit den goldenen Figuren. Häufig saß der Ase Balder neben dem blinden Asen Höd, reichte ihm Speisen und füllte ihm das Trinkhorn, führte ihn durch Wohnstätten auf Asgard oder zu Spaziergängen ins Freie. Mehrmals kamen schöne Riesinnen zu Gelagen und übergaben Goldklumpen. Heimdall warnte: Geschenke von Riesen bedeuten Gefahr. Doch Odin und die Asinnen nahmen das Gold an.

Die Asin Idun verwahrt in einer Truhe die goldschimmernden Äpfel der Jugend und reicht den Asen davon täglich nach dem Mahl. Kein Ase meinte, die Früchte könnten einmal ausbleiben. Und da die Götter nicht alterten, glaubten sie an ihre Unsterblichkeit. Die Frauen lobten Odins kraftvolle Lenden, er warf den Speer weiter als in seiner Jugend.

Die Asen hielten täglich Rat, wie die Welten weiter zu bauen seien, und befanden auch über die Lichtalfen. Die kleinen anmutigen Wesen sind schöner als die Sonne, wohnen in Alfenheim westlich von Asgard, wurden zu Gefährten der Götter bestimmt und angehalten, den Menschen wohlgesinnt zu sein.

Und die Asen entschieden auch über die Maden, die im Fleische des Ymir gewachsen waren, sich zahlreich im Speichel des riesischen Urwesens und in seinem Blut vermehrt hatten, das aus seinen Wunden schwappte und gerann. Die Götter verliehen diesen Maden Gestalt und Verstand der Menschen und bestimmten, sie sollten in der Erde und in den Steinen wohnen. So entstanden die Zwerge, auch Schwarzalfen genannt. Die meisten sind schwärzer als Pech. Einige heißen Schrumpfhaut, Trotzig, Hügelspürer, Lauerwolf, Hornbohrer. Viele Zwerge sind kunstfertige Handwerker und verstehen bessere Schmuckstücke, Werkzeuge und Waffen zu fertigen als die Götter, was denen Unglück bringen sollte. So hatten die Asen Schwarzalfenheim geschaffen und meinten, auch diese Welt habe für immer Bestand.

Eines Tages stieg ein kleiner Riese nach Asgard, riet wohl zu geschickterem Bauen und offenbarte Anschläge von Trollen gegen Midgard. Da gerieten die Asen in heftigen Streit. Die Ratschläge des Riesen bewährten sich, und er kam häufiger. Thor mochte diesen redegewandten Jungen mit Namen Loki und wählte ihn gern als Begleiter auf seinen Fahrten. Dieser zu lustigen Streichen aufgelegte Bursche suchte die Nähe von Odin, fühlte sich ihm wesensverwandt und bat ihn, dessen Wunschsohn zu werden. Thor sprach im Rat dafür. Und die Asin Idun scherzte, ob Loki nur wegen ihrer Äpfel zu den Asen gehören wolle.

Der Wächter Heimdall misstraute Loki. Heimdall ist von neun Schwestern geboren, er braucht weniger Schlaf als ein Vogel, sieht Tag und Nacht hundert Meilen weit, und er hört nicht nur das Gras auf dem Boden, sondern auch die Wolle auf den Schafen wachsen. Der Späher neben Bifröst warnte, ein junger Riese in Asgard berge Gefahr: sein Scharfsinn könne leicht zur Tücke, seine List zur Hinterlist werden, er verwirre die Asinnen durch schöne Worte und stifte im Rat Unheil.

Odin stieg auf Hlidskjalf und bedachte die Einwände des Wächters von Asgard; Heimdall wurde der hellste Ase genannt.

Aber Balder sprach offenbar im Rat für Loki. Balder galt als der Beste, alle Götter lobten ihn. Er war schön und glänzte so, dass ein Leuchten von ihm ausging. Die Menschen verehrten Balder auch als Gott der Sonne und des Lichtes. Er gehörte zu den Klügsten, redete geschickt wie Odin und war der Versöhnlichste und Gerechteste. Damals wurden Balders Ratschläge noch befolgt: Nähmen die Asen einen jungen Riesen auf, stärke das ihre Gemeinschaft und versöhne Götter und Riesen. Keiner ahnte die Folgen dieses Vertrauens.

Odin witterte anscheinend in Loki Blut von seinem Blut und Fleisch von seinem Fleisch, er pries seine Schlauheit und sein schönes Antlitz; und Loki besitze besondere Schuhe, die ihn überall hintrügen und den Asen nützen könnten. So überredete der Göttervater die Zweifler im Rat, mischte mit Loki sein Blut und erhob ihn zum Wahlsohn. Seitdem wurde auch Loki Ase genannt. Vielleicht ahnte Odin, der Friede zwischen Göttern und Riesen breche bald, und keiner durchschaue die Heimtücke der Riesen besser als ein Übergetretener. Die Aufnahme Lokis in Asgard sollte den Göttern und Menschen zum Verhängnis werden.

Der Weltenbaum

Die Götter treffen sich zum täglichen Rat auch beim Weltenbaum, der Esche Yggdrasill. Er ist der größte und beste aller Bäume, breitet seine Äste über alle Welten aus und schützt Midgard. Seine Krone stützt den Himmel. Der Lebensbaum steht immergrün; verdorrt ein Zweig, sprießen am nächsten Tag neue Blätter. Drei starke Wurzeln greifen weit aus und halten Yggdrasill aufrecht. Die erste Wurzel reicht zu den Göttern und Menschen, die zweite zu den Riesen, die dritte nach Niflheim. Unter jeder Wurzel entspringt eine Quelle.

Wie alle Stätten, wo Rat gehalten wird, ist auch diese bei der Weltenesche unverletzlich, also heilig. Die Götter reiten zu ihr über die Asenbrücke Bifröst. Nur Thor geht zu Fuß und durchwatet zahlreiche Flüsse.

Auf der Spitze des Weltenbaumes wacht ein Hahn, er glänzt von Gold und leuchtet in der Sonne. In den Zweigen der Esche sitzt ein weiser Adler und hält Ausschau nach möglichen Feinden. Zwischen den Augen des Adlers sitzt ein Habicht und macht das Wetter. Der Habicht heißt Der im Sturm Zerzauste.

Vier Hirsche laufen außen um die Esche, fressen mit zurückgebogenen Hälsen Blätter und beißen frische Knospen ab. Aber je emsiger in der Frühzeit die Tiere weideten, desto mehr neue Zweige trieb Yggdrasill. Kein kahler Ast stach aus dem dichten Laubwerk.

Unter der Eschenwurzel, die über Niflheim liegt, hausen mehr Schlangen, als eine Zunge zählen kann, und knabbern an den Wurzeln von Yggdrasill. Einige Schlangen heißen Höhlenwölfin, Graurücken, Aufhetzerin. Inmitten dieser Ottern liegt der Drache Nidhögg, der grimmig Hackende, und zerbeißt Pfahlwurzeln. Die Untiere nagen und mühen sich, den Stamm zu lockern, doch Yggdrasill senkt neue Wurzeln in die Erde. In der Frühzeit galt den Asen der Baum als unfällbar, obwohl oben an den Zweigen Hirsche fraßen, die Seiten des Baumes faulten und unten Nidhögg nagte.

Zwischen dem Drachen Nidhögg und dem Adler eilt das Eichhörnchen Ratatosk, was Nagezahn heißt, am Stamm der Weltenesche auf und nieder. Es ist flink, neugierig und geschwätzig. Das Eichhörnchen tuschelt mit dem Adler über den Drachen und mit dem Drachen über den Adler, es flüstert, damit Worte missverstanden werden. Nagezahn verrät dem Adler die Schmähungen von Nidhögg und jenem die Vorwürfe des Adlers. So entsteht Streit zwischen dem Adler als Vertrautem der Götter und dem Drachen, bis daraus Feindschaft erwächst.

Unter der Wurzel bei Niflheim, wo Nidhögg und die Schlangen nagen, liegt Hvergelmir, der brausende Kessel. Bei der Wurzel, die zu den Frostriesen führt, befindet sich der Brunnen des Mimir. Dieser Mann ist voller Weisheit; in dem Brunnen, den er hegte, liegen Verstand und Scharfsinn. Und solange er den Brunnen behütete, trank er von dem Wasser täglich mit dem Gjallarhorn, das er für Heimdall verwahrte. Der Wächter von Asgard würde dieses lauttönende Horn erst vom Brunnen holen und darauf blasen, wenn für die Welten Gefahr drohe.

Unter jener Wurzel der Weltenesche, die zu den Menschen reicht, liegt der Brunnen der Norne Urd. In einem prächtigen Saal wohnen hier drei Nornen, die Schicksalsfrauen. Täglich schöpfen sie Wasser aus dem Brunnen und besprengen die Esche, damit die Zweige nicht vertrocknen. Und mit dem Lehm im Wasser düngen sie Yggdrasill. Das Wasser ist so heilig, dass alle Dinge, die damit benetzt werden, sich weiß färben wie die innere Eihaut. Tau fällt von der Esche und feuchtet die Erde. Er heißt Honigtau, weil sich davon die Bienen nähren. Auch zwei Schwäne, die im Urd-Brunnen leben, trinken davon. Von beiden stammt das ganze Geschlecht der Schwäne.

Die Nornen messen allen Wesen ihr Schicksal zu; das tut die Norne Urd für die Vergangenheit, die Norne Verdandi für die Gegenwart und die Norne Skuld für die Zukunft.

Es gibt auch andere Nornen, sie weben ebenfalls am künftigen Geschick. Einige Nornen stammen von den Asen ab, andere von den Lichtalfen oder von den Zwergen. Es heißt, Nornen aus gutem Geschlecht teilen Gutes zu, solche von böser Herkunft verhängen Unheil. Manchen Menschen werden Wohlleben und Macht beschert, andere bekommen weder Vorteil noch Ruhm: der Lebensfaden wird verschieden lang gesponnen. Jeder Mensch, wird erzählt, habe von Geburt an eine Norne, die begleite ihn sein Leben lang. Einigen Nornen wird Hilfe bei der Geburt zugeschrieben.

Auch die Götter greifen in das Schicksal der Menschen ein; aber den Asen bliebe ihr eigenes verborgen, behaupteten die Nornen und verkündeten: Wir weben die Zukunft der Götter, nur wir kennen ihr Schicksal; einst wird der Weltenbaum verdorren, und von Muspellsheim, der heißen Gegend im Süden, kommt deren Anführer, der Feuerriese Surt, und brennt mit seinem Flammenschwert alle Welten nieder, Yggdrasill wird lodernd zusammenstürzen.

Balder und Höd lachten vermutlich über diese Prophezeiung.

Thor vertraute seiner Kraft und der Macht und der Weisheit der Götter.

Heimdall spähte nach Weltfeinden.

Odin stieg, von Ahnungen getrieben, auf Hlidskjalf.

Der Vanen-Gott Frey wirbt um die schöne Riesin Gerd

Der Vater der Asen beobachtete von seinem Hochsitz oft das Reich der Vanen. Im goldenen Zeitalter besuchten sich die Angesehensten der beiden Göttergeschlechter häufig in ihren Wohnstätten. Die Vanen meiden Streit, halten sich nicht für klüger als andere und sind wegen ihrer Fröhlichkeit bei den Asen beliebt. Viele Vanen sind der Sinnesfreude zugetan. Der bedeutendste Vane ist Frey. Die Menschen rufen ihn nicht nur an, weil er Frieden und Wohlstand, sondern auch, weil er reiche Ernten gewährt.

Einmal weilten Frey und sein Vater Njörd in der Halle Odins. Als der Vater der Asen nach reichlich Wein eine Rede in Versen hielt, schlich sich der junge Frey aus der Halle und stieg auf Hlidskjalf, was verboten war. Ihn trieb Neugier. Von Hlidskjalf schaute Frey, wie sonst nur der Göttervater, über alle Welten. Er sah die Menschen Langhäuser bauen und sich mit Ochsengespannen vor Holzpflügen mühen. Riesen tummelten sich auf kargen Hängen. Er sah drei- und sechsköpfige Riesen, Fünf- und Siebenhänder. Die bösartigen Riesen werden Thursen genannt. Dann gewahrte Frey im Norden Riesenheims ein prächtig umzäuntes Gebäude. Vor dem ging ein Mädchen über den Hof. Das Bild währte nicht länger als der Schein eines Sonnenstrahls.

Frey stieg wieder zur Festhalle hinab, sprach kein Wort mehr, wies sogar Met zurück, was noch nie vorgekommen war. Das Mädchen vor dem umzäunten Gebäude heißt Gerd und ist die Tochter des gefürchteten Bergriesen Gymir. Rächte sich so Freys Vermessenheit, Odins Verbot übertreten zu haben?

Als Gott des Genusses und der Liebesfreude ist Frey sehr frauenkundig. Nach den harten, eisigen Wintern fährt er festlich auf mit Kühen bespannten Wagen über Land und bringt Fruchtbarkeit für Saat und Weiden; da geben sich ihm die schönsten Frauen und Mädchen hin. In der Halle Odins verstand niemand Freys Schweigen. Keiner wagte ein Wort an ihn zu richten.

Njörd sorgte sich um seinen Sohn, rief dessen Gefährten Skirnir, den Strahlenden, und bat ihn, Frey zum Reden zu bringen und auszuforschen, warum er so bedrückt im Saal hocke.

Skirnir ging widerwillig, weil er von Frey eine schroffe Antwort befürchtete. Auf eine Frage erwiderte Frey:

»Wie könntest du meinen Schmerz fassen! Die Sonne scheint für jedes Büschel Gras, aber nicht für meine Liebe.«

»Die kann so mächtig nicht sein«, erwiderte Skirnir, »wie oft saßen wir nebeneinander beim Gelage, da war kein Platz für Verschlossenheit.« Und er erinnerte Frey an dessen Liebschaften, die keiner zählen könne.

Frey pries das Mädchen in Gymirs Hof: »Als sie die Hand hob, die Tür zu öffnen, leuchteten von ihren Armen Himmel und Meer, und die Welt strahlte wider von ihrem Glanz. Wann liebte je ein Jüngling so ein Mädchen! Wenn ich sie nicht bekomme, will ich nicht länger leben.«

Nach Skirnirs Bericht begriff Njörd, wie ernst es Frey war, und bat den Gefährten seines Sohnes, dessen Bitte zu erfüllen und um Gerd zu werben. Die Verbindung eines Gottes und einer Riesin fördere zudem den Zusammenhalt der Welten.

Skirnir wollte um Gerd werben, wenn Frey ihm sein Schwert gebe. Das focht von selbst, und dessen Träger galt als unbezwingbar. Frey gab ihm auch sein Pferd, das vermochte die Waberlohe, den schützenden Feuerwall, um Gymirs Hof zu überspringen.

Skirnir ritt nach Riesenheim, wohlgerüstet und mit Geschenken. Die Nacht war finster. Feucht glitzerte das Felsengebirge im Morgenschimmer.

Da sprach Skirnir zu dem Pferd: »Entweder führen wir Gerd heim, oder der grimmige Gymir zerschmettert uns.« Die meisten Riesen waren gutmütig und friedfertig. Aber Gerds Vater gehörte zu den streitsüchtigsten und boshaftesten Bergriesen.

Auf einem Hügel beim Hofe Gymirs saß ein Wächter und hielt Ausschau. Vom Zaun des Hofes kläfften bissige Hunde.

Skirnir sprach zu dem Wächter: »Ich habe eine Botschaft für Gerd, aber die Hundemeute wütet.«

»Du wirst die Schöne nie sehen!«, rief der Wächter. »Eher wirst du sterben. Oder sitzt schon ein Toter im Sattel?«

Weder Wächter noch kläffende Hunde hielten Skirnir von seinem Auftrag ab. Und Skirnir meinte, den letzten Tag seines Lebens bestimme ohnehin nicht er, gab dem Pferd die Sporen und setzte mit einem gewaltigen Sprung über die Waberlohe.

Im Hofe griff ihn Gerds Bruder an, brüllend, ein wütiger Riese, der bei seiner Schwester wachte, wenn der Vater unterwegs war. Skirnir wollte ihn schonen, denn das Blut des Bruders würde Gerd abschrecken. Der Riese hieb auf Skirnir ein, spaltete seinen Schild, haute ihn kleiner. Um nicht zu fallen, musste Skirnir das gefürchtete Schwert ziehen. Die Klinge suchte sich die Blößen des Gegners und fällte den Bergriesen.

Das Krachen der Schwerter klang bis in die Halle Gerds. Die Schöne fragte ihre Magd: »Was ist das für ein Lärm? Der Saalboden zittert, der ganze Gymirhof bebt.«

Die Magd sah nach und berichtete, ein Mann sei vom Pferd gestiegen und lasse es grasen, er trage ein schmales Schwert und wirke überaus entschlossen.

»Lass ihn in die Halle treten«, sagte Gerd, »biete ihm Met an.«

Skirnir trat in den Saal.

Gerd fragte den Fremden, ob er ein Ase oder ein Vane sei. »Und warum rittest du allein durch die flackernde Waberlohe?«

Skirnir verneinte göttliche Abkunft, er sei nur ein Bote des Vanen Frey, der sende ihr goldene Äpfel der Verjüngung. Skirnir zeigte Gerd die elf Äpfel und sagte: »Die schenke ich dir, Gerd, als Zeichen für Freys Liebe und damit du ihm deine bekennst.«

Gerd wies die Äpfel wütend zurück und rief: »Nie beuge ich mich einem Werber, nie werde ich in Freys Halle sitzen, solange ich lebe!«

Skirnir bot ihr den kostbarsten aller Ringe.

Auch den wehrte Gerd ab. Ihr fehle es weder an Gold noch kostbaren Steinen. Der Riese Gymir hatte für seine Tochter drei Höhlen voller Schätze gehortet.

Wie sein Herr war Skirnir Feind von Unterwerfung und Gewalt. Aber er fürchtete für das Leben Freys. Widerstand die störrische Gerd aus Stolz und riesischem Eigensinn? Verzehrte sie sich heimlich wie manche Riesin nach dem schönen Frey? Sträubte sie sich aus Furcht vor ihrem Vater, oder weil ihr Bruder fiel? Also drohte Skirnir mit dem Äußersten:

»Sieh dieses scharfe Schwert. Die Ornamente auf seiner Klinge brenn ich dir ein. Den schönen Kopf hau ich dir vom Halse, wenn du nicht einwilligst!«

Gerd erwiderte noch trotziger: »Nie beuge ich mich Zwang und Männerliebe! Gleich wird mein Vater in die Halle stürmen und dich niederstrecken.«

Skirnir zückte das Schwert und hielt es in Richtung der Tür: »Das fällt auch den Alten.«

Gerd blieb kalt wie draußen der Fels.

Da zog Skirnir das Zauberreis und sprach zur Widerspenstigen: »Zähmen wird dich mein Wille, Weib. Hocken sollst du auf einer steilen Felsklippe, nur Adlern zugänglich. Sollst dich ekeln vor jeder Speise, mehr als die Menschen vor der giftigsten Schlange. Wahnsinn und Neid, Enttäuschung und Ungeduld treiben dich zu Tränen. Tag für Tag quälen dich Trolle. Tag für Tag sollst du dich vor Hunger hinschleppen in die Halle der Frostriesen. Statt der Freude sättige dich Leid. Bei dreiköpfigen Thursen sollst du hausen oder unvermählt alt und krumm werden. Begierde schüttle dich. Sehnsucht versenge dich. Wie eine Distel sollst du verdorren am Wegrand. Odin zürnt dir. Hört, ihr Asen und Vanen, ich banne von der Anmutigsten allen Mannesgenuss!«

Skirnir sah, wie eine winzige Falte neben Gerds Mund sich unter seinen Verwünschungen tiefer in die Haut grub. Der Gefährte Freys verwünschte die Eingeschüchterte weiter:

»Hrimgrimnir, das scheußlichste Ungeheuer, soll dir täglich zwischen die Schenkel gehen, am Tor zum Totenreich. Trolle werden dir Ziegenpisse einflößen. Jeder andere Trank wird verweigert. Das tust du dir an, Mädchen. Das zwing ich dir auf. Gleich ritz ich die Runen, ein Zeichen für den Thursen. Und in drei Stäbe schneid ich Geilheit, Leid und Liebesrasen!«

Langsam setzte Skirnir das Messer an, um den Runenzauber wirken zu lassen. Da nahm Gerd rasch den gefüllten Kristallkelch und rief:

»Hier, trink den Met. Nie hätte ich geahnt, den stattlichen Frey zu wählen!«

Nach dem Versöhnungstrunk bat Skirnir um eine Botschaft an Frey, wann Gerd sich ihm hingeben wolle.

Dann ritt Skirnir heim. Frey stand schon draußen vor der Tür und drängte auf eine Antwort, noch ehe der Gefährte den Sattel abnahm und einen Fuß vor den anderen setzte.

Skirnir nannte ein Kornfeld, dort wolle im Frühlingswind Gerd in neun Nächten mit Frey Hochzeit halten.

»Eine Nacht ist lang, länger sind zwei, wie überstehe ich drei?«, rief Frey. »Oft vergeht ein Monat rascher als eine halbe Nacht Sehnsucht.«

Frey und Gerd feierten Hochzeit und blieben Mann und Frau. Sie hatten zusammen einen Sohn Fjölnir, der wurde ein mächtiger König.

Zum Dank schenkte Frey seinem Gefährten Skirnir sein Schwert, so groß war seine Liebe – vielleicht war dem Fruchtbarkeitsgott die Waffe ohnehin lästig, aber er konnte nicht ahnen, wie sie ihm einst fehlen würde.

Wie Knechte, Bauern und Könige entstehen

Odin und Frigg saßen auf Hlidskjalf, blickten über die Welten und stritten über die letzte Abmachung im Rat, wonach Heimdall nach Midgard entsandt werden sollte, um die Stände der Menschen zu schaffen; aber Odin wollte das selber tun, denn ihm lag daran, zahlreiche Menschen mit Besitz und Macht auszustatten.

Frigg gönnte ihrem Mann die Fahrt nach Midgard nicht, denn die würde ihm, wie sie meinte, Vergnügen und Lust bescheren. Vielleicht gelang Odin, durch geschickte Rede Friggs Befürchtungen zu zerstreuen, und er ging unter dem Namen Heimdall unter die Menschen. Vielleicht war es auch Heimdall selbst.

Und so machte sich der Ase auf nach Midgard, wanderte auf grasbewachsenen Wegen und kam an die Küste eines Binnensees zu einem Hof, der aus einigen Hütten bestand. Heimdall trat durch die offene Tür des Wohnhauses. In einer von Steinen eingefassten Feuerstelle brannte Holz. Um die saßen Ai und Edda, Urgroßvater und Urgroßmutter, die noch keine Kinder hatten. Heimdall wurde nach seinem Namen befragt und nannte sich Rig, dann bat er die beiden Alten auseinanderzurücken und setzte sich zwischen sie auf die Bank. Edda reichte grobes Brot – die Kornhülsen bröckelten –, goss Fleischbrühe in rauhe Tonschalen und legte andere karge Speisen auf den Tisch.

Bald erhob sich Odin, riet Edda, das Bett zu machen, und legte sich zwischen Urgroßvater und Urgroßmutter. Er lebte drei Tage bei ihnen, dann wanderte er weiter.

Nach neun Monaten gebar Edda einen Knaben, er wurde mit Wasser besprengt und, weil er erdig aussah, Knecht genannt. Seine Hände waren runzlig, die Knöchel knotig und die Finger dick. Er hatte ein grobes Antlitz, einen gekrümmten Rücken und lange Fersen.

Der Knecht wuchs heran, wurde kräftiger und begann Bast zu binden, er schleppte den ganzen Tag Reisig und andere Lasten.

Da trat ein Weib mit gebogener Nase und krummen Beinen in den Hof. Ihre Arme waren braungebrannt, feuchte Erde klebte an ihren Sohlen. Und man nannte sie Magd.

Der Knecht und die Magd setzten sich auf eine Bank und sprachen lange miteinander, dann tat jeder seine Arbeit. Und abends machten sie das Bett, fühlten sich auch dort behaglich und bekamen dann zahlreiche Kinder. Einige Söhne hießen Kühjunge, Plumpsack, Stinker, Dickwanst, Faulpelz und Kraftprotz. Sie zimmerten Zäune, bebauten Felder, züchteten Schweine, hüteten Ziegen und gruben Torf. Einige Töchter hießen Trampel, Dickwade, Schandschnauze, Küchenschabe, Lumpenlise und Kranichbein. Sie gebaren den Stand der Knechte und Mägde.

Nachdem Heimdall Ai und Edda verlassen hatte, ging er breite, ausgetretene Wege und kam an ein größeres Gehöft. Der Gast fand die Tür zur Halle im Wohnhaus angelehnt, trat ein und nannte sich Rig. Um das Feuer, das auf dem Boden loderte, saßen kinderlos Afe und Amma, Großvater und Großmutter; sie ließen sich von ihren Arbeiten nicht abhalten. Der Großvater behaute ein Holz für den Webebaum. Heimdall sah das Haar des Mannes in die Stirn gekämmt und oberhalb der Brauen beschnitten, seinen Bart geordnet; über seinen Leib spannte sich ein Hemd. Die Großmutter saß neben einer Truhe, webte Stoffe für Kleider und streckte die Arme bei emsiger Arbeit. Die Frau trug einen Kopfputz, eine Jacke mit Ärmeln und um den Hals ein Tuch; zwei Spangen hielten das an den Achseln.

Heimdall gefiel die Kleidung der Frau, er bat Großvater und Großmutter auseinanderzurücken und setzte sich zwischen sie auf die Bank. Die Großmutter brachte weiches frischgebackenes Brot und Bier und dann volle Schüsseln mit köstlichem Kalbfleisch.

Nach dem Essen riet Heimdall den beiden, ins Bett zu gehen, und legte sich zwischen Großvater und Großmutter. Heimdall weilte drei Tage und drei Nächte bei ihnen, dann machte er sich wieder auf den Weg.

Nach neun Monaten gebar die Großmutter ein Kind, besprengte es mit Wasser und nannte es Karl. Die Haut des Knaben war frisch und rot, sein Blick lebhaft, er wuchs und gedieh. Karl zimmerte dann Häuser, zähmte Ochsen, schmiedete Schare, lenkte den Pflug und erfand den Kastenwagen zum Transport von Lasten.

Dann holte sich Karl eine Frau mit Schlüsseln am Gürtel und einem Rock aus Ziegenleder. Sie hieß Schnur und trug einen Schleier. Der Bauer und seine Frau gründeten einen Haushalt, fühlten sich im Bett ebenso wohl wie am Feuer und hatten zahlreiche Kinder. Einige Söhne hießen Schmied, Flechtbart, Zimmerer, Pflüger und Glattbart, einige Töchter hießen Flinkzunge, Sittsame, Weberin, Schmucke und Stolze.

Von Karl und seiner Frau kommt der Stand der Freien. Dazu gehören die Bauern, Handwerker, Händler, Fischer.

Dann lief Heimdall feste, gerade Wege und kam an einen großen Hof. Die Tür zum Saal ging nach Süden, war gegen Wind und Wetter geschützt und zur Seite geschoben. Heimdall trat auf das Stroh, mit dem der festgestampfte Fußboden bestreut war, und nannte sich Rig.

Im Saal saßen Vater und Mutter, spielten mit den Fingern und sahen sich freundlich an, taten sonst nichts. Dann drehte der Hausherr die Sehne, spannte den Bogen und schnitt Pfeile. Die Hausfrau betrachtete wohlgefällig ihre Arme, strich über den kostbaren Stoff ihres Gewandes und zog die Ärmel straff. Ihr Kopfschmuck ragte hoch über ihr Schleppkleid. Da berührte Heimdall ihre Wangen, die waren heller, ihre Brust, die war glänzender, ihren Hals, der war weißer als reiner, frischgefallener Schnee.

Heimdall bat das Ehepaar auseinanderzurücken und setzte sich auf die Bank zwischen beide. Die Mutter deckte ein weißes gemustertes Tuch auf den Tisch, stellte silberne Schüsseln mit geschmorten Scheiben Speck und gebratenen Vögeln darauf und reichte dünne weiße Brote von Weizen. Dann brachte sie eine Kanne Wein und schenkte in die Kelche ein. Nach dem Essen tranken sie weiter und redeten den ganzen Tag.

Dann gab Heimdall ihnen den Rat, das Bett zu machen; und er legte sich zwischen Vater und Mutter. Er blieb drei Nächte und fühlte sich sehr behaglich. Dann machte er sich schweren Herzens auf den Weg.

Und es vergingen neun Monate. Die Mutter gebar einen Knaben, hüllte ihn in Seide, er wurde mit Wasser besprengt und Jarl genannt. Sein Haar war flachsgelb, seine Wangen glänzten hell, und seine Augen blitzten scharf wie die einer jungen Schlange. Der junge Jarl wuchs heran und lernte die Sehne am Bogen zu spannen und Pfeile zu spitzen. Dann ritt er Hengste ein, warf Speere, hetzte Hunde und schwamm durch den Sund.

Eines Tages jagte der junge Jarl im Wald, da trat Heimdall, als Rig verkleidet, aus einem Hain und lehrte ihn Runen schneiden, ihren Sinn und ihren Zauber. Als Heimdall sah, wie geschickt der junge Jarl die Runen zu handhaben wusste, gab er ihm seinen Namen und erkannte ihn als seinen Sohn an. Und Jarl hieß nun Rig Jarl und erhielt von Heimdall ausreichend Grundbesitz.

Rig Jarl besaß achtzehn Höfe und war sehr wohlhabend, er verschenkte Pferde, goldene Armspangen und verteilte andere Kostbarkeiten. Auch dadurch erwarb er sich großes Ansehen.

Rig Jarl sandte Gefährten zur Halle des mächtigen Hersen, sie sollten um dessen Tochter Erna werben. Das Mädchen war sehr klug und anmutig, sie war schmalfingrig, und ihre Haut schimmerte weiß wie das Gefieder junger Gänse. Die Boten gewannen die Tochter und führten sie dem Jarl heim.

Rig Jarl und Erna wohnten zusammen, fanden Gefallen aneinander und bekamen zahlreiche Kinder. Der Älteste hieß Sohn, andere wurden Erbe, Nachkomme, Sprössling genannt. Jung König hieß der Jüngste. Die Söhne des Jarl wuchsen heran; sie spitzten Pfeile, rundeten Schilde, zähmten ungestüme Pferde und warfen den Speer aus Eichenholz.

Heimdall lehrte Jung König Runen, auch solche, deren Zauberkraft ewig währt. Jung König vermochte nun die Geburt der Menschen zu fördern, Schwerter und Pfeile zu stumpfen und den Sturm zu stillen. Und er lernte das Krächzen der Vögel zu verstehen, Feuersbrünste zu ersticken, aufgebrachte Gemüter zu besänftigen und Sorgen zu lindern. Er gewann Stärke und Kraft von acht Männern.

Jung König maß sich mit Rig Jarl in Runenkunde und gewann durch größere Klugheit und List. Da wurde ihm gestattet, Rig zu heißen, und man nannte ihn runenkundig.

Einmal ritt Jung König durch den Wald, jagte mit Pfeil und Bogen und lockte Vögel durch Köder. Da rief eine Krähe von einem Zweig: »Warum, Jung König, stellst du Vögeln nach? Du solltest lieber Pferde satteln und Krieger fällen. Im Lande jenseits des Sunds herrscht ein König, der hält sich für mächtiger.«

Was krächze die Krähe in die Stille, erwiderte Jung König, und verscheuche ihm die Finken, er fälle lieber den stärksten Hirsch als den stärksten König.

In dieser Frühzeit gab es noch derartige Könige.

Die Zwerge schmieden um die Wette

Die Asen beobachteten von Asgard, wie die Knechte, Bauern und Jarle sich vermehrten, wie sie Wälder rodeten und Länder besiedelten, und sie hörten die Zwerge in den Schluchten wispern und kichern und in den Höhlen fröhlich hämmern.

Und Loki beobachtete, wie Jarle und Könige Männer um sich bewaffneten und Heere aufstellten. Das meldete er Odin. Aber die meiste Zeit verbrachte Loki mit Thor auf dessen Fahrten nach Utgard, spürte Trolle in Schlupfwinkeln auf und diente Thor öfter bei der Abwehr von Bergriesen. Das erwies sich jetzt als nützlich, denn als der Riese Gymir zurückgekehrt war, seinen Sohn von Skirnir erschlagen und seine Tochter Gerd auf dem Wege zu den Göttern sah, toste er über die Berge, kippte Felswände in die Täler. Starke Bergriesen hätten Gerd, das schönste Riesenmädchen, selbst gern gefreit. Da die Enttäuschten gegen die Götter nicht vorzugehen wagten, zürnten sie gegen deren Lieblingsgeschöpfe, die Menschen. Thor musste sie schützen und viele Eindringlinge zurückschlagen. Aber die Speere der Götter wurden stumpf oder brachen. Schwerter wurden verbogen. Die von den Asen geschmiedeten Waffen erwiesen sich im Kampf als nicht hart genug.

Eines Tages kehrte Thor von einem Feldzug gegen die Riesen mit zerschlagener Waffe zurück und fand seine Frau Sif weinend, denn Loki hatte ihr im Schlafe das lange goldblonde Haar abgeschnitten. Kein Geschmeide schmückte Sif so wie ihr Haar.

Thor und Loki waren fast Freunde geworden. Es war nicht schwer, Thor zu reizen, dann brauste er auf und wurde jähzornig. Loki brachte so mehrfach Thor gegen sich auf. Hatte sich Thors Zorn gelegt, verzieh er dem Gefährten mit den lustigen Einfällen.

Aber diesmal ergriff der Gewittergott Loki und hätte ihm alle Knochen zerschlagen, wenn der ihm nicht geschworen hätte, zu den Zwergen hinabzusteigen und weit schöneres Haar machen zu lassen, als Sif je besessen hatte. Loki ging zu Ivaldis Söhnen, die galten unter den Zwergen als die kunstfertigsten Schmiede. Sie machten in ihren Höhlen für Sif Haar aus reinem Gold, und das sollte wachsen wie echtes Haar. Da Loki die Folgen seines Streiches nicht bedacht hatte und von den stumpfen Waffen der Götter wusste, bat er Ivaldis Söhne, bessere Waffen zu schmieden. Und die Zwerge hämmerten den Speer Gungnir, den im Wurf nichts hemmte, und machten das Schiff Skidbladnir.

Auf dem Heimweg traf Loki den Zwerg Brokk, zeigte und pries die kunstvollen Stücke. Brokk sah geringschätzig auf sie herab und behauptete, Meisterschmied sei sein Bruder Sindri, er verstehe Stücke zu hämmern, die den Göttern noch weit mehr Nutzen brächten. Im Überschwang wettete Loki um seinen Kopf, dass Sindri nicht drei gleich kostbare Stücke gelängen wie Sifs Goldhaar, das Schiff Skidbladnir und der Speer Gungnir. Brokk kicherte und wettete seinen Kopf dagegen.

Brokk eilte zu seinem Bruder und berichtete von der Abmachung. Beide gingen sogleich zur Schmiede. Sindri legte einen Blasebalg aus Schweinshaut in die Esse und bat Brokk, so lange zu blasen, bis er das Stück aus der Esse nehme. Sobald Sindri die Schmiede verließ und Brokk zu blasen begann, setzte sich eine Fliege auf seine Haut und stach ihn. Loki waren Zweifel gekommen, ob er nicht wieder zu wenig bedacht hatte, ob er die Wette tatsächlich gewinnen würde, und hatte sich in dieses Tier verwandelt. Brokk hielt den Schmerz aus und blies so lange, bis Sindri das Stück aus der Esse nahm. Es war ein Eber mit goldenen Borsten, genannt Gullinborsti.

Dann legte Sindri Gold in die Esse und bat Brokk, so lange zu blasen, bis er zurückkäme. Als Sindri hinausging, schwirrte die

Fliege wieder herbei, setzte sich Brokk auf den Hals und stach doppelt so stark, dass Brokk vor Schmerz fast zu blasen aufhörte, jedoch die Schweinshaut so lange weiterbediente, bis Sindri das zweite Schmiedestück aus der Esse nahm. Das war der Goldring Draupnir.

Schließlich legte Sindri Eisen ins Feuer und mahnte Brokk, das Stück werde unbrauchbar, wenn er sich vom Blasen einen Augenblick abbringen lasse. Diesmal setzte sich die Fliege Brokk zwischen die Augen und stach ihn in die Lider. Brokk blies weiter, bis ihm das Blut in die Augen troff und er nichts mehr sah, da wischte er so rasch er vermochte mit der Hand die Fliege weg. In diesem Moment sackte der Blasebalg zusammen. Der Schmied kam und sagte, beinahe wäre das letzte Stück verdorben, und nahm einen Hammer aus der Esse, den er Mjöllnir, den Zermalmer, nannte.

Sindri gab seinem Bruder den Eber Gullinborsti, den Ring Draupnir und den Hammer Mjöllnir. Dann bat er Brokk, mit den Stücken nach Asgard zu gehen und die Götter entscheiden zu lassen, wer am besten geschmiedet habe.

Auch Loki kam mit den Stücken, die Invaldis Söhne geschmiedet hatten, zur Halle Odins.

Odin, Thor und Frey, der bei den Asen zu Gast war, saßen auf den Richterstühlen.

Loki verteilte seine kostbaren Stücke und erklärte ihren Wert, reichte Odin den Speer Gungnir und sagte, der würde sein Ziel nie verfehlen. Mit dieser einmaligen Waffe hoffte Loki, Odin für sich gewonnen zu haben. Dann gab Loki Thor das Goldhaar für Sif und versicherte, das würde, wenn es auf dem Kopf läge, sich sofort mit dem Fleische verbinden und zu wachsen beginnen. Damit glaubte sich Loki Thors Stimme bei der Entscheidung sicher. Und Frey erhielt Skidbladnir, das beste aller Schiffe, wie Loki beteuerte. Sobald man die Segel setze, habe es günstigen Fahrtwind, wohin man auch steure. Und ginge man über Land oder benötige aus anderen Gründen das Schiff nicht, könne man es zusammenwickeln wie ein Tuch und in einem Beutel tragen. Mit diesen Stücken meinte Loki die Wette zu gewinnen.

Dann holte Brokk die Schmiedestücke Sindris und schenkte Odin den Ring Draupnir und sagte, jede neunte Nacht würden acht gleichschwere Ringe von ihm abtropfen; deshalb heißt Draupnir der Träufler. Brokk gab Frey den Eber und erklärte, der laufe durch

die Luft und über das Meer schneller als jedes Pferd, und keine Nacht wäre so dunkel, dass sie nicht von seinen leuchtenden Borsten erhellt würde. Schließlich reichte der Zwerg Thor den Hammer Mjöllnir und versicherte, so hart er auch damit zuschlage und wogegen immer, nichts könne ihm schaden, und er treffe immer sein Ziel, so weit es auch entfernt liege, und kehre doch stets in seine Hand zurück. Und wenn Thor es wünsche, werde der Hammer so klein, dass er ihn ins Hemd stecken könne. Leider habe er einen Fehler, das obere Ende des Schaftes sei etwas zu kurz. Loki verbiss sich bei diesen Worten hämisches Grinsen.

Odin, Thor und Frey berieten sich und nannten den Hammer das beste Stück. Er erwies sich auch als der blendende Blitz. Nichts übertreffe ihn als Waffe gegen die Reifriesen und andere Feinde. Sindri sei der Meisterschmied, und Brokk habe die Wette gewonnen.

Da bat Loki um einen Vergleich und wollte sich durch einen hohen Preis aus der Wette lösen. Aber der Zwerg Brokk forderte seinen Kopf.

»Dann nimm mich«, sagte Loki.

Als Brokk ihn packen wollte, war Loki mit seinen Schuhen auf und davon.

Der Zwerg bat Thor, Loki zu ergreifen. Thor war zornig, weil Loki auch dem Stiel des Hammers geschadet hatte, und Thor pochte darauf, Abmachungen einzuhalten; er verfolgte den Entlaufenen mit seinem Bocksgespann und brachte ihn zurück.

Brokk wollte Loki den Kopf abschlagen, da sagte der Listige: »Dir gehört der Kopf, aber nicht der Hals. Haben wir um den gewettet?«

Der Zwerg nahm ein Messer, wollte Loki Löcher in die Lippen stechen und ihm den Mund zunähen; so würde der Frevler verhungern und verdursten. Doch das Messer schnitt nicht; da sagte Brokk: »Hätte ich doch die Ahle meines Bruders.« Sofort war sie zur Stelle. Brokk durchbohrte damit Lokis Lippen und nähte sie zu.

Kurze Zeit schwieg das vorlaute Maul. Dann riss Loki, sosehr es auch schmerzte, die Naht auf und entkam.

Die Götter besahen die Stücke, die die Meisterschmiede für sie gemacht hatten, und ließen Loki laufen.

Frey ritt auf dem Eber Gullinborsti und überholte die schnellsten Pferde.

Odin warf den Speer Gungnir und sah, dass nichts ihn aufhielt.

Thor trug den Hammer Mjöllnir auch nachts an seiner Seite. Und er besaß ohnehin einen Kraftgürtel, der ihm Asenkraft wachsen ließ, und Eisenhandschuhe. Wenn Thor Gürtel und Handschuhe anlegte und Mjöllnir warf, fand er sich unbezwingbar.

Auch der misstrauische Heimdall verzieh Loki den Streich mit Sifs Goldhaar. Später lobte Odin sogar Loki, weil er die besten Schmiede zum Wettstreit aufgereizt hatte.

Odin und der weise Riese Vafthrudnir wetten um ihren Kopf

Nach ihren Streitgesprächen im Rat saßen die Asen und Asinnen oft einträchtig bei Gelagen, der blinde und starke Höd meist neben dem hilfreichen Balder. Odin stieg einmal nach reichlich Wein auf Hlidskjalf, beobachtete Utgard und dachte an die Prophezeiung der Schicksalsfrauen. Und da von den Riesen Gefahr drohte, wollte er erkunden, ob einige tatsächlich so weise seien, wie behauptet. Er fragte Frigg, die ihm auf den Hochsitz gefolgt war. Doch die riet ihm ab, Vafthrudnir aufzusuchen, der als erfahrenster und weisester Riese galt.

»Ich kam viel herum, erforschte viel«, sagte Odin, »nun will ich genauer wissen, wie Vafthrudnirs Saal gebaut ist und welcher Wesensart die Riesen sind.«

»So zieh denn los«, erwiderte dann Frigg, »aber schärfe deine Sinne, wenn du vor diesen Riesen trittst, und kehre heil zurück.«

Odin wanderte durch Riesenheim und kam zur Halle Vafthrudnirs, grüßte ihn und sagte: »Ich bin neugierig, ob du so allwissend bist, wie von dir berichtet wird.«

»Wer bist du?«, fragte Vafthrudnir. »Du verlässt nie mehr meine Halle, wenn du dich nicht als klüger erweist.«

»Gangrad heiß ich«, sagte Odin. »Ich bin weit gewandert, hungrig auf deine Weisheit und durstig nach deinem Wein.«

»Warum stehst du an der Tür? Gangrad, komm in die Halle, auf diesen Sitz. Wir werden unsere Klugheit messen.«

Odin trat in den Raum, nahm auf dem Sitz gegenüber Vafthrudnir Platz und wollte nach dem Wein auf dem gedeckten Tisch greifen, doch Vafthrudnir ließ ihm dazu keine Zeit und fragte sofort:

»Sag mir, Gangrad, wie heißt das Pferd, das immer den Tag über die Erdbewohner heraufzieht?«

»Es heißt Leuchtmähne und erhellt den ganzen Raum über den Welten. Die Götter gaben diesen Hengst dem Tag, um ihn über den Himmel zu fahren.«

»Und wie heißt der Hengst«, fragte Vafthrudnir weiter, »der von Osten die Nacht über Götter und Menschen heranschleppt?«

»Reifmähne heißt das Pferd«, erwiderte Odin, »Schaum tropft aus seinem Maul und betaut jeden Morgen die Erde.«

»Und woher kamen der Tag und die Nacht?«, fragte Vafthrudnir.

»Der Riese Narfi hatte eine Tochter, die heißt Nacht. Sie ist von dunklen Schleiern umhüllt und schwarz wie ihre Vorfahren und heiratete als dritten Gemahl einen Asen, der Frühling heißt. Beider Sohn ist von väterlicher Herkunft blond und schön und heißt Tag.«

»Sage mir, Gangrad, wer lenkt Sonne und Mond, die über die Menschen dahinfahren?«

»Mundilfari ist ihr Vater, der hat einen Sohn und eine Tochter, die sind so leuchtend und schön, dass er den Sohn Mani, also Mond, und die Tochter Sol, also Sonne, nannte. Die Tochter wurde einem Manne vermählt, der Glanz heißt. Die Götter zürnten Mundilfari wegen der Anmaßung, solche Namen zu wählen. Und da auch die Kinder diese Namen nicht ablegen wollten, versetzten die Götter die beiden an den Himmel. Und die Asen lassen den Mond schmal werden wie eine Nadel und voll wie einen Apfel, auch als Zeitmaß. Sol lenkt nun den Wagen der Sonne, den Wagen ziehen die Pferde Frühwach und Allgeschwind. Die Götter setzten zwei Blasebälge unter die Schulterblätter der Pferde, um deren Gelenke beim raschen Lauf zu kühlen. Und der Sonnenschild Eisenkühle schützt die Erde vor der Hitze, sonst müssten selbst Berge und Meere verbrennen.«

»Sage mir, Gangrad, wie entstanden die Mondflecken?«

»Mani leitet den Gang des Mondes und holte von der Erde zwei Kinder, die lässt er nun hinter dem Mond gehen und mit einer Stange zwei Eimer auf den Achseln tragen – uns erscheint das wie Mondflecken.«

»Wie klug du bist, Gangrad!«, rief Vafthrudnir. »Komm, setz dich zu mir auf die Bank. Wetten wir um unseren Kopf, wer der Weisere von uns beiden ist. Und nun frage du.«

Endlich konnte Odin zum Wein greifen, trank einen großen Becher, schärfte so seine Sinne und begann:

»Sage mir, Vafthrudnir, wie wurden die Sterne gemacht?«

»Große Funken, die sich von Muspellsheim losrissen, wurden von den Göttern gefangen, um Himmel und Erde zu beleuchten. Aber die Sterne wussten noch nicht, wo ihre Plätze waren. Die Sonne kannte ihre Stätten noch nicht. Und der Mond kannte seine Macht noch nicht. Da setzten die Götter einige Funken in die Urschlucht, befestigten sie dort, andere ließen sie lose unter dem Himmel entlangziehen, wiesen allen Sternen ihre Orte zu oder welche Bahn sie zu nehmen haben. Das taten die Götter auch, um Jahre und Tage zu zählen.«

»Woher kamen die ersten Menschen?«

»Eines Tages gingen Odin und seine Brüder am Meeresstrand, da fanden sie zwei Baumstämme. Da nahmen die Götter die Stämme und machten daraus Menschen. Odin gab ihnen Atem und Leben, der zweite Gott Verstand und Bewegung, der dritte Antlitz, Sprache, Gehör und Sehkraft. Die Götter gaben ihnen auch Kleider und Namen. Der Stamm, aus dem der Mann entstand, war eine Esche, die heißt Ask und danach der Mann. Und der Stamm, aus dem die Frau gemacht wurde, war eine Ulme, die heißt Embla und danach die Frau. Von Ask und Embla stammt das ganze Menschengeschlecht.«

Ehe Odin weiterfragen konnte, unterbrach Vafthrudnir ihn und wollte wissen, warum die Götter die Menschen in der fruchtbarsten mittleren Welt angesiedelt haben.

Weil die Menschen am besten Getreide anzubauen verstünden, erwiderte Odin, es mit Sorgfalt hegten und bei Ernten nichts vergeudeten.

Und warum hätten die Götter die Riesen in die kargen Randzonen abgedrängt?, wollte Vafthrudnir wissen.

Weil die Riesen ihre eigenen Felder zertrampelten, sagte Odin in Gestalt Gangrads, weil sie brüllend ihre Ochsen umherjagten, junge Birken knickten und mit Felsbrocken Täler verstopften.

Die Götter begriffen die Riesen nicht, meinte der weise Vafthrudnir. Die Riesen gebärdeten sich wie übermütige Kinder, sie tobten ausgelassen über Wiesen und Felder, würfen mit Baumstämmen, sie liebten ihre Freiheit über alles. Die Bande, mit denen die Götter die Welten umschnürt hätten, schnitten die Riesen ins Fleisch ihrer Arme und Beine.

Odin lauschte diesen Sätzen einige Vogelschreie lang nach, trank dazu Wein. Dann wandte er sich wieder an den Riesen Vafthrudnir:

»Nun kommen die schwierigsten Fragen. Warum wird die Sonne verfolgt?«

»Die Sonne fährt schnell«, sagte der Riese, »weil sie befürchtet, von Unholden ergriffen zu werden. Der Wolf Sköll heißt Spott und verfolgt sie. Und der Wolf Hati heißt Hass und jagt den Mond. Erreichen die Untiere die Gestirne, kommt es zur Verfinsterung. Das bedeutet Gefahr. Und dereinst werden Sonne und Mond nicht mehr freikommen.«

»Sage mir, Vafthrudnir, woher stammen Sköll und Hati?«

»Beide sind Kinder eines Riesenweibes, das haust östlich von Midgard in einem uralten Wald, genannt Eisenwald. Dort gebiert die Unholdin Riesenkinder in Wolfsgestalt. Es heißt, der furchtbarste dieser Brut wird Mondhund genannt werden, weil er sich mit Fleisch toter Männer sättigt und den Mond verschlingen wird. Die Sonne wird erlöschen, und Himmel und Luft werden von Blut bespritzt sein.«

Warum die Wölfe das täten, fragte Odin Vafthrudnir weiter.

Weil die Götter durch Freveltaten so viel Schuld auf sich laden würden, meinte der weise Riese, dass sie nur durch ihr Blut abgewaschen werden könnte. Und die Schuld werde so groß, dass das Blut aller Götter nicht reichen werde.

»Sage mir, Vafthrudnir, woher hast du die Weisheit, dass du die Zukunft der Götter zu kennen vorgibst?«

»Ich verstehe alle Runen zu schneiden und kenne ihren Zauber«, erwiderte der Riese. »Ich kam durch alle Welten, sogar bis hinunter ins Reich der Toten. Kein Riese weiß wie ich vom Anfang aller Zeiten, wo Asgard und Midgard noch nicht gebaut waren.« Als die ersten Götter Ymir erschlugen und es eine große Flut gab, habe er als einer von Bergelmirs Hausleuten neben ihm in dessen ausgehöhltem Baumstamm gesessen und sei mit ihm entkommen.

»Du weißt fast alles, Vafthrudnir. Jetzt frage ich dich das Letzte: Was würde Odin seinem Sohn Balder ins Ohr flüstern, wenn er gefallen auf den Holzstoß gelegt werden müsste?«

Vafthrudnir griff nun selbst nach seinem Wein und trank, dann sagte er:

»Das weiß nur Odin selbst. Wer bist du? Du bist nicht Gangrad. Odin bist du. Was du deinem toten Sohn einst sagen wirst, weiß kein anderer.«

»Woher sollte ich wissen, dass mein Sohn Balder umkommt? Woher wolltest du solche Kenntnis haben? Ich fragte, um dich zu fangen.«

»Du bist doch der Weiseste von allen Weisen!«, rief Vafthrudnir. »Mein Kopf ist verwettet.«

Weil Vafthrudnir so weise sei, sagte Odin, schenke er ihm seinen Kopf.

Die Riesen feierten Odins Großmut als Wohlwollen der Götter.

Der Krieg der zwei Göttergeschlechter

Als die Asen beim Mahl beieinander saßen, bekamen sie plötzlich Nachrichten über Totschläge und Morde unter den Menschen. Es war in jener Zeit, als Friedenskönige herrschten. Eine Frau namens Gullveig, die Goldgierige, verteilte in großer Zahl goldene Armringe und Spangen an die Menschen, die nur Eisen und schmale Fingerringe gekannt hatten. Der Besitz des schweren Goldes reizte zu Streit und Habgier. Einige Asen brachen auf, gingen nach Midgard und stellten Gullveig zur Rede. Die Frau sagte, sie sei eine Vanin und wolle die Menschen an ihrem Überfluss teilhaben lassen, sie sollten sich am Glanz des roten Metalls erfreuen.

Die Asen vertrieben Gullveig.

Die Vanen hatten ihren Wohlstand vermehrt, genossen ihn und verschenkten viel. Ihr Stammvater Njörd ist der Gott der Fruchtbarkeit und des Meeres, er wohnt in Noatun, was Schiffshof heißt, lenkt den Wind und stillt Sturm und Feuer. Die Menschen rufen Njörd auf See und beim Fischfang an, und er ist so reich, dass er jedem, der darum nachsucht, Land oder bewegliches Gut schenkt. Njörd hatte seine Schwester zur Frau, die gebar ihm Freyja und Frey. Bei den Asen ist die Geschwisterehe verboten.

Wie Njörd und andere Vanen freigebig Gut verteilten, so zog auch Gullveig wieder nach Midgard mit weit mehr Gold als zuvor.

Es kam zu noch mehr Morden, zu Kämpfen zwischen Familien und Scharen Bewaffneter. Da ergriffen die Asen Gullveig und führten sie in Odins Halle. Aber statt sich falschen Tuns anzuklagen, schenkte Gullveig alles Gold, was sie noch bei sich trug, den Asinnen und Asen. Da wurde sie von den Asen mit Speeren durchbohrt. Doch die Verführerin trat wieder leibhaftig vor die Asen und versuchte deren Sinne durch Zauber zu blenden. Sie wurde dreimal verbrannt und stand dreimal aus den Flammen wieder auf. Den Asen und Menschen war nun die Gier nach Gold nicht mehr auszutreiben.

Odin riet dem Kriegsgott Tyr, von dem nun zu erzählen ist, zu Kampfspielen. Wenn Tyr sein Schwert mit der starken Rechten führte, widerstand ihm nichts. Er war auch Rechtsgott und hob seine Schwurhand bei feierlichen Eiden. Die Menschen riefen ihn an bei Zweikämpfen.

Da die Asen Gullveig zu töten versucht hatten, boten sie den Vanen eine hohe Buße. Aber den Vanen genügte das nicht, denn sie hielten sich für ebenso mächtig und weise wie die Asen, und sie verlangten die gleichen Rechte und die gleichen Opfer. Doch die Asen meinten, sie seien bedeutender und lenkten die Geschicke der Welten besser.

Daraufhin ging Odin zur Quelle des klugen Mimir bei der Weltenesche Yggdrasill und bat um einen Trunk. Mimir wollte Odin höchste Weisheit nur gewähren, wenn er ein Auge als Pfand in den Brunnen legte. Doch Einäugigkeit war Odin ein zu hoher Preis.

Balder riet wohl auf der Versammlung der Asen bei der Weltenesche zur Versöhnung mit den Vanen. Auch der blinde Höd und die Asinnen sprachen dafür. Aber Odin warnte: Gestehe man den Vanen heute ein Recht zu, verlangten sie morgen ein weiteres; die Asen müssten ihre Rüstungen zeigen und mit ihren Waffen klirren.

Tyr, Heimdall, Thor und Loki sprachen für Odin und brachten die Mehrheit.

Da zogen die Vanen vor Asgard und machten ihren Anspruch geltend. Die Asen traten ihnen mit ihrer Streitmacht gegenüber. Jedes Heer zögerte mit dem Angriff. Dann warf Odin seinen Speer Gungnir über das Heer der Vanen, eröffnete den Kampf und lud eine schwere Schuld auf sich. Denn so kam der erste Krieg in die

Welt. Vielleicht hielten sich die Asen mit Waffen wie dem Speer Gungnir und dem Hammer Mjöllnir für unbesiegbar.

Die Asen vertrieben die Vanen und verwüsteten deren Land. Aber die sonst friedfertigen Vanen rüsteten rasch und fielen in das Land der Asen ein. Einmal rückte das Heer der Asen gegen Vanenheim, ein andermal das der Vanen gegen Asgard, bis die Vanen Asgard stürmten und dessen Burgwall aufbrachen – obwohl Thor seinen Hammer Mjöllnir warf, obwohl Odin Gungnir schleuderte, obwohl der Kriegsgott mit seiner starken Rechten das Schwert führte und für neun Männer kämpfte. Die Vanen griffen nämlich mit einem Zauber an, genannt Seid, der bei den Asen unbekannt war.

Dann ließen die Vanen den Asen Zeit zum Rat über ihre Forderungen.

Asen und Vanen waren des Krieges überdrüssig, verabredeten sich zur Versöhnung und schlossen Frieden. Die Asen gestanden den Vanen die gleichen Rechte und Opfer zu. Um den Vergleich zu bekräftigen, tauschten sie Geiseln.

Die Asen stellten Hönir und sagten, er tauge zum Anführer. Er war ein großer und sehr schöner Mann; und mit ihm kam der weise Mimir als Geisel. Die Vanen machten Hönir sofort zu ihrem Anführer, und Mimir beriet ihn in allen Angelegenheiten. Kamen vor Hönir im Rat schwierige Fälle und Mimir war abwesend, antwortete der Befragte: andere mögen entscheiden. Als sich das öfter wiederholte, fühlten sich die Vanen beim Männertausch betrogen; sie fassten Mimir, schlugen ihm den Kopf ab und sandten ihn nach Asgard. Odin bewahrte ihn sorgfältig, betupfte ihn mit Wässern aus Kräutern, so dass er nicht faulte und die Lippen ihre Farbe behielten, strich Zauberrunen auf seine Stirn und besprach den Kopf. Das erhielt seine Weisheit, verlieh ihm Bestand und solche Macht, dass er Odin auf Fragen antwortete und Verborgenes enthüllte.

Die Vanen stellten ihre Besten als Geiseln, den Stammvater Njörd und seine Kinder Frey und Freyja. Njörd musste seine Schwester in Vanenheim zurücklassen und in Asgard nach einer neuen Frau Ausschau halten. Davon wird noch zu erzählen sein. Frey, der bei den Asen oft zu Gast gewesen war, gelangte zu noch größerem Ansehen und zog mit seiner Frau Gerd nach Asgard.

Freyja lehrte nach ihrem Einzug in Asgard jenen Zauber, der bei den Vanen üblich ist. Sie ist die schönste Göttin, fährt einen mit

Katzen bespannten Wagen und trägt Brisingamen, den kostbarsten Halsschmuck, den die Götter haben. Von allen Göttinnen steht Freyja den Menschen am nächsten. Vor allem Frauen und Mädchen rufen sie an, wenn es um Liebe geht. Mächtige Riesen begehren sie, was die Götter in gefährliche Kämpfe stürzte. Die Göttin der Liebenden fährt durch viele Länder und sucht ihren Mann Od, der auf einer langen Reise ist; deshalb wechselt sie ihren Namen und weint goldene Tränen um Od, den sie nicht findet.

Die Vanen wurden in die Gemeinschaft der Asen aufgenommen und seitdem auch Asen genannt.

Als Zeichen ihrer Versöhnung spuckten die Asen und Vanen in einen Kessel, mischten den Speichel und machten daraus einen Mann von großer Weisheit, den sie Kvasir nannten.

Odin raubt den Dichtermet

Da Kvasir so weise war wie die Asen und Vanen und er auf jede Frage eine Antwort wusste, sandten die Götter ihn aus, Menschen, Zwerge und Alben Eintracht zu lehren. Keiner war so gescheit, dass er ihm all sein Wissen abfragen konnte. Kvasir wurde in allen Welten geschätzt, sein Ansehen wuchs mehr und mehr. Auf seinen Fahrten kam der Arglose auch zu den Zwergen Fjalar und Galar. Die nahmen ihn beiseite und gaben vor, ihm ein Geheimnis zu verraten. Als Kvasir zu Fjalar den Kopf beugte, schlug Galar ihn ab. Und die beiden Zwerge leiteten Kvasiers Blut in einen Kessel und zwei Schüsseln. Fjalar und Galar gaben Honig in das Blut und brauten einen Met. Wer ihn trank, wurde Dichter oder Weiser.

Die Götter vermissten Kvasir, auf den sie große Hoffnungen gesetzt hatten, die Welten mit mehr Verstand zu lenken. Und die Zwerge berichteten den Göttern, Kvasir sei im Unmaß seiner Weisheit ertrunken. Aber Odin misstraute den beiden Zwergen und sandte seine Raben Huginn und Muninn als Kundschafter.

Fjalar und Galar frohlockten über ihren Raub, den sie zunächst verschwiegen. Um sich zu brüsten, vertrauten sie den Besitz des Metes dann doch Freunden an. Bald glaubten die Zwerge sich wieder sicher und wagten eine neue Untat. Sie luden den Riesen Gilling mit seiner Frau zu sich und baten den Gast, mit ihm aufs Meer zu rudern. Als sie weit genug vom Ufer entfernt waren, steuerten die Zwerge auf ein Riff unter Wasser; das Boot kenterte. Fjalar und Galar hielten sich am Bootsrand fest und sahen zu, wie Gilling, der nicht schwimmen konnte, Wasser schluckte und ertrank. Dann richteten die Zwerge das Boot wieder auf, kicherten schadenfroh und ruderten an Land.

In ihrem Hause am Strand berichteten die Zwerge Gillings Frau, ihr Mann sei aus dem Boot gestürzt, aber ihn zu retten sei misslungen. Fjalar fragte die Frau, ob es nicht ihre Tränen stille, wenn sie auf die Stelle des Meeres blicke, wo ihr Mann verunglückt sei. Inzwischen war Galar auf das Dach gestiegen und hielt mit beiden Händen über der Tür einen Mühlstein. Den ließ er fallen, als die Frau aus der Tür trat.

Andere Zwerge, die Fjalar und Galar den Met neideten, verrieten Suttung, Gillings Sohn, die Morde. Suttung brach das Haus der Übeltäter auf, ergriff sie, fuhr mit ihnen auf See in die Nähe der Stelle, wo sein Vater ertränkt worden war, und fesselte die Zwerge auf einer kleinen Felsenklippe, die nur bei Ebbe aus dem Meere ragte. Suttung hielt sich mit dem Boot in der Nähe der Schäre auf. Je höher die Flut stieg, desto lauter schrien die beiden Zwerge. Und als ihnen das Wasser bis zum Kinn reichte, boten sie als Buße für Suttungs Eltern den kostbaren Met und bekräftigten das durch Eide. Da löste Suttung die Bande, brachte die Zwerge in ihr Haus, nahm den Met an sich und ließ die Zwerge laufen. Der Riese Suttung trug den Kessel und die Schüsseln weg, verbarg sie tief im Schlagberg und setzte seine Tochter Gunnlöd als Wächterin ein.

Die Raben Huginn und Muninn brachten Odin Kunde vom Tod Kvasirs und dem Ort, wo der Met jetzt versteckt lag. Alle Asen waren sich im Rat einig, den Met zurückzuholen. Das gebot ihre Ehre; sonst würden die Riesen Dichter und Weise. Und keiner als Odin wäre besser geeignet, den Met wiederzugewinnen.

Der Göttervater machte sich auf den Weg und kam an eine Wiese, die gehörte Suttungs Bruder Baugi. Hier mähten neun Knechte, und Odin fragte sie, ob er ihnen die Sensen wetzen solle. Da die Knechte verschnaufen wollten, zog Odin seinen Wetzstein aus dem Gürtel und schärfte rasch ihre Sensen. Die schnitten nun weit besser, und die Knechte wollten den Wetzstein erwerben. Odin forderte als Preis das, was ihnen der Wetzstein wert sei. Jeder Knecht bat um den Stein, da warf Odin ihn in die Luft. Jeder der neun Knechte suchte danach zu greifen, aber sie gerieten darüber in Streit und Handgemenge und schnitten sich mit den geschärften Sensen die Hälse durch.

Abends kehrte Odin bei Suttungs Bruder ein, nannte sich Bölverk und bat um Nachtquartier. Der Bruder gewährte es und klagte, seine untreuen Knechte hätten sich gestritten und einander umgebracht, und nun wisse er nicht, woher er neue gewinnen solle. Odin erbot sich, die Arbeit der neun Knechte zu leisten; und zur Belohnung verlangte er einen Schluck Met von Suttungs Bruder. Der lasse nur seine Tochter trinken, erwiderte der Riese, zeige ihm nicht einmal den Kessel, aber er werde ihn begleiten und für ihn einen Schluck erbitten.

Odin in Gestalt Bölverks leistete den Sommer über die Arbeit der neun Knechte und verlangte am Wintersanfang seinen Lohn. Der Riese fuhr mit Odin zu Suttung und erzählte von der Abmachung. Suttung zeigte den beiden zwar die Gefäße, doch berühren durften sie die nicht, und er schenkte auch keinen Tropfen Met aus.

Als Odin und Suttungs Bruder den Hof des Riesen verlassen hatten und ein Stück gegangen waren, zog Odin den Bohrer Rati, gab ihn dem Riesen und veranlasste ihn, in den Schlagberg zu bohren. Der Mund des Bohrers nagte den Fels an und fraß sich tiefer und tiefer.

»Der Berg ist durchbrochen!«, rief Suttungs Bruder. Aber als Odin ins Bohrloch blies, flogen ihm die Späne ins Gesicht; er sah sich getäuscht und verlangte von dem Riesen, das Loch bis in die Höhle vorzubringen. Der Riese bohrte weiter. Und als Odin das zweite Mal hineinblies, stoben die Späne nach drinnen. Da verwandelte sich Odin in eine Schlange und kroch ins Bohrloch. Der Riese stach nach ihr und verfehlte sie, weil der verwandelte Odin ihn täuschte und geschickt auswich.

Die Schlange schlüpfte in die Höhle und verwandelte sich wieder in die Gestalt Bölverk; der drang bis dahin vor, wo die schöne Gunnlöd den Kessel und die zwei Schüsseln bewachte. Odin hielt absichtlich seinen Blick von den Gefäßen fern und widmete sich nur dem Mädchen; er weckte in der Schönen Liebe, verführte sie und schwur ihr Treue, was einem Eheversprechen gleichkam. Er lag ihr drei Nächte bei, dann gewährte sie ihm – vielleicht auch als Dank an seine Manneskraft – drei Züge von dem Met. Mit dem ersten trank Odin den Kessel leer, mit dem zweiten die erste Schüssel und mit dem dritten die zweite Schüssel. Dann lief Odin aus der Höhle, nahm Adlergestalt an und flog davon.

Gunnlöd sah sich betrogen, rannte schreiend vor den Höhleneingang, bis Suttung herbeieilte. Der Riese sah den dickbauchigen Adler davonfliegen, zog sein eigenes Adlerhemd an und verfolgte den Dieb seines Metes.

Die Asen sahen Odin schwer heranfliegen, stellten Schüsseln in den Hof von Asgard und holten ihre Waffen. Suttung kam gegen Odin immer dichter auf und hätte ihn erreicht, wenn der Flüchtende nicht einen Teil des Metes nach hinten hätte fahren lassen. Diesen minderen Teil des Metes gibt man seitdem Dichterlingen und gelehrten Schwätzern. Aber fast allen Met spie Odin in die Schüsseln. Diesen Met gibt Odin den Asen und jenen Menschen, die Dichter und Gelehrte werden. Etwas von dem Met behielt wohl Odin selbst, sonst wäre er nicht der Vater der Dichtkunst und der weiseste Ase geworden.

Am folgenden Tag zogen Frostriesen, die Angehörigen des verschollenen Suttung, in die Halle Odins und fragten ihn, ob Bölverk in Asgard sei oder ob er sonst etwas über ihn wisse. Odin beschwor, weder Bölverk zu kennen noch zu wissen, wo er sich aufhalte. Die Frostriesen klagten, Bölverk habe Suttung durch Trug seines Metes beraubt und dessen Tochter Gunnlöd weine vor Schmerz.

Als die Riesen die Halle verlassen hatten, warf Thor Odin augenscheinlich Täuschung und Meineid vor: diese Riesen seien gutartig und hätten Aufrichtigkeit verdient.

Alle Riesen seien böse, rief Odin.

So mache er den Göttern alle Riesen zu Feinden, widersprach Thor.

Die Götter betrügen den Baumeister

Nach den Untaten der Zwerge und dem Auftritt der Frostriesen gingen die Götter nicht mehr achtlos über die Trümmer ihres Burgwalles, der beim Sturm der Vanen gebrochen war. Balder sprach dafür, die Ruine abzutragen. Die anderen Asen verlangten einen Neubau, aber scheuten die Mühe. Von Gelagen waren die Götter müde und erschöpft. Auch der Kriegsgott Tyr hielt mit seiner kräftigen Rechten lieber das Trinkhorn.

Da kam ein Baumeister und bot an, in drei Halbjahren eine Burg zu bauen, für Bergriesen und Frostriesen, die über Midgard eindringen sollten, uneinnehmbar. Als Lohn forderte er Freyja und dazu Sonne und Mond.

Die Götter vermuteten, der Baumeister sei ein übergroßer Mensch, wiesen das Angebot zunächst brüsk zurück, aber gingen dann doch darauf ein: Der Baumeister solle das Gewünschte erhalten, wenn er die Burg in einem Winter baue; aber falls am ersten Sommertag ein Stein in der Mauer fehle, sei der Lohn verspielt, und beim Bau dürfe niemand helfen. Thor war zum Schutz von Midgard auf Ostfahrt gegen Trolle und an der Abmachung nicht beteiligt.

Der Baumeister nahm die Bedingungen an, verlangte jedoch von den Asen sein Pferd Svadilfari als Gehilfen. Die Asen vermuteten eine List und wollten kein Pferd zugestehen; aber da ein neuer Wall erforderlich war, fragte Odin Loki um Rat. Loki wollte für die Götter eine günstige Abmachung, nannte das Vorhaben des Baumeisters auch mit einem Pferd in dieser Zeit unausführbar und riet, das Tier zuzugestehen. Alle Asen, die am Rat teilnahmen, stimmten dafür, den Fremden unter diesen Bedingungen arbeiten zu lassen. Vielleicht hielten sich Asen und Vanen nach ihrer Versöhnung für so stark, dass ihnen nichts mehr misslingen könne.

Am frühen Morgen des ersten Wintertages begann der Baumeister mit dem Wall, schleifte nachts mit Svadilfari gewaltige Steine herbei. Die Asen wunderten sich, wie ein Pferd derartige Felsbrocken ziehen konnte. Schnee und Eis waren Ansporn zu größerem Eifer; und je kälter der Winter wurde, desto mehr schien der Baumeister zu schaffen. Und so viel er selber schleppte, das Pferd übertraf ihn um das Doppelte. Der Fremde baute einen starken kreisartigen Wall und war sich seines Lohnes sicher, selbst wenn Thor zurückkehren würde, denn der Vertrag war durch Eide beschworen und durch Zeugen bekräftigt. Tyr hatte seine Rechte, die Schwurhand, gehoben.

Drei Tage vor Beginn des Sommers war der Ringwall fertig, bis auf die Lücke für das Tor. Da hielten die Götter Rat und stritten darüber, wie es zu dem Versprechen gekommen war, Freyja wegzugeben und Luft und Himmel zu verderben; denn ohne Sonne und Mond würde der Himmel dunkel und die Erde verlöre ihre Wärme.

Die Götter fuhren hoch wie aus einem wirren Traum und gaben Loki die Schuld.

Auch Odin und Heimdall hätten im Rat für das Pferd gestimmt, rechtfertigte sich Loki und fühlte sich zu Unrecht beschuldigt.

Aber Balder habe im Rat gefehlt, meinte Frigg.

Wer nichts entscheide und nichts tue, bleibe rein und edel, rief Loki aufgebracht. Sein Angriff gegen Balder reizte die Asen noch mehr.

Den Göttern blieb nur die Wahl, heilige Eide zu brechen oder die schönste Göttin und Sonne und Mond auszuliefern. Da beides ausgeschlossen schien, drohten die Götter Loki, ihn auf grausame Weise zu töten, falls er keinen Ausweg fände. Loki schwor vor Angst heilige Eide, dass der Baumeister um seinen Lohn kommen werde, was es auch kosten solle.

Als der Baumeister am Abend mit Svadilfari nach Quadern ausfuhr, da brach eine Stute aus dem Wald und lief dem Hengst wiehernd entgegen. Der Hengst witterte sie, hatte wegen der harten Arbeit lange keine Stute mehr unter sich gehabt, zerriss das Geschirr und ließ sich locken. Die Stute lief zum Wald, Svadilfari jagte sie, und der Baumeister rannte hinter seinem Hengst her. Svadilfari hetzte die Stute die ganze Nacht, aber ihm gelang nicht, die Fliehende einzuholen. Und dem Baumeister gelang nicht, seinen Hengst zu fangen. So wurde in dieser Nacht die Arbeit am Tor versäumt. Auch am Tage darauf geschah wenig.

Als der Baumeister sah, dass der Wall mit dem Tor nicht fertig würde, geriet er in so furchtbaren Zorn, wie er nur von Riesen bekannt ist. Die Götter erkannten in dem Baumeister einen Bergriesen, sahen sich getäuscht und vergaßen ihre Eide. Jemand rief Thors Namen. Inzwischen wütete der Baumeister und begann den Wall wieder einzureißen. Da war Thor zur Stelle, sah den Baumeister Felsbrocken nach den Göttern werfen, hob Mjöllnir und zahlte den Baulohn nicht mit Sonne und Mond, sondern mit einem kräftigen Hieb auf den Riesenschädel, dass der in kleine Stücke ging und der Bergriese in den Boden gerammt wurde bis hinab nach Niflheim.

Dann machte Thor den Asen Vorwürfe, denn er hatte von den Eiden nichts gewusst. Vielleicht war Odin heimlich froh, weil Thor jetzt auch Schuld auf sich geladen hatte.

Die Götter retteten Freyja und die großen Gestirne, der Himmel blieb hell und warm.

Aber die Götter brachen Verträge, Eide und Gesetze, die sie für heilig erklärt hatten.

Loki, der sich in eine Stute verwandelt und von dem Hengst Svadilfari hatte bespringen lassen, gebar bald ein Füllen, das war grau und hatte acht Beine. Als bestes Pferd der Götter und Menschen wurde es Odins Reittier und heißt Sleipnir. Die Asen schlossen den Burgwall und bauten ein starkes Tor ein; sie hatten dabei einige Male mehr Mühe mit dem Trinken als mit der Arbeit.

Der Zweikampf zwischen Thor und dem Riesen Hrungnir

Ehemals waren wenige Riesen den Göttern feind gewesen. Aus Zorn über den Tod ihres bedeutenden Baumeisters lösten nun viele Bergriesen Steinschläge aus und trampelten Felder der Menschen nieder.

Odin ritt deshalb zur Erkundung ins Riesenland und kam bis zum Hof von Hrungnir, dem größten und stärksten Riesen; der stand vor seinem Tor und fragte:

»Welcher Mann reitet da im Goldhelm über Luft und Meer?«

Odin gab keine Antwort, denn er meinte, der Riese würde ihn wohl erkannt haben.

»Du hast ein erstaunlich gutes Pferd«, sagte Hrungnir. Odin fühlte sich mit seinem neuen Pferd, dem achtbeinigen Sleipnir, allen anderen überlegen und erwiderte: »Ich wette um meinen Kopf, dass es in Riesenheim kein gleichschnelles gibt.«

»Dein Pferd ist schnell wie der Wind«, sagte Hrungnir, »aber meins, Goldmähne, macht weit größere Sprünge und überholt den Sturm.«

Statt einer Antwort sprang Odin auf Sleipnir und preschte davon. Und Hrungnir schwang sich wütend auf Goldmähne und setzte Odin nach, um ihm die Prahlerei auszutreiben. Aber Odin ritt so scharf, dass er immer zwei Bodenerhebungen voraus blieb. Sosehr Hrungnir auch Goldmähne antrieb, es gelang ihm nicht, Odin auf Sleipnir einzuholen. Da wurde der Riese vor Zorn so blind, dass er Odin bis in den Hof von Asgard verfolgte.

Weil der Göttervater nach Asgard zurückritt, sprachen manche von Flucht, andere priesen das als List, den Feind in die Götterburg gelockt zu haben.

Da Hrungnir nun einmal in Asgard war, lud Odin ihn zum Gelage in seine Halle. Die Riesen sind größer von Wuchs als die Götter, und als ihr stärkster und längster Riese neben die Asen trat, überragte er sie bedrohlich. Man reichte ihm die Trinkschalen Thors, der gegen die Bergriesen gezogen war. Thor pflegt nicht wie ein Mann aus einer Schale, sondern das Maß mehrerer Männer zu trinken. Der Riese leerte jede Schale in einem Zug. Ihm wurde sogleich nachgeschenkt. Und da begann Hrungnir betrunken zu werden und die Götter zu reizen: Nur weil der Baumeister ein Riese gewesen sei, hätten sie den Eidbruch gewagt.

Eid sei Eid, beteuerte Balder.

Hrungnir trank sich weiter Mut an und rief: »Weil wir ungebunden sind, schimpft ihr Götter uns Riesen böse, und ihr preist euch als vollkommen, um über uns Riesen zu herrschen.«

Nur Freyja wagte noch, dem Riesen nachzuschenken, Hrungnir wurde noch trunkener und drohte den Göttern:

»Ich könnte ganz Walhall ausheben und nach Riesenheim schleppen. Wir könnten Asgard niederstampfen und alle Götter erschlagen, wie ihr den Baumeister. Nur Freyja und Sif nehme ich mit. Und jetzt saufe ich euch alles Bier weg!«, schrie er. Und seine Stimme füllte noch ein Wolfsbrüllen lang die Halle.

Einige Asinnen fürchteten einen Angriff Hrungnirs. Und die Asen wollten seine Prahlerei nicht mehr dulden. Aber nicht einmal Odin wagte, den Trunkenbold vor die Tür zu weisen. Jemand rief Thors Namen. Und kurz darauf stürmte der Rotbärtige in die Halle, schwang seinen Hammer und fragte, wer Hrungnir erlaubt habe, hier beim Bier große Reden zu führen, und warum Freyja ihm einschenke wie bei einem Festmahl den Asen.

Hrungnir sah Thor furchtlos an und erwiderte, Odin habe ihn in die Halle gebeten.

»Noch ehe du den Ausgang erreichst, wirst du die Einladung bereuen!«, rief Thor und schwang Mjöllnir.

Hrungnir blieb wie ein Felsblock auf seinem Platz und sagte: »Tötest du einen Waffenlosen, gewinnst du wenig Ehre. Schlag dich mit mir an der Grenze nach Riesenheim, bei den Felsenhöfen, da zeigst du mehr Mut. Trüge ich meinen Schild und meinen Wetzstein bei mir, träte ich sofort zum Kampf an.«

Da der Riese seine feindlichen Absichten verraten hatte, verlangten einige Asen von Thor, den Unhold auf der Stelle zu erschlagen. Aber der Sohn der Erde begegnete dem Riesen ehrenhaft. Und da noch nie jemand gewagt hatte, ihn zum Zweikampf zu fordern, wollte er den um jeden Preis annehmen.

Thor und Hrungnir vereinbarten den Holmgang bei den Felsenhöfen. Dann sprengte Hrungnir auf Goldmähne mit langen Sätzen davon.

Die Riesen rühmten Hrungnirs Ritt nach Asgard und seine Herausforderung an Thor; und sie wussten, dieser Zweikampf werde viel entscheiden. Hrungnir war ihr stärkster Mann und trug eine gefürchtete Waffe. Aber von Thor war mit Mjöllnir das Schlimmste zu befürchten.

Die Riesen bauten bei den Felsenhöfen einen Mann aus Lehm, der war neun Meilen hoch, unter den Armen drei Meilen breit, sah auf Berge herab und sollte Thor schrecken. Der Lehmriese hieß Mökkurkalfi, was Nebelwade bedeutet; und als die Riesen kein Herz fanden, das gross genug für ihn war, setzten sie ihm das einer starken Stute ein. Hrungnir hatte ein Herz aus sehr hartem Stein mit vorstehenden Hörnern, von feinem Stein war auch sein Kopf, sein Schild war ebenfalls von Stein und groß und dick. Hrungnir hielt, als er Thor erwartete, den Schild vor der Brust und auf seiner Schulter seinen Wetzstein als Waffe in Anschlag. Neben Hrungnir stand der Lehmriese und brüstete sich; doch als er Thor erblickte, soll er vor Angst Wasser gelassen haben.

Thor kam zum Holmgang mit seinem Diener Thjalfi, dem schnellsten Läufer in Midgard. Der rannte voraus und rief dem Bergriesen zu:

»Du hältst den Schild vor der Brust, aber Thor wird dich von unten angreifen!«

Hrungnir legte den Schild auf die Erde und stellte sich darauf. Oder will der Läufer mich täuschen?, dachte der Riese und hob den Schild wieder vor die Brust. Bald wusste er nicht mehr, wie er sich am besten decken sollte, wechselte den Platz des Schildes und packte den Wetzstein, der alles zerschmetterte, mit beiden Händen, zum Wurf bereit.

Dann dröhnte der Himmel, und der Weg des Mondes bebte. Der hohe Raum, wo die Adler und Falken fliegen, lohte auf durch die Spur von Thors Wagen. Im Asenzorn trieb Thor seine beiden Böcke Tanngnostr und Tanngrisnir, dass Hagel niederpeitschte, Klippen barsten; und fast wäre die Erde zersprungen. Der Himmel flammte von Blitzen, Donnerschläge pochten und spalteten Felsen. Thor schwang Mjöllnir und warf ihn schon von weitem gegen Hrungnir.

Als Thor heranbrauste, hatte der Riese sich eben auf seinen Schild gestellt, packte mit beiden Händen den Wetzstein und schleuderte ihn gegen Thor. Der Hammer prallte im Fluge gegen den Wetzstein, zerschmetterte ihn; ein Brocken fiel zu Boden, daraus entstanden die Wetzsteinberge und Steinbrüche. Aber ein anderes Stück Wetzstein fuhr mit solcher Wucht in den Kopf Thors, dass es ihn zu Boden riss. Doch Mjöllnir blieb unversehrt, traf mitten auf Hrungnirs Kopf und zerschlug ihn in kleine Stücke. Der Riese fiel so über Thor, der inzwischen herangebraust war, dass ein Fuß des toten Hrungnir auf seinem Hals lag und ihn wie eine Klammer am Boden hielt.

Inzwischen kämpfte Thjalfi mit dem Lehmriesen. Nebelwade verteidigte sich schlotternd, sein Stutenherz zitterte. Thjalfi hieb einige Male auf ihn ein und ihm beide Arme ab, da fiel der riesige Kerl ruhmlos.

Dann trat Thjalfi zu Thor und versuchte, Hrungnirs Fuß von Thors Hals zu heben, doch ihm fehlte die Kraft für den Riesenfuß. Als die Asen von Thors Fall hörten, eilten sie herbei. Aber auch ihnen gelang es nicht, Thor zu befreien.

Da riefen die Asen nach Thors Sohn Magni, den hatte die Riesin Jarnsaxa erst vor drei Tagen geboren. Magni kam, warf Hrungnirs Fuß von Thors Hals und sagte: »Wie ärgerlich, Vater, dass ich so spät kam. Bei dem Zweikampf hätte ich Hrungnir mit bloßer Faust ins Totenreich gehauen.«

Thor stand auf, begrüßte seinen Sohn, sagte ihm eine bedeutende Zukunft voraus und schenkte ihm den Hengst Goldmähne.

»Warum bekommt nicht dein Vater das Pferd, sondern der Sohn einer Riesin?«, fragte Odin ungehalten.

Dann fuhr Thor in seine Wohnstätte Kraftheim in Asgard. Von dem Stück Wetzstein, das noch in Thors Kopf steckte und schmerzte, hörte eine Seherin mit Namen Groa. Sie war die Frau eines mutigen Mannes, den die Riesen vor Monaten gefangen hatten. Die Seherin beugte sich über Thors Kopf und sang ihre Zauberlieder. Da begann sich der Steinsplitter zu lockern; Thor spürte, wie der Schmerz nachließ, aber er lohnte der Seherin die Linderung zu früh und erzählte ihr, wie er in Riesenheim ihren Mann befreit, wie er ihn in einem Korb verborgen und auf seinem Rücken aus Riesenheim getragen habe. Aber eine Zehe, die aus dem Geflecht ragte, sei erfroren, da habe er sie abgebrochen, an den Himmel geworfen und daraus ein Sternbild gemacht, das den Namen ihres Mannes trage.

»Dein Mann kehrt bald heim«, sagte Thor. Da wurde die Seherin froh und so aufgeregt, dass sie ihre anderen Zauberlieder vergaß. Und das Stück Wetzstein blieb in Thors Kopf stecken. Seitdem wird gewarnt, einen Wetzstein über den Boden zu werfen, denn dann bewege sich der Splitter in Thors Kopf und bereite ihm Schmerzen.

Die Götter begriffen, wie gefährlich der Zweikampf für Thor gewesen war und wie wenig sie über ihre Zukunft wussten. Deshalb ging Odin wieder zum Brunnen bei der Weltenesche, den Mimir nicht mehr hütete, aber der noch seinen Namen trug. Diesmal war Odin ein Auge als Pfand nicht zu teuer, und er legte es für einen Trunk höchster Weisheit in die Quelle. Nun verstand der Göttervater die Prophezeiung besser, und was die Nornen mit den Ragnarök gemeint hatten: die Warnung vor dem Untergang der Götter und aller Welten, in einem letzten Kampf gegen die Weltfeinde.

Nach diesem Trunk aus dem Brunnen der Weisheit wurde Odin nie wieder ganz froh. Er traute auch seinem Wahlsohn Loki nicht mehr unbesehen.

Loki zeugt drei Weltfeinde

Manchen Asen war kaum noch die riesische Herkunft Lokis im Gedächtnis. Sein Vater hieß Gefährlicher Schläger, seine Mutter Die Laubreiche, ›von Blitzen leicht entzündbar‹. Und sein Bruder war Der im Sturmwind Blitzende. Loki ist auch Herr des Feuers. Und das verheert nicht nur, sondern wärmt, kocht Ochsen gar, erhellt dunkle Winternächte, brennt morsche Stämme nieder, macht

Platz frei für neue Schößlinge und düngt sie mit Baumasche. Loki gleicht der flackernden Flamme, Bewegung ist ihr alles, sie frisst sich durch Festes, Beständiges.

Die Riesen verachten Loki wegen seines Übertretens zu den Göttern. Und manche Götter misstrauen ihm nun wegen seiner Herkunft. Loki versuchte sich bei den Göttern durch Taten gegen die Riesen hervorzutun. Durch Klugheit und Geschicklichkeit hatte er die Asin Sigyn zur Frau gewonnen und mit ihr zwei Söhne.

Aber Loki sehnte sich manchmal nach Riesenheim, und so zeugte er in seiner früheren Heimat mit der Riesin Angrboda noch drei andere Kinder, die bei der Mutter aufgezogen wurden. Der erste dieser Söhne hatte die Gestalt eines Wolfes, der zweite die einer Schlange, und die Tochter blickte finster, war halb blau, halb fleischfarben und wurde Hel genannt. Die Götter erfuhren, wie schnell diese Geschwister in Riesenheim aufwuchsen und dass von ihnen Gefahr drohe: wegen des zwiespältigen Vaters und ihrer Mutter, die bereits vielen Kummer bereitet hatte.

Da sandte Odin einige Asen aus, die drei Kinder zu ergreifen und nach Asgard zu bringen. Die Götter beobachteten die Geschwister und vermochten nicht sofort zu entscheiden, ob sie nützlich oder gefährlich seien; und so fragten die Asen einander, warum ihr Gefährte Loki derartige Geschöpfe gezeugt hatte. Odin meinte: der Abenteurer Loki bedenke nie die Folgen seiner Taten, wie könne er da absehen, ob die Kinder Feinde würden. Heimdall vermutete hinter den scheinbaren Unholden Lokis böse Absicht.

Die Götter beobachteten diese drei Geschwister einige Zeit, fanden sie gefährlich und entschlossen sich im Rat, sie nicht unbehelligt zu lassen. Odin wollte die Schlange ertränken und warf sie in das tiefe Meer, welches das Land umgibt. Aber sie lebte weiter und wuchs derart, dass sie sich in der Mitte des Meeres ausbreitete, später um das ganze Land herumschlang und wie ein Band der Erde die Menschenwelt hielt, deshalb heißt sie Midgard- oder Weltschlange. Später gibt sie diese gute Absicht auf und wird zum Weltfeind und Gegner Thors.

Dann warf Odin die Hel hinab nach Niflheim und gab ihr Gewalt und Aufsicht über das Totenreich, seitdem ebenfalls Hel genannt. In das Totenreich kommen jene, die nicht im Kampf fallen, sondern auf dem Lande durch Alter und Krankheit sterben. Der

Weg dahin führt nach Norden und abwärts bis zum Grenzfluss Gjöll, über den sich die Gjöllbrücke spannt. Die Hel besitzt große Wohnstätten, ihre Wälle sind so außerordentlich hoch wie ihre Zäune, Helgrind, und das Gittertor ist für Lebende kaum übersteigbar. Die Totenwelt ist kein Ort der Strafe, jedoch feucht und kalt, karg und beschwerlich. Die Schüsseln der Hel sind nur halb gefüllt, ihre Messer machen hungrig, ihr Knecht heißt Langsam, ihre Magd Schlafmütze. Bei der Schwelle liegt eine Fallgrube. Im Bett der Hel kann man krank werden; ihr Bettvorhang blinkt manchmal unheilvoll. Die Hel blickt mit gesenktem Kopf nieder und ist grimmig.

Den jungen Wolf, der Fenriswolf genannt wurde, sperrten die Asen in ein Gehege und wollten ihn erziehen. Bald wagte nur noch Tyr, der mutigste Gott, ihn zu füttern. Der Wolf wuchs von Tag zu Tag, wurde dreister und stierte unheilgierig. Die Götter hielten Rat, wie der drohenden Gefahr zu begegnen sei. Heimdall verlangte, den Wolf auf der Stelle zu erschlagen. Aber Balder hielt Asgard für zu heilig, um es mit Blut zu beflecken. Thor meinte, den Wolf zu töten sei nicht ehrenhaft und nähme ihm die Möglichkeit, sich zu bewähren. Und Odin war begierig zu erproben, was aus dem jungen Wolf würde, wollte ihn zum Kampf gegen die Riesen abrichten; er spürte wohl geheime Verwandtschaft mit dem Tier.

Während die Götter nachdachten und stritten, wuchs der Wolf unablässig weiter, wurde stärker und furchtbarer. Da blieb den Göttern nur die Wahl, eine Fessel zu machen, die sie Läding, Die mit List Bindende, nannten. Sie baten den Wolf, daran seine Kräfte zu erproben. Der hielt das Band für schwach und ließ sich fesseln. Und als er sich das erste Mal mit dem Fuß dagegenstemmte, brach es.

Danach machten die Götter eine zweite, doppelt starke Eisenfessel, die nannten sie Droma, Das Hemmende, zeigten sie dem Wolf und bedeuteten ihm, er werde durch seine Stärke berühmt, wenn er sie zerreiße. Zuerst scheute der Wolf, prüfte die Fessel und bedachte, dass seine Kräfte inzwischen gewachsen seien, und ohne Gefahren zu bestehen, sei kein Ruhm zu gewinnen. Also ließ er sich die zweite Fessel anlegen. Danach schüttelte sich der Wolf, reckte und streckte sich, streifte die Fessel nach unten, trat heftig mit den Füßen dagegen, bis sie riss und die Stücke weit davonflogen. Jetzt glaubte sich der Wolf stärker denn je.

Nun erkannten die Götter in dem Wolf einen gefährlichen Feind und befürchteten, ihn nie mehr bändigen zu können. Und da sie keine härtere Kette zu schmieden vermochten, sandten sie Skirnir, den Gefährten Freys, nach Schwarzalfenheim und ließen sich von den Zwergen eine Fessel machen, die Gleipnir genannt wurde und aus Dingen bestand, die es nicht gibt: dem Lärm des Katzentrittes, dem Bart der Frau, den Wurzeln der Berge, dem Atem der Fische und der Spucke des Vogels. Und die Asen dankten Skirnir für die Besorgung.

Da sich Gleipnir glatt und weich wie Seidenband anfühlte, zweifelte Heimdall, ob es tatsächlich stark und sicher genug wäre, den Fenriswolf für immer zu binden. Doch Odin vertraute der Geschicklichkeit der Zwerge. Und die Asen ruderten auf die Heidekrautinsel und luden den Wolf zu dieser Fahrt ein. Dort zeigten sie ihm das Seidenband und meinten, es sei wohl etwas fester, als seine Dicke vermuten lasse, und reichten das Band herum und bemühten sich, es vor den Augen des Wolfes mit der Hand zu zerreißen. Als das misslang, sagten die Asen zum Wolf: »Vielleicht bist du stärker und kannst Gleipnir sprengen.«

Der Wolf misstraute dem weichen Band; für seine Festigkeit schien es ihm zu dünn, aber zugleich reizte es ihn, seine Kräfte zu zeigen, und er erwiderte: »Wenn ich einen so leichten Faden zerreiße, gewinne ich keinen Ruhm. Aber beruht die Dünne des Fadens auf List und Betrug, bleibt er mir vor den Füßen.«

»Da du die großen Eisenfesseln brachst«, entgegneten die Asen, »wirst du erst recht das Seidenband zerreißen. Schaffst du das nicht, brauchen wir dich nicht zu fürchten und werden dich sogleich losbinden.«

Die Asen gaben dem Wolf Zeit zum Überlegen; dann sagte er: »Wenn ihr mich so bindet, dass ich mich nicht freitreten kann, werdet ihr spotten und die Fessel vielleicht nie lösen.« Er vermutete eine List und sträubte sich gegen Gleipnir.

Da wandten sich die Götter vom Wolf ab, begegneten ihm geringschätzig und nannten ihn feige.

Diesen Vorwurf vertrug der Ruhmsüchtige nicht und wollte sich nun mit Gleipnir binden lassen, falls ein Ase seine Hand als Pfand für Ehrlichkeit in seinen Rachen lege.

Die Asen sahen einander betreten an, jeder presste seine Hände an den Körper oder hielt sie auf dem Rücken, auch Odin und Thor.

Da trat Tyr neben den Wolf, der traute dem Herrn über die Gerechtigkeit ohnehin am meisten. Tyr schob dem Wolf die Linke in den Rachen, doch der Wolf verlangte die Rechte, die Schwurhand. Die würde sich der Rechtsgott der Asen nie abbeißen lassen, meinte der Wolf und ließ sich binden.

Je heftiger der Wolf dann gegen das Seidenband trat, desto mehr härtete es sich. Je wilder er sich drehte und wand und zu befreien suchte, desto schärfer schnürte das Band ihn ein. Da lachten alle, außer Tyr, denn ihm biss der Wolf die Hand ab.

Als der Wolf seine Fessel vor Zorn so hart getreten hatte, dass er nicht mehr freikam, heulte er furchtbar, weil er den Göttern getraut hatte und überlistet worden war. Die Asen banden den Fenriswolf dann an eine schwere Steinplatte, die sie tief in der Erde an einen Felsen verankerten. Der Wolf schnappte heftig, wollte die Asen beißen, brüllte und drohte, er werde einst Odin verschlingen. Da stieß Odin ihm ein Schwert in den Rachen, stach die Schwertspitze in den Oberkiefer und stemmte das Heft gegen den Boden des Maules. Mit dieser Gaumensperre heult der Wolf bis zu den Ragnarök.

Odin versammelt gefallene Krieger in Walhall

Da die Gefahr für die Welten wuchs, suchten Odin und andere Asen Walhall, die Halle der Gefallenen, öfter auf. Sie war mit Asgard erbaut worden und liegt in Odins Wohnstätte Freudeheim.

Die auf dem Schlachtfeld gefallenen Krieger durchwaten den Grenzstrom, treten rasch durch das Totentor, denn die Tür schlägt ihnen sonst auf die Fersen. Vor dem Tor wacht ein Wolf. Über ihm schwebt ein Adler. In der goldglänzenden Halle bilden Speere das Gerüst der Sparren, Schilde decken das Dach als Schindeln, Kettenpanzer liegen auf den Bänken. Der Glanz der Schwerter beleuchtet die riesige Halle. Aus jedem ihrer 540 Tore werden einst 800 Krieger ausrücken, so unermesslich groß ist Walhall. Nicht nur ihr Inneres ist prächtig ausgeschmückt, vor der Halle steht ein Wald, dessen Bäume tragen Blätter aus Gold.

Odin empfängt von seinem Hochsitz aus die Gefallenen; die werden als Einherjer in der Halle bleiben, bis er mit ihnen einst zum Kampf gegen die Weltenfeinde ausziehen wird. Der Ase Bragi, ein Kämpfer und Gott der Dichtkunst, reicht ihnen in Odins Namen den Willkommenstrunk. Die Menge der Männer, die im Kampf gefallen sind, ist kaum zählbar. Aber es werden noch weit mehr nötig sein. Und so viele Einherjer auch hinzukommen werden, das Fleisch des Ebers Sährimnir wird reichen. Das stattliche Tier wird täglich geschlachtet, vom Koch Andhrimnir, im Kessel Eldhrimnir gesotten und steht abends wieder auf seinen vier Beinen und grunzt.

Was von seinem Fleisch auf den Tisch Odins kommt, füttert er seinen beiden Wölfen Geri und Freki, den Gierigen, die vor seinen Füßen sitzen und wachen. Vielleicht genügt ihm der Wein als einzige Speise nicht, und er verschlingt manchmal heimlich Fleisch. Vielleicht stärkt der Wein Odins Verstand und Phantasie, lässt ihn schärfer in die Zukunft sehen und treffendere Verse erfinden. Oder trübt der Rausch seinen Sinn? Die Raben Huginn und Muninn, die er im Morgengrauen zur Erkundung aussendet, kehren mittags zurück und flüstern Odin ins Ohr, wo Herrscher eine neue Schlacht ersinnen oder Riesen sich zusammenrotten. Odin fürchtet, Huginn könne einmal nicht zurückkehren, aber um Muninn sorgt er sich noch mehr. Andere Raben dienen Odin auf den Schlachtfeldern und heißen Leichenvögel, weil sie sich von Toten nähren. Deshalb wird Odin auch Rabengott genannt.

So unerschöpflich wie die Speise ist auch das Getränk der Einherjer. Ihre Schmerzen und tödlichen Wunden werden mit bestem Met gelindert. Keine Unfreien und Knechte, nur freie Krieger fahren nach Walhall, und nur im Kampf Gefallene, keine Bett-Toten, wie sie verächtlich heißen. Mancher greise Kämpfer lässt sich vor seinem Tod mit dem Speer durchbohren, um der Schmach gemeinen Sterbens zu entgehen und doch noch Odin geweiht zu sein. Manchmal verleiht Odin an Vertraute seinen Speer Gungnir, auf dessen Spitze Runen eingeritzt sind.

Auf dem Dach von Walhall steht der Hirsch Eichdorn und knabbert an den Zweigen der Esche Yggdrasill. Von seinen Hörnern tropft es so stark, dass Wasser bis in den brausenden Kessel Hvergelmir hinabstürzt und daraus Flüsse entspringen wie Die Brüllende, Die heftig Brausende, Die von Speeren Sprudelnde, Die Menschenverschlingerin. Die Wasser einiger Flüsse fallen die Menschen an.

Auf dem Dach von Walhall steht auch die Himmelsziege Heidrun und beißt Zweige von der Weltenesche. Aus Heidruns Euter rinnt täglich ein großer Behälter voll Met; der reicht, um die Einherjer trunken und für den Kampf bereit zu machen. Die Einherjer ziehen jeden Morgen in Rüstung und mit ihren Waffen auf den weiten Hof hinaus, kämpfen gegeneinander und erschlagen sich. Zur ersten großen Hauptmahlzeit reiten sie heim an ihre gedeckten Tische, sitzen versöhnt nebeneinander, trinken und lärmen. So bereiten sie sich auf die letzte große Schlacht vor.

In Walhall dienen Odin und den Einherjern junge schöne Mädchen und Frauen. Die meisten waren ehemals Schildmädchen, menschliche Kriegerinnen, die Scharen angeführt, Schiffe befehligt oder in der Reihe mitgekämpft hatten, in der Schlacht fielen und wie die Einherjer in Walhall einzogen. Sie reichen als Walküren Trinkhörner voll Met von Heidruns Euter, bringen Tischgerät und Fleisch vom Eber Sährimnir. Aber Odin sendet sie auch zu Schlachten aus; dort wählen sie Männer, die fallen oder siegen sollen. Die Walküren reiten auf ihren Pferden übers Meer oder durch die Luft, meist in Scharen zu drei, neun oder zwölf. Wie die Männer tragen sie Helm, Schild und Speer. Meist sind diese Frauen ungewöhnlich schön, treten den Todgeweihten vor Augen und sprechen sie an; dann reiten sie zurück nach Walhall, melden Odin den Vollzug seines Auftrages oder welches Schicksal sie selbst verhängten. Die berühmtesten Walküren waren Brynhild und Sigrun. Brynhild schenkte dem jungen König Agnar den Sieg, obwohl Odin bereits seinen Gegner zum Sieger bestimmt hatte. Odin strafte Brynhild für diesen Eigensinn, stach sie mit dem Schlafdorn und verbannte sie in eine von einer Waberlohe umgebene Burg. Andere Walküren heißen Speerschleuderin, Waffenklirrende, Hochragende, Schreierin, Schildspalterin. Auch Nornen ziehen als Walküren auf die Schlachtfelder.

Es heißt, Odin wählt nur die eine Hälfte der Gefallenen, die andere sucht Freyja von den Schlachtfeldern für Walhall.

Der besondere Freund Thors

Odin wird vor allem von den Königen, Jarlen, anderen mächtigen Männern und ihren Gefolgsleuten verehrt. Die Bauern, Schmiede, Händler und Seefahrer opfern am meisten Thor, denn er trägt keinen Speer und kein Schwert, sondern einen Hammer, er reitet nicht hoch zu Pferde, sondern schirrt seine Böcke an. Thor schürt nicht, wie es von Odin heißt, Streit zwischen Königen und treibt sie in Schlachten, er steht den Menschen bei auf Feldern, in Wäldern und auf See. Die Menschen nennen ihn ihren besten Freund; rufen sie ihn an, ist er zur Stelle.

Mit manchen Menschen, die ihm besonders vertrauen, hält Thor enge Freundschaft.

Hrolf war der angesehenste Mann auf der Insel Mostr in Norwegen, er war groß und kräftig und hatte einen mächtigen Bart. Hrolf verwaltete auf der Insel einen Thor geweihten Tempel, galt als besonderer Freund dieses Gottes und wurde deshalb Thorolf genannt.

In der Zeit, als König Harald Schönhaar Norwegen mit Gewalt einte, wollten sich ihm mächtige Männer nicht unterwerfen und wanderten nach Island aus. Unter ihnen war ein guter Freund Thorolfs, dem er ein starkes Langschiff mit Bemannung gab, um Verwandte zu besuchen. Der König erfuhr davon und ließ Thorolf durch Boten mitteilen, er solle geächtet sein wie sein Freund oder sich zum König und in dessen Entscheidungsgewalt begeben.

Thorolf richtete in seinem Tempel ein großes Opferfest und befragte seinen vertrauten Freund Thor durch Wurf der Losstäbe, ob er sich mit dem König versöhnen oder das Land verlassen solle. Thor riet ihm, nach Island zu fahren. Es gab dort gutes Land zur Besiedlung, so berichteten Seefahrer.

Thorolf verschaffte sich ein großes Seeschiff und fuhr mit seinen Hausleuten, Gerät und Vieh auf die große Insel. Viele Freunde begleiteten ihn. Thorolf hatte auch den Tempel abgebrochen und fast alles Bauholz mitgenommen, auch die Erde unter dem Sockel, auf dem die Thorsäule gestanden hatte.

Thorolf bekam günstigen Wind, erreichte bald Island und fuhr an der Südküste westlich. Vor den großen Fjorden, die tief ins Land einschnitten, flaute der Wind ab. Thorolf warf die Hochsitzpfeiler, die im Tempel gestanden hatten, über Bord; in einem war Thors Bildnis eingeschnitten. Der Verehrer Thors wollte sich – wie viele seiner Landsleute – an der Stelle ansiedeln, wo sein Freund die Pfeiler an Land spülen lasse. Thor entfachte eine Brise. Und die Pfeiler trieben unerwartet rasch zu dem westwärts gelegenen Fjord. Die Bootsleute segelten in den Fjord hinein. Da er sehr breit und sehr lang war, nannte Thorolf ihn Breidafjord. Diesen Namen trägt er noch heute. Thorolf landete auf der Südseite, in der Mitte des Fjordes, und zog das Schiff in einer Bucht ans Ufer, die sie später Tempelbucht nannten. Der Auswanderer erkundete mit seinen Leuten die Umgebung und fand die Pfeiler mit dem Thorsbild an einer Landspitze angekommen, die sie dann Thorsnes, Thors Landspitze, nannten. Sie umgingen das von ihnen in Besitz genommene Land mit Feuer bis zu einem Fluss, den sie Thorsa nannten, und siedelten sich dort an.

Thorolf erbaute ein großes Gehöft und zu Ehren Thors einen stattlichen Tempel, unterhielt ihn und richtete dort die Opferfeste aus, war also Tempelgode.

Der Tempel wurde eine Stätte des Friedens. An der Längswand hinter der Tür standen die Hochsitzpfeiler. Weiter von der Tür entfernt lag ein Raum ähnlich dem Chor heutiger Kirchen, in dem stand auf einem altarartigen Platz ein Kessel für das Blut der Tiere, die für Thor geopfert wurden. Die Feiernden saßen sich auf Bänken gegenüber und wurden mit einem Wedel mit Opferblut besprengt. Und in dem altarartigen Aufbau lag ein offener Ring, zwanzig Öre schwer, auf den wurden alle Eide abgelegt. Thorolf als Tempelgode trug ihn am Arm bei Zusammenkünften. Um den Opferkessel standen im Halbrund die Bildnisse Thors und anderer Götter. Alle Anwohner hatten die Pflicht, für den Tempel eine Abgabe zu entrichten und den Tempelgoden Thorolf auf seinen Unternehmungen zu begleiten.

An der Spitze der Landzunge, wo das Bild Thors an Land gespült worden war, ließ Thorolf alle Gerichtsverhandlungen abhalten und setzte ein Bezirksthing ein. Thorolf erklärte die Stätte für so heilig, dass niemand dort Blut vergießen, seine Notdurft verrichten oder sie anders verunreinigen durfte. Für die Notdurft wurde eine Klippe benutzt, die Kotschäre hieß.

Dem Berg auf der Landzunge brachte Thorolf solche Verehrung entgegen, dass ihn keiner ungewaschen ansehen durfte. Diese felsige Erhebung nannte Thorolf Helgafjell, das bedeutet Heiliger Berg, und glaubte, er und seine Verwandten würden beim Tode dort hineinfahren.

Thorolf lebte großzügig und in Wohlstand. Damals waren Nahrungsmittel aus der See und von den Inseln reichlich zu beschaffen. Thorolf verheiratete sich noch, und seine Frau Unn bekam einen Sohn, der Stein hieß. Den weihte Thorolf seinem Freund Thor und nannte ihn Thorstein. Menschen und Dinge wurden nach Thor benannt, nicht nur der Verehrung wegen, auch um Eigenschaften des Gottes an sie zu binden.

Nach seinem Tod wurde Thorolf in einem Hügel bestattet. Sein Sohn Thorstein trat sein Erbe an und nahm eine Frau, die Thora hieß.

Ein Nachkomme jenes Freundes, dem Thorolf beigestanden hatte, lebte in der Nachbarschaft mit zahlreicher Familie. Aber diese Leute waren sehr hochmütig und wollten beim Thing ihre Notdurft wie andernorts im Grase verrichten. Warum sollte diese Landspitze Thorsnes heiliger sein als anderes Land?, meinten sie und wollten auf dem Weg zur Kotschäre nicht länger ihre Schuhe abnutzen. Thorstein warnte die Nachbarn mehrfach. Als sie wieder ins Gras der Thor geweihten Stätte ihr Wasser abschlugen, griff Thorstein die Nachbarn mit seinen Thingleuten an; denn er wollte das Stück Land nicht besudeln lassen. Es kam zum Kampf. Auf beiden Seiten fielen Männer. Einige Anhänger beider Parteien fanden das nicht im Sinne Thors. Da hörten sie fernen Donner. Nun gelang herbeigeeilten Anwohnern, die Parteien sofort zu trennen. Der heilige Thingplatz war blutgetränkt.

Beide Parteien standen sich mit vielen Bewaffneten gegenüber. Thord, der bedeutendste Mann am Breidafjord, sollte durch einen Vergleich schlichten und entschied im Sinne Thors.

Die Nachbarn machten zur Bedingung, wegen einer Notdurft nie wieder auf eine Schäre waten zu müssen. Und Thorstein verlangte, dass keiner die Landspitze Thorsnes besudelte. In seinem Spruch nannte Thord diese Landspitze befleckt und entweiht, sie sei nun nicht heiliger als andere. Und die Thingstätte wurde weiter östlich verlegt. Und beide Parteien wurden verpflichtet, den Tempel für Thor gemeinsam zu unterhalten.

Die Göttin der ewigen Jugend wird geraubt

Die klügsten Riesen wie der weise Vafthrudnir und der Meeresriese Ägir, der seit Urzeiten mit den Göttern befreundet war und sie zu Gelagen lud, wollten Frieden mit den Göttern. Ägirs Frau ist die Meeresgöttin Ran. Sie besitzt ein Netz, mit dem fischt sie die

Ertrunkenen aus dem Wasser und holt sie ins Totenreich im Meer. Ägir und Ran haben neun Kinder, das sind die Meereswellen.

Eines Tages machte sich Ägir, der auf der Insel Hlesey wohnt, auf die Reise nach Asgard, um einen Besuch zu erwidern. Die Asen sahen seine Fahrt voraus, trafen Vorbereitungen und empfingen ihn gastfreundlich. Und sie blendeten seine Sinne. Am Abend, als das Trinkgelage beginnen sollte, ließ Odin Schwerter in die Halle tragen; die waren blank und glänzten so, dass sie den Saal erhellten und während des Festes keine andere Beleuchtung nötig war. Ägir fand die Halle herrlich ausgestattet. Die Wände hingen voll prächtiger Schilde.

Ihr Glanz fiel auf die Asen. Auf ihren Hochsitzen saßen zunächst Odin neben seiner Frau Frigg, dann Thor, Njörd, Frey, Heimdall, der einhändige Tyr und Loki. Auch Balder und seine Frau Nanna, die ihren Mann sehr liebte, gehörten zu den Gastgebern. Neben dem langbärtigen Bragi saß Idun, seine schöne junge Frau. Sie reicht täglich die goldschimmernden Äpfel, die halten die Asen jung für ihre schwere Pflicht, die Geschicke der Welten zu lenken.

Bragi begrüßte Ägir, gab ihm den Willkommenstrunk und bot ihm Platz neben sich. Ägir fragte ihn nach Taten seines riesischen Verwandten Loki, der seiner Herkunft und leichtsinniger Streiche wegen immer wieder Vorwürfen der Asen ausgesetzt war. Bragi zeigte sich wie in Walhall redegewandt – auf seiner Zunge sind Runen eingeritzt – und erzählte, was den Asen widerfahren war:

Vor einiger Zeit brachen drei Asen von zu Hause auf, stiegen über Berge, öde Hochflächen, wo keine Hütten standen. Odin, Hönir und Loki zehrten ihre Vorräte zu rasch auf. Da sahen sie in einem Tal eine Herde Ochsen. Die Asen fingen einen, schlachteten ihn, entzündeten Feuer, erhitzten Steine, legten das Fleisch dazwischen und deckten es ab, damit es gar werde. Als sie es für weich hielten und nachsahen, war es noch fast roh. Ihr Appetit wuchs. Aber auch beim zweiten Verkosten nach längerer Zeit erwies das Fleisch sich als hart und zäh. Die Asen fragten einander, wie das geschehen konnte. Da hörten sie in der mächtigen Eiche über sich jemanden sprechen. »Ich«, sagte die Stimme, »habe veranlasst, dass das Fleisch nicht gar wird.« Die Asen blickten hinauf und sahen einen ziemlich großen Adler, der seine Worte wie dürre Zweige auf sie herabfallen ließ: »Gebt mir von eurer Mahlzeit ein Stück ab, dann soll euer Fleisch bald zu genießen sein.«

Die Asen waren hungrig und stimmten dem Wunsch des Adlers zu. Da flog er über die Kochstelle – der Himmel über den Göttern verdunkelte sich –, packte zuerst die beiden Keulen des Ochsen und dann beide Schulterstücke.

Loki geriet in Zorn, und um sich den Asen nützlich zu machen, ergriff er eine Stange, wollte den Adler erschlagen und traf ihn zwischen den Flügeln. Der Riesenvogel hob ab, die Stange hing an seinem Rücken fest, und Lokis Hände klebten an ihr.

Der Adler flatterte so dicht über dem Boden, dass Lokis Füße über Geröll schleiften, gegen Steine und Baumstümpfe schlugen. Ihm war, als würden ihm die Arme aus den Achseln gerissen. Loki schrie und bat um eine friedliche Übereinkunft, aber der Adler erwiderte, Loki würde nie freikommen, wenn er sich nicht verpflichte, Idun mit ihren Äpfeln aus Asgard herauszulocken. Loki weigerte sich, die Asen zu hintergehen. Da zerrte der Adler ihn so lange über Stock und Stein, bis Lokis Blut die Erde rötete und er um sein Leben fürchten musste – zähneknirschend schwor er die Eide. Er kam los und ging zu seinen Gefährten.

Zur vereinbarten Zeit lockte Loki Idun unter dem Vorwand in einen Wald, er habe dort kostbare Äpfel entdeckt. Und er bat die Asin, ihre mitzunehmen und mit den fremden zu vergleichen. Als Idun unter dem Apfelbaum stand, flog der Riese Thjazi in Adlergestalt heran, packte sie mit ihren Äpfeln und entführte sie auf seinen Hof Thrymheim, was Lärmheim heißt.

Thjazi gehörte zu den bedeutendsten und mächtigsten Riesen. Schon sein Vater war sehr reich gewesen. Nach dessen Tode teilten seine Söhne das Erbe und maßen das Gold, indem jeder der Reihe nach einen Mundvoll nahm.

Als die Äpfel der Verjüngung ausblieben, alterten die Götter, wurden rasch grau, warfen den Speer nur halb so weit. Die Göttinnen klagten über die schwindende Manneskraft ihrer Männer und drängten im Rat fast energischer als die Götter, Idun mit ihren Äpfeln unverzüglich zurückzuholen. Die Götter fragten einander, wer Idun zuletzt gesehen habe. Loki hatte mit ihr Asgard verlassen. Da wurde er ergriffen und mit Folter und Tod bedroht. Und da schwor er, nach Riesenheim zu fliegen und Idun zu suchen, wenn Freyja ihm ihr Falkengewand leihe.

Loki zog es rasch über und flog nach Norden ins Land der Riesen.

Er kam zum Hof des Riesen Thjazi, umflatterte die Gebäude einige Zeit. Thjazi war aufs Meer hinausgerudert und hatte Idun allein in seinem Haus zurückgelassen. Loki landete, gab sich zu erkennen, verwandelte Idun in eine Nuss, nahm sie mit ihren Äpfeln, die sie immer bei sich trug, zwischen seine Klauen und flog so schnell er vermochte nach Asgard.

Thjazi hatte vom Boot aus den großen Falken fliegen sehen und ruderte rasch nach Hause. Er vermisste Idun; da verständigte er seine Tochter Skadi, nahm sein Adlerhemd und verfolgte Loki, so schnell Adler fliegen können. Der Vorsprung des Falken war groß, aber der Adler flog schnell und drohte den Falken zu erreichen.

Die Asen beobachteten die Jagd und schleppten einen Haufen Hobelspäne vor Asgard. Die Götter sahen den Falken mit der Nuss heranfliegen; der Adler würde ihn gleich packen. Mit Mühe gelangte der Verfolgte über den Wall der Asenburg, landete hinter der Mauer und verwandelte sich wieder in Loki und die Nuss in Idun. Inzwischen hatten die Asen die Späne entzündet, Wind entfacht – im Nu loderten die Flammen höher als die Asenburg. Als der Adler den Falken aus den Augen verlor, gelang es ihm nicht schnell genug zu bremsen – er geriet in den Feuerwall. Die Flammen erfassten sein Gefieder, er stürzte ab. Die Asen packten ihn. Thor hob seinen Hammer und wollte Thjazi erschlagen; da kam Loki ihm zuvor, tötete den Riesen mit einer Stange und rächte sich so an ihm.

Der Rechtsgott Tyr stand abseits, und da ihm seine Schwurhand abgebissen war, konnte sie kein Schwert mehr führen.

Die Riesin Skadi wählt den Gott Njörd

Da der Riese Thjazi keine Söhne hatte, nahm dessen Tochter Skadi Helm, Brünne und ihre Waffen und zog nach Asgard. Heimdall wachte wie stets bei der Asenbrücke und hob sein Schwert, um die Aufgebrachte vom Kampf abzuhalten. Obwohl Skadi wusste, wie wenig sie gegen die gutgerüsteten Asen auszurichten vermochte, drohte sie mit ihrem Speer, denn sie hatte in ihrem Riesenzorn die

Kraft von acht Männern. Die Asen begegneten ihrer furchtlosen Art mit Respekt und suchten die entschlossene Schöne zu besänftigen. Odin hielt es für ehrlos, ein Riesenmädchen zu erschlagen, das ihren Vater rächen wollte. Balder bat Skadi um einen Vergleich und Frieden. Und Skadi fand an dem schönen Balder Gefallen.

Die Asen boten Skadi einen großzügigen Vergleich: sie durfte sich unter den Asen einen Mann wählen; und die Asen sahen darin eine große Tat, Götter und Riesen zu versöhnen. Allerdings zeigte man Skadi nur die Füße der Götter, ihre Körper blieben verhüllt. Skadi ging darauf ein, wies auf die Füße eines Mannes und rief: »Diesen wähle ich. Balder ist vollkommen!« Die Männer warfen ihre Umhänge ab, da sah Skadi ihren Irrtum: diese Füße gehörten nicht dem jugendschönen Balder, sondern dem alten Njörd. Aber vielleicht war Skadi doch ein alter Gott lieber als ein junger kräftiger Riese; jedenfalls nahm sie, wie vereinbart, den Gewählten zum Mann.

Zum Vergleich gehörte die scheinbar unerfüllbare Bedingung: die Asen sollten die Vaterlose in ihrem Riesenschmerz über Thjazis Tod zum Lachen bringen. Loki verfiel darauf, das eine Ende eines Strickes einer Ziege um den Bart, das andere Ende an seinen Hodensack zu binden. Loki und die Ziege zogen sich gegenseitig hin und her. Mal zerrte er, mal sie. Und beide schrien fürchterlich, vor Schmerz und Vergnügen. Plötzlich ließ Loki sich in Skadis Schoß fallen, und da lachte Skadi. So versöhnte sich Skadi mit den Asen. Weiter wird berichtet, Odin habe als dritte Buße Thjazis Augen an den Himmel geworfen und daraus zwei Sterne gemacht.

Skadi und Njörd waren nun Mann und Frau. Skadi wollte in Thrymheim wohnen, in den rauhen Bergen, wo sie bei ihrem Vater aufgewachsen war. Njörd wollte als Gott des Meeres und der Seefahrt in seiner Wohnstätte Noatun, Schiffshof, bleiben. Die Eheleute vereinbarten, jeweils neun Tage in den Bergen von Thrymheim und neun Tage an der See in Noatun zu leben. Aber Njörd fühlte sich zwischen den Bergen eingesperrt, stieß sich an den Felsen und sehnte sich nach dem offenen Meer, er fand den Gesang der Schwäne schöner als das Wutgeheul der Wölfe in Wäldern und Schluchten. Und Skadi klagte, wenn sie in Noatun weilte: sie könne kaum schlafen vom Kreischen der Vögel und dem Lärm der Brandung. Jeden Morgen komme die Möwe vom Meer und wecke sie.

Skadi sehnte sich nach den schneebedeckten Hängen und dem Gebrüll der Bären in Felsschluchten.

Skadi fand kein Glück am Meer und Njörd kein Glück in den Bergen. Beide trennten sich wieder. Njörd bleibt in Noatun, wo er immer gelebt hatte. Und Skadi fährt in den Bergen Ski und erlegt mit Pfeil und Bogen Wild. Die Menschen verehren sie als Göttin der Jagd und des Skilaufens. Odin soll mit ihr Söhne gezeugt haben, die wurden in Midgard mächtige Herrscher.

Odins Pflegesohn König Geirrod

Odin und Frigg nahmen Pflegesöhne an oder ließen sie aufziehen, damit mehr Männer ihres Sinnes in der Menschenwelt herrschten und sie besser gegen Feinde schützen konnten.

Odin und Frigg saßen auf Hlidskjalf und gerieten in Streit, wer den Pflegesohn, den jeder von den Menschen angenommen, am besten erzogen hatte.

Frigg hatte Agnarr als Pflegesohn aufziehen lassen. Und Odin deutete von Hlidskjalf in die Richtung einer dunklen Höhle und sagte: »Siehst du, wie dein Pflegesohn in dieser Grotte haust und mit einer tapsigen Riesin Kinder zeugt.« Odin und Frigg sahen von Hlidskjalf aus zu und fanden es abstoßend.

Triumphierend sagte Odin: »Aber siehst du dort das große Land, da regiert mein Pflegesohn Geirrod als König.«

»Aber durch welche Widerwärtigkeit machtest du ihn zum König?«, sagte Frigg.

»Und wer hatte den Einfall«, entgegnete Odin, »König Hraudung zwei Söhne wegzunehmen und zu wetten, wer von uns beiden seinen Pflegling zum Tüchtigsten erzieht?«

König Hraudung hatte zwei Söhne gehabt, der eine hieß Agnarr und war zehn Jahre alt, der andere, Geirrod, und war acht Jahre alt. Beide waren unzertrennlich gewesen, spielten, jagten und fischten gemeinsam. Einmal waren sie wieder mit einem Boot aufs Meer gefahren, um Kleinfische zu fangen. Während der eine Bruder ruderte, saß der andere hinten im Boot und schwenkte die Angel hin und her. Es bissen so viele Fische an, dass die Brüder darüber den starken Wind übersahen, der aufkam und sie aufs Meer hinaustrieb.

In der stockdunklen Nacht gerieten die Brüder in fremde Gewässer und strandeten an einer Klippe. Agnarr und Geirrod retteten sich an Land, irrten an der unbekannten Küste umher und kamen an eine Hütte. Ein Bauer und seine Frau nahmen sie auf. Und die Brüder blieben bei ihnen den Winter über. Die Frau kümmerte sich auf Geheiß Friggs um Agnarr und erzog ihn ehrenhaft, während der Bauer Geirrod im Sinne Odins List und Verschlagenheit lehrte. Nach anderen Berichten sollen die Frau Frigg und der Bauer Odin selbst gewesen sein.

Im Frühjahr wollten die Brüder nach Hause zurückkehren. Der Bauer beschaffte ihnen ein Schiff, das Odin geschenkt hatte; und das Ehepaar begleitete die Brüder zum Strand. Auf dem Wege flüsterte der Bauer seinem Pflegling Geirrod etwas ins Ohr.

Die Brüder stießen mit dem Boot vom Ufer ab und bekamen sofort günstigen Fahrtwind, segelten rasch über das Meer und gelangten zum Anlegeplatz beim Hofe ihres Vaters. Geirrod stand vorn im Boot, sprang sofort an Land, stieß das Boot ins Meer zurück und rief: »Fahr zu den Trollen!« Und sosehr Agnarr aufs Land zuruderte, das Boot trieb rasch aufs Meer zu den Inseln, wo die Trolle hausten. Von dort gelang ihm keine Rückkehr.

Geirrod ging zu seinem elterlichen Hof, wurde von der Gefolgschaft mit Jubel begrüßt und erfuhr vom Tod seines Vaters. Und da der älteste Sohn Agnarr, dem zuerst das Erbe zugefallen wäre, als verschollen und damit als tot galt, wurde Geirrod König. Er wurde mächtig und berühmt.

Frigg sah von Hlidskjalf, wie Geirrod in seiner prunkvollen Halle zechte und sich von seinem Gefolge ehren ließ. Und sie blickte angewidert von der Höhle weg, wo ihr Pflegesohn sich mit pfeifendem Atem mühte, einem hässlichen Trollweib ein Kind zu machen.

»Dein Pflegesohn Geirrod geizt so mit dem Essen«, stichelte Frigg Odin, »dass er seine Gäste, kommen ihrer zu viele, hungern und dursten lässt.«

»Das ist die größte Lüge«, verteidigte Odin seinen Pflegesohn.

Da wetteten Frigg und Odin um die Freigebigkeit Geirrods.

Odin beschloss, seinen Pflegesohn selbst zu prüfen.

Frigg aber sandte ihr Kammermädchen Fulla zu Geirrod und ließ ihn vor einem zauberkundigen Mann warnen, der sein Land heimsuche. Man erkenne den Fremden daran, dass auch der bissigste Hund ihn nicht anspringe.

Geirrod ließ jenen Mann aufspüren und freundlich in seine Halle laden. Dieser Mann nannte sich Grimnir, was Der Maskierte heißt, und trug einen weiten blauen Mantel. Sosehr der König den Fremden mit Speisen lockte und durch Fragen peinigte, er verriet weder, woher er komme, noch, was er vorhabe. Entgegen allen Warnungen ließ der König den Fremden in seine Halle zwischen zwei Feuer setzen und so acht Tage foltern. Speisen und Getränke wurden ihm nur gezeigt.

König Geirrod hatte einen Sohn, der war nach dem angeblichen Tod seines Onkels Agnarr geboren, galt als dessen Wiedergeburt, hieß auch Agnarr und war inzwischen ebenfalls zehn Jahre alt.

Dieser Agnarr trat zu Grimnir, den Durst quälte, und sagte, sein Vater Geirrod handle schlecht, wenn er ihn schuldlos peinige. Agnarr reichte dem Mann zwischen den Feuern ein Trinkhorn voll Bier.

Grimnir leerte das Horn in einem Zug so rasch, dass es in seiner ausgedörrten Kehle zischte. Und eine Flamme sprang auf Grimnirs blauen Mantel und entzündete ihn.

»Wie heiß! Weg von mir, Flamme! Versengst mir das Tuch!«, rief Grimnir.

Nach diesen Worten erlosch der Brand auf Grimnirs Mantel, und das Feuer ließ von ihm ab. Dann sprach Grimnir weiter: »Ich schwitzte acht Nächte lang zwischen den Feuern, gleich bricht die neunte an. Keiner reicht mir Speise oder ein Trinkhorn, als einziger du, Agnarr. Der Gott, den die Menschen am meisten achten, entbietet dir Heil, Agnarr, nie wird ein Trunk besser vergolten werden. Du sollst herrschen über das ganze Land.«

Agnarr wollte dem Gepeinigten ein zweites Horn reichen, aber König Geirrod riss es seinem Sohn aus der Hand und schüttete es auf dem Boden aus. Das Bier verdampfte auf dem heißen Stein neben Grimnirs Füßen.

König Geirrod ließ sich dieses Trinkhorn unter Grimnirs Augen wieder füllen, bis das Bier über den Rand schäumte. »Wer bist du, Grimnir?«, forschte Geirrod den Fremden weiter aus.

Der saß unbewegt zwischen den Feuern und sprach: »Man nannte mich auch Graubart und Den Flammenäugigen.«

Da kicherte Geirrod und ließ das linke Feuer einen Fußbreit näher an Grimnir heranschieben. Aber die Flammen wichen seinem blauen Mantel aus.

»Und man nannte mich Den im Verführen Gewandten«, sagte Grimnir.

»Nicht einmal ein kleiner Zauberer bist du!«, rief Geirrod und ließ sich nachschenken. »Sonst hättest du längst das Feuer erstickt.«

Grimnir lachte und sagte: »Wem kann man schon trauen? Einer lodernden Flamme? Einer krächzenden Krähe? Einem gezähmten Bären, der dir etwas vortanzt, dessen Wildheit aber sofort durchbrechen kann? Einer Schlange, die zusammengeringelt Frieden vortäuscht? Oder einem König, der zu einem Gespräch beim Bier in seine Halle lud? Und gar, was dir ein Mädchen im Bett zuflüstert?«

»Auch wir Männer«, sagte Geirrod, »täuschen die Frauen. Wenn wir am meisten schmeicheln, denken wir am heimtückischsten.«

»Die Frauen übertreffen uns darin«, erwiderte Grimnir.

»Den im Verführen Gewandten täuscht niemand!«, rief Agnarr.

»Ich saß im Röhricht«, begann Grimnir, »und wartete auf eine Schöne. Vor Tagen hatte ich ihren strahlend schönen Leib beim Baden gesehen, seitdem begehrte ich sie. Das Mädchen war mir so lieb wie das Leben. Aber sie kam nicht zur Verabredung. Da überraschte ich sie morgens in ihrer Kammer, trat an ihr Bett und fand die Sonnenweiße schlafend, sie glänzte heller als ein Sonnenstrahl. Eher wollte ich auf meine Würde und alle Besitzungen verzichten als auf die Schöne. Sie erwachte, erkannte mich und sprach: ›Komm am Abend, da bin ich heiter und geschmückt. Aber verrat das keinem, sonst bricht meine Keuschheit wie dereinst der Weltenbaum!‹ Anstatt stracks in ihr Bett zu steigen und die Taufrische zu nehmen, vertraute ich ihren Worten, verließ ihre Kammer und wartete voll Liebeslust. Als ich dann abends kam, standen ihre Gefolgsleute vor ihrem Haus, klirrten mit den Waffen und leuchteten mir mit brennenden Fackeln heim.«

König Geirrod lachte schallend und ließ sich das Trinkhorn füllen. Grimnir sprach im gleichen Ton weiter: »Am Morgen schlief das Gefolge vom Rausch. Und wieder schlich ich mich in die Kammer ans Bett der Schönen, zur Verführung entschlossen. Im Dämmer schimmerte der blonde Schopf der Anmutigen seltsam schmal, und ihr Kopf schien spitz. Vielleicht vor Gram? Ich schlug die Decke zurück. Da lag nicht die Schöne, sondern eine Hündin an ihr Bett gebunden. Die knurrte feindselig und bellte mich aus dem Hause.«

Da lachte Geirrod so, dass er das Bier aus seinem Trinkhorn schüttete und meinte: »Diese Geschichte wird auch Odin nachgesagt.«

»Vater«, warnte Agnarr König Geirrod, »erkennst du ihn nicht? Grimnir trägt einen blauen Mantel und hat nur ein Auge!«

Geirrod lachte seinen Sohn aus und ließ sich nachschenken. »Wie viele tragen blaue Mäntel. Und manchem Graubart wurde in der Jugend ein Auge ausgeschlagen!«

»Und dass die bissigsten Hunde vor ihm wegsprangen?«

Geirrod war sich seines Urteils sicher. »Odin schuf den Himmel. Odin hob die Erde aus dem Meer. Odin machte aus Baumstämmen die ersten Menschen. Glaubst du, dieser Gott würde sich von mir acht Tage lang zwischen zwei Feuer setzen lassen?«

Da schwieg Agnarr.

Und Grimnir sprach weiter: »Wie gering ist der Schmerz wegen eines Mädchens gegen jenen, den ich mir selbst zufügte, als ich auf die Weltenesche stieg und mich an ihr aufhing, als ich mich dem Odin opferte, als ich mit dem Speer verwundet wurde und mein Blut auf die Erde tropfte, als keiner mir acht Tage lang Brot oder ein Trinkhorn reichte und ich ausdörrte wie Stockfisch. Aber am neunten Tag wurden mir von unten Runenstäbe gereicht. Ich griff nach ihnen, nahm sie schreiend auf und fiel befreit auf die Erde zurück. Nun wurde ich dieser Zeichen kundig und lernte Geburtsrunen, Bierrunen, Schlafrunen. Und vom weisen Mimir, dem Bruder meiner Mutter, lernte ich neun gewaltige Zaubersprüche. Ich wuchs zu meiner hohen Gestalt auf, gewann alle Erfahrungen, die jemand wie ich benötigt. Und ich lernte Lebensrunen, Unglücksrunen, Siegrunen und Todesrunen. Tat führte zu Tat, bis zu diesem Augenblick, wo die Feuer neben mir den achten Tag abbrannten – eben beginnt der neunte.«

»Wer bist du, Grimnir?«, fragte Geirrod mit schwerer Zunge.

»Ich nannte mich Gangrad, ich nannte mich Bölverk«, erwiderte der Angesprochene, »andere nannten mich Den Goldbehelmten, Den Verwahrer des Dichtermetes, Den Speerkämpfer, Den Einäugigen. Für dich nannte ich mich Grimnir.«

»Du bist nicht Grimnir?«, fragte Geirrod mit zitternder Stimme.

»Du schlucktest zu hastig Bier, Geirrod, redest besoffen und wirr. Du verspieltest die Gunst Odins. Ich riet dir viel, du bedachtest nichts. Und die Nornen wurden dir feind. Ich sehe dein Schwert mit Blut bespritzt. Dein Leben ist zu Ende. Jetzt kannst du Odin sehen« – Grimnir warf seine Verstellung ab. »Komm her zu mir.«

König Geirrod lehnte auf seinem Hochsitz und hielt das Schwert, halb aus der Scheide gezogen, auf seinen schlotternden Knien. Als er begriff, dass er Odin acht Tage lang zwischen Feuern gemartert hatte, sprang er entsetzt auf und wollte ihn von seinem Platz wegreißen – da glitt ihm das Schwert aus der Scheide, der Knauf rutschte auf den Boden. Der König beugte sich, stolperte und stürzte in die aufgerichtete Klinge, sie durchbohrte den König – und Geirrod starb.

Odin verschwand von seinem Platz zwischen den Feuern.

Und Agnarr wurde König; er herrschte lange und gerecht.

Thor holt seinen Hammer zurück

Auch Thor sorgte sich um den Bestand der Welten, bemühte sich um freundschaftliche Beziehungen zu mächtigen Riesen und lud einige zu einem Gelage ein. Es kamen nicht nur mit Göttern befreundete wie der Meeresriese Ägir und die Riesin Grid, auch solche, die den Asen bereits misstrauten; dazu gehörten der Frostriese Geirröd und der Riesenkönig Thrym, mit denen Thor ehrenhaften Umgang und Frieden wünschte. Thor fand seine Bestimmung, Trolle zu erschlagen, manchmal blutig und roh und erinnerte sich gern an das goldene Zeitalter.

Heimdall hatte vor diesem Gelage gewarnt und war wie Odin dem Fest ferngeblieben. Der Saal Thors in seiner Wohnstätte Thrudheim, also Kraftheim, heißt Der von Licht Blitzende und strahlte an diesem Tag hell wie von Gewittern. Thor ließ von seinem Diener Thjalfi und anderen Hausleuten reichlich Bier und klaren Met ausschenken. Loki stand in Thors Gebäude, das 540 Räume hat, und beobachtete die Gäste. Balder saß an Thors Seite und sprach für den Ausgleich zwischen den Welten und davon, dass die Bewohner jeder Welt die der anderen gelten lassen sollten. Der blinde Höd war – wie so oft – bei Balder. Auch einige Asinnen saßen in Thors Halle und schenkten hin und wieder dem Riesenkönig Thrym und den anderen mächtigen Riesen nach. Durch den Verlust von Tyrs Schwurhand war die Rechtssicherheit in allen Welten erschüttert; und die Göttinnen versuchten weiteres Unheil abzuwenden.

Kein Streit brach aus, wie von Odin befürchtet. Die Riesen lobten Thors Friedfertigkeit. In später Nacht verließen die Gäste metberauscht Thors Gelage lärmend und fröhlich.

Am nächsten Morgen erwachte Thor früh und griff wie gewohnt nach seinem Hammer. Er griff wieder und wieder danach, doch der Platz blieb leer. Da sprang Thor von seiner Schlafstätte auf, schüttelte seinen roten Bart und raufte sich in unbändigem Zorn sein Haar. Vielleicht hatte ein Riese das Gelage und Thors Gutmütigkeit genutzt, den Platz des Hammers erkundet, ihn gestohlen oder rauben lassen? Odin und Heimdall würden Thor Leichtfertigkeit vorwerfen. Thor ging zuerst zu Loki und verriet ihm, was noch niemand in Asgard und Midgard wusste: »Mein Hammer ist gestohlen!«

Loki hatte den Asen manches Unglück bereitet, wollte das wieder gutmachen und Thor helfen. Beide gingen zu Freyja in ihre Wohnstätte Folkvang, in Die Halle des Volkes, und berichteten der Göttin von dem Diebstahl. Auf Thors Bitte, ihr Falkengewand zu leihen, erwiderte die Göttin: »Ich würde es dir auch geben, wenn es silbern wäre, du könntest es haben, selbst wenn es golden wäre.«

Thor reichte Loki Freyjas Federkleid und bat ihn, nach Mjöllnir zu forschen. Den Abenteurer reizte der Auftrag.

Loki zog das Gewand über, stieg auf – das Federhemd rauschte. Er flog über Asgard und Midgard und dann nach Utgard. Loki kreiste über einigen Gehöften der Riesen, bis er den Riesenkönig Thrym auf seinem Hügel sitzen sah. Thrym flocht aus Golddrähten Halsbänder für seine Hunde.

Der kluge Thrym erkannte an dem Falken, wer die Federn trug und rief nach einigen Worten über das Fest bei Thor: »Was gibt's bei den Asen? Warum kommst du allein nach Riesenheim?«

»Bei den Asen steht es schlimm. Thor wurde Mjöllnir geraubt. Hast du ihn versteckt?«, fragte Loki.

Thrym flocht das goldene Halsband zu Ende. Loki flog ungeduldig einige Runden um den Hügel, bis Thrym seinem Lieblingspferd die Mähne zu kämmen begann und endlich erwiderte:

»Ich verbarg Thors Hammer acht Meilen unter der Erde. Keiner holt ihn je wieder heim, bringt man mir nicht Freyja als Frau.«

Loki flog mit rauschendem Federkleid über Riesenheim zurück.

Thor stand schon vor seiner Wohnstätte und rief dem Ankommenden entgegen: »Berichte mir aus der Luft. Dem, der sitzt, entfällt oft das Gehörte. Wer liegt, der wird bequem und lügt.«

Und Loki antwortete im Anflug auf Thors Halle: »Thrym verbirgt den Hammer und fordert dafür Freyja als Frau.«

Bereits andere Riesen hatten Freyja besitzen wollen. Thrym war zwar der mächtigste und würdigste Riese, der Freyja begehrte, und dazu König. Dennoch wagte Thor kaum, sein Ansinnen Freyja vorzutragen. Aber selbst der durchtriebene Loki wusste keinen anderen Ausweg, Mjöllnir zurückzugewinnen. Thor und Loki gingen also zur Göttin der Liebe und berichteten von Thryms Forderung. Und Thor bat die schönste und angesehenste Göttin, das Brautlinnen anzulegen und mit ihm zu Thrym nach Thrymheim zu fahren.

Freyja schnaubte vor Zorn so, dass der ganze Göttersaal bebte, der kostbare Brisingamenschmuck zersprang und zu Boden fiel. »Ich müsste erst mannstoll werden«, rief die Stolze, »um mit dir nach Riesenheim zu fahren!«

Ohne Mjöllnir waren Midgard und Asgard in Gefahr. Wenn die Riesen mit der gefährlichsten Waffe, die es gibt, angriffen, wären die Asen verloren. Die Götter und die Göttinnen eilten alle zum Rat und besprachen, wie sie den Hammer heimholen könnten. Auch Odin wusste keinen Ausweg, bis Heimdall, der hellste Ase, Thor statt Vorwürfen den Vorschlag machte:

»Binden wir nicht Freyja, sondern dir den Brautschleier um, legen dir den Brisingamenschmuck an, hängen dir Schlüssel an den Gürtel und lassen sie klingeln, stecken dich in Weiberkleider, lassen sie dir bis auf die Knie fallen, legen dir breite Edelsteine an die Brust und schmücken dich mit einem zierlichen Kopfputz.«

Thor brauste auf, sein roter Bart zitterte vor Wut. »Mich in ein Brautgewand stecken!«, rief er. »Meine Brüder würden mich weibisch schelten, Riesen und Zwerge mich auslachen.«

»Thor, schweig lieber!«, rief Loki. »Wenn du den Hammer nicht zurückholst, werden die Riesen bald in deinem Saal sitzen, Freyja wird dem widerlichen Thrym nicht nur Bier nachschenken, sondern auch zu Willen sein müssen.«

Ob Thor die Menschen, seine Freunde, ohne Schutz lassen wolle, fragte Odin.

Thor brauste noch einmal auf und schüttelte seinen wallenden Bart, dann ließ er sich widerwillig den Schleier und den Brisingamenschmuck anlegen, das Haar hochtürmen und sich als Braut herrichten; dabei kühlte er seinen Zorn mit einer Tonne Met. »Zu keiner Zeit und in keiner Welt wurde je ein Gott so lächerlich gemacht!«, rief er. Die Asen vermieden, Thor an einem stehenden Gewässer vorbeizuführen, sonst hätte er sich wie im Spiegel gesehen.

Loki ließ sich als Dienerin verkleiden und wollte Thor nach Thrymheim begleiten.

Die Böcke Zahnknirscher und Zahnknisterer wurden vor Thors Wagen gespannt. Und die beiden Verkleideten donnerten los nach Riesenheim. Berge barsten, Felsgrate rissen, die Erde brannte unter den Rädern. Die beiden machten mehr Lärm als Riesen; ohrenbetäubend drang der zu Thrym.

»Hört, nun kommt Freyja!«, rief der König zu seinen Riesen. »Steht auf, bestreut die Bänke zum Empfang.«

Die Riesen schmückten die Bänke mit Wacholderzweigen und kostbaren Ringen.

Der Riesenkönig Thrym besaß Kostbarkeiten wie feine Halsringe aus rotem Gold, sogar ganz schwarze Ochsen und goldgehörnte Kühe. Allein Freyja, meinte er, fehle ihm noch zu seinem Reichtum.

Thrym richtete ein üppiges Hochzeitsmahl und ließ reichlich Bier für die zahlreichen Gäste ausschenken.

»Wie groß und kräftig ist Freyja, einem König der Riesen würdig! Wie herrlich glitzert ihr Brisingamenschmuck!«, rief Thrym.

Die Leinenhaube, um Thors Kopf gewickelt, verbarg sein Haar und seinen Bart; und der Schleier verdeckte seine gesenkten Wimpern und die stechenden Augen. Der derbe Kraftprotz, vor dem die stärksten Riesen zitterten, stand hilflos mit klirrenden Schlüsseln am Gürtel und im Brautkleid bis über die Knie im Gedränge lärmender Riesen. Thor biss vor Zorn die Lippen aufeinander. Um sich nicht zu verraten, schwieg er. Und um seine Wut hinunterzuspülen, trank er drei Tonnen Met und aß dazu einen Ochsen, acht Lachse und alles Backwerk, was für die Frauen bestimmt war.

Thrym sah erstaunt zu und rief: »Nie biss eine Braut so scharf zu! Nie schlang eine Braut so gierig und mit so breitem Maul! Nie sah ich eine Braut so saufen!«

In der Halle Thryms wurde es so still, dass die Gäste die Braut atmen hörten.

Da huschte Freyjas Dienerin rasch neben ihre Herrin und sprach: »Freyja aß und trank acht Tage und Nächte lang nichts, so sehr verlangte sie es nach dem König Thrym.«

Der nickte zufrieden, trat dann zu Freyja, die an der Schmalseite des Saales stand, hob den Brautschleier, lugte darunter und wollte die Braut küssen. Entsetzt fuhr er von Freyjas Lippen zurück und machte einen Sprung in Richtung zur Saalmitte hin.

»Wie furchtbar glühen Freyjas Augen!«, rief der König. »Wie Feuer flammt Freyjas Blick!«

Wieder war die flinke Magd an Freyjas Seite: »Freyja schlief acht Nächte lang nicht, so sehr sehnte sie sich nach der Hochzeit mit dem großen Thrym.«

Gefährten des Riesenkönigs warnten ihn hinter vorgehaltenem Schild. Aber der kluge Thrym war zur schönsten Göttin so in Liebe entbrannt, dass er alle Vorsicht vergaß.

Und die Schwester des Riesenkönigs trat zu Freyja und bat als Brautgeschenk um ihre goldenen Ringe am Arm.

Da sagte Thrym: »Bringt den Hammer!«

Die Gefährten des Königs überhörten die Worte.

Da brüllte Thrym: »Bringt den Hammer! Legt Mjöllnir der Braut in den Schoß, weiht uns als Mann und Frau, wie es Sitte ist.«

Acht Riesen trugen eine hölzerne Tafel herein, darauf lag Mjöllnir, und den legten sie dann der Braut in den Schoß. Thor lachte das Herz in der Brust, als er seinen Hammer erkannte. Er hob ihn mit einer Hand, schwang ihn leicht wie eine Gerte.

Als Thor Schleier und Kopfhülle abwarf und der rote Bart in die Halle fuhr, versuchten die Gäste zu fliehen. Aber Loki sperrte das Tor. Die Riesen schrien auf. Thor erschlug zuerst Thrym.

Der Gewittergott gab Thryms dreister Schwester krachende Hammerhiebe – statt goldener Ringe. Thors Finger umklammerten Mjöllnir, als sei beides verwachsen. Im Zorn erschlug Thor alle Gäste, die ganze Sippe des Riesenkönigs Thrym.

So holte Thor mit Lokis Hilfe Mjöllnir zurück.

Aber die blutige Hochzeit schürte bei den anderen Riesenkönigen und ihrem Gefolge tieferen Hass gegen Thor und die Götter.

Gefjon gewinnt die Insel Seeland

Odin sah von Hlidskjalf, wie Riesen zu neuen Angriffen gegen Midgard rüsteten, und entschloss sich, etwas für die Menschen zu tun. Er begab sich auf eine Insel, die heute Fünen heißt, und an einen Ort, der später nach ihm Odense genannt wurde. Dort traf er die Göttin Gefjon; da sie Familien, Glück und Fruchtbarkeit schenkt, wird sie Die Geberin genannt. Odin sandte sie aus, für die Menschen neues Land zu gewinnen.

Gefjon kam zum Schwedenkönig Gylfi, der Zauberei liebte, gab sich als fahrendes Weib aus und ergötzte ihn mit Künsten, die er noch nie gesehen hatte. Zum Dank schenkte er ihr so viel Ackerland, wie vier Ochsen an einem Tag und in einer Nacht umzupflügen vermöchten. Gefjon hatte von einem schönen Riesen in Riesenheim vier starke Söhne geboren, die verwandelte sie in riesenhafte Stiere. Mit ihnen pflügte sie einen Tag und eine Nacht, dass die Erde von der Arbeit dampfte. Und die mächtige Pflugschar ging tief und rasch und riss eine große Fläche Land heraus, die Gefjon von den Ochsen westwärts schleppen und zwischen der heutigen Insel Fünen und Schweden ins Meer versenken ließ. Gefjon befestigte das Land dort und nannte die Insel Seeland.

Zwischen dem Festland und Seeland blieb eine schmale Meeresenge, die heißt heute Öresund. Und an der Stelle in Schweden, wo Gefjon das Land herausgepflügt hatte, entstand ein See, der heißt heute Mälarsee.

Es wird berichtet, Gefjon nahm ihren Wohnsitz auf der neuen Insel. Und Skjöld, ein Sohn Odins, gewann Gefjon zur Frau. Von beiden stammen die Skjöldunge, das erste dänische Königsgeschlecht.

Thor schadet dem Odinshelden Starkad

Für seine Einherjer in Walhall wählt Odin die tapfersten Krieger und macht sie zu seinen Helden. Thor misstraut den berufsmäßigen Kämpfern und versuchte, dem von Odin bevorzugten Starkad zu schaden.

Im Alter von drei Jahren verlor Starkad seinen Vater und wuchs bei einem König auf. Odin brachte, verkleidet und unter dem Namen Hrossharsgrani, das Kind während eines Feldzuges in seine Gewalt und erzog es neun Jahre lang auf einer abgelegenen Insel.

Dem fast erwachsenen Jungen träumte, sein Pflegevater Hrossharsgrani führe ihn an eine Stelle im Walde, wo die Asen saßen und Hrossharsgrani als Odin begrüßten. Odin verlieh seinem Helden Vorzüge, denen Thor jeweils Nachteile entgegensetzte.

Thor versagte Starkad eine Familie mit Söhnen und andere Nachkommen. Odin gab ihm dafür drei Menschenalter. Thor verweigerte ihm Grundbesitz, und so zog Starkad von Land zu Land, von König zu König – der Krieg war sein Handwerk. Ärger stillte er mit dem Schwert, Angriffe auf sein Ehrgefühl verwand er nicht. Odin verlieh ihm die besten Waffen. Und so setzte sich Starkad auch den Stürmen und Schneeflocken aus und härtete seinen Gaumen ab gegen Leckerbissen, wollte seine Kraft und seinen Kriegsruhm nicht durch Schwelgerei schmälern. So aß er Fleisch ohne Feingeschmack durch Kräuter und Gewürze und verachtete jene Schlemmerei der benachbarten Sachsen, die die gekochten Fleischstücke noch einmal am Feuer rösteten.

Odin erklärte Starkad in jedem Kampf zum Sieger, aber Thor ließ ihm dafür jedes Mal eine tiefe Wunde schlagen. Und so mehrten sich die Narben und Grinde auf Starkads Körper wie Kerben seiner Kämpfe. Sein Leib wurde mehr und mehr verunstaltet. Einmal hing der größte Teil seiner Eingeweide aus dem Bauch, aber Starkad lehnte jede Hilfe von Niedrigstehenden ab. Ein Bauer band schließlich die Eingeweide mit einer Schlinge aus Weidenruten fest. Wunden, die anderen den Tod brachten, ließ Odin bei Starkad heilen, denn sein Held sollte viele Krieger für Walhall fällen. In seinen Kämpfen erschlug er viele bedeutende Männer, was ihm – wie von Odin zugedacht – Ruhm bei Königen und anderen Mächtigen einbrachte, aber Furcht und Hass beim Volk, weil das Thor so gegen ihn verhängt hatte.

Da Starkad eigenes Herdfeuer verwehrt war, hatte Odin ihm reichlich vom Dichtermet gegeben und die Kunst, Verse vorzutragen. Aber er musste die Strophen rasch sprechen, denn Thor hatte Vergesslichkeit dagegengesetzt.

Von einer großen Schandtat, die Thor Starkad in jedem seiner drei Menschenalter zugedacht hatte, soll erzählt werden. Starkad beging sie an dem norwegischen König Vikar, der bereits vor seiner Geburt Odin geweiht war.

Ein König hatte zwei Frauen, Signy und Geirhild. Beide stritten sich oft und so sehr, dass der König nur noch eine behalten wollte, und zwar jene, die ihm das beste Bier braute. Signy rief Freyja an, die ihr half. Und Geirhild wandte sich an Odin, der ihr seinen Speichel als Gärmittel gab, aber als Lohn das forderte, was zwischen ihr und der Braukufe sei, also das Kind in ihrem Leib. Der König kehrte von seiner Fahrt zurück und kostete das Bier der beiden Frauen. Geirhild gewann. Und bald wurde ihr Sohn geboren und Vikar genannt.

Als Odin später das Ende Vikars bestimmte, rief er Starkad als Gehilfen. Starkad tat sich im Kampf in Vikars Nähe hervor, wurde von ihm in seine Gefolgschaft aufgenommen und verbarg seine böse Absicht hinter Diensteifer.

Einmal kam Vikar wegen widriger Winde mit seinen Schiffen nicht mehr voran, die Flotte lag fest, die Vorräte wurden knapp. Da ließ König Vikar die Losstäbe werfen, und die Männer sahen, dass Odin einen Mann aus ihrer Schiffsmannschaft forderte. Sie warfen die Lose in einen Topf: es traf den König selbst. Die Mannschaft wollte König Vikar nicht hergeben. Da schlug Starkad vor, den König nur zum Schein zu opfern, und ließ Met ausschenken. Die Flotte legte bei einer nahen Insel an; Starkad stieg dort auf einen Holzstock unter ein dünnes Bäumchen, bog mit dem Finger einen Zweig herab und knüpfte daran einen feinen Kalbsdarm. Die Mannschaft stellte sich im Kreis herum auf, trank und lärmte. Auch der König lachte über den Galgen, stieg auf den Wurzelstock, legte sich die schmale Darmschlinge um den Hals. Die Mannschaft brüllte vor Vergnügen. Odin in Gestalt Hrossharsgranis hatte Starkad letzte Nacht einen Rohrstab gegeben, den der nun Vikar zeigte. Der König bog ihn und lachte wieder. Dann stieß Starkad mit dem dünnen zitternden Rohrstengel nach Vikar und sprach: »Nun geb ich dich dem Odin.« Da wurde der Rohrstab zum scharfen Speer, der Kalbsdarm straffte sich und wurde zum Strick, der Holzstock unter Vikars Füßen fiel, und der Zweig schnellte hoch und riss den durchbohrten König empor.

Der Riese Geirröd versucht Thor zu töten

Die Riesen beobachteten argwöhnisch, wie Odin mächtige Könige und tapfere Krieger förderte, aber ihr Hauptfeind blieb Thor. Bereits längere Zeit sannen die Riesen darüber nach, wie sie sich für Thors blutige Hochzeit rächen konnten. Da half ihnen ein Zufall. Loki war gutgelaunt. Er hatte als Thors Magd Mjöllnir mit zurückgeholt, das Ansehen bei den Asen wiedergewonnen und flatterte neugierig in Friggs Falkengewand über Midgard und Utgard. So gelangte er an das Gehöft von Geirröd. Vielleicht wollte Loki erspähen, was der mächtige Riese gegen die Götter und Menschen im Schilde führte. Loki saß auf dem Dach der großen Halle und äugte durch die fensterartige Öffnung. Geirröd erblickte den großen Vogel von seinem Hochsitz aus, der diesem Rauchloch gegenüber lag, und verlangte, das Tier zu fangen und herbeizuschaffen. Ein Untergebener Geirröds stieg auf das Dach der Halle; aber da es sehr hoch und steil war, bereitete es ihm große Mühe. Und Loki ergötzte sich daran, wie der Knecht einige Male ausglitt, und wollte erst aufflattern, wenn der Häscher nach ihm greifen würde. Als der Knecht endlich heran war, schlug Loki mit den Flügeln und wollte sich vom Fenster abstoßen, aber seine Füße klebten daran fest. Die Zauberkraft des Riesen band ihn, er wurde ergriffen und vor Geirröd gebracht.

Geirröd sah dem Falken in die Augen, vermutete, dass sich dahinter ein Mensch verbarg, und forderte Antwort, aber Loki schwieg. Da sperrte Geirröd Loki in eine Kiste und ließ ihn zwei Monate hungern, holte ihn dann wieder heraus und stellte ihn zur Rede. Der Ausgehungerte und fast Verdurstete gab sich zu erkennen. Geirröd frohlockte und drohte Loki wieder in die Kiste zu sperren, wenn er ihm nicht Eide schwor, Thor dazu zu bringen, dass er waffenlos an seinen Hof käme. Da Loki seinen Gefährten nicht verraten wollte, sperrte der Riese den Vogel wieder in die Kiste und verwehrte ihm einen weiteren Monat Trank und Speise. Dann ließ Geirröd den Kraftlosen wieder vorführen, und da sprach er zähneknirschend die geforderten Eide und kam frei.

Als Loki Thor vorschlug, ohne Mjöllnir Geirröds Einladung zu folgen, zögerte der Gewittergott. Aber von Geirröd, der bei Thors Gelage ihm gegenüber gesessen hatte, war ihm keine Bosheit bekannt. Auch hatte Thor bei Thryms Hochzeit vor Zorn unschuldige Riesen erschlagen. Da seine Absicht war, sich mit friedfertigen Riesen zu versöhnen, machte er sich waffenlos mit Loki auf den Weg zu Geirröd.

Unterwegs nahmen Thor und Loki Herberge bei der Riesin Grid, die den Asen wohlgesinnt war und Thor vor Geirröd warnte: der sei schlau und durchtrieben wie ein Hund und verberge seine Absichten. Die Riesin riet Thor, ihren Zauberstab Gridarwol, ihren Kraftgürtel und ihre Eisenhandschuhe zu leihen. Thor sperrte sich und vertraute seiner Kraft, aber auch Loki meinte, Geirröd werde Thors Ehrenhaftigkeit nicht vergelten. Vielleicht wollte Loki Geirröd heimzahlen, dass er ihn in eine Kiste gesperrt und zu den Eiden gezwungen hatte. Thor nahm also den Stab Gridarwol, die Eisenhandschuhe und den Kraftgürtel der Riesin.

Auf dem Weg zum Riesen Geirröd kamen Thor und Loki an einen breiten Fluss, der Wimur hieß und zu überqueren war. Thor legte den Kraftgürtel an und stemmte den Stab Gridarwol gegen die steigende Strömung. Loki klammerte sich am Kraftgürtel fest, sonst hätte die Flut ihn fortgerissen. Als Thor und der in einem Strudel zappelnde Loki die Mitte des Flusses erreichten, wurde die Strömung so stark, dass die Wellen Thors Schultern überspülten und Loki Wasser schluckte. Da rief Thor wütend: »Wachse nicht, Wimur, da ich dich durchwaten muss! Wenn du wächst, so wächst mir Asenkraft wie der Himmel so hoch!«

Thor spähte nach der Ursache des plötzlich steigenden Wassers und sah stromaufwärts über einer Schlucht, durch die Wimur brauste, wie Geirröds Tochter Gjalp, die Beine gespreizt, auf beiden Felsenufern stand und durch eine gewaltige Menge Urin den Fluss anschwellen ließ. Thor hob einen Stein aus dem Wasser, warf ihn Gjalp zwischen die Beine und rief: »Der Strom stoppe an seiner Quelle!« Der Stein verfehlte sein Ziel nicht und verstopfte die Öffnung. Aber eine Flutwelle war noch unterwegs; und während Thor zum Ufer stapfte, glitt er aus, bekam mit Mühe einen Ebereschenstrauch zu fassen und zog sich und Loki an Land. Seitdem heißt es, die Eberesche sei Thors Rettung.

Die beiden Wanderer kamen abends zum Hofe Geirröds und wurden von den Hausleuten zum Übernachten ins Ziegenhaus gewiesen. Auch dass in dem Haus nur ein Stuhl stand, sah Thor als eine Schmähung, setzte sich und behielt den Stab in der Hand. Da wurde Thor gewahr, wie sich der Stuhl emporhob und ihn zu zerquetschen drohte. Sein Kopf stieß schon gegen das mit einer dicken Erdschicht beschwerte Dach. Da stemmte der Sohn der Erde den Stab Gridarwol gegen die Dachbalken und drückte sich mit dem Stuhl wieder hinab. Es krachte und schrie auf; Geirröds Töchtern Gjalp und Greip, die Thor am Dach zerquetschen sollten, brach das Rückgrat.

Dann lud Geirröd Thor in seine Halle zum Wettspiel. In der Mitte der Tenne brannten mehrere große Feuer. Thor hatte vorsorglich die Eisenhandschuhe angelegt, verbarg seine Hände an seinem Rücken und wollte, wie es dem Gast zukam, gegenüber dem Hochsitz, auf dem der Riese thronte, den zweithöchsten Platz einnehmen. Da sprang Geirröd zum Feuer, riss mit einer Zange ein Stück Eisen aus den Flammen und hob es gegen Thor. Das Eisen glühte weiß und sprühte Funken.

Der Riese brüllte: Ob die Götter tatsächlich mehr Gold und stärkere Waffen hätten als die Riesen? Aber was sei Thor ohne Mjöllnir?

Geirröd warf das glühende Stück Eisen mit aller Kraft gegen Thor, dass es ihn durchbohrt hätte. Thor riss seine Arme nach vorn und fing es mit Grids Eisenhandschuhen auf, wurde von der Wucht des Wurfes einen Schritt zurückgerissen, trat wieder vor und schwang das Geschoss nun gegen den Riesen.

Er sei Thor, nicht Odin!, rief Thor. Er sei waffenlos gekommen, weil der Riese ihn zu einem friedlichen Wettstreit geladen habe. Aber welcher Riese sei heute noch aufrichtig?

Thor schleuderte das glühende Eisen mit Asenkraft. Geirröd war rechtzeitig hinter eine eiserne Säule gesprungen, die das Dach stützte. Aber Thor schoss das Stück Eisen mit solcher Wucht, dass es durch den Pfosten schlug, durch Geirröds Herz drang und durch die Hauswand fuhr, draußen ein Loch in den Fels bohrte und stecken blieb.

Dass Loki Thor zu Geirröd gelockt hatte, wurde ihm nicht verziehen.

Balder träumte das erste Mal Unheilvolles.

Odin verweigert Thor die Überfahrt

Nun griffen nicht nur Frostriesen und Bergriesen gelegentlich Midgard an, auch Sturmriesen trieben Fluten gegen Dämme am Meer, Feuerriesen spien Lava aus Vulkanen.

Thor kehrte von einer Fahrt gegen die Riesen zurück; er war nicht mit seinem Bocksgespann, sondern zu Fuß unterwegs gewesen, gelangte nachmittags an einen Sund und wollte rasch übergesetzt werden. Die Schlacht gegen die Feinde hatte an ihm Spuren hinterlassen. Auch wegen des hohen Wellenganges wollte er nicht durch die Meeresenge waten.

Auf der anderen Seite des Sundes stand ein Fährmann bei seinem Boot. Thor rief hinüber:

»Wer bist du?«

»Was ist das für ein Kerl, der da über das Meer schreit?«, antwortete der Angesprochene.

»Fahr mich über den Sund«, erwiderte Thor, »ich lohne es, ich trage auf dem Rücken einen Korb mit Essen, setze dir davon Hering und Haferbrei vor.«

»Was stehst du am Ufer herum. Kannst nicht mal vorhersehen, was heute geschieht. Bei dir zu Hause fließen Tränen, denn deine Mutter liegt im Sterben«, erwiderte der Fährmann.

Thor lachte. »Was redest du daher? Woher wolltest du das wissen? Und ich bin nicht irgendwer, habe zahlreiche Besitzungen.«

Der Fährmann sah Thor mit nackten Beinen, in zerrissener Kleidung wie einen Bettler stehen. »Hast nicht mal eine Hose an. Sieht so einer aus, der große Höfe hat?«

»Rudre endlich das Boot her!«, rief Thor ungehalten.

Der Fährmann machte keinen Schritt auf das Boot zu: »Ein kluger Mann warnte mich«, sagte er, »keine Wegelagerer und Rossdiebe überzusetzen, nur anständige Leute, die ich kenne. Sage mir deinen Namen.«

»Ich bin von hoher Herkunft«, rief Thor, »nämlich Odins Sohn, meine Frau ist die schöne Sif mit dem Goldhaar. Damit du endlich weißt, mit wem du redest: ich bin Thor. Und wie heißt du?«

»Harbard heiße ich«, verstellte sich der Fährmann weiter, »warum sollte ich meinen Namen verheimlichen?«

Thor sah den Fährmann genau an, soweit das die Entfernung zuließ, und dachte vielleicht: Harbard? Also Graubart. War der Hochgewachsene etwa Odin, der Wanderer mit den wechselnden Namen? Dem wäre solche Schurkerei zuzutrauen. Auch weil Thor dem Odinshelden Starkad Schaden zugefügt hatte. Erkannte Thor Odin? Spielte Thor die Rolle des Biederen nur? Thor sagte:

»Harbard also. Verbirgst du deinen Namen? Oder hast du etwas auf dem Kerbholz und wirst verfolgt?«

»Läge ich mit jemandem im Streit«, ging der Fährmann darauf ein, »würde ich mir einen Zerlumpten wie dich vom Halse halten, denn ich müsste für mein Leben fürchten.«

Thor brauste auf: »Watete ich durch den Sund, würde mein Korb aufweichen. Du Knirps, du Windelscheißer sollst für deine frechen Worte büßen, wenn ich rüberkomme!«

»Komm doch rüber!«, rief der Fährmann. »Du triffst keinen härteren Gegner seit Hrungnir.«

»Du sprichst davon, wie ich mit Hrungnir kämpfte, dem ehrenhaften Riesen, dessen Kopf aus Stein war und den ich fällte.« Thor sah sich an seine berühmte Tat erinnert, und sein Zorn verflog. Er nahm den Männervergleich an. »Und was tatest du inzwischen, Harbard?«

»Ich weilte fünf Winter auf der Insel Allgrün«, brüstete der Fährmann sich, »dort war der Anführer umsichtig. Wir schlugen Feinde zurück. Und wir probierten mancherlei, auch Mädchen.«

»Wie hast du sie probiert?«, fragte Thor neugierig. »Wie war das mit den Weibern?«

»Wir hatten tolle Weiber«, sagte Odin, »sie waren biegsam und ungestüm, aber wir kriegten sie leider nicht handzahm. Und wie töricht, sie drehten Seile aus Sand und gruben ein Tal, das schon viel zu tief war, noch tiefer. Aber ich überlistete alle, lockte sieben Schwestern, lag allen sieben in einer Nacht bei und genoss ihre Liebeslust. Und was tatest du inzwischen, Thor?«

Der schwieg eine Weile, vielleicht weil er sich selbst nicht auf derartige Verführungskünste verstand. Oder prahlte der Fährmann? Thor besann sich auf seine Tüchtigkeit; schließlich hatte er Gewichtigeres zu berichten:

»Ich durchbohrte Geirröd, den heimtückischen Riesen, er wollte den Beschützer von Asgard und Midgard erschlagen. Und was tatest du inzwischen?«

»Ich machte junge Hexen ihren Männern abspenstig.«

»Und vergnügtest dich?«

»Durch listigen Zauber: Ich bat einen hartgesottenen Riesen um seinen Zauberring, mit dem raubte ich ihm sein Wissen.«

»So lohntest du ihm seine Großzügigkeit!«, entrüstete sich Thor.

»Jeder sorgt zuerst für sich«, gab Odin sich überlegen, »stutzt man einer Eiche die Zweige, wächst die andere umso besser. Und was tatest du währenddessen?«

Thor hielt seine guten Taten für die Menschen dagegen: »Ich komme von Osten, erschlug Thursen, auch ihre Töchter. Wenn alle Riesen überlebten, würden sie viel zu mächtig. Sie würden Midgard niedertrampeln und bald vor Asgard stehen. Und was tatest du inzwischen, Harbard?«

»Ich war in dem Land, das nur aus Schlachtfeldern besteht, schürte neuen Streit zwischen Königen und verdarb jeden Frieden. So ist es: die Knechte, die auf dem Schlachtfeld bleiben, bekommt Thor; aber die gefallenen Könige, Jarle und Hersen gehen zu Odin nach Walhall.«

»Wenn du so mächtig wärst, wie du vorgibst, würdest du die Gefallenen so ungerecht unter die Asen teilen!«, rief Thor.

»Thor hat zwar Kraft, aber keinen Mut«, setzte Odin seine Schmährede fort. »Du wirst dich von einem Riesen in seinen Handschuh stopfen lassen. Wirst dich nicht mehr trauen, Thor zu sein, wirst aus Furcht weder zu niesen noch zu furzen wagen.«

Thor geriet in Zorn und schrie so, dass die Wellen höher über den Sund trieben: »Du Schurke, ich würde dich zu Hel hinabschmettern, könnte ich über den Sund langen!«

Odin tat so, als gäbe es keinen Anlass für Thors Zorn:

»Warum solltest du die Hand ausstrecken, da wir uns gar nicht streiten. Aber was tatest du währenddessen, Thor?«

Vor Wut äffte Thor nur den Fährmann nach:

»Und was tatest du, Harbard?«

»Ich war im Osten«, spielte der Fährmann wieder auf Thors

Unerfahrenheit mit Frauen an, »plauderte mit der einen, betörte eine andere mit leinenweißer Haut und traf mich heimlich mit einer Goldglänzenden, die sich mir in Lust hingab.«

Thor ließ sich beeindrucken. »Du hattest gefügige Weiber.«

»Da hätte ich dich brauchen können, die Leinenweiße zu halten und wieder und wieder zu beglücken.«

»Ich hätte dir gern geholfen«, sagte Thor.

»Kann ich dir trauen? Oder täuschst du mich?«, vergewisserte sich Odin.

»Ich bin kein Fersenbeißer!«, rief Thor. »Wie ein in der Hitze gedörrter Schuh, zu nichts mehr zu gebrauchen!«

»Und was tatest du inzwischen?«, fragte der Fährmann Thor, der zerlumpt, noch immer den Tragkorb auf dem Rücken, am Sund auf Überfahrt wartete.

»Auf der Insel Lesø erschlug ich Berserkerweiber«, berichtete Thor.

»Welche Schande!«, rief Odin. »Waffen gegen Weiber zu heben.«

»Wölfinnen waren das, keine Weiber«, rechtfertigte sich Thor. »Sie hatten auf der Insel alles Volk umgebracht und mein Schiff zertrümmert, das hatte ich an Land auf Stützen gestellt. Und sie vertrieben meinen Gefährten Thjalfi und griffen mit Eisenstangen an. Da musste ich Mjöllnir werfen. Und was tatest du inzwischen, Harbard?«

»Ich komme von dem Heer, das gegen diese Gegend vorrückt. Siehst du die Kriegsfahnen da hinten im Wind? Die Schwerter und Speere werden mit Blut gerötet werden.«

»Du bist nur hier, um diese fruchtbare Gegend am Sund zu verwüsten?«, entrüstete sich Thor.

»Zur Buße schenke ich dir einen Ring«, spottete Odin, legte seine zehn Finger aneinander, dass sie die Gestalt eines Ringes ergaben. »Nun sind wir wieder versöhnt.«

Diese Scheinbuße brachte Thor in Asenzorn: »Deine Schandschnauze werde ich dir einschlagen, wenn ich durchs Wasser wate. Du wirst lauter als ein Wolf aufheulen, wenn ich dir eins mit dem Hammer versetze.«

»Statt dein Maul aufzureißen«, erwiderte Odin, »kümmre dich lieber um deine Frau. Odin machte deiner schönen Sif ein Kind, deinen Stiefsohn Ullr, wusstest du das nicht?«

Thor nahm wütend seinen Korb vom Rücken, setzte ihn auf die Erde, griff nach Mjöllnir und würde ihn wohl gegen den Fährmann geschleudert haben, wenn er in dessen Person nicht den Göttervater vermutet hätte. Die nächste Unverfrorenheit bestätigte seinen Verdacht:

»Könntest du deine Gestalt wechseln, kämst du rasch rüber.« Thor verstand nämlich weder Zauber noch sich in Tiere zu verwandeln wie Odin, vermochte nicht einmal mit einem geliehenen Falkengewand zu fliegen wie Loki. Thor schwieg noch einige Wellenzüge lang, ehe er beherrscht sagte:

»Harbard, was nutzt das Gezänk, rudre endlich das Boot her!«

»Ich hätte nie geahnt, dass ein Viehhirt den großen Thor aufhalten könnte«, genoss der Fährmann seinen Sieg.

»Ich wollte nur sehen, was für ein durchtriebener Hund du bist«, sagte Thor und lachte dröhnend.

»Verschwinde vom Sund, ein Zerlumpter würde nur mein Boot beschmutzen!« Der Fährmann beschrieb den Weg am Sund entlang.

Ein Fluch liegt auf dem Goldschatz

Balder schreckte aus dem Schlaf hoch und sprach nun über seine Träume: der Wolf Sköll hetzte die Sonne und packte sie; nach den Eidbrüchen der Götter riss das Band der Erde, die Midgardschlange machte sich los, tauchte manchmal vom Meeresgrund auf, peitschte Fluten gegen Strände, überschwemmte flaches Land, spülte Menschen und Haustiere aus den Häusern; eisige Kälte fiel die Flut an und fror die Wellenzüge gläsern; Schnee deckte reife Kornfelder. Im goldenen Zeitalter waren die Menschen fruchtbar gewesen und hatten zahlreiche Nachkommen; da die Midgardschlange Sunde vergiftete und viele Großfische fraß, litten die Menschen jetzt Hunger. Und der Gott des Lichtes sah sich selbst ungeschützt auf offenem Platz stehen, Pfeile und Speere auf sich gerichtet.

Die Asinnen und Asen waren betroffen über Balders Träume und beratschlagten unter dem Weltenbaum, was zu tun sei, damit diese nicht wahr würden. Thor wollte mit Loki und Thjalfi als Verstärkung gegen die Riesen ziehen.

Odin, am meisten bestürzt über Balders Träume, sah in ihnen Zeichen für nahes Unheil und ging mit Loki und dem Asen Hönir auf eine Erkundungsfahrt in die Welten. Nach einer langen Wanderung kamen sie an einen Fluss und liefen an seinem Ufer entlang bis zu einem Wasserfall. Dort saß ein Fischotter und begann blinzelnd einen Lachs zu fressen. Loki nahm einen Stein, warf und traf den Otter am Kopf. Odin und Hönir lobten Lokis Jagdgeschick, mit einem Wurf zwei Tiere erlegt zu haben.

Die drei Asen hoben ihre Beute auf und kamen bald an ein großes Gehöft, das gehörte Hreidmar, einem angesehenen und zauberkundigen Bauern. Die Wanderer baten ihn um Nachtquartier, zeigten ihre Jagdbeute und beteuerten, für ihr Essen selbst aufzukommen.

Als der Bauer den Otter sah, rief er seine beiden Söhne Fafnir und Regin, sagte, dass Otter, ihr Bruder, erschlagen sei, wies auf die Täter und lähmte sie durch Zauber, bevor Odin seine Kraft dagegensetzen konnte. Sofort packten der Vater und seine beiden Söhne die Asen und banden sie. Die Wanderer beteuerten, nicht gewusst zu haben, dass dieser Fischotter der Sohn des Bauern gewesen sei, und boten zur Versöhnung so viel Lösegeld, wie der Bauer selbst festsetzen wollte.

Dem Otter wurde das Fell abgezogen. Und der Bauer forderte als Buße, den Balg mit rotem Gold so zu füllen und ganz abzudecken, dass kein Haar mehr von ihm zu sehen sei. Die Abmachung wurde durch Eid bekräftigt.

Der Bauer nahm zum Pfand Odin seinen Speer Gungnir und Loki seine Schuhe ab, dann ließ er die Asen losbinden.

Odin schickte Loki nach Schwarzalfenheim, um das Gold herbeizuschaffen. Dort belauerte Loki die reichsten Zwerge und glaubte, Andvari verwahre den größten Schatz. Als sich Andvari in einen Hecht verwandelte und im Wasser umherschnellte, ergriff Loki ihn und forderte als Lösegeld von ihm alles Gold, was er in seiner Felsenhöhle gehortet hatte. Andvari nahm wieder seine Zwergengestalt an. Dann begleitete Loki ihn zu seiner Höhle. Und der Zwerg musste unter Lokis Augen alles Gold herausschleppen, was er besaß, und häufte einen Berg erlesener Kostbarkeiten. Loki beobachtete, wie der Zwerg rasch einen kleinen Goldring in seinen Ärmel steckte, und forderte auch den. Andvari flehte Loki an, ihm den winzigen Ring zu lassen, denn mit ihm könne er seinen Schatz wieder vermehren. Vielleicht erwog Loki, die Bitte zu gewähren, dachte aber: und wenn gerade der Ring fehlen wird, den Otter zu bedecken? Also nahm Loki ihm auch dieses letzte Stück ab.

Da geriet der Zwerg in unmäßigen Zorn und verfluchte den Ring: jedem seiner Besitzer solle es den Kopf kosten.

Und Loki sagte: »Ich verkünde das dem nächsten Eigentümer des Ringes, so wird sich deine Prophezeiung erfüllen.«

Loki schleppte den Schatz zum Gehöft des Bauern und breitete das Gold vor Odin aus. Der nannte den Ring, obwohl er so klein war, sehr wertvoll und steckte ihn ein. Das übrige Gold gaben die Asen dem Bauern. Und der stopfte davon so viel er konnte in den Otterbalg und stellte ihn dann auf die Füße. Um ihn schichtete Odin alles Gold auf, so dass der Balg ganz eingehüllt war. Dann fragte der Göttervater den Bauern, ob noch etwas von der Otterhaut zu sehen sei. Der Bauer betrachtete das gestapelte Gold eingehend, sah noch ein winziges Schnauzhaar abstehen und sprach: »Wird nicht das letzte Haar von Gold bedeckt, kommt ihr nicht frei.« Da musste Odin den kleinen Ring aus der Tasche ziehen, er legte ihn auf das Schnauzhaar und sagte, damit sei die Otterbuße erfüllt.

Der Bauer war zufrieden, gab Odin seinen Speer Gungnir und Loki seine Schuhe zurück. Und als die Asen an der Tür standen und von dem Bauern nichts mehr zu befürchten hatten, sprach Loki: »Das ist Andvaris Spruch: Wer auch das Gold und den Ring besitzen sollte, der wird sterben.«

Vater und Söhne starrten auf den Berg Gold, der den Balg des Otters umgab, wurden vom rötlichen Glanz geblendet und überhörten wohl den Fluch. Der Bauer nahm allein alles Gold an sich. Fafnir und Regin verlangten einen Teil davon als Buße für ihren Bruder. Doch der Bauer sagte, nur ihm als Vater stehe die Buße für seinen Sohn zu, und gab nicht den kleinsten Ring ab. Da durchbohrten Fafnir und Regin ihren Vater im Schlafe mit dem Schwert. Dann forderte Regin, Fafnir solle den Schatz gerecht unter beiden aufteilen. Fafnir war der größere und stärkere der beiden Brüder, er hatte sich den Schreckenshelm des Vaters aufgesetzt, der allen Furcht bereitete, und dessen Schwert angelegt. Und Fafnir warf Regin vor, er habe wegen des Goldes ihren Vater erschlagen, und er solle fliehen, sonst werde ihm dasselbe widerfahren wie seinem Vater. Regin war klein, aber sehr klug und geschickt in der Schmiedekunst. Als Fafnir nichts von dem Vatererbe herausgab, befragte Regin seine Schwester. Die riet ihm, den Bruder nur freundlich zu bitten und nicht mit dem Schwert in der Hand Gold zu fordern. Doch Fafnir trieb Regin aus dem Haus.

Die Brüder hatten die Zauberkraft von ihrem Vater geerbt.

Fafnir brach sich auf der Gnitaheide eine Höhle, brachte den Schatz dahin, verwandelte sich in einen Drachen und legte sich auf das Gold.

Regin ging an den Hof eines Königs, wurde dessen Meisterschmied und zog als Pflegesohn Sigurd auf, dessen Vater erschlagen worden war. Sigurd wurde später durch seine Kraft und kluge Gesinnung der berühmteste Heerkönig. Regin erzählte ihm, wie sich sein Bruder ungerechtfertigt den ganzen Schatz seines Vaters angeeignet hatte, und stachelte den jungen Krieger an, sich das Gold zu verschaffen. Sigurd verlangte es nicht nach Reichtum, er versprach aber, Regin zu seinem Recht zu verhelfen. Da schmiedete Regin für Sigurd das Schwert Gram. Es war so scharf, dass es eine Wollflocke, die im Fluss trieb, zerschnitt, als wäre sie Wasser. Dann spaltete Sigurd mit dem Schwert Gram Regins Amboss bis auf den hölzernen Stock. Regin lobte Sigurds Kraft und hetzte gegen seinen Bruder Fafnir.

»Ehe ich goldene Ringe erwerbe, muss ich meinen Vater rächen«, erwiderte Sigurd.

Regin bewog den König, an dessen Hof er und Sigurd lebten, ein Schiff auszurüsten. Sigurd fuhr mit starker Mannschaft aus, begleitet von Regin, und geriet in einen Sturm. Vor einem Gebirge, das steil aus dem Meer ragte, kreuzten sie gegen den Wind und drohten zerschellt zu werden. Da stand ein Mann auf einem Felsen, rief und bat um Aufnahme. Obwohl das Boot den Wogen kaum noch standhielt und Sturzseen über die Planken brachen, ließ Sigurd anlegen und den Mann an Bord nehmen. Das Unwetter legte sich bald. Und der Fremde, hinter dem sich Odin verbarg, lehrte Sigurd, seine Krieger keilförmig angreifen zu lassen, und prophezeite ihm den Sieg gegen die Mörder seines Vaters.

Nach erfolgreicher Schlacht kehrten Sigurd und Regin an den Hof des gastgebenden Königs zurück. Und Regin stachelte Sigurd wieder gegen Fafnir auf. Keiner habe bisher gewagt, den starken Fafnir anzugreifen, der durch seinen Schreckenshelm als unbesiegbar gelte. Ihn niederzuwerfen bringe noch mehr Ruhm. Dieser Verlockung vermochte Sigurd nicht zu widerstehen.

Regin stiftete Sigurd dazu an, auf Fafnirs Kriechweg von seiner Höhle zur nahen Tränke eine Grube auszuheben. Da hinein duckte sich Sigurd, tarnte sich mit Zweigen und bohrte Fafnir auf seinem Weg über die Grube das Schwert Gram ins Herz.

Fafnir kroch noch ein Stück, schüttelte sich, schlug mit dem Kopf und dem Schwanz. Dann sprang Sigurd aus der Grube. Und der Drache und Sigurd starrten einander an.

»Wer bist du? Welcher Vater hat dich gezeugt?«, rief Fafnir. Sigurd verleugnete sich, weil er glaubte, der Fluch eines zu Tode Verwundeten bringe Unheil, wenn er seinen Feind mit Namen nennt.

»Ich hielt mich für stärker als alle, für unverwundbar, rechnete mit keinem Angriff! Das Gold bringt dir Verderben! Reite heim!«, warnte Fafnir seinen Besieger.

»Der Schatz gehört deinem Bruder Regin«, entgegnete Sigurd.

»Regin verriet mich«, klagte Fafnir, »er wird auch dich in den Tod treiben. Wer den Goldschatz besitzt, der wird vom eigenen Blut getränkt werden.«

Nach diesen Worten starb Fafnir. Und Sigurd zog das Schwert Gram aus Fafnirs Herz und wischte das Blut am Grase ab. Da trat Regin, der sich während des Kampfes versteckt hatte, auf Sigurd zu und nannte ihn den Tapfersten der Menschenwelt.

»Ich ritt nur zu Fafnir, weil du sticheltest, ich sei nicht kühn genug«, rechtfertigte sich Sigurd. »Und während ich mein Schwert mit Blut befleckte, lagst du im Heidekraut.«

»Gram habe ich geschmiedet«, erwiderte Regin.

»Das schärfste Schwert rostet, wenn mit ihm keiner Schädel spaltet!«, rief Sigurd.

Regin trat zu Fafnir und schnitt ihm mit seinem Schwert das Drachenherz heraus. Dann trank der zwergwüchsige Regin aus der Wunde das Blut seines starken Bruders, um dessen Kraft zu gewinnen.

»Du hast meinen Bruder getötet«, sagte Regin und forderte als Sühne, dass Sigurd ihm Fafnirs Herz briete. Das wollte Regin nach seinem Schlafe, zu dem er sich niederlegte, verspeisen.

Sigurd zündete ein Feuer an und briet Fafnirs Herz an einem Stock. Nach einiger Zeit prüfte er mit seinem Finger das Fleisch, aus dem Saft schäumte, ob es weich sei, verbrannte sich dabei den Finger und steckte ihn in den Mund. Als das Herzblut des Drachen auf seine Zunge troff, verstand Sigurd auf einmal die Sprache der Vögel. Eine Spechtmeise auf einem nahen Baum riet Sigurd, das Herz selber zu essen und Regin nicht zu trauen. Eine andere Meise warnte Sigurd vor Regin; der beschuldige ihn, seinen Bruder erschlagen zu haben, und wolle ihn aus Rache heimtückisch töten, und er wolle alles Gold für sich.

Fafnirs Rat und die Warnungen der Meisen nährten Sigurds heimliche Zweifel an Regins Rechtschaffenheit. Und Sigurd dachte an die Unmenge Gold. Und er musste sich, den Spross des berühmten Völsungengeschlechtes, schützen.

Also schlug Sigurd mit dem Schwert Gram, das Regin ihm geschmiedet hatte, Regin den Kopf ab. Dann aß er selbst Fafnirs Herz. Dann trank er Fafnirs Blut. Und dann trank er auch Regins Blut.

Eine Meise erinnerte Sigurd an den Schatz.

Eine andere Meise riet Sigurd, die schönsten Mädchen zu gewinnen. Sigurd war hochgewachsen und stattlich, hatte helle Haut und leuchtende Augen.

Eine dritte Meise riet Sigurd, die Walküre Brynhild zu freien. Brynhild hatte, wie erzählt, nicht nach Odins, sondern nach eigenem Wunsch den Sieger gewählt. Die schöne Brynhild aus der Burg mit der unüberwindbaren Waberlohe zu befreien, wisperte die Meise, sei eine größere Heldentat, als Fafnir zu töten, und bringe ihm unsterblichen Ruhm.

Sigurd schwang sich auf sein Pferd und ritt auf Fafnirs Spur zu dessen unterirdischer Behausung. Nicht nur die Stützen, auch die Tür und der Rahmen waren aus Eisen. Die Tür stand offen. Da lag Gold im Überfluss. Sigurd füllte zwei große Kisten und band sie beiderseits auf den Rücken seines Pferdes. Das wollte keinen Fuß vor den anderen setzen, bevor Sigurd sich nicht auf dessen Rücken schwang. Und Sigurd stülpte sich auch den Schreckenshelm auf, legte den Goldpanzer an und nahm als zweites Schwert das von Regins und Fafnirs Vater.

Als das Pferd unter der Last des Goldes schwer ging und davon der Weg dröhnte, hörte Sigurd wieder die Worte des sterbenden Fafnir: Wer den Goldschatz besitzt, wird getötet.

Aber Sigurd wischte sich sein hellblondes Haar aus der Stirn und ritt lachend davon.

Der Riese Utgard-Loki narrt den Gewittergott

Thor ging mit Loki und Thjalfi auf Ostfahrt und glaubte sich, wie stets, den Riesen überlegen. Mjöllnir hatte sogar den gefürchteten Hrungnir zerschmettert. Doch nun sollte der stärkste Gott beim Riesen Utgard-Loki in unerwartete Bedrängnisse geraten.

Thor nahm mit seinen Gefährten Nachtquartier bei Thjalfis Vater, der nahe der Grenze zu Utgard wohnte. Und sie erinnerten sich, wie Thor und Loki das erste Mal hier bei dem Bauern eingekehrt waren.

Auch damals waren sie reichlich mit Bier bewirtet worden. Und für das Essen hatte Thor selbst gesorgt, indem er seine beiden Böcke geschlachtet, sie abgezogen und für den Kessel zugerichtet hatte. Als sie gesotten waren, hatte Thor als Dank für die Gastfreundschaft auch den Bauern und seine Familie zum Nachtmahl geladen. Thor breitete die Bocksfelle neben dem Herd aus und sagte, der Bauer und seine Familie sollten die Knochen auf die Felle werfen, aber unversehrt. Nach der ausgiebigen Mahlzeit begaben sich alle zur Nachtruhe. Noch vor Anbruch des Tages stand Thor auf, kleidete sich an, nahm seinen Hammer, hob ihn und weihte die Bocksfelle. Zahnknirscher und Zahnknisterer standen auf, aber nur einer springlebendig. Dem anderen Bock lahmte das Hinterbein. Thor befühlte es, geriet in großen Zorn und hielt dem Bauern vor, er oder jemand seiner Hausleute müsste einen Knochen beschädigt haben. Niemand gab eine solche Nachlässigkeit zu. Da ließ Thor seine Brauen sinken; von seinen Augen war noch wenig zu sehen; schon dieser Blick reichte, dass der Bauer glaubte, er würde zu Boden geschleudert. Auch seine Frau und die Kinder gerieten in Angst und Schrecken. Thor packte den Schaft des Hammers so hart mit den Händen, dass seine Fingerknöchel weiß wurden. Die Hausleute des Bauern schrien auf, und Thjalfi gestand, er habe aus Gier, das Mark des bedeutenden Bockes zu schlürfen, mit einem Messer heimlich einen Oberschenkelknochen geöffnet. Der Bauer und seine Leute baten um Schonung und einen Vergleich. Als Buße boten sie alles, was sie besaßen, sich selbst, Haus und Hof. »Das Bocksfleisch war zu köstlich«, versuchte die Schwester Thjalfis dessen Verfehlung zu entschuldigen. Thor sah die Angst und Verzweiflung des Bauern und seiner Familie, blickte sie noch einmal strafend an, dann war sein Zorn verflogen. – Und begütigt hatte er

Thjalfi und seine Schwester Röskva genommen, die der Bauer als Buße geboten. Beide waren in Thors Dienste getreten und begleiteten ihn seitdem.

Auch diesmal war Thjalfi an Thors Seite. Und auch bei diesem Besuch wollte Thor seine Böcke schlachten, doch der Bauer legte bereits frisches Fleisch in den dampfenden Kessel. Sie aßen und tranken reichlich. Thor ließ seine Böcke bei dem Bauern und setzte mit seinen Begleitern am nächsten Morgen bei Sonnenaufgang seine Reise fort.

Zuerst überquerten sie mit einem Boot einen See, dann schwammen sie durch einen Sund. Und als sie das Ufer verlassen hatten und eine kurze Zeit gegangen waren, kamen sie in Utgard an einen großen Wald, liefen den ganzen Tag hindurch, bis es dunkelte. Thjalfi trug Thors Proviantsack, von dessen Vorräten das meiste verzehrt war. Als es pechfinster wurde, suchten sie ein Nachtlager und fanden eine weite Halle. Ihr Tor war an einem Ende so breit wie der Raum. Hier legten sie sich nieder und schliefen. Um Mitternacht wurden sie von einem Erdbeben geweckt. Der Boden unter ihnen bewegte sich wellenartig, er riss, Spalten klafften, das Gebäude schwankte. Da stand Thor auf und rief seine Begleiter. Sie tasteten sich weiter und fanden in der Mitte der Halle rechts einen schmaleren Nebenraum. Thor setzte sich an dessen Eingang, die anderen verbargen sich verschreckt im Inneren. Thor umklammerte den etwas zu kurz geratenen Schaft seines Hammers und gedachte sich zu wehren. Aber außer heftigem Rauschen und lautem Lärmen war nichts zu vernehmen.

Bei Anbruch des Tages ging Thor hinaus und sah unweit im Walde einen Mann von beträchtlicher Größe liegen. Er schlief und schnarchte, dass um ihn die Baumstämme erzitterten. Nun begriff Thor, wie der nächtliche Lärm entstanden war, und wollte den Unhold, der sie im Schlaf gestört hatte, strafen. Thor legte den Kraftgürtel an und griff nach Mjöllnir. Da erwachte der Mann und erhob sich schnell. Und es heißt, Thor wagte dieses eine Mal nicht, mit Mjöllnir zuzuschlagen, so weit überragte der Unhold ihn. Und nach seinem Namen befragt, nannte der Mann sich Skrymir.

»Dich brauche ich nicht zu fragen, wie du heißt«, sagte Skrymir, »du bist Thor. Aber hast du meinen Handschuh weggeschleift?« Skrymir streckte den Arm aus und hob seinen Fäustling auf. Da erkannte Thor, dass er den für eine Halle gehalten und mit seinen Begleitern darin übernachtet hatte. Der Nebenraum erwies sich als Däumling des Fäustlings.

Skrymir fragte, ob er Thor begleiten könne. Thor wagte nicht, ihn als Reisegefährten abzuweisen. Und so nahm Skrymir seinen Reisesack, band ihn auf und frühstückte. Thor und seine Begleiter saßen abseits. »Wir sollten unsere Vorräte zusammenlegen und eine Tischgemeinschaft bilden«, bot Skrymir an. Thor dachte, er und seine Begleiter könnten mit von Skrymirs reichen Vorräten zehren, und willigte ein. Skrymir band alle Vorräte in ein Bündel und nahm es auf den Rücken.

Sie gingen weiter durch den Wald. Skrymir lief den ganzen Tag über voran und schritt weit aus. Thjalfi als schnellster Läufer vermochte nur mit großer Mühe zu folgen. Thor, der lange Fußmärsche gewöhnt war, hätte gern eine Rast zum Essen eingelegt. Auch Loki war müde, hungrig und durstig. Aber die drei wollten keine Schwäche zeigen und verzichteten auf eine Pause. Als es längst dunkel war, suchte Skrymir ein Nachtlager unter einer Eiche und sagte zu Thor: »Nehmt das Bündel mit Proviant und esst reichlich.« Skrymir legte sich neben die Eiche ins Gras, schlief rasch ein und schnarchte so mächtig, dass die Eichenblätter über ihm rauschten.

Thor und seine Gefährten hatten tagsüber weder gegessen noch getrunken und ungeheuren Appetit. Sosehr sich der stärkste Ase mühte, den Proviantsack aufzubinden, es gelang ihm nicht einmal, ein Riemchen haarbreit zu lockern. Da wurde Thor zornig, er senkte die Augenbrauen, blickte finster, packte seinen Hammer mit beiden Händen, trat zu Skrymir und schlug ihn auf den Kopf.

Skrymir erwachte und fragte: »Fiel mir ein Laubblatt auf die Stirn? Habt ihr genügend gegessen und getrunken? Warum schlaft ihr noch nicht?«

»Wir bereiten uns zur Nachtruhe vor«, brummte Thor. Da war Skrymir zufrieden. Thor und seine Gefährten legten sich unter eine Buche und lauschten in die Richtung, wo Skrymir schlief. Um Mitternacht schnarchte er so, dass der Wald dröhnte. Thor stand auf, ging zu Skrymir, schwang seinen Hammer, zornig vor Hunger, holte weit aus und versetzte dem Lärmer einen Schlag mitten auf den Scheitel. Der Hammermund drang tief in den Kopf ein. Im selben Augenblick erwachte Skrymir und sagte:

»Was ist geschehen? Fiel mir eine Eichel auf den Kopf? Und Thor, was ist mit dir?«

Thor trat rasch zurück und sagte: »Es ist erst Mitternacht und noch viel Zeit zu schlafen.«

Skrymir tat beruhigt. Thor ging unter seinen Baum zurück und dachte: ergebe sich eine Gelegenheit, ein drittes Mal zuzuschlagen, so solle Skrymir die Augen nie wieder öffnen. Thor lag und lauerte, bis der Riese eingeschlafen war. Kurz vor Anbruch des Tages bebte der Waldboden von Skrymirs Schnarchen, und die Vögel flohen kreischend. Da stand Thor auf, legte den Kraftgürtel an, trat dicht vor Skrymir und trieb ihm mit aller Asenkraft, die er aufbieten konnte, den Hammer in die Schläfe, die ihm zugewandt lag. Mjöllnir drang tief bis zum Schaft ein.

Skrymir erwachte, strich sich über die Schläfe, setzte sich auf und sagte: »Sitzen Vögel auf dem Baum über mir? Mir kam vor, als wäre mir ein Zweig auf den Kopf gefallen. Bist du wach, Thor? Es wird Zeit, aufzustehen und sich anzukleiden.«

Vor Hunger und Durst vermochte Thor nichts zu erwidern. Skrymir stand auf, griff nach dem Proviantsack. Aber statt den Knoten zu lösen, wie Thor und seine Gefährten gehofft hatten, nahm er das Bündel in die Hand und sagte:

»Der Weg bis zur Burg des Utgard-Loki ist nicht lang. Ich hörte, wie ihr miteinander flüstertet, ich sei ein Mann von beträchtlichem Wuchs, aber ihr werdet dort weit größere sehen, wenn ihr seine Burg betretet. Nur rate ich euch, haltet eure vorlauten Worte zurück, die Gefolgsmänner des Utgard-Loki dulden keine Prahlerei.«

Thor klopfte mit dem Hammer gegen den Proviantsack. Skrymir tat, als bemerke er das nicht, und redete weiter: »Aber falls ihr euch fürchtet, kehrt lieber um, das wäre das Beste. Doch wollt ihr so weitergehen, dann Richtung Osten. Ich nehme den Weg nordwärts zu jenen Bergen, die dahinten in die Wolken ragen.« Skrymir warf das Bündel mit den Vorräten auf seinen Rücken, wandte sich um und stapfte zum Wald. Thor und seine Gefährten sahen zu, wie der Riese mit ihren Vorräten zwischen den Buchen verschwand. Dann standen die drei mit ihrem Hunger und ihrem Durst allein mitten im Wald; da blieb ihnen keine andere Wahl, als die nahe Burg des Utgard-Loki aufzusuchen.

Gegen Mittag erblickten sie in der Ferne eine so hohe Wand aus Bohlen, dass sie den Kopf in den Nacken legen mussten, um über die Burg zu sehen. Sie kamen näher und fanden das Gitter vor dem Burgtor verschlossen. Thor versuchte, Stäbe zur Seite zu biegen oder herauszureißen – aber das ging nicht. Thor und seine Gefährten wandten hartnäckig all ihre Kraft auf. Loki und Thjalfi gelang es schließlich, sich zwischen den Stäben hindurchzuzwängen. Thor mit seinem starken Körper brauchte dazu mehr Zeit.

Das Burgtor stand offen. Die drei traten in die große Halle. Auf zwei Bänken beiderseits des Raumes saßen viele Männer, die Skrymir überragt hätten. In der Mitte einer Längsbank befand sich der Hochsitz für den größten der Riesen, ihren König Utgard-Loki. Vor den trat Thor mit seinen Gefährten. Doch Utgard-Loki ließ die Feuer in der Mitte des Raumes ein Stück niederbrennen, ehe er sein Gesicht den Gästen zuwandte, spöttisch die Zähne bleckte und sagte: »Ist das tatsächlich der oft gerühmte Thor? Ich hätte nie gedacht, dass du so ein kleiner Wicht bist.«

Der Angesprochene zauste seinen roten Bart und blickte zornig.

»Oder vermagst du mehr, als deine schmächtige Gestalt vermuten lässt?«, fuhr Utgard-Loki fort. »Und wodurch zeichnen sich deine Gefährten aus? Jeder hier im Saal soll eine Fertigkeit besser beherrschen als die meisten Männer.«

Loki war hungrig wie ein Wolf, trat vor und sagte: »Hier im Saal sitzt niemand, der so schnell essen kann wie ich.«

»Wenn du so gefräßig bist«, sagte Utgard-Loki und rief einen Mann von einem Platz nahe der Tür, wo jene Leute saßen, die sich noch am wenigsten hervorgetan hatten. Dieser Mann hieß Logi, trat in die Mitte des Raumes und sollte sich mit Loki messen. Dann wurde ein großer Holztrog hereingetragen, auf den Boden der Halle gesetzt und mit Frischgeschlachtetem gefüllt. Loki aß von einem Ende des Troges, Logi vom anderen. Jeder schlang, so rasch er konnte. Und sie trafen sich genau in der Mitte des Troges; aber während Loki das ganze Fleisch von den Knochen genagt hatte, hatte es Logi samt Knochen und Trog verschlungen. Alle sahen, dass Loki im Wettstreit unterlag.

»Und worauf versteht sich dieser junge Bursche?«, fragte Utgard-Loki Thjalfi.

»Ich laufe mit jedem um die Wette, den der König bestimmt«, erwiderte Thjalfi.

Wenn er hier bestehen wolle, müsse er gut vorbereitet sein, meinte Utgard-Loki, stand auf und trat hinaus, von den anderen gefolgt. Auf einem ebenen Feld wurde für eine Rennstrecke ein Pfahl in den Boden gerammt. Und Utgard-Loki rief einen kleinen Kerl herbei, der Hugi genannt wurde.

Beim ersten Rennen war der Kleine so weit voraus, dass er Thjalfi am Pfosten, der als Ziel diente, bereits wieder entgegenkam. Da sagte Utgard-Loki: »Willst du gewinnen, musst du deine Beine rascher bewegen. Aber tatsächlich übertraf dich noch kein Gast an Schnelligkeit.«

Als beim zweiten Lauf der Kleine den Pfahl erreichte, fehlte Thjalfi noch eine reichliche Pfeilschussweite bis zum Ziel.

»Thjalfi lief gut«, sagte Utgard-Loki, »aber ich glaube nicht, dass er den Wettstreit gewinnt. Der dritte Lauf entscheidet.«

Thjalfi rannte so schnell wie nie. Aber als der Kleine den Pfosten erreichte und zurückkehrte, hatte Thjalfi noch nicht die Hälfte der Strecke geschafft und damit verloren.

Vor Zorn über die Niederlage seiner Gefährten schüttelte Thor seinen Bart und wollte sein Ansehen durch eigene Taten wiedergewinnen. Den größten Trinker aller Welten plagte brennender Durst. Und so stellte er sich einem Wetttrinken: »Keiner hier im Saal leert ein Horn schneller als ich.«

Utgard-Loki rief einen Mundschenken, ließ ein Horn holen, das die Gefolgsmänner hier auszutrinken pflegten, und sagte: »Ein guter Trinker hier leert das Horn in einem Zug, einige schaffen es in zwei Zügen, aber es gibt keinen meiner Gefolgsleute, der es nicht in drei Zügen schafft.«

Das Horn erwies sich als nicht breit, aber ziemlich lang. Thor begann gierig zu trinken, nahm gewaltige Schlucke, und als sein Durst gestillt schien und er nicht mehr konnte, meinte er, nur einmal absetzen zu müssen. Als er hineinsah, war es aber noch reichlich gefüllt. Utgard-Loki tat auch überrascht: »Gut getrunken, aber leider noch zu wenig. Nach dem Ruf, der dir vorausging, hielt ich dich für einen weit größeren Trinker. Aber beim zweiten Ansetzen wirst du das Horn leeren.«

Statt einer Erwiderung setzte Thor das Horn an, trank, so viel er überhaupt konnte – doch er vermochte die Spitze des Hornes nur ein Stück anzuheben. Als er dann doch absetzen musste und hineinsah, schien die Flüssigkeit noch weniger abgenommen zu haben als beim ersten Mal.

»Was ist, Thor?«, fragte Utgard-Loki. »Willst du das Horn beim dritten Versuch leeren, muss dein Durst am größten sein. Sonst werden wir dich nicht so rühmen wie die Asen.«

Thor zauste seinen Bart und schluckte in seinem Zorn so viel, wie er wohl noch nie getrunken hatte. Als er das Horn doch absetzen musste, sah er es etwas weniger gefüllt als vorher. Thor wunderte sich darüber, dass die Flüssigkeit trotz seines mächtigen Trinkens kaum abgenommen hatte, und gab das Horn zurück.

»Nun hat sich gezeigt«, triumphierte Utgard-Loki, »die Macht der Götter ist nicht so groß, wie ihr uns vorspiegelt. Oder willst du deine Stärke noch in anderen Wettkämpfen beweisen?«

»Ich werde meine Kraft auch auf andere Art zeigen«, erwiderte Thor. »Ich denke mir: Hätte ich in Asgard so mächtig getrunken, wäre ich erfolgreich gewesen. Welchen Wettkampf bietest du mir an?«

»Kleine Jungen«, erwiderte Utgard-Loki, »spielen bei uns manchmal mit einer Katze und heben sie hoch. Nur weil du beim letzten Vergleich unterlagst, trage ich dir das an.«

Kurz darauf sprang eine graue, recht große Katze in die Mitte der Halle. Thor packte das Tier mit der Hand unter dem Bauch und wollte es anheben, doch die Katze sträubte sich, und je stärker er sie nach oben drückte, desto mehr krümmte sie ihren Rücken. Erst als Thor alle Kraft aufbot und sich streckte, musste die Katze einen Fuß vom Boden heben. Mehr erreichte Thor nicht in diesem Wettkampf.

»Dieses Ende habe ich erwartet«, sagte Utgard-Loki, »die Katze ist ziemlich groß und Thor gegen meine Männer ein Knirps.«

Thor geriet über diese Demütigung in Asenzorn und rief: »Nennt ihr mich auch klein, so schickt mir einen Mann her zum Ringkampf!«

Utgard-Loki sah die Bänke entlang: »Auch für die schwächsten meiner Männer wäre das eine Kleinigkeit, versuche es erst mit einem Weibe. Ich rufe meine Amme Elli, die bezwang schon Männer, die waren stark wie du.«

Bald trat eine uralte Frau in die Halle. Thor erwog, ob es ihm als stärkstem Gott angemessen wäre, mit einer Frau, dazu einer gebeugten, zu ringen. Schon dieses Ansinnen war eine Schmähung, aber nach den Niederlagen musste er in diesen unwürdigen Kampf einwilligen und zweifelte nicht an seinem Sieg.

Doch je härter Thor dann zupackte, desto fester stand die Alte; wie eine Säule, an der er vergeblich rüttelte. Und dann griff die Gebeugte an, versuchte Thor ein Bein zu stellen. Die Alte und Thor rangen erbittert, schleuderten sich hin und her; dann zwang sie Thor dazu, dass er mit einem Bein zu Boden ging.

Da trat Utgard-Loki hinzu, brach den Kampf ab und sagte: »Mit einem meiner Männer zu ringen wird nicht mehr nötig sein.« Thor lehnte ohnehin weitere Kämpfe ab.

Inzwischen dunkelte es. Utgard-Loki wies Thor und seinen Begleitern Plätze für die Nacht an und lud sie zu einem Gelage. Die Riesen soffen und brüllten, dass die Flammen der Saalfeuer zitterten. Obwohl hungrig und durstig, rührten Thor und seine Gefährten Bier und Speisen kaum an.

Vor Sonnenaufgang standen Thor und seine Begleiter auf, kleideten sich an und wollten ihre Reise fortsetzen. Da begrüßte Utgard-Loki sie freundlich und ließ jedem einen Tisch decken mit guten Speisen und reichlich Trinken. Nach dem Morgenmahl verließen die Gäste die Burg Utgard-Lokis, der sie bis vor das Burgtor begleitete. Und ehe er die Gäste verabschiedete, fragte er Thor: »Trafst du je einen, der mächtiger war als ich?«

»Mir widerfuhr derartiges noch nie. Aus welcher Welt bist du?«

»Da du nun vor der Burg stehst, sollst du die Wahrheit erfahren«, antwortete Utgard-Loki. »Du wirst ohnehin nie wieder eingelassen. Hätte ich von deiner gewaltigen Kraft gewusst, die uns fast zum Verhängnis wurde, wäre dir mein Tor versperrt geblieben. Ich blendete eure Sinne. Der aus dem Walde trat und sich Skrymir nannte und das Proviantbündel mit zauberischem Eisendraht verschnürte – das war ich. Du schlugst dreimal mit dem Hammer nach mir. Der erste Schlag war der schwächste, aber bereits so stark, dass er meinen Kopf zerschmettert hätte. Doch er traf einen Berg, den ich zum Schutz davorschob. Siehst du da drüben den Berg mit den drei viereckigen Tälern? Das sind deine Hammerspuren, die tiefste rührt von deinem letzten Schlag. Auch bei den Wettkämpfen täuschte ich eure Sinne. Loki war sehr hungrig und aß ungewöhnlich rasch. Aber sein Gegner, der Logi hieß, war das wilde rasende

Feuer und fraß samt Fleisch auch Knochen und Trog. Und jener, mit dem Thjalfi um die Wette lief, hieß Hugi und war mein Gedanke. Auch der schnellste Läufer würde ihn nicht einholen. Und als du das Horn ansetztest und das Getränk tatsächlich abnahm, schien mir das ein Wunder; denn das Ende des Hornes lag für dich unsichtbar draußen im Meer. Tritt an den Strand und sieh, wie der Wasserspiegel durch dein ungeheures Trinken gesunken ist – das heißt nun Ebbe. Auch dass du die Katze aufhobst, hätte ich für unmöglich gehalten. Das Tier erschien euch als eine Katze, aber es war die Midgardschlange, die um die Erde herumliegt. Wir alle zitterten vor Angst, als du dich aufrecktest und das Untier einen Fuß vom Boden lösen musste – da war der Himmel ganz nah. Auch bei dem Ringkampf war es ein großes Wunder, dass du so lange widerstandest und nur mit einem Bein aufs Knie gedrückt wurdest. Elli besiegt jeden, keiner kann sie je überwinden – denn Elli ist das Alter. Nun ist es Zeit«, fuhr Utgard-Loki fort, »dass wir uns trennen. Auch für dich ist das beste, uns nie wieder aufzusuchen. Ich werde meine Burg mit Täuschungen und anderen Künsten verteidigen, gegen die ihr keine Macht habt.«

Thor geriet in solchen Zorn, wie er ihn noch nie gekannt hatte, griff zu seinem Hammer und wollte zuschlagen – aber Utgard-Loki war nirgendwo mehr zu sehen. Da wandten sich Thor und seine Gefährten zur Burg zurück, um sie aufzubrechen. Doch sie sahen nur weite grüne Felder und keinen Wall mit Bohlenwänden.

Thor kehrte mit seinen Begleitern nach Hause zurück, in Sorge um den Bestand von Asgard und Midgard. Aber schon unterwegs entschloss er sich zu einer neuen Begegnung mit der Midgardschlange, die sein Hauptfeind werden sollte.

Dazu bot sich bald eine Gelegenheit.

Thor fischt nach der Midgardschlange

Die Asen hatten auf einer Jagd reichlich Wild erlegt, schleppten es heim und wollten ein Gelage halten wie nie. Mehr Bier als sonst war nötig.

Die Götter ritzten Runen in Zweige und warfen sie als Losstäbe, die verwiesen sie an Ägir, der genügend große Braukessel besitzen sollte. Thor ging zum Meerriesen und verlangte von ihm, für die Asen die nötige Menge Bier zu brauen. Ägir saß gerade am Strand, scherzte mit den Wellen, seinen Töchtern, und sah seine gute Laune durch die fordernde Art Thors gestört. Die Asen genossen auch bei Ägir nicht mehr solches Ansehen wie früher. Er dachte, wenn die Götter unmäßig saufen wollten, sollten sie ihr Bier selber brauen, und verlangte: »Beschafft mir erst einen Kessel, der groß genug ist, für euch alle Bier zu brauen.« Der Meeresriese kannte kein so großes Gefäß.

Die Asen besprachen im Rat, wie ein derartiger Kessel zu beschaffen sei. Zunächst wusste keiner einen Ausweg, bis Tyr sagte: »Im Osten wohnt mein Stiefvater, der weise Riese Hymir, der hat einen Kessel, der ist meilentief.« Thor war sogleich bereit, mit Tyr aufzubrechen und das gewaltige Gefäß herbeizuschaffen. Und so beschlossen es die Asen.

»Aber wie gewinnen wir den Meilentiefen?«, fragte Thor.

»Mit Schläue«, erwiderte Tyr.

Hymir war der grimmigste Frostriese und herrschte über das Eismeer. Nur im Sommer drang genügend Licht über Schnee und stürmische Wogen, sonst war es an diesem Rand des Himmels grau und feucht wie Seehundshaut.

Vor Tagesanbruch verließen Thor und Tyr Asgard und fuhren mit Thors Bocksgespann, so schnell die Tiere zu laufen vermochten, bis zum Hof von Thjalfis Vater; dort stellten sie Zahnknirscher und Zahnknisterer ein, eilten über Schneefelder zum Gehöft Hymirs und traten in seine Halle. Nur die uralte Ahnin des Eisriesen mit ihren 900 Köpfen stand zwischen den Bänken. Der Riese Hymir toste draußen irgendwo zwischen den Eisbergen. Aber seine Frau kam herzu. Und da erglänzte die düstere Halle von ihrem Kleid, das ganz aus Gold war, und von ihren weißblonden Brauen. Die anmutige Riesin begrüßte die Gäste freundlich und mit reichlich Bier. In ihrer Mädchenzeit war die Schöne Odin begegnet, hatte sich betören, dann verführen lassen und später Tyr geboren. Sie liebte ihren Sohn und genoss als Mutter des Kriegsgottes unter Riesenfrauen besonderes Ansehen. Gegen ihren Mann Hymir brachte ihr das manchen Vorteil, aber auch Verdruss und Missgunst. Tyr vertraute ihr den Grund des Besuches an. Und sie versprach den Asen zu helfen, riet ihnen aber, sich hinter die Kessel zu setzen, die an einem Querbalken hingen; denn manchmal sei Hymir zu Gästen frostig, und wenn er in den Saal trete, zittere er nicht vor Kälte, sondern vor Geiz.

Tyr und Thor – beide fürchteten Hymir nicht – lehnten das Versteck ab und setzten sich auf eine Bank an der Giebelwand der Halle. Ihnen blieb Zeit, bei reichlich Bier mit Tyrs Mutter zu reden. Erst spät tapste der Riese zu seinem Gehöft. Die Gletscher dröhnten. Dann trat Hymir ein mit Jagdbeute. Eiszapfen klirrten an seinem langen und breiten Bart, der verbarg sein an der Brust festgewachsenes Kinn. Sprach Hymir, klang das wie das Knirschen von Eisblöcken.

Die anmutige Riesin begrüßte ihren Mann und suchte seinen frostigen Atem zu erwärmen. »Unser Sohn sitzt hier«, sagte sie, »nach langer Zeit und beschwerlicher Reise. Wie haben wir ihn erwartet! Neben ihm der Beschützer der Menschen.«

Hymir starrte in Richtung des Saalgiebels. Da zersprang der Pfeiler unter dem Blick des Eisriesen – und der starke Querbalken, an dem die Kessel hingen, brach. Acht Kessel krachten auf den Boden und gingen in Stücke. Nur einer war hartgeschmiedet und blieb unversehrt.

Thor und Tyr standen auf und traten in die Mitte der Halle.

Hymir beobachtete jede Regung des gefürchteten Riesentöters. Dass Thor in seiner Halle weilte, ließ Hymir Schlimmes ahnen. Doch er wahrte das Gastrecht, auch seines Stiefsohnes wegen. Drei Ochsen wurden um ihre Köpfe gekürzt, ausgeschlachtet und zur Kochgrube getragen, die Fleischstücke dann in Blätter gewickelt, in die große Grube zwischen Steine gelegt, die durch starkes Feuer fast glühten, mit Erde abgedeckt und erst herausgeholt, als sie gar waren. Von dem reichlichen Nachtmahl aß Thor allein zwei Ochsen. Das schien dem Riesen wohl mit Recht ungehörig, und er sagte zu ihm:

»Was wir morgen essen wollen, müssen wir gemeinsam fischen.«

»Wenn du mir einen Köder stellst, fahre ich mit aufs Meer«, erwiderte Thor.

»Da du beim Essen solche Stärke gezeigt hast, wirst du auch den Köder selbst beschaffen können. Draußen steht meine Herde«, sagte Hymir.

Thor ging zu der Herde Ochsen, die dem Riesen gehörte. Die Tiere, größer als gewöhnliche Stiere, grasten in der Nähe des Waldes. Das am höchsten gewachsene war schwarz und hieß Der auf den Himmel Losstürzende, seine Hörner rissen die ziehenden Wolken auf. Diesem Stier drehte Thor den Kopf ab und trug ihn zum Strand, wo Hymir das Boot bereits ins Wasser gezogen hatte. Der Riese blickte unwillig auf den blutenden Kopf seines besten Stieres und sagte grimmig zu Thor: »Wirst du nicht frieren, wenn ich so lange und so weit aufs Meer hinausrudere?«

»Ich rudere so weit vom Ufer weg, wie ich will«, erwiderte Thor. »Und woher weißt du, ob nicht du zuerst auf Umkehr drängen wirst? Und ob deine Ohren rot werden?« Dabei griff Thor nach seinem Hammer und wollte dem Riesen einen schallenden Schlag versetzen, unterdrückte aber seinen Zorn und senkte Mjöllnir. Klüger als früher, sparte er seine Kraft auf.

Dann wurden Köder und Geräte im Boot verstaut. Thor stieg hinten ein, nahm zwei Ruder und legte kräftig los. Hymir ruderte im Vorderschiff. Die Ruder tauchten rasch und tief ein und brachten sie bald zu den Fischgründen, wo Hymir Flundern zu fangen pflegte. Der Riese holte das Ruder ein und griff nach seinem Angelzeug.

»Halt!«, rief Thor, »ich will weiter hinaus.« Mürrisch legte Hymir die Schnur beiseite und ruderte mit Thor schnell und kraftvoll eine lange Strecke, bis Hymir erneut innehielt und warnte: »Nicht weiter, da lauert die Midgardschlange!«

»Du fürchtest deine Verwandte?«, spottete Thor und bestand darauf, noch ein Stück weiter in die offene See zu gelangen. Hymir sträubte sich und ruderte kaum, so dass Thor sich doppelt anstrengen musste. Endlich zog der Ase das Ruder ein; er glaubte, am Ziel zu sein. Der Riese breitete sein Angelzeug aus, um für die nächste Mahlzeit einen Wal zu fischen. Thor legte eine starke Schnur mit einem großen derben Angelhaken zurecht; an den steckte er den Stierkopf, von dem noch das Blut tropfte, und warf ihn über Bord. Der mächtige Köder fuhr bis auf den Grund des Meeres. Die Midgardschlange witterte das Blut, schnappte nach dem Köder und biss sich den Angelhaken in den Gaumen. Thor spürte den Ruck in der Schnur und gab der Midgardschlange Leine. Eine Zeitlang geschah nicht viel, und Thor hielt seinen Hauptfeind für gefangen. Da riss das Untier plötzlich so heftig an der Schnur, dass Thor, sie festhaltend, mit beiden Fäusten gegen die Bordwand geschleudert wurde. Die Schlange hatte wohl ihren Fehler erkannt, wollte ihren Fänger in Sicherheit wiegen und sich unverhofft losreißen. Zornig fuhr Thor in seine Asenkraft, sofort wuchs auch seine Gestalt; er trat mit den Füßen gegen die Bordwand, dass er sie durchbrach und auf dem Meeresgrund zu stehen kam, sich gegen ihn stemmte und so die Midgardschlange aus der Tiefe bis an den Bootsrand zog. Thor blickte die Schlange scharf und durchbohrend an. Und das Untier stierte von unten her und spie Gift gegen ihn. Da der Köder ihr das Maul stopfte, konnte sie nicht gegen das Boot schnappen. Und Thor schwang bereits Mjöllnir und erinnerte sich, wie er die Midgardschlange angehoben und für eine Katze gehalten hatte. Jetzt hatte er sie überlistet, der Haken saß fest. Thor holte aus, dass die Luft über seinem Kopf surrte; aber er kostete seinen Triumph aus und ließ die Schlange seine Macht spüren, er genoss das Gefühl seiner Überlegenheit vielleicht einen Moment zu lange und achtete nicht auf Hymir, der vor Schreck zitterte und erbleicht war. Denn niemand soll Furchtbareres gesehen haben: wie das giftschillernde Untier und Thor sich gegenseitig anstarrten und sich mit Blicken zu bannen suchten, und wie die See ins Boot hinein-, hinaus- und wieder hineinschäumte. Als Thor endlich zuschlug, hatte der Riese mit seinem Ködermesser soeben die Schnur gekappt, und die Schlange versank im Meer. Thor warf Mjöllnir und glaubte, dem Weltfeind den Kopf vom Rumpf getrennt zu haben. Als der Hammer in Thors Hand zurückgekehrt war, hob er die Faust gegen den Riesen und traf ihn am Ohr. Hymir flog über Bord, und seine Sohlen waren das letzte, was im Wasser zu sehen war. Dann watete Thor an Land, brachte es aber nicht übers Herz, Hymir ersaufen zu lassen, und schleppte ihn mit ans Ufer.

Dann saßen Thor und der Riese mit einem roten Ohr nebeneinander triefend am Strand. Und ein kleiner Bach rann aus ihrer Kleidung ins Meer. Zwar hatte Thor die Midgardschlange an der Angel gehabt, aber Hymir noch keinen Fisch für das Nachtmahl, nur sein Boot verloren. Der Riese zog das zweite, das Seehengst hieß, mit neuem Angelzeug, zu Wasser. Diesmal blieben er und Thor dichter am Ufer. Hymir fing zwei Wale. Und als die Bootsfahrer an Land gingen, bat Hymir, Thor solle ihm die halbe Arbeit abnehmen, entweder das Boot festmachen oder die Wale an Land bringen. Da hob Thor das Boot samt Bordwasser, Ruder und Schöpfkelle, setzte es auf seine Schulter und trug es mitsamt den beiden Walen zu Hymirs Gehöft.

Thor und Hymir blickten dann von der Erhebung auf das Meer und sahen, wie die Midgardschlange sich draußen im Meer wälzte und das Wasser aufpeitschte. Sie würde sich an Thor rächen.

Dem stärksten Asen gelang es nur mit Mühe, seinen Zorn gegen den Riesen zu zähmen. Und Hymir sann darauf, Thor zu reizen, und sagte in der Halle, noch ehe das Essen fertig war: »Du hast zwar starke Hände, was du beim Rudern, im Kampf gegen die Schlange und beim Tragen der Wale zeigtest, aber nicht solche Macht, meinen Kelch zu zerbrechen, denn das vermag niemand.«

Da nahm Thor den Kelch, warf ihn im Sitzen gegen die steinerne Säule und zerschmetterte sie. Das Glasgefäß wurde Hymir unversehrt zurückgebracht.

»Auch gegen die Midgardschlange vermochte Thor nichts«, sagte Hymir schadenfroh zu seinem Stiefsohn Tyr. Dessen Mutter beugte sich neben Thor und flüsterte ihm ins Ohr:

»Wirf den Kelch gegen Hymirs Kopf, nichts ist so hart wie der.«

Thor stand auf, nahm seine ganze Asenkraft zusammen und schleuderte den Kelch mit seinem Hass gegen Hymirs Stirn. Die bekam keine Schramme, aber das Gefäß zerplatzte.

»Der Kelch war mein kostbarstes Stück!«, klagte der Riese und trank keinen Schluck Bier mehr. »Mit ihm ging das Glück von mir. Und die Kunst, würziges Bier zu brauen. Nie wieder werde ich meinen Kelch an die Lippen heben!«

»Der Braukessel wird verstauben«, warf Tyrs Mutter ein.

»Schafft ihn vom Hof!«, rief der Riese. »Nur eine Bedingung stell ich: Tragt ihn.«

Zweimal rückte Tyr an dem gewaltigen Bottich und brachte ihn keinen Fingerbreit vom Fleck. Da packte Thor ihn am Rand, hob den Kessel mit einem gewaltigen Ruck an und stülpte ihn über den Kopf, dass die Kesselringe gegen seine Waden klirrten.

Dann machten sich die Asen auf den Heimweg und waren zwischen den Steinhängen noch nicht lange unterwegs, da hörten sie hinter ihrem Rücken Kiesel rollen und knirschen. Tyr sah, wie aus Höhlen und Geröllhalden Hymirs vielköpfige Kriegerschar kroch und gegen sie vorrückte, sich wie eine Steinlawine heranwälzte, graue und klobige Gestalten, wie Felsklötze, in ihrer Mitte Hymir.

Thor setzte den Kessel ab, griff nach Mjöllnir und zerschmetterte die Verfolger, auch Hymir.

Thor und Tyr erreichten dann unbehelligt die Halle Ägirs, der nun bereit war, für alle Asen Bier zu brauen. Und die Asen hielten mit Ägir eines ihrer letzten großen Gelage, das ohne unheilvollen Streit zu Ende ging. Und einer wird wohl Bierrunen geschnitten haben, um Schäden des Rauschtrankes abzuwenden.

Balder träumt Unheil

Nachdem Tyr die Schwurhand verloren hatte, war ein neuer Rechtsgott erforderlich gewesen. Dazu wurde der Sohn Balders und seiner Frau Nanna erhoben, er heißt Forseti, der Vorsitzende des Gerichtes in seinem Saal Glitnir, Der Glänzende genannt; der Saal ist von goldenen Säulen gestützt und das Dach silbern. Dort sitzt Forseti die meisten Tage, schlichtet Streit und schafft neue Gerechtigkeit.

Trotzdem träumte Balder wieder Unheilvolles: der Fenriswolf riss an seinen Fesseln, dass Berge einstürzten und der Weltfeind freikam, er sperrte das Maul bis zum Himmel auf und griff Odin an. Balder sah sich nicht von Riesen oder gierigen Wölfen bedroht, nein, seine eigenen Brüder warfen lachend Steine und Rohrstengel und trafen ihn.

Die Asinnen und Asen hielten lange Rat. Wenn der reinste und edelste Gott seinen Tod träumte, waren Asgard und Midgard in Gefahr. Odin geriet in große Sorge um seinen Sohn. Und Odin wurde ausgesandt, nach dem Sinn dieser Träume zu forschen. Die heiteren Götter kannten den Weg nicht zur Hel, wo eine Seherin wohnte. Nur Odin wusste den Weg, und der war nur auf Sleipnir zu wagen. Also legte der zauberkundigste Ase seinem Pferd das Sattelzeug auf, ritt nach Osten und hinab nach Niflheim.

Aus einer Höhle fuhr bellend Garm, der Hund am Eingang zum Totenreich; er nährt sich von frischen Leichen, und seine Brust glänzt blutnass. Er umbellte Odin lange, aber der bissigste aller Hunde kam nicht an gegen den Reiter auf Sleipnir. Odin trabte weiter bis zum Tor der Hel – der Erdweg dröhnte – und kam zum Grabhügel der Völva, einer Seherin; die wollte er über die Zukunft befragen. Der Göttervater blickte nach Norden, hob den Zauberzweig, murmelte geheimnisvolle Sprüche.

Da öffnete sich der Hügel, und eine Stimme stieg aus der Tiefe: »Wer ist der Mann, der mich zu dem beschwerlichen Aufstieg nötigt? Ich war beschneit, Regen schlug mich, von Tau beträuft war ich und lange tot.«

Das Tor zum Totenreich stand offen. Odin blickte in die Empfangshalle. Überall glänzte Gold, sogar Teppiche waren durchwirkt damit. Odin antwortete der Seherin, die aus dem Hügel trat: »Ich heiße Vegtam, unterrichte dich gern über die Welten oben, wenn du mir sagst, wer hier festlich erwartet wird. Ein bedeutender Mann?«

»Für Balder ist Met gebraut«, erwiderte die Seherin, »ein ungemischter Starktrunk, noch deckt ein Schild ihn ab. Nun frag nicht weiter und lass mich ruhen.«

»Sprich weiter, Völva«, drängte Odin, »was Balder träumte, wird also geschehen? Wie sollen die Asen Midgard schützen und die Gestirne in ihren Bahnen halten? Wer wird Balder töten? Verhindern, dass er noch weiser wird?«

Die Seherin stand neben der Öffnung des Grabhügels und antwortete: »Höd wird Balder verbluten lassen. Nun weißt du genug, ich fahre in den Hügel zurück und werde schweigen.« Sie machte Anstalten, wieder in die Erde hineinzugehen.

»Schweig nicht, Völva!«, rief Odin. »Wie sollen sonst die Asen Mut fassen. Wer wird Balder rächen, seinen Mörder auf den brennenden Holzstoß schicken?«

Noch einmal sprach die Seherin: »Du wirst eine Schöne betören, die wird Rind heißen, du wirst ihr beiliegen, und sie wird Vali gebären, in den Westsälen. Vali wird sich erst die Hände waschen, das Haar scheren und kämmen, wenn er Balders Mörder getötet hat. Aber nun sage ich nichts mehr und fahre wieder in die Erde.«

»Den Rächer zeuge ich?«, fragte Odin.

Die Seherin war bereits ein Stück in den Hügel niedergefahren, nun hielt sie inne, und ihre Stimme klang gar nicht verwundert:

»Du bist nicht Vegtam, wie ich dachte, du bist Odin, der alte Gott, der oft Krieg zwischen den Königen stiftet.«

»Und du bist keine Völva, keine weise Frau«, hielt Odin ihr entgegen, »du bist die Mutter der drei Weltfeinde, des Fenriswolfes, der Midgardschlange und der Hel.«

»Nun reite heim«, sagte die Seherin, »und rühme dich keiner Kunde. Schicke keine Späher mehr, bis der letzte Winter anbricht.«

Dann ging die Frau wieder hinab in die Tiefe. Und der Hügel schloss sich.

Odin stieg auf Sleipnir und ritt heim. Und das Pferd ging schwer, als schleppe Odin die Last eines Toten mit hinauf nach Asgard.

Loki beschimpft die Götter

Nach Odins Rückkehr aus dem Reich der Hel hielten die Götter lange Rat bei der Weltenesche.

Die Seherin wolle den Kreis der Götter sprengen, vermutete Thor.

Höd würde nie Balder, den er liebe, umbringen, eher hungere er sich zu Tode, sagte Tyr.

Wie solle ein Blinder jemanden erschlagen?, fragte Frigg.

Heimdall sah in Höds Blindheit eine Gefahr.

Weissagungen seien Warnungen, meinte Idun, täten die Götter nichts, seien sie ihnen ausgeliefert.

Seherinnen reden das Unglück herbei, rief Freyja, seien die Worte einmal gesprochen, brauche man gegen sie dreifache Asenkraft.

Was die Mutter der drei Weltfeinde verkündete, müsse abgewendet werden, verlangte Odin.

Um die Befürchtungen der Asen zu zerstreuen, lachte Balder hell und ließ sein Antlitz strahlen. Höd nannte die Weissagung der Seherin die größte Bosheit, die je über eine Zunge kam, und die frechste Beleidigung der Götter. Die Mutter der Weltfeinde verrate ihre unheilvolle Absicht.

Heimdall mahnte die Götter zur Umsicht und warnte vor Loki. Schließlich hatte der Idun mit ihren Äpfeln und Thor waffenlos Riesen ausgeliefert. Loki handelte nur unbedacht, verteidigte Thor den Lästerer. Und wachse die Gefahr, brauche die Gemeinschaft der Götter jeden.

Die Asen entschlossen sich, nach einem Rat von Balder, zu Ausgleich und Versöhnung auch gegenüber Loki.

Da wurden die Asen vom Meeresriesen Ägir zu einem Gelage geladen. Ägir hatte von Balders schweren Träumen erfahren, wollte die Sorgen der Asen teilen und auf den Bestand der Welten trinken. Die Asen zogen gern in Ägirs Halle. Viele Alben kamen. Thor suchte eine dritte Begegnung mit der Midgardschlange. Auch Balder fehlte auf dem Gelage.

Ägir braute in dem Kessel, den Thor herangeschleppt hatte, reichlich Met und gab ein großes Fest. Im Saal, der von Gold hell wie Feuer leuchtete, saßen viele Gäste. Die Trinkhörner füllten sich von selbst. Hier, wo Riesen und Göttern aus einem Kessel eingeschenkt wurde, war eine Stätte des Friedens. Alle saßen einträchtig beieinander. Und Ägirs Diener achteten darauf, dass den Gästen nichts fehlte. Die Asen lobten den Diener Fimafeng. Das störte Loki, der die Feier langweilig fand. Er stritt sich mit Fimafeng, erschlug ihn und brach den für diese Stätte vereinbarten Frieden.

Die Götter griffen zu ihren Waffen, trieben den Totschläger aus der Halle und in den Wald. Der Friedensbrecher galt nun, wie es üblich war, für geächtet. Die Gäste stellten dann die Waffen beiseite und nahmen wieder ihre Trinkhörner.

Loki wusste von Thors Ostfahrt, wagte sich wieder vor die Halle und fragte den Diener Eldir, worüber die Asen redeten.

»Von Schwertern und Speeren, aber von dir kein gutes Wort«, wies der Diener ihn ab: »Und falls du die Asen anspuckst, werden sie den Spott an dir selber abwischen.« Da gab sich Loki reumütig. Der brave Diener glaubte ihm und ließ ihn in die Halle.

Die Asen schwiegen und hielten im Trinken inne; da sie auf Versöhnung bedacht waren, ergriffen sie den Geächteten nicht. Beisammen saßen Odin mit seiner Frau Frigg, Frey neben der schönen Freyja, beider Vater Njörd und Skadi, dann Bragi und seine Frau Idun, Thors Frau Sif und Gefjon, auch Tyr und Odins Sohn Vidar. Noch andere Asen und viele Alben hielten wartend ihre Trinkhörner.

Loki brach das Schweigen, klagte über seinen Durst nach dem langen Weg aus dem Wald und bat die Asen um einen Trunk Met.

Niemand rührte eine Hand. Da wurde Loki ungehalten, fand die Asen hochmütig und sagte: »Bietet mir einen Platz beim Gelage oder weist mich aus der Halle!«

Keiner antwortete, bis Bragi als erster dem Geächteten entgegentrat: »Für Friedensbrecher ist hier kein Platz mehr!« Bragi vergaß nicht, dass Loki seine Frau Idun einmal dem Riesen Thjazi ausgeliefert hatte.

Ägir und seine Gäste erwarteten, dass Loki daraufhin die Halle verließe.

Aber die Zurechtweisung brachte Loki auf, und er erinnerte Odin an die uralte Gemeinschaft mit ihm: »Weißt du noch, Odin, als wir in der Frühzeit unser Blut mischten. Und du wolltest allein kein Bier trinken, würde nicht auch mir welches gereicht.«

Die hellen Lichtalfen, die am Rande der Halle saßen, fanden Loki ungehörig und erwarteten, dass Odin ihm die Tür wiese.

Doch Odin bat für Loki um einen Platz. Vidar stand auf und schenkte Loki Bier ein. Auch einige Asen fragten sich: Tat Odin das aus Großmut? Oder fühlte er sich Loki durch Blutsbande verpflichtet?

Loki nahm das ihm gereichte Trinkhorn, wünschte allen Asinnen und Asen Glück – nur Bragi nicht.

Der Gott der Dichtung mochte keinen weiteren Streit und bot Loki zur Versöhnung ein Pferd und einen Ring.

Aber Loki wies die Geschenke zurück und begann zu lästern:

»Du bist feige im Kampf, wie wolltest du da Pferd und Armringe erbeutet haben.«

Bragi geriet in Zorn und wäre auf Loki losgegangen, wenn ihn nicht der vereinbarte Friede in Ägirs Halle geschützt hätte: »Sonst hielte ich deinen Kopf in der Hand und zahlte mit ihm deine Lüge.«

Loki lachte höhnisch: »Du bist tapfer nur in deinen Versen, aber nicht mit dem Schwert«, und forderte Bragi auf, mit ihm hinauszutreten und das Schwert zu kreuzen.

Idun ging dazwischen und besänftigte ihren Mann.

Loki leerte ein neues Horn, was seine Zunge mehr und mehr löste; nun griff er auch die Vermittlerin an: »Du bist von allen Frauen die mannstollste, schlangst deine Arme sogar um den Mörder deines Bruders.«

Diese Beschuldigung war zu grob, um ernst genommen zu werden. Idun brachte den bierberauschten Bragi davon ab, mit Loki vor der Halle zu kämpfen.

Gefjon, durch Balders Träume auf Einigkeit bedacht, nahm Loki sogar in Schutz: »Ihr wisst doch, dass Loki zum Scherzen neigt. Er liebt die Götter.«

Nicht nur Alben, auch einige Asen lachten.

Nun griff Loki Gefjon an: »Ein Milchbart schenkte dir Schmuck, du schlangst dafür die Schenkel um ihn.«

Die Lichtalfen auf den unteren Bänken murrten gegen diese Lästerung und verlangten ein Machtwort Odins, und der stellte sich schützend vor Gefjon, die als rein wie der Morgentau gilt. Da scheute Loki nicht einmal vor Odin zurück: »Wann verteilst du das Kriegsglück gerecht? Lässt meist den Schwächeren siegen.«

Es wurde so still in der Halle, dass die Gäste das Bier schäumen hörten.

»Nicht einmal ich weiß, wann uns die Weltfeinde angreifen werden, deshalb rufe ich die Tapfersten nach Walhall«, begann Odin und wandte sich dann gegen Loki: »Du haustest acht Winter unter der Erde, molkst Kühe, wurdest selbst zur Kuh und dann zum Weibe, das Kinder gebar. Du verschlangst ein verkohltes Weiberherz, wurdest wieder schwanger und presstest Unholde aus der Öffnung zwischen deinen Schenkeln.« Dieser Vorwurf war als einziger schlimmer als der der Feigheit.

Die Lichtalfen murmelten vor Genugtuung. Einige Asen schlugen zustimmend ihre Waffen gegeneinander.

Frigg fand die Erwiderung Odins zu schroff und versuchte den Streit zu schlichten: keiner solle im Kot des anderen rühren, den er irgendwo verkleckert habe.

Aber Loki kam die Schärfe gerade recht, und so griff er auch Frigg an: »Du zitterst vor Lust auf Männer und gabst auch Odins Brüdern Vili und Vé deine Brüste.«

Nun mahnte Freyja Loki zur Mäßigung beim Trinken und Reden, denn sie wisse von seinem Schicksal und könne sein Ende verkünden.

Das stachelte Loki an, auch die angesehenste Göttin zu beschimpfen: mit jedem hier in der Halle habe sie ihre Lust geteilt. »Und bei deinem Bruder furztest du dabei laut.«

Njörd nahm seine Tochter Freyja in Schutz: »Warum sollte eine Ehefrau keinen Liebhaber halten? Wem schadet das?« Da leerte Loki ein weiteres Trinkhorn, verlor alles Maß und wandte sich gegen Njörd, den friedfertigsten Gott: Als Geisel auf dem Weg zu den Asen hätten die Töchter des Riesen Hymir den Vanen gezwungen, den Mund zu öffnen, und hineingepisst wie in einen Nachttopf.

Lärm übertönte das letzte Wort. Einige Asen griffen zu ihren Waffen und wollten die Beleidigung des versöhnlichsten Gottes sühnen. »Warum seid ihr so nachsichtig?«, rief Skadi. Aber Tyr legte mit der Linken sein Schwert beiseite und hielt die anderen zurück.

Dafür griff Loki ihn an: »Deine Frau war willig, als ich ihr ein Kind machte: Und du bekamst nicht einmal eine Elle grobes Tuch als Buße für diese Schmach.«

Tyr umklammerte wieder den Griff seines Schwertes und erwiderte: »Wenn du nicht gleich dein Maul hältst, wirst du Unheilsschmied in Fesseln liegen, so wie der Fenriswolf, dein Sohn.«

Heimdall misstraute Loki bereits seit dem goldenen Zeitalter; und ihm fiel es schwer, die Abmachung im Rat einzuhalten. Obwohl der Lästerer auch ihn beschimpfte, zwang Heimdall sich zur Güte: »Loki, du bist betrunken und nicht bei klarem Verstand. Sei still, du schwätzt dich um deinen Kopf!«

Aber zum Dank für die Ermahnung hielt Loki Heimdall vor, er lasse sich als Wächter draußen bei Wind und Wetter den Buckel nassregnen. Da stellte sich Skadi vor Loki auf – sie überragte ihn um einige Köpfe – und rief: »Schweig endlich, Loki, sonst werden die Götter dich fesseln auf einer reifkalten Felskante, mit den Därmen deines Sohnes!«

»Fröhlich warst du, als du mich in dein Bett einludst«, sagte Loki. »Dabei schlug ich als erster und letzter zu, als wir deinen Vater Thjazi töteten.«

Da zog Skadi ihr Schwert. Und hätte Odin nicht ihren Arm umklammert, wäre Lokis Blut geflossen.

Sif bot die letzte Geste der Versöhnung, trat vor, schenkte in einen Kristallkelch Met und sagte: »Heil, Loki, trink den gefüllten Kelch und lass eine von den Asinnen spottfrei.«

Loki nahm den Kelch, trank daraus und erwiderte: »Du wärst die einzige, wenn du sie wärst. Doch ich kenne einen, der trieb es sogar mit Thors Frau: der listige Loki.«

»Aber wenn Balder hier im Saal säße«, unterbrach Frigg, »wagtest du auch dem ins Gesicht zu spucken?«

Einige Augenblicke schwieg Loki.

»Hindertest du ihn zu kommen«, fragte Odin, »weil es keine Gemeinheit gibt, die auf ihn passt?«

Unschuld sei seine größte Schwäche, entgegnete Loki, und die werde einst seine größte Schuld werden. Nur Odin verstand diesen Satz ganz.

Inzwischen polterte Donner, als preschte ein Wagen auf holpriger Straße heran.

»Endlich Thor!«, rief Sif.

Der Sohn der Erde stampfte in Ägirs Halle, zauste seinen wallenden Bart, senkte seine Brauen, blickte kampfeslustig. In den Gesichtern der Asen klebte noch Lokis Spott. Und von denen der Asinnen las Thor Lokis Beleidigungen ab. Thor trug vom Kampf gegen die Riesen noch den Kraftgürtel, hob Mjöllnir und drohte Loki: »Soll mein Hammer dir das Maul schließen.«

Loki wich nicht vor Thor: »Wirst du auch so mutig sein, wenn die Midgardschlange dich zum dritten Kampf fordert?«

»In die Luft werf ich dich, so hoch, dass du nie wieder herunterkommst!«, entgegnete Thor.

»Wenn du das nächste Mal im Handschuh eines Riesen übernachtest, wirst du vor Angst nicht einmal zu atmen wagen.«

Thors Bart bebte vor Zorn. »Ich schlag dir deine Knochen so klein, dass der Wind sie wegbläst!« Thor packte den Stiel seines Hammers so fest, dass seine Knöchel weiß wurden: »Jetzt wird dir Mjöllnir das Maul stopfen und den Kopf vom Halse hauen, im Staub werden deine Lippen keine Lüge mehr finden.«

»Meine Zunge war noch nie so frei wie diese Stunde«, rief Loki zurückweichend. Warum geben die Asen keine Laster zu? Sie spiegeln ihren Ruhm auf Gold und in edlen Steinen.

Thor trieb Loki vor sich her, und von der Tür rief der Lästerer zurück: »Ägir, zwar wirst du noch Bier brauen, aber nie wieder ein Gelage halten. Feuer wird alles fressen, was hier im Saale ist. Und der große Brand versenge dir den Buckel.« Dann lief Loki mit seinen großen Schuhen auf und davon.

Thor, Heimdall, Bragi und Skadi verlangten, Loki sofort zu fassen und an eine Felskante zu fesseln. Doch Njörd, Frey und den Göttinnen war das zu grausam.

Loki werde noch weit Schlimmeres anstellen, prophezeite Heimdall.

Auch Balder war inzwischen zum Rat der Asen gekommen und meinte, Loki steche nur mit Worten, die Stärke der Götter liege in ihrer Großmut.

Später zur Rede gestellt, schob Loki die Bosheiten auf das Unmaß an Bier und bereute.

Und Balder wurde in allen Welten für seine Sanftmut gerühmt.

Odins König Harald Kampfzahn

Auch bei den Menschen werden Spottverse rasch zur Lästerung, nähren Zwietracht und Habgier. Und viele mächtige Männer versuchen ihre Nachbarn zu übertreffen mit schnelleren Pferden, schärferen Waffen, prächtigeren Bauten und schöneren Frauen.

Aus Eigensucht und Goldgier werden die Gelage lärmiger und maßlos. Ein mächtiger Mann tischt mehr und feinere Speisen auf als der andere. Jeder beschenkt seine Gäste reicher. Nach Prassereien wird Abfall in Flüsse und Seen geworfen. Das Wasser stinkt und fault. Und die Menschen nehmen sich keine Zeit mehr – auch nicht, um die Nägel ihrer Toten zu beschneiden, seit Urzeiten Pflicht der Gemeinschaft. Denn aus den zu langen oder unbeschnittenen Nägeln der Verstorbenen wächst Naglfar, das Totenschiff, mit dem einst die Weltfeinde angreifen werden. Und wegen der Nachlässigkeit der Menschen wird das Nagelschiff bald fertig.

Die Frostriesen werden dreister und werfen Stürme aus eigroßen Hagelkörnern gegen Midgard. Öfter steigt die Midgardschlange vom Grund des Meeres auf und verdirbt mit ihrem Gifthauch die Luft. Zweige von Yggdrasill verdorren.

Odin befragte den Kopf Mimirs, den der Göttervater sorgfältig in einer Kiste verwahrt, und entschloss sich, einen Dänen zum mächtigsten Heerführer zu machen.

Als ein dänischer König mit seiner unfruchtbaren Frau zur großen Opferstätte nach Uppsala zog und um einen Sohn bat, gewährte Odin ihm den – nach der Geburt wurde er Harald genannt.

Der Junge war schöner und stärker als seine Altersgefährten. Nach dem Tod seiner Eltern fürchteten Freunde Anschläge auf den jungen König und baten in einem großen Zauber, dass ihn – wie es hieß – kein Eisen mehr beißen könne. Odin gewährte diese Unverwundbarkeit. Und so zog dann Harald statt mit einem undurchdringlichen Panzer im Purpurmantel seinen Bewaffneten voran; ein goldbesticktes Band hielt Haralds Haar. In seiner Nähe stumpften Pfeile und Messer seiner Gegner.

Aber von Verletzbarkeit durch Holz soll sein Name Kampfzahn herrühren. Als Bettler verkleidet, schlich sich der junge König zur Hochzeit des Mörders seines Vaters. Im Kampf schlug der Bräutigam Harald mit einem Holzprügel zwei Zähne aus. Danach sollen rasch zwei Backenzähne nachgewachsen sein. Harald wurde auch Kampfzahn genannt, weil er viele Kriege führte, in denen er sich aber großherzig zeigte. Als er einem bedrängten Kleinkönig half, den seine Schwester mit einem Heer unterworfen hatte, wies Harald Geschenke für den Sieg zurück. Der Ruhm sei ihm genug Lohn, meinte er – das vermehrte sein Ansehen.

Harald suchte den Kampf, auch gegen drei jüngere Königsbrüder aus Schweden, die den Dänenkönig angriffen. Kampfzahn warf die Losstäbe, um den Ausgang des Krieges zu erforschen. Da trat ein ungewöhnlich großer, einäugiger Mann in einem blauen Mantel vor ihn hin, nannte sich Odin und lehrte ihn, die Kämpfer in drei Keilen nebeneinander aufzustellen, wie drei Eber, der mittlere etwas größer als die beiden an seiner Seite. Mit dieser neuen Schlachtordnung siegte Harald über zwei der königlichen Brüder. Da er den dritten nicht bezwingen konnte, gewann er ihn zum Bundesgenossen und schloss mit ihm Blutsbrüderschaft. Und der Schwede nahm eine Schwester Haralds zur Frau.

Aus zahlreichen Ländern strömten Kämpfer in Haralds Heer. Für die bestimmte Harald strenge Regeln: Keiner durfte, so groß auch die Gefahr, Angst durch einen Laut oder andere Art zeigen; sah ein Kämpfer einen Hieb kommen und zwinkerte aus Furcht mit dem Lid, wurde er aus der Kriegerschar ausgestoßen. Verwundete durften vor Schmerz nicht stöhnen und sich erst nach vierundzwanzig Stunden blutige Wunden verbinden lassen.

Harald Kampfzahn bezwang die dem Rhein benachbarten Völker und erlegte ihnen einen Zins auf. Dann siegte er in Britannien. Danach zog er gegen die Slawen und ließ deren Anführer wegen ihrer Tapferkeit nicht erschlagen, sondern binden und nahm sie dann in seine Gefolgschaft auf. Als der friesische Anführer Ubbo in Jütland einfiel und Bauern ermordete, konnte Harald den Tapferen nicht mit Waffen niederstrecken, da ließ er ihn überwältigen und binden. Und nach dieser schimpflichen Niederlage gab Harald ihm eine Schwester zur Frau und nahm auch ihn in seine Gefolgschaft auf. Ubbo dankte das mit besonderer Treue.

Nachdem Harald sein Land geeint und die Nachbarn unterworfen oder in ihre Grenzen gewiesen hatte, behielt er ein starkes Heer und erzwang dadurch fünfzig Jahre Frieden. Kein König der Nachbarschaft wagte mit einem anderen Krieg zu führen. Durch eine mächtige Flotte wahrte er auch Frieden auf den Meeren.

In dem langen Frieden blühte das Land. Die Bauern lebten in Wohlstand. Handelsschiffe drängten in die Häfen. Für die Götter wurden prächtige Opferstätten errichtet.

Aber dann starb der schwedische König, mit dem Harald Blutsbrüderschaft geschlossen und dem er seine Schwester zur Frau gegeben hatte. Beider Sohn Ring wurde König. Und Harald pflegte mit diesem Neffen enge Freundschaft und weihte ihn in alle seine Unternehmungen ein. Die geheimen Botschaften überbrachte Haralds Vertrauter Bruno, mit dem der König aufgewachsen war.

Inzwischen wurde Harald gebrechlich und begann zu erblinden. Ihm wäre es schmachvoll gewesen, im Bett den Strohtod zu sterben. Odin bereitete für seinen Helden einen triumphalen Einzug in Walhall vor. Vielleicht währte Odin die Zeit ohne Krieg zu lange.

Bruno ertrank auf einer Reise von Dänemark nach Schweden in einem Fluss, der durch ein Unwetter reißend anschwoll. Und Odin nahm unbemerkt Gestalt und Namen Brunos an, fälschte Botschaften zwischen Harald und Ring, weckte Misstrauen und Neid und verletzte ihre Ehre schließlich so, dass sie nur noch durch Krieg zu sühnen war. Odin hintertrieb ein Versöhnungstreffen beider Könige. Und so kündigten Harald und Ring ihre Freundschaft auf und rüsteten sieben Jahre zu einem gewaltigen Krieg. Odin reizte zu immer neuer Schlachtvorbereitung, ließ beide Könige um die größte Streitmacht wetteifern. Und es heißt, Harald habe nicht nur aus Hass gegen Ring Truppen gesammelt, sondern um mit einem möglichst großen Heer in Walhall einzuziehen und unsterblichen Ruhm zu erwerben. Aus allen Ländern strömten mehr und mehr bedeutende Kämpfer zu den beiden Heeren und wollten in der größten Schlacht, die es bis dahin geben werde, sich hervortun und Ehre gewinnen.

So kam es zur Bravallaschlacht.

Ein Kundschafter Rings beobachtete, wie Haralds Landheer Richtung Schweden zog, und meldete seinem König, er habe die Spitze des feindlichen Heeres bei aufgehender Sonne und die Nachhut bei untergehender Sonne getroffen. Die aufgespannten Segel der riesigen dänischen Flotte versperrten den Blick auf den Himmel. Und über die zahllosen Boote, die sich im Sund zwischen Seeland und Schweden drängten, konnte man wie auf einer Brücke von Ufer zu Ufer gehen.

Drei ausländische Heere, die für Harald kämpften, wurden von Kampffrauen geführt. Zahlreiche starke und selbstsichere Mädchen und Frauen verweigerten damals den zugewiesenen Platz am Herd und in der Familie; ihr Drang nach Freiheit und Unabhängigkeit erfüllte sich als Schildmädchen oder Kampffrauen, als Anführerinnen oder gar Feldherrinnen. Die erste Heerführerin Haralds hieß Webiorg aus Schleswig, die zweite Wisma, eine strenge und kampferfahrene Frau; auch Hetha, die dritte, führte ihre Haufen in voller Rüstung zur Schlacht. Bedeutende Anführer fügten sich den erfahrenen und tapferen Feldherrinnen.

Harald Kampfzahn schickte einen sächsischen Anführer mit seinen Kriegern, die für die Dänen kämpften, zu Ring, um das Schlachtfeld, wie damals üblich, zu »haseln«, also mit Haselnussästen abzustecken.

Ring musste seine Truppen, die bereits angerückt waren, zurückhalten und zur Besonnenheit ermahnen, bis alle für Harald kämpfenden Heere herangeführt und geordnet waren. Zu Rings Heeren gehörten bedeutende Kämpfer wie Throndar mit der großen Nase, Rethyr der Habicht, Rolf der Weiberfeind, Blihar die Stülpnase, Hallstein der Weise, Ruthar der Stammler, Alf der Weitgewanderte. Auch der greise Odinsheld Starkad kämpfte für Ring. Und zu den Anführerinnen gehörte das Schildmädchen Rusla.

Die Flotte Rings zählte 2500 Schiffe, ihre zahllosen Segel versperrten den Ausblick auf das Meer.

Ring rechnete mit einem Sieg über den inzwischen erblindeten König Harald; der saß wegen seiner Gebrechlichkeit in einem Kampfwagen, gelenkt von seinem Vertrauten Bruno. Und Harald bat Bruno, seine Heere zur Schlacht aufzustellen. So führte Hetha die rechte Flanke, und die Wisma wurde zur Bannerträgerin des Königs.

Dann wurde in die Hörner geblasen – das Feldgeschrei begann, und die beiden Heerhaufen stürmten aufeinander zu.

Die Pfeile flogen dicht wie Schneeflocken; Berserker schlugen mit im Feuer gehärteten Keulen Breschen in die Reihen der Gegner; die Schwerter krachten, der Boden dröhnte; die Wurfgeschosse der Schleuderer und der Hagel der Speere verdunkelten die Sonne; vom Waffenlärm erbebten die Bäume; Dunst stieg aus den Wunden und zog wie Nebel in den Himmel; Blut färbte die Bäche rot. Es war, als senkten sich Felder und Wälder, als stürze der Himmel auf die Erde, als bräche der Mond aus seiner Bahn. Die Kämpfer hieben, brüllten, erschlugen, als gingen Himmel und Erde im brausenden Unwetter unter, als kämpften die Götter gegen die Weltfeinde am Ende aller Zeiten.

Harald Kampfzahns Heer bedrängte das schwedische. Auch von den Kampffrauen, die für den dänischen König fochten, wurden viele Taten berichtet. Webiorg fällte bedeutende Feinde, hieb einem Kinnlade und Kinn entzwei, aber der Gegner zog den Bart in den Mund, biss hinein und hielt das Kinn oben. Wisma stürmte mit dem Banner Haralds voran, bis Starkad ihre rechte Hand abschlug. Am härtesten kämpfte Ubbo der Friese für Harald, focht mit beiden Händen, wie es König Harald früher selber getan, und seine Arme waren blutig bis zur Achsel; so trieb er Reihen der Schweden in die Flucht.

Das Heer Rings kam mehr und mehr ins Wanken, da setzte der Schwede seine telemarkischen Bogenschützen ein. Die Pfeile stoben wie ein Unwetter gegen die dänischen Schilde, durchschlugen sie wie Birkenrinde, durchbohrten Panzer und Helme und entschieden die Schlacht. Und Ubbo der Friese sank erst zu Boden, als hundertvierundvierzig Pfeile in seiner Brust steckten.

Bruno berichtete Harald über das Gemetzel in seinem Heer. Da stemmte sich der blinde König auf die Knie, ergriff wie früher zwei kurze Schwerter, hieß den Wagenlenker Bruno die Pferde antreiben und streckte mit jeder Hand noch zahlreiche Feinde nieder. Dann fragte er Bruno, wie die Schweden ihr Heer aufgestellt hätten. In Eberstellung, erwiderte Bruno. »Die verriet doch Odin nur mir!«, rief Harald. Als Bruno darauf schwieg, erschrak Harald und vermutete, dass Bruno Odin selbst sei. Anstatt Odin um den Sieg zu bitten, fügte Harald sich in das Unvermeidliche und ersuchte ihn nur, er möge ihn mit seinem ganzen Heer umkommen lassen, und weihte alle Toten auf dem Schlachtfeld seinem Gott. Harald warf erschöpft die Schwerter in den Wagen und griff, um weiterzukämpfen, nach seiner hölzernen Keule. Da stürzte Odin in Brunos Gestalt König Harald aus dem Wagen, entriss ihm seine Keule und erschlug ihn mit der eigenen Waffe. Dann wurde Bruno nicht mehr gesehen.

Ring erfuhr vom Tod des großen Königs und ließ sofort die Schlacht abbrechen. Die Männer Rings suchten nach der Leiche; das dauerte einen halben Tag, denn um Haralds Wagen lagen die

Erschlagenen bis hoch zur Deichsel. Das Heer Rings verlor 12000 bedeutende Männer, das Heer Haralds 30000. Die toten Knechte hat keiner gezählt.

Ring spannte sein eigenes Pferd vor den Wagen Haralds, belegte es mit goldbestickten Decken und weihte es der Ehre seines Onkels. »Reite auf ihm in Walhall ein!«, rief er und ordnete an, einen Scheiterhaufen zu errichten. Dann forderte er die Dänen auf, das goldbeschlagene Schiff des Königs in die Flammen zu tragen. Während die Leiche Harald Kampfzahns verbrannte, bat Ring auch seine eigenen Anführer, Waffen, Gold und andere Kostbarkeiten in die Flammen zu werfen.

Odin holte mit Harald Kampfzahn, den Gefallenen seines und Rings Heeres eine Streitmacht Einherjer nach Walhall wie an keinem anderen Tag, und so glaubte er sich für den Kampf gegen die Weltfeinde bestens gerüstet.

Wie es zum Kampf zwischen Heimdall und Loki kam

In der Spätzeit begannen selbst die Götter sich um ihren kostbarsten Schmuck zu streiten, um Freyjas Halsband Brisingamen. Anlass gaben Gerüchte, welchen Preis die Göttin einst dafür bezahlt haben sollte.

In früher Zeit hatte Freyja einmal vier Zwerge besucht und lange zugesehen, wie die kunstfertigen Schmiede ein ungewöhnlich schönes Halsband hämmerten und mit breiten Edelsteinen besetzten. Das wollte die Göttin besitzen und bot seltenen Schmuck dafür. Sie hätten davon genug, antworteten die Zwerge und forderten als Preis, dass jeder von ihnen eine Nacht bei ihr liegen könne. Freyja wies die Zwerge wutschreiend ab. Aber als Brisingamen fertig war, stieg die Schöne wieder in die Höhle hinab und ließ sich den Schmuck zur Probe um den Hals legen. Da wurde Freyja vom Glanz des Goldes und der Steine so geblendet, dass sie das Geschmeide unbedingt besitzen wollte. Und da die Schmiede auf ihrem Preis bestanden, soll Freyja sich jedem Zwerg eine Nacht hingegeben haben.

Davon erfuhr Odin. Auch Loki blieb das Gerücht nicht verborgen. Als die Götter noch einig waren, wagte niemand Freyja anzuklagen. Aber als die Mauern Asgards zu erzittern begannen, hielt Loki Freyja im Beisein einiger Asen die Verfehlung vor. Die Göttin stampfte so heftig mit dem Fuß auf wie nie, doch diesmal riss Brisingamen nicht, und Freyja schrie: »Die Zwerge lügen, weil ich sie aus meiner Kammer jagte!«

Vielleicht glaubte Odin der Göttin. Doch er nahm den Vorwurf zum Anlass, Freyja zu strafen und den Schmuck an sich zu bringen; ohnehin versuchte der Göttervater in der Endzeit strenger und nach eigenem Willen zu regieren. Loki sollte Brisingamen stehlen. Balder saß mit in der Runde und riet dringlich davon ab: Freyja sei liebeskundig und mannesgierig; selbst wenn der Vorwurf berechtigt sei, habe die Tat keinem geschadet, am wenigsten den Betroffenen; ein Diebstahl des Schmuckes aber breche den Frieden zwischen den Göttern.

Auch dieser Rat Balders wurde nicht mehr befolgt. Und so schlich sich Loki nachts ränkesüchtig zu Freyjas Schlafgemach. Er fand es verschlossen, kehrte zurück und wollte den Auftrag abgeben. Doch Odin bestand auf seinem Willen: ohne Schmuck dürfe Loki nicht zurückkehren. Da wimmerte er und vergoss Tränen, und die Asen in der Halle freuten sich, dass der Lästerer in der Klemme saß. Loki musste wieder hinaus in die Kälte. Und vor Freyjas Schlafgemach verwandelte er sich in eine Fliege – eine ihm vertraute Gestalt –, suchte nach Ritzen in Tür und Wänden, fand keine, aber schließlich ein Loch am Giebel, so groß wie ein Nadelöhr, da schlüpfte er hindurch. Freyja schlief mit Brisingamen am Hals, lag aber auf dem Verschluss. Da verwandelte sich Loki in einen Floh und stach der Göttin in die Wange – Freyja wandte sich im Schlafe um, der Verschluss kam frei. Rasch nahm Loki wieder seine natürliche Gestalt an, löste den Verschluss, öffnete die Tür und schlich sich mit dem Schmuck davon.

Der Wächter Heimdall hatte Loki beobachtet und verlegte ihm den Weg zu Odin. Loki eilte zum Meeresstrand, verwandelte sich in einen Seehund, schwamm hastig auf eine Schäre und verbarg Brisingamen in einer Felsspalte. Heimdall, der auch nachts hundert Meilen weit sieht, entging das nicht, er nahm die gleiche Tiergestalt an und schwamm auf das Felsenriff. Loki saß über Brisingamen und verteidigte seinen Raub. Heimdall griff hart an. Beide Seehunde bissen sich blutige Wunden. Obwohl Loki List gebrauchte und täuschend sprang, unterlag er dem stärkeren Heimdall. Und um sein Leben zu retten, warf Loki Heimdall den Schmuck zu und schwor ihm Rache.

Heimdall brachte Freyja das Geraubte zurück. Die Ordnung der Welten war wiederhergestellt. Aber das erste Mal hatten zwei aus der Göttergemeinschaft auf Leben und Tod gegeneinander gekämpft.

Thor überlistet den weisen Zwerg Alvis

Als Thor von einer Ostfahrt zurückkehrte, saß ein Wicht mit bleichem Gesicht in der Halle Kraftheim in Asgard und sagte, er sei gekommen, endlich Thors Tochter zur Hochzeit in sein Reich zu führen; das sei ihm zugesichert.

Thor brauste auf und rief: »Zwerge haben kein Recht auf die Hand einer Asentochter!« Und von derartiger Abmachung wisse er als Vater nichts.

Der Zwerg hatte einst für andere Asen besondere Waffen geschmiedet. Dafür war ihm hinter dem Rücken Thors dessen Tochter versprochen worden. Lange hatte der Zwerg, obwohl er Alvis, der Allweise hieß, nicht gewagt, die Braut in seine Höhle zu holen, denn Verbindungen zwischen den verwachsenen Zwergen und Göttinnen galten in Asgard und Midgard als geschmacklos. Erst als auch bei den Asen Zwietracht aufkam, wagte sich der Zwerg nach Asgard; und dennoch fürchtete er den Hammer Mjöllnir. Doch Thor griff nicht einmal nach dem Stiel der Waffe und versprach dem Zwerg die Tochter, wenn er über die Welten alles wisse, was er ihn auch frage.

Der weise Zwerg hielt den scheinbar grobschlächtigen Thor für weit weniger klug als Odin und war sich seines Sieges sicher. Eine der vielen Fragen Thors lautete: »Woher kommt der Wind, den die Menschen nie selber sehen?«

Sofort antwortete der Zwerg: »Vom Riesen Leichenverschlinger in Adlergestalt. Breitet der seine Schwingen aus, entfacht er die Winde.«

So wusste der Zwerg auf jede Frage eine Antwort. Und je mehr Thor erfahren wollte, desto Treffenderes erwiderte der Zwerg. Stunde um Stunde verrann. Und die Fülle seiner Weisheit machte Alvis überlegen und versetzte ihn in einen Rausch. Und da übersah er den Morgendämmer, der über die Nacht heraufzog.

So fiel das erste Sonnenlicht in den Saal und traf das Gesicht des Zwerges.

»Zwar weißt du alles, Alvis, wirst aber trotzdem zu Stein«, sagte Thor und hatte ihn damit überlistet. Denn Tageslicht verwandelt jeden Zwerg zu Stein.

Das Gesicht des Wichtes Alvis wurde blasser und fester und dann hart und kalt.

Balders Tod

Balder träumte wieder seinen Tod.

Und als Balder über Land ritt, stolperte sein Pferd, verrenkte sich den Fuß und hinkte mit Bluterguss zurück. Auch das galt als Zeichen nahen Unglücks.

Die Asen hielten lange Rat und beschlossen alles zu tun, den reinsten und edelsten Gott zu schützen. Der verdächtigte Höd war vor anderen auf Balders Wohl bedacht und schlug vor, alle Wesen und Dinge sollten schwören, Balder nichts anzutun. Frigg nahm allen Dingen diese Eide ab. Balder zu schonen verpflichteten sich: Feuer und Wasser, Eisen und jederart Erz, die Steine und die Erde, die Bäume, Büsche und Hölzer, wilde und zahme Tiere mit vier Füßen, die Vögel, die Krankheiten und Gifte und bösartige Schlangen. Von allen Schwertern, Äxten, Hämmern, Speeren wurden gesonderte Eide gefordert. Auch die Waffen der Asen leisteten sie bereitwillig.

Nachdem das alles getan und bekanntgemacht war, erprobten die Götter die Eide auf ihre Festigkeit. Zuerst warfen sie kleine Steine, dann Wurzelstöcke, dann Felsbrocken und schließlich Speere. Balder blieb unversehrt. Nun vertrieben sich die Asen die Zeit damit, Balder in die Mitte der Thingstätte zu stellen und nach ihm zu stechen und zu hauen. Odin warf seinen Speer Gungnir, den nichts aufhielt, erst zaghaft; aber auch mit Wucht geschleudert, bohrte er sich vor Balders Füßen in den Boden. Und Thors Hammer Mjöllnir, der sein Ziel nie verfehlte, kehrte in Thors Hand zurück, ohne Balder eine Schramme zu schlagen. Diese Proben wurden bald zu Festlichkeiten bei reichlich Met. Und Odin begann an Balders Unverletzlichkeit zu glauben. Thor hielt ohnehin wenig von Weissagungen der Nornen und Balders Träumen.

Der edelste Ase galt nun endgültig als unverwundbar. Der Schein, den er um sich verbreitete, strahlte noch heller. Und Balder genoss dieses Ansehen.

Loki fand die Art, wie sich die Asen aufführten, anmaßend und selbstgefällig. Gleich dem fressenden Feuer litt er nichts Beständiges. Vielleicht nahm er auch aus Neid und Bosheit die Gestalt einer alten Frau an und ging zu Frigg in ihre Halle Meer-Säle. Der verwandelte Loki heuchelte Sorge, ob Balder nicht doch ein Geschoss treffen könne.

»Es schworen selbst Reifriesen und grimmige Bergriesen«, beteuerte Frigg.

»Du nahmst allen Dingen und Wesen Eide ab?«, vergewisserte sich die Alte.

»Auch der schärfsten Schneide«, erwiderte Frigg, »und ein Gott starb noch nie.«

Die Alte beugte ihren Rücken noch eine Handbreit tiefer, die Welten wurden ein Stück älter. »Wüsste ich«, sagte Loki in Gestalt der Alten, »wen du übersahst, könnte ich Balder schützen.«

Frigg dachte nach und erinnerte sich: »Westlich von Walhall steht ein Mistelzweig, der war noch viel zu jung, um einen Eid von ihm zu fordern.«

Die Alte ging und verwandelte sich; Loki begab sich an die genannte Stelle, brach den Mistelspross und eilte damit zur Thingstätte.

Zwei Asen schossen gleichzeitig auf Balder, Tyr schleuderte den Speer, und Thor warf Mjöllnir. Balder lachte hell, wie man es von einem Gott des Lichtes erwartet. Wieder wurde reichlich Met in die Trinkhörner nachgeschenkt. Unbekümmertheit des goldenen Zeitalters kehrte zurück. Thor hielt in jeder Hand ein Trinkhorn. Alle, auch Odin, lachten erleichtert, dass die Gefahr gebannt war. Nur Heimdall erhob gegen diese Proben Einspruch, kam aber im Rat gegen alle anderen nicht an und wachte trotzig neben der Asenbrücke Bifröst. Goldbeschlagene Schilde glänzten auf dem Thing, silberverzierte Waffen blitzten in der Sonne. Einige Asinnen trugen Purpurgewänder. Auch die vorsichtigen Göttinnen verloren ihre Ängste, zeigten ihr Geschmeide mit hellfunkelnden Steinen. Frauen kreischten lustvoll und mannessüchtig.

Loki starrte auf die Jubelnden und geriet in Zorn. Wie rasch vergaßen die Asen die Gefahr! Selbst Odin schien den Eiden zu trauen. Vielleicht zürnte Loki am meisten Balder, weil ihm seine Unverwundbarkeit so gewohnt geworden war wie das Licht der Sonne. Loki trat zu Höd, der außerhalb des Ringes stand, den die Männer um Balder bildeten, und fragte ihn: »Warum schießt du nicht auf Balder?«

»Weil ich nicht sehe, wo Balder steht. Außerdem bin ich waffenlos«, antwortete der Blinde.

»Ich werde dir Balders Platz zeigen«, entgegnete Loki. »Hier, nimm diesen Zweig und schieß!«

Höd ergriff den Schössling und spürte, wie dünn er war und wie er zitterte. Da begannen auch Höds Knie zu zittern, denn er erinnerte sich an die Prophezeiung der Völva und an den schwankenden Rohrstab, den Starkad gegen König Vikar geschossen hatte.

»Wirf doch wie die anderen Männer«, ermahnte Loki Höd.

Als der Blinde weiter zögerte, flüsterte Loki ihm zu: »Einige Asen sehen her und wundern sich, warum du Balder nicht die Ehre erweist.«

»Wurde kein Gegenstand beim Beeiden vergessen?«, vergewisserte sich Höd.

»Sogar Mjöllnir und die Giftpfeile der Riesen richten gegen Balder nichts aus«, erwiderte Loki.

Höd hatten Gelegenheiten gefehlt, sich Ansehen zu erwerben. Also nahm der Blinde jetzt alle Kraft zusammen, die er in den Jahren aufgespart hatte, und warf den Zweig in die Richtung, die Loki ihm wies.

Balder fiel durchbohrt zu Boden.

Die Asen – außer Odin – schrien vor Vergnügen, weil Balder auf das Spiel einzugehen schien, sich von dem dünnen Zweig zu Boden werfen ließ und sich tot stellte. Der Göttervater aber begriff sofort. Hatte der einäugige Weise Höd einen Vogelschrei lang aus den Augen verloren, hatte er den Mistelzweig übersehen?

Höd wusste nicht, wie nahe Balder gestanden hatte, und erschrak, als der Jubel mit einem Male verstummte. Die Asen verloren die Sprache, als sie sahen, wie das Blut aus Balders Brust rann. Nicht ein Wort des Schmerzes war da, als die Götter merkten, dass Balder tot war – so groß war ihr Entsetzen. Und die Hände, Balder aufzuheben, sanken herab. Die Asen sahen einander an und dachten nur an eines: die Tat zu rächen. Aber der Friede auf der Thingstätte war unantastbar. Und als die Asen doch miteinander reden wollten, erstickte Weinen ihre Worte.

Odin war am meisten bestürzt; denn keiner begriff mehr als er, was Balders Tod für die Asen und den Bestand der Welt bedeutete. Es war die schlimmste Tat, die Göttern und Menschen je zugefügt wurde.

Nanna, Balders Frau, krümmte sich vor Schmerz und glitt auf einen Stein.

Auch Loki stand reglos. Zur Rede gestellt, beteuerte er gefasst: damit Sorge und Umsicht zurückkehrten, habe er Balder ritzen wollen. Wie könne ein schmaler, zitternder Zweig einem Gott zum Töter werden?

Kein Ase glaubte Loki. Er galt als Anstifter zum Mord.

Dann trugen die Asen Balders Leiche zum Meeresstrand und wollten sie in seinem Schiff bestatten; es hieß Hringhorni, Das mit einem ringförmigen Horn – ein Zeichen der Sonne. Aber sosehr die Götter gegen die Planken drückten, sie brachten das Schiff keinen Fingerbreit vom Platz. Da wurde nach der starken Riesin Hyrrokkin, Der im Feuer Gerunzelten, gesandt. Sie war sofort zur Hilfe bereit. Die Riesin ritt auf einem Wolf herbei und hielt ihn mit Giftschlangen als Zaum. Odin rief vier Berserker, um das Reittier zu halten. Es gelang ihnen nur, indem sie es zu Boden warfen. Die Riesin ging zum Schiff und stieß es mit dem ersten Ruck zum Wasser, dass Funken aus den Walzen stoben und der Strand erbebte. Den Lärm und das leichte Erdbeben sah Thor als Entweihung, griff zornig nach seinem Hammer und drohte, der Riesin den Schädel einzuschlagen. Aber die anderen Götter beteuerten deren gute Absicht, baten um Frieden für sie und besänftigten Thor.

Balders Leiche wurde auf das Schiff getragen und auf einen Holzstoß gebettet. Nanna, die dabeistand, konnte sich von ihrem geliebten Mann nicht trennen – und da zersprang ihr das Herz. Nanna wurde auf das Schiff getragen und neben Balder gelegt. Dann wurde das Feuer entzündet.

Thor stand neben dem Schiff, hob Mjöllnir und weihte den Scheiterhaufen. Dann rannte ihm ein Zwerg zwischen die Füße. Thor meinte, der Wicht störe die heilige Bestattung, und stieß ihn mit dem Fuß ins Feuer, wo er verbrannte.

Zu der großen Totenfeier kamen viele und erwiesen Balder die letzte Ehre. Zuerst ist Odin zu nennen, er erschien zwar ohne Sleipnir, aber mit Walküren und Raben; neben ihm seine Frau Frigg. Frey fuhr mit seinem Wagen vor, gezogen von Gullinborsti, dem goldborstigen Eber. Heimdall ritt auf seinem Pferd Goldzopf. Freyja kam mit ihrem Katzengespann. Auch die anderen Asen erschienen zur Bestattung. Loki und Höd verbargen sich aus Furcht vor Rache. Obwohl schließlich den Göttern feind, hatten selbst die bösartigsten Riesen nie versucht, Balder zu schaden. Zahlreiche Bergriesen und grimmige Frostriesen traten an den Scheiterhaufen. Wie viele Zwerge standen in den Reihen! Auch die kunstfertigen Schmiede. Die Alfen, seit Urzeiten Freunde der Götter und Menschen, brauchen kaum erwähnt zu werden.

Odin trat an den Holzstoß und flüsterte seinem Sohn etwas ins Ohr. Was er sagte, wissen nur Balder und er selbst. Vielleicht versprach er Balder Sühne für den Mord oder nannte es gewiss, dass er als Schuldloser wiederkehren werde. Dann legte Odin seinem Sohn den Ring Draupnir ins Feuer und ließ Balders Pferd samt kostbarem Geschirr den Flammen übergeben.

Hermod reitet ins Totenreich

Frigg litt am meisten unter Balders Verlust, und so drängte sie, jemand solle ins Totenreich reiten, ihren Sohn suchen und der Hel so viel Lösegeld bieten, wie sie fordere. Denn da Balder nicht im Kampf gefallen war, blieb ihm Walhall verschlossen.

Hermod, der Schnelle, Tapfere, auch ein Sohn Odins, machte sich bereit. Odin lieh ihm Sleipnir. Hermod schwang sich auf das Pferd und galoppierte davon. Er ritt neun Tage und Nächte durch tiefe dunkle Täler, kam dann zum lärmenden Fluss Gjöll und auf Gjallarbru, die Gjöllbrücke, die mit hellem Gold belegt ist und leuchtet. Das Mädchen Modgud, die Kämpferin, bewacht die Brücke zum Totenreich und fragte den Reiter nach Namen und Geschlecht. »Gestern«, sagte die Wächterin, »ritten fünf Scharen toter Krieger über die Brücke, aber unter dir dröhnt sie weit mehr. Warum reitest du als Lebender den Weg zur Hel?«

»Ich suche Balder«, sagte Hermod und fragte: »Sahst du ihn auf dem Helweg?«

»Balder trabte hier über die Gjöllbrücke«, erwiderte die Wächterin. »Der Weg führt nach Norden da hinab.«

Hermod sprengte weiter bis zum Gittertor, das für die Lebenden als unüberwindbar galt. Der Reiter stieg von Sleipnir, zog das Sattelzeug straff, sprang wieder auf das beste Pferd der Götter, gab ihm die Sporen und setzte, ohne einen Gitterstab zu streifen, hoch über das Tor.

Vor der Halle der Hel stieg Hermod vom Pferd, trat durch die Tür und sah seinen Bruder mit einem Trinkhorn auf dem Hochsitz. In dem goldgeschmückten Saal saßen Balder und seine Frau Nanna. Hermod nahm auf einer Bank bei ihnen Platz, und die Brüder redeten beim Met bis in die Nacht.

Am nächsten Morgen verlangte Hermod von der Hel, dass sie Balder freigeben und er mit ihm heimreiten solle. Hermod klagte über die Trauer aller Asen, wie Frigg den Tod des unschuldigen Sohnes nicht verwinde, wie die Götter sich um den Bestand der Welten sorgten, denn der Tod des ersten Götterpaares ermutige die Weltfeinde.

»Ist Balder tatsächlich so beliebt, wie du behauptest?«, fragte die Hel.

Nach der Versicherung, dass selbst die grimmigen Frostriesen Balder wohlgesinnt seien, sprach die Hel: »Wenn alle Lebewesen und alle toten Dinge in allen Welten Balder beweinen, soll er zu den Asen zurückkehren. Aber wenn eines echte Tränen verweigert, wird er in meiner Halle bleiben.«

Dann standen Balder und Nanna auf von ihren Hochsitzen und begleiteten Hermod vor die Halle. Zur Erinnerung gab Balder für Odin den Ring Draupnir mit; Nanna sandte Frigg das kostbare Leinentuch, das sie bei ihrer Bestattung getragen hatte, und Fulla einen goldenen Fingerring.

Hermod ritt, so schnell Sleipnir vermochte, den Weg zurück und berichtete den Göttern alles, was er gehört und gesehen hatte.

Die Asen hielten Rat und sandten Boten in alle Welten mit der Bitte, Balder aus der Hel zurückzuweinen. Und alle taten das: Götter und Menschen, Pflanzen und Tiere, die Erde und die Steine, das Holz und alles Metall – so wie man Dinge weinen sehen kann, wenn sie aus der Kälte in die Wärme kommen. Auch alle Alfen und Zwerge vergossen Tränen, und alle Riesen, auch die

Bergriesen und die grimmigen Frostriesen. Nie waren sich alle Wesen und Dinge so einig. Frigg erwartete die Heimkehr ihres Sohnes.

Aber als Balder nicht zurückkam, wurden erneut Walküren ausgesandt; die sahen in einer Höhle eine Riesin sitzen mit ausgedörrten Augenhöhlen. Die Walküren baten die Riesin, Balder aus der Hel zurückzuweinen. Da rieb sich die Riesin trockene Tränen aus den Augen und sagte: »Balder nutzte mir weder im Leben noch im Tod. Behalte die Hel, was sie hat.«

Die Riesin hieß Thökk, was boshafterweise ›Dank‹ bedeutet, und behielt ihre nassen Tränen. Aber nach ihrer Heimkehr versicherten die Walküren den Asen, in Wirklichkeit sei Thökk Loki gewesen – sie hätten ihn an den Augen erkannt.

Daraufhin stellten die Götter Loki zur Rede. Er bestritt hartnäckig diese Verwandlung und behauptete, die Hel selber habe die Gestalt der Riesin angenommen, so wolle sie die Weltordnung wahren; denn gewähre sie eine Ausnahme, könne jeder von ihr Tote zurückfordern.

Aber die Asinnen und Asen vertrauten ihren Walküren.

Und alle Bande zu Loki brachen.

Lokis Bestrafung

Loki floh in ein abgelegenes Gebirge, stieg auf einen Gipfel und baute sich dort eine Behausung mit vier Türen. Hinter denen saß er beim Feuer, spähte in alle Himmelsrichtungen und sann darüber nach, mit welcher List die Asen ihn fangen könnten.

Morgens rannte er oft zum nahen Wasserfall, verwandelte sich in einen Lachs und verbarg sich in der Strömung.

Odin stieg täglich auf Hlidskjalf und spähte so lange nach Loki, bis er ihn vor seiner Behausung erkannte. Odin allein würde kaum gelingen, den Durchtriebenen zu ergreifen; deshalb nahm er Thor und Heimdall mit auf seine Fahrt.

Loki wärmte sich an seinem Feuer und spähte hin und wieder aus einer der vier Türen, dann knotete er Leinengarn und verband aus Zeitvertreib die Maschen zu einem besonderen Netz – da erschrak er über seine Erfindung, und er erschrak noch mehr, weil er die drei Asen den Hang heraufsteigen sah. Loki warf das Netz ins

Feuer, rannte in einer anderen Richtung zum Fluss und verwandelte sich in einen Lachs.

Odin und seine Begleiter traten in das Haus, sahen das Feuer lodern und vermuteten, Loki könne nicht weit sein. Heimdall erkannte in der Glut des Feuers die Netzform der weißen Asche, zu der das verknotete Leinengarn verbrannt war. »Damit kann man Fische fangen!«, rief er. Und Loki würde sich in ein solches Tier verwandelt haben, vermutete Odin. Genügend Leinengarn lag in einer Ecke. Und die Asen knoteten rasch ein Netz nach dem Muster, das sie aus der Asche ablasen. Dann eilten sie zum Fluss und warfen das Netz in den Wasserfall, über den Loki nicht hinausgelangt sein könnte. Thor hielt das eine Ende des Netzes, die beiden anderen Asen ergriffen am jenseitigen Ufer das zweite Ende, so zogen sie das Netz flussabwärts. Loki schwamm unbemerkt vor ihnen her, fand keinen anderen Schlupfwinkel und legte sich zwischen zwei Steine. Als die Asen das Netz über die Steine zogen, spürten sie etwas Lebendiges, gingen noch einmal zum Wasserfall zurück, beschwerten das Netz so, dass es keinen Durchschlupf bot, und zogen es zum zweiten Mal flussabwärts. Ehe sie das Meer erreichten, sprang Loki in Lachsgestalt über die Randleine des Netzes und schwamm zum Wasserfall zurück. Nun glaubten die Asen zu wissen, wer sich hinter dem Fisch verbarg, und liefen erneut zum Wasserfall. Dort senkten sie das Netz zum dritten Mal in den Fluss; Odin hielt es auf dem einen, Heimdall auf dem anderen Ufer; so zogen sie es; und Thor stapfte in der Mitte des Stromes. Die Asen drängten Loki dem Meere zu. Der Listige war dem Gesetz der Verwandlung unterworfen: er hätte seine natürliche, dem Menschen ähnliche Gestalt zunächst wieder annehmen müssen, ehe er etwa zur Fliege werden und davonschwirren konnte. Also blieben Loki zwei Möglichkeiten, und jede bedrohte sein Leben: entweder ins Meer gejagt zu werden oder über das Tau zu springen, das das Netz hielt.

Loki schnellte so rasch er konnte über die Leine. Aber Thor hatte den Fisch beobachtet und alle seine Sinne so auf ihn gelenkt, dass der Splitter des Wetzsteines in seinem Kopf schmerzte. Thors Finger waren flinker, als ein Lachs springen konnte, sie ergriffen und packten ihn. Der Lachs war glitschig, wand sich und wäre fast entwischt, wenn Thor ihn nicht am Schwanz fest zusammengedrückt hätte. Deshalb sind Lachse hinten so schmal.

Loki musste sich in seine natürliche Gestalt zurückverwandeln und war nun friedlos. Die Asen schleppten ihn in eine Felsenhöhle. Auch seine Söhne Narfi und Vali, die die Asin Sigyn ihm geboren hatte, wurden ergriffen und an diese Stätte gebracht.

Die Götter nahmen drei Steinplatten, schlugen in jede ein Loch und stellten sie auf die Kanten. Wie der Fenriswolf war Loki mit keiner gewöhnlichen Fessel zu binden. Deshalb verwandelten die Asen Lokis Sohn Vali in einen Wolf und hetzten ihn auf seinen Bruder; Narfi wurde von ihm zerrissen. Dann legten die Asen Loki auf die senkrechten Steinplatten und banden ihn mit den Därmen seines Sohnes Narfi darauf fest. Eine Steinplatte drückte Loki gegen die Schultern, die zweite gegen die Lenden und die dritte gegen die Kniekehlen. Und die Bande wurden zu besonders hartem Eisen.

Dann befestigte Skadi eine Giftschlange über Loki, das Gift tropfte in sein Gesicht. Aber die Asin Sigyn trennte sich nicht von ihrem gefesselten Mann, sie stellte sich neben Loki und hielt eine Schüssel unter den Kopf der Schlange. War die Schale gefüllt, eilte Sigyn, das Gift auszuschütten. Inzwischen tropfte es dem Gebundenen ins Gesicht und ätzte es, da zuckte Loki so heftig zusammen und riss an den Fesseln, dass die Erde erzitterte und der Boden schwankte, was Erdbeben genannt wird.

In dieser Höhle liegt Loki gebunden bis zu den Ragnarök. Und je länger das Gift in seinem Gesicht brennt, desto mehr hasst er die Götter und rüttelt an ihrer Weltordnung.

Odin verführt Rind

Nach Lokis Fesselung wollten Thor, Frey, Freyja, Njörd und andere Asen Höd nicht weiter verfolgen und ihn schonen: der Blinde habe Lokis böse Absicht nicht gekannt und sei schuldlos. Odins Söhne waren ohnehin nicht bereit, ihren Bruder Höd zu erschlagen.

Aber Odin, Heimdall, Tyr und andere bestanden auf Rache. Und ein finnischer Wahrsager prophezeite Odin, die Tochter eines rutenischen Königs werde ihm den Töter Höds gebären. Da zog Odin den breitkrempigen Hut in die Stirn, ging an den Hof des genannten Königs und bot sich ihm als Kriegsmann an. Nach Siegen seiner Schar gegen feindliche Heere erhob der König ihn zum Feldherrn. Odin gewann jede Schlacht. Auch allein schlug er Reihen einfallender Krieger in die Flucht. Der König berief ihn zu einem seiner vertrautesten Freunde. Nun offenbarte Odin dem König die Liebe zu dessen Tochter. Der König ermutigte ihn, Rind um einen Kuss zu bitten. Doch die schlug ihm auf die Wange.

Im folgenden Jahr kehrte Odin geschminkt zurück, gab sich als Goldschmied aus und fertigte kostbaren Schmuck, schließlich auch Ringe und eine Spange, die viel feiner waren und heller glänzten als alles Geschmeide am Hofe, und schenkte sie dem trotzigen Mädchen. Aber Rind durchschaute die Freigebigkeit des Goldschmiedes, und als er sie küssen wollte, schlug sie ihm wieder auf die Wange.

Der König schalt mit seiner eigensinnigen Tochter, doch die lehnte die Heirat mit dem alten Manne ab: er verderbe ihre frohen Mädchenjahre.

Diese zweite Zurückweisung kränkte den im Verführen Erfahrenen. Doch die schöne und widerspenstige Rind reizte ihn. Und Odin machte sich zur Pflicht, den Rächer an Höd zu zeugen. Frigg, Thor und andere Asen und Asinnen bemühten sich, Odin von einer dritten Fahrt abzubringen; er vergeude viel Zeit für Rache, wo Dringenderes für den Bestand der Welten zu tun sei.

Doch Odin sprengte als junger feuriger Krieger vor den rutenischen König, focht bei Wettkämpfen kühner und gewandter als andere und besiegte jeden. Alle Frauen jubelten ihm zu, sogar Rind winkte. Und Odin ritt an ihre Seite, stieg vom Pferd und wollte ihr mit einem Kuss danken. Rind beugte ihren Kopf vor, aber roch im letzten Augenblick den Alten und stieß ihn so derb zurück, dass er auf den Boden taumelte und sein Kinn in die Erde bohrte.

Odin, auf das Äußerste gefasst gewesen, trug ein Stück Baumrinde bei sich; mit ihm streifte er während des Fallens die Stolze. In die Rinde waren Runen geritzt, die versetzten das Mädchen in Krankheit und Wahn.

Nun kam Odin als heilkundige Frau an den Hof. Die Königin machte sie, ihrer ärztlichen Erfolge wegen, zur Magd ihrer Tochter. Odin wusch eifrig den Schmutz von Rinds Füßen und Schenkeln, ob mehr aus Vergnügen und Lust oder lästiger Pflicht, ist unbekannt. Als Rind grellere Wahnbilder sah, in Fieber fiel und kein anderes Mittel anschlug, wurde nach dem Rat der heilkundigen Frau ein Trunk aus Kräutersäften bereitet. Und damit sich das Mädchen nicht widersetze, ließ der König sie nach dem Rat der

Ärztin auf ihr Bett binden. Und Odin trieb ihr die Krankheit aus den feinsten Adern; ob mehr durch die Kräutersäfte oder seine Manneskraft, mit der er mehrfach in sie eindrang, sei dahingestellt. Rind gesundete jedenfalls rasch. Es war ihre erste Mannesererfahrung.

Die Königstochter gebar einen gesunden, kräftigen Sohn, der wurde Vali genannt. Der Junge übte sich früh im Reiten, Speerwerfen und Schwertkampf. Er schwamm durch Sunde und jagte Hirsche.

Odin erzählte Vali von der Ermordung seines Bruders Balder und wie schwer diese Untat auf den Bewohnern der Welten laste. Der Göttervater riet ihm, statt Schuldlose im Kampf niederzuhauen, solle er lieber am Mörder seines Bruders Rache nehmen.

Und so tötete Vali den blinden Höd.

Die Gemeinschaft der Asen verlor wieder einen Gott.

Der Untergang der Götter

Die Weltenesche erzittert, ihr erster Ast bricht. Frauen stiften aus Schmucksucht Unheil. Im Kampf um mehr Macht und mehr Gold erschlagen Brüder einander, spalten Väter die Schädel ihrer Söhne. Auf heiligen Thingstätten fließt Blut.

Drei Jahre ziehen die Heere von Schlacht zu Schlacht, für Frieden bleibt keine Zeit. Die unermesslichen Scharen Einherjer glauben an den Sieg ihres Feldherrn Odin.

Der Drache Nidhögg nagt an Yggdrasills Hauptwurzeln, die Hirsche beißen eintägige Knospen. Und die Nornen kommen mit Wasserschöpfen nicht nach – dürre Äste ragen aus dem vergilbten Laub der Weltenesche.

Dann kommt die Midgardschlange für immer an die Meeresoberfläche und peitscht Sturmfluten gegen die Strände, verpestet mit ihrem Gifthauch die Meere. Fische werden ungenießbar. Der Fenriswolf heult. Die Zwerge frösteln in ihren Höhlen. Und Loki rüttelt an den Steinplatten, worauf er gebunden liegt, dass die Berge beben, die Erde aufreißt. Schwefeldämpfe quellen aus den Spalten, erloschene Vulkane speien wieder Feuer.

Die Berge waren ehedem die sichersten Orte aller Welten, die Zwerge dort unberührbar; jetzt krampfen sich den kunstfertigen Schmieden die Hände, die Felswandkundigen tappen vor ihre Steintore und stöhnen, irren durchs Geröll.

Noch einmal entkommt die Sonne ihrem Verfolger.

Heimdall schläft nachts nur einen halben Adlerruf lang und späht unablässig über die Welten.

Dann folgen drei harte lange Winter ohne einen Sommer aufeinander. Stürme treiben aus allen Richtungen Schnee, begraben das letzte Büschel Gras. Die Menschen befeinden sich erbarmungsloser.

Der Speer- und Schwertfluss im Osten – er trennt die Lebenden vom Reich der Toten – führt Hochwasser, friert aber nicht zu. In ihm schwimmen mehr Waffen als ehedem. Wer ihn zu überqueren versucht, wird in Stücke gehauen. Und am Totenstrand, fern der Sonne, füllt sich ein Raum mit Meineidigen und Mördern. Seine Wände glitzern von geflochtenen Schlangenleibern. Gift tropft durch die Dachöffnung, sammelt sich auf dem Boden und peinigt die Verbrecher. Ein Wolf reißt ihre Leichen, und Nidhögg schlürft mit ihrem Blut Lebenskraft und Weisheit der Toten.

Dann kräht Goldkamm, der Hahn der Asen. Und der rußrote Hahn im Totenreich weckt die Schläfer und ruft die Riesen zum Kampf.

Außerordentliches geschieht: Der Wolf Sköll packt die Sonne, und die hat nun keine Kraft mehr, sich loszureißen, und wird schwarz; die Erde verfinstert sich. Auch der Wolf Hati erreicht den Mond und packt ihn für immer, vom Jahreszähler ist kein Tag mehr ablesbar.

Heimdall holt sein Gjallarhorn aus dem Brunnen des Mimir, nun ist der Kampf unabwendbar. Heimdall bläst so laut, dass es bis zur Hel hinabschallt. Die Asinnen und Asen eilen zum Rat. Und Odin öffnet den Kasten, in dem Mimirs Kopf bewahrt ist, und bespricht sich mit dem Weisen.

Der Fenriswolf reißt an seinen Fesseln, dass die Erde dröhnt, und die Blätter fallen klirrend von den Bäumen.

Loki wälzt sich auf seinen Steinplatten, bis Berge brechen, Bäume sich aus dem Boden lösen, Felsen krachend zusammenstürzen; Loki rüttelt an der Erde, bis alle Fesseln und Bande reißen. So kommt auch der Fenriswolf los.

Er strebt dem Schlachtfeld zu, das hundert mal hundert Meilen misst, reißt sein Maul weit auf; sein Unterkiefer streift die Erde, und der Oberkiefer reicht in den Himmel. Wäre mehr Raum, würde er seinen Rachen noch weiter aufsperren. Feuer brennt in seinen Augen, Funken stieben aus seinen Nüstern.

Und die Midgardschlange wälzt sich auf das Land zu, bläst in ihrem Riesenzorn so viel Gift aus, dass die Luft und das Meer bespritzt werden; das Wasser eitert, und giftschillernder Schaum treibt auf den Wellen. Mit Sturmfluten, die sie aufwühlt, kriecht die Weltfeindin ans Ufer und auf das große Schlachtfeld zu.

Mit der Flut kommt auch Naglfar, das Schiff aus den Nägeln der Toten, und bringt die Feinde aus dem Lande der Hel; rasch pflügt sich sein Kiel von Osten durch das Meer; Loki ist der Steuermann.

Und Garm, der Hund beim Eingang zum Totenreich, hetzt herbei.

Jetzt ist es so weit, und Sköll verschlingt die Sonne und Hati den Mond. Sterne springen aus ihren Bahnen, irren in den Raum oder stürzen aufs Land oder ins Meer.

In diesem Lärm spaltet sich der Himmel, und Muspells Leute reiten heran, an ihrer Spitze der Feuerriese Surt. Sein Schwert brennt heller als die Sonne. So preschen sie über Bifröst, aber die Asenbrücke bricht; da schwimmen Muspells Scharen weiter durch Flüsse und gelangen als zweites großes Heer auf das Kampffeld.

Die Reifriesen, Bergriesen und andere Gegner aus Utgard bilden das dritte große Heer.

Alle Feinde der Götter und Menschen stellen sich in Schlachtordnung auf. Die Weltenesche erbebt, stärkere Äste brechen. Und kein Bewohner der Welten bleibt furchtlos.

Die Asen legen ihre Rüstungen an, greifen nach ihren Waffen. Odin lässt die 540 Tore von Walhall öffnen, und aus jedem rücken 800 Einherjer aus. Gut gerüstet zieht das unermessliche Heer auf das Schlachtfeld.

Odin sprengt auf seinem achtbeinigen Pferd Sleipnir der Streitmacht der Götter voran, mit Goldhelm, leuchtender Brünne und seinem Speer Gungnir. An seiner Seite fährt Thor mit seinem Bocksgespann, trägt den Kraftgürtel, Eisenhandschuhe und schwingt Mjöllnir. Dann kommen Heimdall auf Goldzopf, Tyr, Frey mit seinem goldborstigen Eber und die anderen.

Der Göttervater reitet auf seinen alten Feind zu. Der Fenriswolf will sich für die Fesselung rächen und heult Odin kampfesgierig an. Thor kann Odin nicht beistehen, denn die Midgardschlange speit Gift gegen ihn. Er und die Schlange finden endlich ihre dritte Begegnung.

Surt greift Frey an, zieht sein Feuerschwert gegen den Friedfertigen. Der schwingt sein Hirschgeweih, vermag aber gegen Surts Flammenstrahl wenig auszurichten und fällt als einer der ersten; nun rächt sich, dass er sein Schwert, das von selber ficht, wegen der schönen Gerd Skirnir schenkte.

Garm und Tyr treffen aufeinander. Und der Kriegsgott führt sein Schwert mit der Linken gegen den gefährlichsten aller Hunde; vielleicht fehlt Tyr seine stärkere rechte Hand. Keiner kann den anderen besiegen, so hauen sie einander tödliche Wunden und sterben.

Heimdall und Loki fallen einander an und schlagen sich erbittert, als ob sie ihren Kampf in Seehundsgestalt auf der Schäre fortsetzten. Allen Zorn, der sich während seiner Fesselung staute, richtet Loki gegen den misstrauischen Wächter; der sieht in dem übergetretenen Riesen den Anstifter zum Untergang der Götter. Jeder verfolgt seit langem den anderen mit solchem Hass, dass er nur durch den Tod des anderen zu stillen ist. Und so krachen ihre Schwerter, dass der Boden dröhnt und Funken stieben. Und einer tötet den anderen.

Die Midgardschlange speit Gift gegen Thor und verschafft sich so mehr Raum auf dem Schlachtfeld. Thor schleudert Mjöllnir dreimal gegen die Weltfeindin und streckt sie nieder. Mit verbranntem Schild und heißen Eisenhandschuhen tritt Thor, dem Kadaver zugewandt, neun Schritte zurück, dann fällt Thor vom Gift, das die Schlange gegen ihn blies.

Am längsten kämpft Odin gegen den stärksten Feind, wirft Gungnir gegen den Weltwolf, schlägt ihm Wunden, aber kann ihn nicht töten. Der Fenriswolf sperrt sein Maul so weit auf, dass es Himmel und Erde berührt, und verschlingt den Göttervater.

Jetzt stürmen die Söhne Thors, Modi und Magni, vor und erobern Mjöllnir zurück. Aber auch Odins Söhne, Vidar und Vali, können den Untergang Asgards und Midgards nicht aufhalten. Doch Vidar besitzt einen dicken Schuh, der ist aus Lederstücken gemacht, die beim Schuhezuschneiden abfielen. Dieser Schuh ist fest wie Eisen und hat die Kraft, den Rachen des Wolfes offenzuhalten. Vidar setzt ihn in den Rachen des Untiers, packt mit einer

Hand den Oberkiefer, reißt ihm den Rachen auseinander und rächt so seinen Vater.

Über die Taten der Einherjer wird nichts berichtet. War Odins Mühe mit ihnen umsonst?

Dann schleudert Surt mit seinem Schwert Feuer über die Erde. Midgard steht in Flammen. Alle Welten brennen. Die Schätze aus Gold schmelzen und zerrinnen. Der Weltenbaum stürzt krachend zusammen. Asgard brennt nieder. Hlidskjalf bricht. Odins und Thors Söhne ziehen sich hinter die stärksten Mauern von Asgard zurück. Vielleicht decken die Einherjer diesen Ort und die Weltenesche; deren Stumpf brennt nicht aus.

Die Sonne ist schwarz. Die Erde sinkt langsam ins Meer. Feuer und Rauch quellen zum Himmel.

Eine neue Welt

Die Erde wird sich zum zweiten Mal aus dem Meer heben und grünen. Auf den Feldern wird es ungesät wachsen; und ein Adler wird über den Gipfeln kreisen, in die von den Hängen fließenden Wasserfälle spähen und nach Fischen stoßen.

Vidar und Vali, Modi und Magni werden hinter den höchsten und stärksten Mauern Asgards vom Feuer verschont bleiben. Die Söhne Thors werden Mjöllnir tragen, zum Schutz gegen neue Feinde. Warum sollte kein Riese überleben?

Odin wird mit Walhall untergehen und auch Thor für immer tot sein. So wie die Weltfeinde und Riesen wird auch Surt im Feuersturm, den er entfachte, umkommen. Aber der schuldlose Balder wird aus der Hel zurückkehren, mit ihm der unschuldige Höd. Beide werden mit Thors und Odins Söhnen zusammensitzen und eine neue Welt bauen, ohne Zwietracht und Goldgier.

Die neuen Asen werden über die Taten in der Vergangenheit reden, wie Thor neun Schritte vor der Midgardschlange zurücktrat und als einziger der alten Götter siegte, wie Odin die Runen erfand und den Dichtermet heimholte. Die Asen werden im Schutt, von Gras überwachsen, ihr Brettspiel finden, das sie lieben. Und sie werden die goldenen Figuren neu setzen, Losstäbe werfen und die Zukunft erforschen.

In einem Tal zwischen Bergen wird der Stumpf der Weltenesche vom Feuer verschont. Dort werden ein Mann und eine Frau, Lif und Lifthrasir, überleben und sich vom Morgentau ernähren. Lif und Lifthrasir werden zahlreiche Kinder zeugen und ihre Nachkommen die Erde neu besiedeln.

Niemand wird verwundern, dass auch die Sonne, ehe der Wolf sie verschlingt, eine Tochter gebären wird. Und das Mädchen zieht die Bahn der Mutter, nicht weniger strahlend und schön.

Da wird vom finsteren Gebirge der Drache Nidhögg über das offene Feld fliegen, auf seinem Rücken Tote von der letzten Schlacht, und hinter den Bergen niedergehen. Wird er abstürzen und mit der letzten Beute umkommen? Oder sich zum neuen Anflug rüsten, leichengierig und giftfunkelnd?

Von dieser Zukunft weiß noch niemand zu erzählen.

Heldensagen

Der Hort der Nibelungen

Erzählt wird aus alter Zeit von einem Königreich, das nicht untergehen würde, vom Kampf um einen Hort, dessen Besitz Macht über die Welt verleihen konnte, von einer Liebe, deren Verrat nur durch den Tod zu sühnen war, von Taten und Untaten.

Neben Dietrich von Bern gilt Siegfried als berühmtester Held. Als kunstfertigsten Schmied kennen wir Wieland. Große Königinnen waren Brünhild und Kriemhild. Fahrende Sänger dichteten Preislieder, verwoben sie mit Strophen über Taten anderer Großer. Manches wurde vergessen oder überdauerte nur bruchstückhaft in Handschriften. Auch bei dem späteren Lied über die Nibelungen bleibt vieles dunkel. Wir folgen dieser Quelle, kehren aber auch zu ältester Kunde zurück. So sehen wir tieferen Grund für den Tod der Helden und Königinnen, ohne ihr Schicksal je ganz aufzuhellen.

Kriemhild am Hofe zu Worms

Jenes große Königreich, von dem erzählt wird, hatten die Burgunden am Rhein gegründet. Von seiner Macht und seinem Ruhm sprechen wir noch heute. Drei junge Könige regierten in Worms. Aber ihre Schwester Kriemhild sollte noch berühmter werden. Wie keine andere Königstochter war sie über alle Maßen schön. Manche Mächtige des Reiches meinten, nun habe das Königsgeschlecht für ewig Bestand. Aber gerade ihre Schönheit sollte eine größere Gefahr werden als das stärkste feindliche Heer. Kriemhild war so reizvoll und anmutig, dass die kühnsten Helden sie zur Frau begehrten, sie war so schön, dass mancher junge Kämpfer für sie in den Tod gehen wollte.

Aber je heftiger die Freier sie begehrten, desto schroffer wehrte Kriemhild ab. Auch wegen eines Traumes, den sie keinen Tag vergaß:

Sie ziehe einen Falken auf, hatte sie geträumt, der sei stark, schön und wild, den liebte sie über alle Maßen. Da packten ihn vor ihren Augen zwei Adler mit ihren Klauen und zerfleischten ihn.

Tränenüberströmt hatte sie ihrer Mutter, Königin Ute, berichtet.

»Der Falke, den du zähmtest, ist ein edler Mann«, deutete die Königin den Traum, »sobald du ihn gefunden, wird er dir wieder entrissen.«

»Was redet Ihr von einem Mann, liebe Mutter, nun will ich erst recht keinen Helden lieben und so schön bleiben bis an meinen Tod.«

»Nun sei nicht voreilig«, entgegnete die Mutter, »Glück erfährst du nur durch die Liebe eines Mannes; neben ihm zu liegen macht dich noch schöner.«

Kriemhild bat die Mutter zu schweigen und verbannte die Liebe aus ihrem Sinn, wies kühnste Bewerber ab. Nach Jahren meinte sie endlich, keinem Mann mehr zu erliegen. Da kam jener Falke, den sie im Traum gesehen; der berühmteste aller Helden und von göttlicher Abstammung.

So begannen also Glück, Verrat und Tod, und niemand konnte sie aufhalten. So mächtig und glanzvoll das Königshaus auch war, so berühmt das Geschlecht der Burgunden, dem Kriemhild angehörte, so tapfer und weise ihre Brüder, die Könige Gunter, Gernot und der junge Giselher. Sie waren Helden von unmäßiger Kraft und Kühnheit, mit auserwählter Tatkraft und Freigebigkeit.

Den drei Königen und ihrer Mutter, Königin Ute – Vater Dankrat lebte nicht mehr – waren mächtige Herren untertan wie Hagen von Tronje und sein Bruder Dankwart. Auch Ortwin von Metz, die Markgrafen Gero und Eckewart und Volker von Alzey gehörten dazu. Rumold war der Küchenmeister, Sindold der Mundschenk und Hunold der Kämmerer. Dankwart war der Marschall und Ortwin der Truchsess der Könige. Den Glanz des Hofes vermehrten noch viele berühmte Männer, deren Namen nicht alle genannt werden können.

Siegfrieds Herkunft

Jener Held, der Kriemhilds Falke werden sollte, war der Sohn des mächtigen Königs Siegmund. Nach jüngeren Berichten herrschte er mit seiner Frau Sieglind in der stark befestigten Stadt Xanten am Rhein. Dort lud der König, als Siegfried waffenfähig war, bei einer Sonnenwende zum Fest der Schwertleite. Mit vierhundert Knappen wurde Siegfried wehrfähig und somit mündig.

Für das Fest hatten schöne Mädchen goldene Borten auf Gewänder genäht und sie mit blitzenden Edelsteinen besetzt. Fröhlicher Lärm der Kampfspiele verhallte nicht. Speere splitterten, Schläge auf Schilde dröhnten in den Höfen. Anmutige Frauen bangten um die Kämpfer. Nach dem Wettstreit lagen zerschlagene Schildbuckel umher, Edelsteine glitzerten zerbrochen im Grase. Eine Zeitlang wagte keiner, diese Zeugen der glücklichen Tage zu berühren.

Sieben Tage ließen König Siegmund und Königin Sieglind tafeln und edle Weine ausschenken. Musik erklang. Gaukler waren bestellt. Nie war ein König freigebiger. Um des Sohnes willen wurden an die zahlreichen Gäste rotes Gold, Rosse, Ringe und Kleider verteilt. Die Geschenke stoben dem Königspaar aus den Händen, als bräche am folgenden Morgen dessen letzter Tag an.

Mächtige Fürsten im Reiche wünschten nun Siegfried als jungen König. Aber solange seine Eltern lebten, wollte er die Krone nicht tragen. Nur wenn seinem Land feindliche Gewalt drohe, werde er seine Stärke nutzen. In ferne Länder wolle er ziehen und sein Schwert erproben.

Aus frühester Zeit wird über Siegfrieds Herkunft noch Bedeutenderes berichtet. Sein Großvater sei König Völsung, Siegfried gehöre also zum berühmten Königsgeschlecht der Völsungen. Und Sigi, der Vater dieses Königs Völsung, sei ein Sohn Odins gewesen, heißt es. Da dieser Sigi und seine Frau kinderlos blieben, wandten sie sich an Odin und dessen Frau Frigg. Daraufhin sandte Odin eine Walküre, die sich dem König in Krähengestalt näherte und einen Apfel auf seine Knie warf. Sigi gab seiner Frau davon zu essen. Bald wurde die Königin schwanger. Doch da fiel eine Krankheit sie an und drohte das Kind zu ersticken. Da wurde ihr der Bauch geöffnet in einer Art, die heute Kaiserschnitt genannt wird, und der Sohn gerettet. Der Knabe war groß und kräftig, wurde Völsung genannt und küsste seine Mutter, bevor sie starb.

Später, als Völsung, Siegfrieds Großvater, erwachsen und selber König war und schon seinen Sohn Siegmund hatte, ließ er eine prächtige Halle errichten, in deren Mitte eine riesige Eiche stand. Zu einem Festmahl lud er berühmte und mächtige Männer. In der Nähe der Eiche brannten große Feuer. Speisen und Met gab es reichlich. Da trat vor die fröhlich lärmenden Gäste ein hochgewachsener Mann mit weitem blauen Mantel und breitem Schlapphut. Auch an seiner Einäugigkeit erkannten alle Gott Odin. Die Männer verstummten. Nicht einmal das Schlucken aus den Trinkhörnern war mehr zu hören. Odin zog ein Schwert und stieß es so tief in den Stamm der Eiche, dass nur noch der Griff zu sehen war. Vor Staunen schien den Männern der Metrausch verflogen, da sagte der Einäugige:

»Wer das Schwert aus dem Stamm zieht, dem schenke ich es. Keine Waffe ist besser als diese.«

Nun versuchten nacheinander die stärksten Recken ihr Glück; aber keinem gelang, am Schwert auch nur zu rütteln. Und als der letzte aufgegeben hatte, trat Siegmund, der junge Sohn Völsungs, an die Eiche und zog das Schwert mit einer einzigen Bewegung aus dem Holz. Niemand hatte je eine so prächtige Waffe gesehen. So erhielt Siegfrieds Vater aus Odins Hand das berühmte Siegschwert.

Auch mit dessen Hilfe wurde König Siegmund der größte Held seiner Zeit. Er siegte in zahlreichen Schlachten und herrschte viele Jahre als mächtiger König. Als er dann alt war, kam es zu einer großen Schlacht gegen die Söhne jenes Herrschers, die seinen Vater, König Völsung, getötet hatten. Siegmund sei unempfindlich gegen Gift, hieß es, sowohl von außen auf der Haut als auch von innen durch Trank oder Speise. Wie in früheren Kämpfen drang Siegmund auch diesmal mit Odins Siegschwert mitten durch das Heer der Gegner und brachte es in Verwirrung, zerhieb zahllose Schilde und Panzer der Feinde. Wie gewohnt prallten Speere und Pfeile von seinem Schild und seiner Brünne ab. Keiner konnte auch an diesem Tage jene Recken zählen, die der König fällte. Seine Arme waren blutig bis zur Achsel. Siegmunds Heer brachte das jener Söhne in Bedrängnis; sein Sieg schien auch diesmal gewiss. Da stellte sich König Siegmund ein Mann in den Weg und hob gegen ihn seinen Speer. Der Mann trug einen blauen Mantel, einen herabhängenden Hut und war einäugig. Siegmund wehrte sich, hieb mit seinem Schwert gegen den Speer. Aber der brach es in zwei Stücke. Damit brachen auch Siegmunds Glück und Kampfesmut. Er wurde schwer verwundet und verlor die Schlacht. Die Feinde glaubten, keiner der berühmten Völsungen hätte überlebt. Aber jene junge Frau, mit der sich der alte König noch vermählt hatte, trug ein Kind von ihm.

Nach dem alten Bericht hieß diese Frau Hördis und war eine Walküre. Nach der Schlacht ging sie auf die Kampfstätte, fand Siegmund und wollte ihn heilen. Der König lag in seinem Blute und wehrte die Pflege ab:

»Odin brach mein Schwert, nun habe ich weder zu kämpfen noch zu leben. Du trägst einen Knaben in dir, wende alle Sorgfalt auf ihn, er wird der Mächtigste und Berühmteste unseres Geschlechts sein, und er heiße Siegfried. Lasst ihm aus meinen beiden Schwertstücken ein neues schmieden und nennt es Gram.«

So sprach König Siegmund und starb bei Sonnenaufgang.

Siegfried kommt nach Worms

Nach diesen alten Berichten unterlag Siegfrieds Vater auf dem Schlachtfeld vor der Geburt des Sohnes. Aus jüngerer Zeit wird von Siegmund als König in Xanten erzählt, mit Siegfried an seiner Seite. Aber in allen Überlieferungen zeichnet sich Siegfried durch außergewöhnliche Kraft aus, und die trieb ihn wohl auch nach Worms.

Bis Siegfried von Kriemhild Kunde erhielt, lebte er unbeschwert. Die Königstochter sei über alle Maßen schön und reizvoll, so anziehend und begehrt, hieß es, wie keine vor ihr. Und er hörte, wie Werber aus allen Ländern an den Burgundenhof schwärmten. Dass Kriemhild auch die mächtigsten und kühnsten abwies, forderte Siegfried umso mehr heraus.

Als König Siegmund davon hörte, versuchte er seinem Sohn diese Werbung auszureden.

»Mein Herz ist so voll Liebe zu Kriemhild, ich kann von ihr nicht lassen«, beteuerte Siegfried, »darf ich sie nicht freien, werde ich nimmer eine Frau wählen.«

»Ist es nicht zu wenden, so will ich dir beistehen«, kam der Vater ihm entgegen, »aber schon von einem allein an Gunters Hof droht dir Gefahr. Hagen von Tronje ist hochmütig und heimtückisch, er duldet keinen Mächtigen an seiner Seite.«

»Wenn ich mit Freundlichkeit nichts erreiche«, entgegnete Siegfried, »erzwing ich mir Land und Leute mit meinem Schwert.«

»Erführen die Burgunden davon, dürftest du niemals nach Worms«, warnte Siegmund, »ich kenne die Könige Gunter und

Gernot. Mit Gewalt gewinnst du nie Kriemhilds Herz. Aber willst du doch mit einem Heer ausziehen, werde ich alle meine Freunde aufbieten.«

»Mit starker Mannschaft nach Worms zu reiten, danach ist mir nicht. Allein will ich Kriemhild gewinnen. Gib mir zwölf Gefährten, Vater, rüste sie aus, dann werde ich losziehen.«

Als Königin Sieglind von Siegfrieds Absicht erfuhr, weinte sie und sah ihren Sohn schon von Gunters Mannen bedroht.

»Keine Tränen, Mutter«, bat Siegfried, »verhelft mir und meinem Gefolge zu solchem Gewand, dass es uns zur Ehre gereicht.«

»Kannst du von der Schönen nicht lassen«, beteuerte die Mutter, »sollst du die beste Kleidung haben, die je ein Held trug.«

Schöne Frauen wirkten und nähten Tag und Nacht. Siegmund ließ glänzende Brünnen und feste Helme zurichten und neue Schilde fertigen. Die waren breit und schön. Das Zaumzeug glänzte rot von Gold, das Riemenzeug seiden. Die Gewänder prangten goldfarben. Die Schwertspitzen der Recken reichten bis an die Sporen. Siegfrieds Speer war zwei Spannen breit.

Beim Abschied von Xanten trauerten die Helden bei Hofe, und zahlreiche Frauen weinten. Sie ahnten Leid und Tod. Siegfried gelang es nicht, sie zu trösten.

Am siebenten Morgen ritten die Helden an den Ufersand zu Worms. Rüstung und Gewänder leuchteten golden. Als ob sie aus einer anderen Welt oder gar von den Göttern kämen, so schien es dem Volk, das sich sammelte und Siegfrieds Zug in die Hofburg folgte. Nie wurden hier herrlicher Gerüstete gesehen. Siegfrieds Schild war mit rotem Gold überzogen und mit einem Drachen bemalt. Der Held trug eine Goldbrünne, und alle seine Waffen waren goldgeschmückt, heißt es in alten Erzählungen. Siegfrieds Haar war braun und fiel in langen Locken herab, sein Bart stand dicht und kurz. Er hatte ein knochiges Gesicht, seine Augen waren so scharf, dass nur wenige wagten, ihn anzublicken. Seine Schultern waren so breit wie die von zwei Männern. Er redete sehr gewandt. Freunden zu helfen galt ihm als eine Lust. Für sie nahm er gern Feinden ihr Gut ab.

Recken und Knechte des Königs eilten ihnen entgegen, nahmen ihnen, der Sitte gemäß, Schilde und Zaumzeug ab. Aber als ihre Pferde in den Stall geführt werden sollten, wehrte Siegfried ab:

»Lasst sie stehen, bald reiten wir weiter. Aber wo finde ich König Gunter?«

Einer, der es wusste, geleitete sie.

Inzwischen war dem König die Ankunft der Fremden gemeldet worden. Gunter blickte aus dem Fenster und sah sie im Hofe mit ihren glänzenden Gewändern und silberfarbenen Brünnen. Dass ihm keiner sagen konnte, woher sie kamen, ärgerte den König. Ortwin von Metz war bei ihm und meinte, man solle seinen Onkel Hagen von Tronje rufen, der habe Kenntnis von fremden Reichen und deren Herrschern.

Also trat Hagen mit seinem Gefolge vor den König. Nach dessen Frage blickte der Tronjer lange aus dem Fenster auf die Fremden und sagte:

»Ihre Rüstungen glänzen, und wie stolz die Helden gehen, es müssen Fürsten oder deren Boten sein. Zwar habe ich Siegfried nie gesehen, aber jener dort, der steht so königlich und blickt so unerschrocken, das ist der berühmte Held.«

»Was weißt du über ihn?«, fragte Gunter.

»Er besitzt den Nibelungenhort, einen unermesslichen Schatz. Siegfried ist der reichste Held in allen Landen. Er gewann ihn, indem er die kühnen Nibelungen erschlug, Schilbung und Nibelung, zwei Söhne eines mächtigen Königs.«

»Wie kam es dazu?«, forschte Gunter weiter.

»Siegfried ritt allein an einem Berg vorbei, wurde mir erzählt, wo der ganze Schatz aus einer Höhle herausgetragen und ausgebreitet worden war. Schilbung und Nibelung gedachten dieses Erbe zu teilen. Als die Recken den Fremden vorbeireiten sahen, begrüßten sie ihn:

Seht, da kommt der starke Siegfried, der Held von Niederland.

Da Schilbung und Nibelung den Schatz nicht gerecht zu teilen vermochten, baten sie Siegfried darum. Er wehrte sich, gab aber schließlich ihrem Drängen nach. Siegfried sah so viele Edelsteine ausgebreitet, erzählt man sich, und dazu rotes Gold in solcher Fülle, dass hundert schwere Wagen es nicht hätten tragen können.

Die Brüder belohnten Siegfried für seine Arbeit im voraus mit dem Nibelungenschwert. Aber dem Helden aus Xanten war es nicht gelungen, den unermesslichen Schatz gerecht zu teilen. Da wurden die Brüder sehr zornig und griffen Siegfried an. Der erschlug zwölf Riesen, die zu dem Gefolge der beiden Königssöhne gehörten, und siebenhundert Nibelungen. Ohne dieses zauberische Schwert Balmung hätte er das nicht vermocht. Auch Schilbung und Nibelung fielen durch ihr voreiliges Geschenk. Der starke Zwerg Alberich wollte seine Herren rächen und lief wie ein wilder Löwe gegen Siegfried an. Der geriet durch die Kraft des Zwerges in große Not, aber schließlich gelang es ihm, Alberich den Tarnmantel zu entreißen und an sich zu bringen. Damit war die Macht des Zwerges gebrochen, er musste sich Siegfried unterwerfen. Darin folgten ihm auch die übrigen Nibelungen. Die sich gegen ihn gewehrt hatten, lagen alle erschlagen. Siegfried ließ den Schatz wieder in den Berg hineintragen. So fiel ihm mit den Ländern und Burgen auch der Nibelungenhort zu. Alberich musste Eide schwören, Siegfried wie ein Knecht zu dienen, und wurde dafür zum Hüter des Hortes bestimmt. Das sind einige Taten Siegfrieds, von denen ich weiß«, berichtete Hagen.

König Gunter und seinen Brüdern klangen noch Hagens Worte im Ohr, als der riet:

»Empfangen wir den Helden mit Ehren, sonst ziehen wir uns seinen Hass zu; er blickt sehr streitbar.«

Der König stimmte zu. Sie gingen hinunter in den Hof und begrüßten die Gäste höflich.

Der Held aus Xanten verneigte sich dankend vor dem König und seinen Begleitern.

»Woher kommt Ihr?«, fragte König Gunter. »Und warum habt Ihr den Weg nach Worms gewählt?«

»Das will ich unverhohlen sagen«, erwiderte Siegfried. »Mir wurde in Xanten berichtet, Ihr habt die tapfersten Helden, die je ein König um sich scharte. Und Ihr rühmt Euch selber, kühner als jeder andere König zu sein. Auch ich sollte eine Krone tragen. Aber damit das die Leute mit Recht von mir sagen können, will ich mein Haupt dafür aufs Spiel setzen. König Gunter, ich fordere Euch heraus, im Kampf will ich Euch abzwingen Euer Land und Eure Burgen.«

Gunters Männer betrachteten Siegfried hasserfüllt. Und verwundert entgegnete der König:

»Womit hätte ich das verdient? Was mein Vater in Ehren erworben und bewahrt, durch die Kraft nur eines Mannes zu verlieren? Wie könnten wir das dulden?«

»Ich lasse nicht davon ab«, beharrte Siegfried, »auch ich setze mein Land und meine Burgen, meine Leute, mein Erbe aufs Spiel. Wer von uns beiden siegt, der sei Herr über Land und Leute hier wie dort.« Vielleicht kam der Held von Xanten in dem Gefühl, der mächtigste Mann auf Erden zu sein.

»Uns widerstrebt«, warf Gernot ein, »ein Land zu gewinnen, indem wir einen Helden erschlagen. Wir sind lange hier ansässig und reich genug.«

Auch Ortwin von Metz geriet in Wut und rief: »Siegfried hat kein Recht, den König herauszufordern. Damit er seinen Hochmut verliert, trete ich ihm allein entgegen.«

»Deine Hand kann nicht an gegen mich!«, erwiderte Siegfried zornig, »ich bin ein großer König, du eines Königs Gefolgsmann. Nicht zwölf von deinesgleichen kämen an gegen mich.«

Da rief Ortwin von Metz nach seinem Schwert. Hagen von Tronje stand noch schweigend dabei, was König Gunter leid war. Gernot versuchte entschlossen zu vermitteln:

»Dämpft Euren Zorn, noch hat Siegfried sein Schwert nicht gezogen. Folgt meinem Rat, beenden wir den Streit, lasst uns Siegfried zum Freund gewinnen.«

»Warum eigentlich«, mischte endlich Hagen sich ein, »ritt der Held von Niederland in Waffen gegen uns? Das hätte er besser gelassen, meine Herren haben ihm nichts getan.«

»Wenn Euch meine Rede kränkt, Herr Hagen«, entgegnete Siegfried heftig, »kann meine Hand gewaltig bei den Burgunden dreinschlagen.«

»Haltet ein!«, rief Gernot und verbot seinen Recken jedes weitere Wort, das Siegfried noch mehr hätte aufbringen können. So wurde Siegfrieds Zorn gedämpft. Und der Held dachte wieder an die herrliche Kriemhild; schließlich war er ihretwegen nach Worms gezogen.

»Wozu sollten wir kämpfen?«, schlichtete Gernot, »lägen einige Helden in ihrem Blut, brächte uns das keine Ehre.«

Noch widersetzte sich Siegfried dem Ausgleich und reizte seine Gegner: »Warum zögert Herr Hagen, sein Schwert zu ziehen? Und fürchtet sich Herr Ortwin?«

Gernot gelang nur mit großer Mühe, die Aufgereizten zurückzuhalten und seinen Mannen jedes weitere Wort zu verbieten.

»Ihr sollt uns willkommen sein!«, rief plötzlich Giselher, noch fast ein Kind. Die helle Stimme des jüngsten Königssohnes dämpfte die Streitlust. »Meinen Verwandten und mir«, sagte er, »wird es eine Freude sein, Eure Wünsche zu erfüllen.«

»Schenkt ein«, gebot der König. Wein wurde gereicht. Die Gäste nahmen den Willkommenstrunk an. Und König Gunter sprach:

»Alles, was wir haben – fordert Ihr's nur in Ehren –, sei gewährt. Gern teilen wir mit Euch Leben und Gut.«

Dadurch wurde Siegfried noch mehr besänftigt. Die Gäste erhielten die beste Herberge. Und man ließ ihnen ihre Waffen. Die Burgunden erwiesen ihnen größere Ehren, als ich zu erzählen vermag. Siegfrieds Wesensart und sein Mut brachten ihm nur Ruhm am Hofe König Gunters. Keiner vermochte ihn zu hassen. Und was sie auch begannen, ob sie Steine schleuderten oder den Speer warfen, Siegfried übertraf sie in allem. Die Frauen schauten aus ihren Fenstern auf die Kämpfer. Manche von ihnen schloss Siegfried ins Herz. Auch Kriemhild spähte nach Siegfried und gestand sich heimlich ihre Neigung. Bald lockte kein Zeitvertreib sie mehr. Siegfried hieb und stritt nur um der schönen Königstochter willen, auf deren Liebe sein ganzer Sinn gerichtet war. Aber obwohl er darauf bedacht war, ihr zu begegnen, bekam er sie nicht zu Gesicht. Hätte er geahnt, wie sie hinter ihren Fenstern darauf lauerte, ihn über den Hof reiten zu sehen, wäre ihm leichter zumute gewesen. Ritten die drei Könige aus in ihr Land, begleitete auch Siegfried sie. Und Kriemhild blickte betrübt auf den leeren Hof. So lebte der Held aus dem Niederland ein Jahr bei den Königen in Worms, ohne von ihrer Schwester auch nur eine Strähne ihres Haares zu sehen. Und Siegfried ahnte nicht, wie viel Liebe und Leid er noch durch sie erfahren würde.

Kampf gegen die Sachsen

Als der Held aus Xanten so ein Jahr am burgundischen Hofe gelebt hatte, wurde der Landesfrieden gebrochen. In die Burg preschten Boten der Könige Lüdeger aus Sachsen und Lüdegast aus Dänemark. Beide waren mächtige Verbündete und wollten das blühende Burgundenland überfallen. König Gunter hieß die Boten willkommen und erfuhr von ihnen, die Burgunden hätten ihre

Könige gereizt, deshalb würden sie mit starker Heeresmacht dieses Land überziehen und zahllose Helme und Brünnen zerhauen. Wolle der König aber verhandeln, werde der Angriff abgewendet.

Gunter nahm sich Zeit zur Beratung, er ließ Hagen und Gernot rufen.

»Mögen die Feinde kommen«, meinte Gernot; »und wem der Tod bestimmt ist, der wird fallen.«

Lüdeger und Lüdegast seien zwar allzu hochmütig und herrschsüchtig, gab Hagen zu bedenken, aber in wenigen Tagen könnten die Burgunden ihr Heer nicht sammeln. Er schlug vor, Siegfrieds Rat einzuholen.

Als sich Gunter und Siegfried begegneten, fragte der den König: »Wo ist Euer Frohsinn, Euer Lachen, das durch die Säle hallte?«

»Nur wahre Freunde weihe ich ein«, erwiderte Gunter.

Siegfried erbleichte und errötete und sagte: »Wenn Ihr Freunde sucht, will ich einer sein und Euch beistehen bis zu meinem Tod.«

»Das lohne Euch Euer Gott, Herr Siegfried«, erwiderte König Gunter und berichtete von den Botschaften; bisher hätten noch keine Feinde gewagt, in sein Reich einzufallen.

»Ruft Eure Recken«, riet Siegfried, »und kämen die Feinde mit dreißigtausend; mit tausend Mann griffe ich sie an und siegte.« König Gunter dankte ihm.

»Ich habe nur meine zwölf Gefährten«, bedauerte Siegfried, »also gebt mir tausend Mann; auch Hagen und Ortwin mögen uns helfen, und Dankwart und Sindold, und Volker soll die Fahne tragen.«

König Gunter ließ die Boten rufen, beschenkte sie reich und erklärte:

»Sagt meinen starken Feinden, sie mögen daheim bleiben; fallen sie aber in mein Land ein, geht es übel für sie aus.«

Über diesen Bericht geriet der Dänenkönig in großen Zorn und hielt die Burgunden für hochmütig. Aber als er von dem Helden aus Xanten an Gunters Hofe hörte, ließ er noch mehr Leute aufbieten, bis er ein Heer von zwanzigtausend Mann versammelt hatte. Auch Lüdeger von Sachsen verstärkte daraufhin seine Rüstungen und brachte sein Heer auf vierzigtausend Kämpfer.

»Bleibt am besten daheim bei den Frauen«, riet Siegfried dem König, »ich stehe für Euer Ansehen und Gut und werde den Feinden ihren Hochmut austreiben.«

Dann brach Siegfried mit tausend Burgunden von Worms auf. Hagens Mannen folgten dem Aufgebot; er war einer der Anführer. Auch Gernot zog mit in den Kampf, so wie Dankwart, Ortwin, Volker, Sindold und Hunold.

Ihr Weg führte vom Rhein durch Hessen nach Sachsen, deren Land sie mit Raub und Brand überzogen.

Als die Schlacht mit den feindlichen Heeren bevorstand, fragte Siegfried, wer das Gesinde führen solle.

Alle rieten, Dankwart die Knechte zu unterstellen und Ortwin die Nachhut. Und ehe Siegfried allein ausritt, das Heer der Feinde zu erspähen, übertrug er Gernot und Hagen den Befehl.

Bald entdeckte Siegfried das feindliche Heer auf einem Felde; dass es so groß war, ließ seinen Kampfesmut noch wachsen.

Auch von den Gegnern befand sich ein Held auf Vorposten, auch bei ihnen war es der Feldherr selber, der Dänenkönig Lüdegast. Beide trafen aufeinander und blickten sich feindselig an. Dann sprengte Lüdegast mit seinem Schild von lichtem Golde gegen Siegfried übers Feld. Beide neigten die Speere auf die Schilde des Gegners und ritten aufeinander los. Nach dem Aufschlag der Waffen preschten die Könige aneinander vorüber, als tobe ein Sturm. Dann griffen sie zu den Schwertern. Und Siegfried hieb gegen Lüdegast, dass aus dessen Helm rote Funken stoben wie der Brand eines Feuers. Auch Siegfrieds Schild dröhnte unter den Schlägen von Lüdegasts Schwert.

Daraufhin sprengten dreißig dänische Späher zu ihrem König heran. Ehe sie eingreifen konnten, schlug Siegfried ihm drei tiefe Wunden. Lüdegast bat um sein Leben und bot sein Land. Als Siegfried den Dänenkönig wegführen wollte, griffen dessen dreißig Gefährten ihn an. Er musste sie alle erschlagen; nur um die Botschaft ins feindliche Lager zu bringen, ließ er einen am Leben. Mit von Blut gerötetem Helm ritt der Däne davon.

Siegfried brachte den Dänenkönig ins Lager der Burgunden und übergab ihn Hagen. Dann machten sich die Burgunden zum Kampf fertig. Siegfried führte ihr Heer. Es war mit tausend Mann viel kleiner als das der Gegner, aber seine Anführer waren Helden wie Hagen von Tronje, Volker von Alzey, König Gernot. Und die zwölf Helden von Xanten am Rhein kämpften mit Siegfried. Die Hufe ihrer Pferde wirbelten so viel Staub auf, dass die Spitzen ihrer Speere grau wurden.

Im Heer der Sachsen blitzten noch weit mehr geschliffene Schwerter, das Feld schien überflutet von funkelndem und schimmerndem Metall.

Dann prallten die Heere aufeinander; die Burgunden drangen in die Scharen der Feinde ein. Gernot und Sindold streckten manchen Gegner nieder. Volker, Hagen und Ortwin löschten ihre Kriegswut mit Bächen von Blut, die sie den Dänen und Sachsen aus den Gliedern schlugen. Vom Zusammenprall krachten Schilde, Speerschäfte brachen, Schwerter klirrten. Wo Siegfried focht, blieb kein Gegner auf seinem Pferd. Dreimal kämpfte er sich durch das Heer der Sachsen; Hagen und andere Gefährten dicht an seiner Seite. Auf beiden Seiten fielen viele Tapfere. Blutüberströmte Sättel blieben leer. Dann stieß Lüdeger, König der Sachsen, auf den Anführer der Burgunden. Beide begannen miteinander zu kämpfen. Lüdeger meinte, König Gernot habe seinen Bruder gefangen genommen und die neunundzwanzig Dänen erschlagen. Aus Rache führte er so heftige Schläge gegen Siegfried, dass dessen Pferd strauchelte. Gernot und Hagen und die anderen Gefährten schlugen eine Gasse durch die Reihen der Sachsen und kämpften sich an Siegfrieds Seite. Feindliche Schilde wurden zerhauen, ihre Träger sanken blutüberströmt vom Pferd. Verwundet lagen auch viele Burgunden auf dem Schlachtfeld.

Lüdeger und Siegfried schlugen unerbittlich aufeinander ein. Als Siegfrieds Pferd zu Boden gehen musste, war das eine große Tat des Sachsenkönigs, denn Grani war kein gewöhnliches Reittier. Dann gelang es Lüdeger, Siegfrieds Arm zu treffen. Obwohl der Hieb hart war, blieb Siegfried unverwundet und versetzte ihm dafür einen so derben Schlag mit Balmung, dass Lüdegers Schildgespänge wegflog. Der Sachsenkönig sah, wie der Anführer der Burgunden und seine Gefährten sich Gassen durch die Reihen seiner Männer schlugen; und nichts konnte sie aufhalten. Da erkannte er auf dem Schild seines Gegners die Krone, das Zeichen von Siegfried. Nun wusste er, wen er vor sich hatte und wie aussichtslos es war, weiter gegen den berühmten Helden und seine Recken zu kämpfen.

»Senkt die Waffen!«, erscholl weithin Lüdegers Stimme, »der

Sohn König Siegmunds führt die Feinde, der Unverwundbare mit Balmung, den sandte uns der Teufel!«

So meinte der König der Sachsen. Aber ich will daran erinnern, dass es in älteren Erzählungen heißt, der Held aus Xanten habe seine Kraft aus seiner Herkunft von König Völsung und Odin selbst habe seinem Vater Siegmund das berühmte Siegschwert verliehen, das dort Gram heißt und hier Balmung. Wie Siegfried in alter Zeit unverwundbar wurde, soll bald erzählt werden.

Auf dem Schlachtfeld ließen die Sachsen die Fahne senken. Der Kampflärm verstummte. Nach gemeinsamem Rat wurde die Schlacht abgebrochen. Weit und breit lagen genug Tote. Durchbohrte Schilde und zerbeulte Helme wurden abgelegt. Die Burgunden gewährten Frieden. Dafür mussten König Lüdegast und König Lüdeger als Geiseln mit nach Worms.

Gernot und Hagen wählten fünfhundert stattliche Gegner als Geiseln und brachten sie ebenfalls nach Worms.

Verwundete wurden auf Tragen gebettet, die Toten beklagt und würdevoll bestattet. Sieglos ritten die Dänen heim. Die Sachsen hatten zwar tapfer gestritten, sie hatten aber auch die meisten Gefallenen und klagten am lautesten.

Gernot sandte Boten nach Worms. Einen ließ Kriemhild heimlich zu sich rufen, um etwas über ihren Helden zu erfahren.

»Nun gib mir Bericht«, forschte die Schwester der drei Könige, »wie kämpfte mein Bruder Gernot? Was widerfuhr seinen Gefährten? Fiel jemand? Wer war der Tapferste?«

»Niemand war feige oder schwach«, berichtete der Bote, »aber keiner brach so siegreich in das feindliche Heer ein wie Siegfried, der Held aus dem Niederlande. Mit Balmung vollbrachte er auf seinem Pferd Grani wahre Wunder. Noch nie führte jemand zwei Könige und fünfhundert Vornehme als Geiseln nach Worms.« Dagegen verblassten die Taten der anderen burgundischen Recken.

Kriemhild gelang es nur mit Mühe, ihre Freude über Siegfrieds Taten zu verbergen. Ihr Gesicht glühte vor Liebe und Hochstimmung. Den Boten lohnte sie die Nachricht mit kostbaren Gewändern und zehn Mark roten Goldes.

Neben den anderen Schönen stand auch Kriemhild am Fenster der Burg und sah das Heer der Burgunden heimkehren. Der König ritt ihnen entgegen, dankte seinen Mannen für den Sieg und begrüßte auch die Fremden. Nur sechzig seiner Leute wurden erschlagen, erfuhr er. Mancher Recke, der am König vorbeizog, hob seinen zerhauenen Schild oder Helm. Auch die Verletzten, die auf ihren Tragen vorbeigeschaukelt wurden, lachten voll Freude über den Sieg.

Die Fremden erhielten Herberge bei den Bürgern der Stadt. Der König wandte sich an Lüdegast: »Obwohl ich durch Eure Schuld großen Schaden nahm, seid mir willkommen. Doch meine Freunde standen mir bei.«

»Dankt ihnen, denn so vornehme Geiseln hat noch kein König gewonnen«, erwiderte Lüdegast. »Wir bieten reiches Gut für Gnade und Schonung.«

Zwar erlaubte der König, dass die Fremden sich frei bewegen konnten, aber er forderte eine Bürgschaft, das Land nicht ohne seine Erlaubnis zu verlassen. Der Sachsenkönig gelobte das mit Handschlag.

Die Gesunden feierten bei reichlich Wein und Met; die Heermüden lärmten wieder fröhlich. Die Verwundeten wurden in den Herbergen sorgsam gepflegt, kundige Ärzte mit ungewogenem Silber und Gold besoldet.

Gespaltene Schilde und zersplitterte Speere wurden gezeigt und in die Rüstkammer getragen, aber damit die Schönen nicht in Tränen ausbrachen, viele blutige Sättel heimlich beiseitegeschafft.

Wer von den Gefährten heim wollte, wurde reich beschenkt entlassen und auf sechs Wochen später zu einem großen Fest geladen. Bis dahin würden die Verwundeten genesen sein.

Auch Siegfried dachte an Heimkehr. Gunter erfuhr davon und bat den Helden aus Xanten zu bleiben. Allein wegen Kriemhild hielt es ihn in Worms. Als Königssohn lehnte er Lohn und Geschenke für seine Taten ab. Umso größere Gunst gewann er von Gunter und seinen Gefährten.

Siegfried besiegt den Drachen und gewinnt den Hort

Jetzt soll erzählt werden, was aus sehr früher Zeit noch über Siegfried bekannt ist.

Als der junge Völsung heranwuchs, riet der König ihm, ein Ross zu wählen. Daraufhin ging Siegfried zu einer Herde, die im Wald gehalten wurde. Dort begegnete ihm das erste Mal ein

Mann mit langem Barte, einem breiten Schlapphut und nur einem Auge.

»Lasst uns die Pferde in den Fluss treiben«, rief der Graubärtige. Siegfried half ihm dabei. Nur ein Hengst schwamm nicht an Land. Der war grau, jung, groß von Wuchs und noch unberitten. »Der stammt von dem achtbeinigen Sleipnir«, meinte der Fremde, »wird er sorgfältig aufgezogen, übertrifft er alle anderen Pferde.« Als Siegfried den Grauen für sich gewählt hatte, verschwand der Einäugige. Der junge Völsung nannte den Hengst Grani.

Der König bestimmte für Siegfried als Pflegevater den Schmied Regin. Siegfried wurde nun eingeführt in Runenkunde, das Brettspiel und mancherlei anderes. Als berühmter Schmied verstand sich Regin vor allem auf das Fertigen ungewöhnlich harter Schwerter. Der Schmied war sehr klug und zauberkundig, aber auch erfüllt von altem Hass.

»Warum bist du so verbittert?«, fragte Siegfried.

»Mein Bruder Fafnir«, erzählte Regin, »hat unseren Vater erschlagen und sich das ganze Erbe angeeignet. Es besteht aus einem unermesslich großen Goldschatz. Mein Bruder verweigert mir meinen Anteil an diesem Hort und hat sich in einen Drachen verwandelt. In dieser Gestalt verbreitet er Furcht und Schrecken. Der Drache gilt als unüberwindbar. Erschlägst du ihn dennoch, erwirbst du großen Ruhm und den Hort dazu.« Siegfried ließ sich zwar mehr über den Hort erzählen und wie der entstanden war, noch zeigte er aber keine Lust auf dieses Abenteuer. Regin sprach immer wieder von Fafnir, wie er wohlig auf seinem Schatz liege und gegen alle, die sich näherten, Feuer speie. Auch wegen seines Schreckenshelms, bei dessen Anblick jedermann erstarre und keine Waffe heben könne, gelte er als unbesiegbar.

»Wenn du den Drachen tötest«, lockte Regin, »wird dein Ruhm den aller Könige überdauern.«

»Ich werde dir zu deinem Recht verhelfen«, versicherte Siegfried, »schmiede mir ein Schwert, dann werde ich gegen Fafnir antreten.«

Nachdem Regin das getan hatte, wollte Siegfried die Waffe erproben und hieb damit auf den Amboss, dass die Klinge zerbrach.

»Schmiede ein besseres Schwert«, verlangte der junge Völsung. Aber auch das zweite brach am Amboss in Stücke.

Würde es je gelingen, eine so harte Waffe zu schmieden, die

dem schweren Amboss standhielt? Daraufhin wandte sich Siegfried an seine Mutter wegen des Schwertes, das einst Odin seinem Vater verliehen und später in zwei Stücke geschlagen hatte. Daraus schmiedete Regin ein neues Schwert. Als er es hämmerte, schien den Schmiedegesellen, als brenne Feuer aus den Schneiden. Mit der fertigen Waffe spaltete Siegfried den Amboss bis auf den Grund. Dann ging der junge Völsung mit dem blanken Schwert an den Rhein und warf eine Wollflocke in die Strömung; die Schneiden schnitten sie mühelos. Siegfried lobte die Arbeit des Schmiedes.

»Nun erfülle dein Versprechen und töte Fafnir«, mahnte Regin. »Der Drache speit sein Gift auch gegen friedfertige Waldgänger.«

»Erlitt jemand Schaden?«, vergewisserte sich Siegfried.

»Fafnir griff eine Siedlung an, gierig auf das Gold von Händlern. Siegfried, keiner hat jetzt eine bessere Waffe als du.«

»Die Söhne Hundings, die meinen Vater töteten, würden lachen, gewänne ich, statt mich zu rächen, lieber rote Ringe«, erwiderte der junge Völsung.

Nach diesem alten Bericht bat Siegfried den König um Hilfe. Eine starke Flotte wurde ausgerüstet. Siegfried befehligte das größte Schiff mit dem prächtigsten Drachenkopf am Vordersteven. Guter Wind blähte die Segel, bis Sturm nach einigen Tagen die See toben ließ, als ob ihr Blut schäume. Der junge Völsung befahl, die Segel nicht einzuholen, sondern noch höher zu setzen. Als sie an einem Vorgebirge vorüberbrausten, stand ein Mann auf einem Fels, anscheinend unberührt vom Sturm, und bat, ins Schiff aufgenommen zu werden. Die wogende See schäumte höher als die aufragenden Schnäbel am Vorder- und Hinterschiff. Trotzdem ließen Siegfried und Regin den Mann an Bord. In der sprühenden Gischt waren seine Umrisse kaum zu erkennen gewesen. Als er ins Schiff sprang, sahen sie seinen blauen Mantel, trotz Sturm nicht aufgebläht, und den breiten Schlapphut locker auf seinem Kopf. Schon während der Einäugige an Bord ging, besänftigte er die See.

Der Fremde nannte sich Hnikar, das heißt ›der Aufhetzer‹, oder Fjölnir, ›der Vielweise‹. Der Einäugige gab bereitwillig Rat und wies hin auf für Götter und Menschen bedeutungsvolle Vorzeichen:

»In eurer Fahrtrichtung fliegen dunkle Raben, und bei der Esche wirst du heute den Wolf hören. Ihr werdet die Feinde zuerst erblicken«, verkündete der Hochgewachsene im blauen Mantel und verriet Siegfried ein geheimes Mittel für den Sieg. »Lass die Kämpfer nicht wie üblich in langgezogener Schlachtordnung, sondern keilförmig angreifen, dann wirst du die Feinde überwinden.«

Als sie im Reich der Hundingssöhne landeten, verschwand der Fremde. Und es geschah genau so, wie er es vorausgesagt hatte, weil Siegfried seinem Rat folgte. In der großen Schlacht mit den Hundingssöhnen wurden viele Schilde zerschlagen, Brünnen zerschmettert, Helme und Schädel gespalten. Siegfried hieb sich mit seinem Schwert Gram mitten durch das Heer der Feinde, streckte zahllose Reiter samt Rossen nieder. Seine beiden Arme waren blutig bis zur Achsel. Keiner hatte je einen Mann so kämpfen gesehen. Mit seinem neuen Schwert fällte Siegfried auch die Hundingssöhne. Dann segelte der junge Völsung mit seinem siegreichen Heer heim.

Nun reizte Regin den Erfolgreichen erneut und drängte ihn, den als unüberwindbar geltenden Drachen zu töten. Also ritten Siegfried und Regin zur Gnitaheide, wo sich Fafnir aufhielt. Die meiste Zeit lag der Drache auf seinem Golde. Nur hin und wieder kroch er hinunter zum Fluss; die Klippe, von der er trank, war dreißig Klafter hoch.

Siegfried und Regin standen neben der Spur des Unholdes.

»Du sagst, der Drache ist nicht groß«, hielt Siegfried dem Schmied vor, »aber die Schleifspur ist breit und tief wie ein Graben.«

»Mache in seiner Spur eine Grube«, verlangte Regin, »kriecht der Wurm zum Wasser, stoße mit dem Schwert von unten zu.«

»Was geschieht, wenn das Blut auf mich niederstürzt?«, meinte Siegfried.

»Springe rasch heraus«, riet Regin.

Siegfried begann zu graben, und Regin schlug sich abseits in den Wald.

Da kam ein einäugiger Mann mit breitem Schlapphut und fragte den jungen Völsung nach seinem Tun.

Ohne seine Arbeit zu unterbrechen, berichtete Siegfried.

»Nur eine einzige Grube?«, verwunderte sich der Einäugige.

»Du wirst im Blut des Drachen ertrinken«, warnte er, »mache mehrere Gruben, damit es sich verteilt. Und setze dich dorthin und stoße dem Unhold das Schwert ins Herz.«

Siegfried tat, was der Alte riet. Als der Drache herankroch, bebte die Erde. Sand bröckelte von den Grubenrändern, morsche Stämme krachten. Der Unhold funkelte, sein Maul klaffte unersättlich. Obwohl er Gift vor sich herschnob, fürchtete sich Siegfried nicht, duckte sich vor dem Getöse in die Grube und stieß zur rechten Zeit sein Schwert Gram in den linken Bug Fafnirs, so tief, dass es bis zum Knauf eindrang.

Als der riesige Wurm seine Todeswunde fühlte, bebte die Erde noch einmal. Drachenblut schoss auf den jungen Völsung, floss aber rasch in die anderen Gruben ab. Der Drache schlug vor Schmerz und Wut so wild mit Kopf und Schwanz um sich, dass Äste splitterten. Der junge Völsung riss das Schwert aus dem Leib des Drachen und sprang aus einer anderen Grube, die nicht von dessen Leib bedeckt war. Draußen wischte er seine Waffe ab.

Nun standen sich Siegfried und der Drache gegenüber. Das Gift blieb in dessen Nüstern stecken.

»Wer bist du? Wer ist dein Vater?«, fragte Fafnir entsetzt.

»Ich habe weder Vater noch Mutter«, behauptete der junge Völsung. Erführe ein Sterbender seinen Namen und verfluchte ihn, so könnte das Unglück bringen, fürchtete er.

»Wer stiftete dich an zu dieser Tat?« Fafnir war fassungslos. »Jeder fürchtet sich vor mir. Ich bin stärker als alle. Mein Helm schreckt jeden.«

»Ich kam allein her, nur mit meinem Mut«, behauptete Siegfried, »mir halfen nur meine Hände und mein Schwert.«

Der Drache wurde schwächer. Der junge Völsung stand in dessen Blutlache neben den Gruben.

»Ich rate dir«, kam die Stimme des Drachen, nun schon leiser, »schwing dich auf dein Pferd und reite schnell weg von hier.«

»Nein, ich dringe in deine Höhle vor und hole den Hort«, entgegnete Siegfried.

»Der glutrote Schatz wird von deinem Blut genässt werden, das klingende Gold dich töten«, warnte der Drache.

»Die Nornen bestimmen mein Schicksal«, beharrte der junge Völsung.

»Obwohl du bereits die Küste siehst, dich außer Gefahr glaubst, wirst du untergehen«, mahnte der Drache, »keine Vorsicht wird dich retten.«

»Für den, der sterben soll, ist immer Lebensgefahr«, entgegnete Siegfried lachend.

»Ich hielt mich für den Stärksten«, warnte der Drache noch seinen Bezwinger, »glaubte mich sicher, hielt mich für unbesiegbar.« Im Todeskampf kamen noch die Worte: »So wie mein Bruder Regin mich verriet, wird er dich töten!«

Dann sackte der schwere Körper zusammen und ließ einen Teil der Gruben einstürzen. Unablässig floss weiter warmes Blut dem jungen Völsung zwischen die Füße. Als er merkte, dass das Drachenblut ihm wohltat, entkleidete er sich, stieg in eine der Gruben und badete darin. Ein Lindenblatt fiel und legte sich zwischen seine Schultern. Diese Stelle blieb unverhornt, und das machte den Helden verwundbar.

Als die Gefahr vorbei war, kam der Schmied aus den Büschen und rief:

»Heil dir, Siegfried, du fälltest den gefährlichsten Feind! Solange die Welt besteht, bleibt diese Tat im Gedächtnis der Menschen.«

Regin besah den mächtigen Körper und die ungeheure Menge Blutes und sagte: »Aber du hast meinen Bruder erschlagen, und ich bin nicht schuldlos.«

»Du krochst in Gebüsch und dichtes Heidekraut, wo Himmel und Erde nicht mehr zu unterscheiden sind. Aber ich wäre im Drachenblut fast ertrunken«, hielt Siegfried ihm entgegen.

»Wer hat Gram geschmiedet?«, erwiderte Regin.

»Ohne den Mut eines Mannes rostet das beste Schwert«, beharrte der junge Völsung.

Regin sah Siegfried fast feindselig an und wiederholte: »Du hast meinen Bruder erschlagen, aber ich bin nicht schuldlos.«

Dieser Vorwurf nährte Siegfrieds Misstrauen gegen den Schmied.

Regin schnitt mit seinem Schwert seinem Bruder das Herz heraus und bat den jungen Völsung, es zu braten. Dann trank Regin Fafnirs Blut; das Blut wilder Tiere verleihe magische Kräfte, so glaubte man.

Siegfried entfachte ein Feuer, steckte das große Drachenherz an einen Stecken und briet es. Als der Saft aus dem Fleische quoll, berührte er es, um zu sehen, ob es schon gar wäre. Dabei verbrannte er sich den Finger und steckte ihn in den Mund. Als das Herzblut des Drachen an seine Zunge kam, verstand er mit einem Male die Sprache der Vögel. Während er das Herz weiterbriet, lauschte er den Vogelstimmen.

»Regin will ihn töten, wie kann er dem trauen?«, zwitscherte eine Meise.

»Er soll selber Fafnirs Herz essen, da wird er weiser als alle anderen«, riet eine zweite Meise.

»Siegfried steht allein der Hort zu, er soll ihn nehmen«, wisperte eine dritte Meise, »damit kann er die stärkste Frau der Welt freien.«

»Wird Siegfried abwarten, bis Regin ihm den Kopf abschlägt?«, warnte eine vierte Meise.

Der junge Völsung sann darüber nach, wie Odin ihm durch den Rat, mehrere Gruben auszuheben, das Leben gerettet hatte. Als Regin ihm wieder feindselig begegnete, kam er dem Schmied zuvor und schlug ihm mit Gram den Kopf ab. Dann aß der junge Völsung das frischgebratene Drachenherz.

Siegfried ritt mit Grani zur Höhle des Drachen, fand den Schreckenshelm, die Goldbrünne und viele Kostbarkeiten. Er packte so viel Gold und Edelsteine von dem Hort in Kisten, wie es kein gewöhnliches Pferd schleppen konnte. Aber Grani nahm die Last auf und trabte mit Siegfried davon. Damit endet diese frühe Erzählung über den Hort und Siegfrieds Unverwundbarkeit.

Siegfried begegnet Kriemhild

Nun setzen wir den späteren Bericht über Siegfried bei den Burgunden fort. Nach dem Sieg über die Sachsen wurden am Ufersand zu Worms für ein großes Fest Sitze, Polsterbänke und Tische errichtet. Hier hoffte Siegfried, endlich seine über alle Maßen Schöne zu schauen. Auch Kriemhild bereitete sich auf das Fest in der Erwartung vor, dem Bewunderten ins Angesicht zu blicken.

Täglich kamen aus dem ganzen Land Gäste. Wer auf des Königs Einladung hin eintraf, konnte Ross und kostbares Gewand als Geschenk erhalten. Gernot und Giselher nahmen unablässig neu Ankommende in Empfang. Mächtige des Landes ritten in herrlichen Gewändern auf goldroten Sätteln, trugen mit kostbaren

Steinen verzierte Schilde. Die höchsten und angesehensten Fürsten erschienen, zweiunddreißig an der Zahl.

Die Schönen bei Hofe bereiteten sich mit Eifer vor, suchten einander durch edlen Schmuck und prächtige Kleider zu übertreffen. Verwundete genasen in der Vorfreude rascher. Die noch darniederlagen, verloren die Schmerzen.

An einem Pfingstmorgen öffneten sich die Gemächer bei Hofe. Königlich gekleidet kam Gunter mit seinem Gefolge. Fünftausend und mehr Gäste waren zum Siegesfest erschienen. Inzwischen hatte König Gunter erfahren, dass Siegfried seine Schwester Kriemhild liebte. Auch Ortwin von Metz schien das zu wissen und wandte sich an den König:

»Lasst zur Feier unseres Sieges und zur Ehre der Gäste das Glanzvollste zeigen, was wir besitzen, die Schönheit unserer Frauen und Mädchen.«

Dieser Vorschlag gefiel dem König.

Die Bediensteten wählten aus den Schreinen die prunkvollsten Gewänder. Dann traten Kriemhild und Ute vor den Hofstaat, goldglitzernd und mit Spangen geschmückt. Gunter hieß hundert Recken mit Schwertern in der Hand an der Seite seiner Schwester gehen. Viele anmutige Mädchen folgten ihr. Auch Ute hatte über hundert schöne Frauen um sich.

Die Recken drängten sich um den festlichen Zug. Mancher Held wollte von den Frauen gesehen und bewundert werden, hätte dafür gern auf Land und Besitz verzichtet.

Wie das Morgenrot aus trüben Wolken bricht, so erschien die liebliche Kriemhild. Erfahrene Männer hielten bei dem Anblick den Atem an. Kriemhilds edelsteinbesetztes Gewand blitzte von Feuer und Schönheit. Auch davon lag rosenroter Schein auf ihrem Gesicht. Keiner hatte auf der Welt je Schöneres gesehen. So wie der lichte Mond zwischen den Wolken die Sterne überstrahlt, stand Kriemhild vor dem Zug der Frauen.

Die Männer drängten sich, die Schöne zu schauen. Bei ihrem Anblick wurde Siegfried blass und rot und dachte: Wie konnte ich wagen, sie zu lieben? Aber gelingt es mir nicht, sie zu gewinnen, will ich lieber tot sein. Wie von einem großen Meister auf Pergament gemalt, so stand der verliebte Siegfried aus Xanten. Noch nie wurde ein so stolzer und schöner Held gesehen.

Da riet Gernot seinem Bruder: »Vergeltet es ihm, der uns so

treu gedient hat, vor allen anderen. Lasst Kriemhild vor Siegfried kommen und sie, die noch keinen grüßte, den Helden aus Xanten willkommen heißen. So gewinnen wir ihn für immer als Freund.«

Als Siegfried davon erfuhr, verflog sein Schmerz. Und als Kriemhild den Erwählten ansah, wurde er glühend rot im Gesicht.

»Seid willkommen, königlicher Held!«, sagte Kriemhild.

Er verbeugte sich eifrig, bis sie seine Hand fasste und beide nebeneinander einhergingen. Sie sahen sich heimlich mit Liebesblicken an. Ob sie einander aus Zuneigung die Hand drückten, ist mir unbekannt. Aber ich kann kaum glauben, dass sie es unterließen. Erzählt wird, wie er über ihre weiße Hand strich und dass Kriemhild ihm ihre Neigung zeigte. Siegfried hatte noch nie so hohe Freude empfunden.

Mancher Recke beneidete Siegfried und wünschte sich, an seiner Statt neben ihr zu gehen oder gar zu liegen. Die Liebe der beiden war so offensichtlich, dass alle es bemerkten.

Dann wurde Kriemhild erlaubt, den Helden von Xanten zu küssen.

»Mancher musste dieses Glück, wie ich«, sagte Lüdegast, der König von Dänemark, »mit schweren Wunden bezahlen, oder gar mit dem Leben. Bleibe Siegfried immer meinem Königreich fern!«

Dann zog Kriemhild mit ihrem Gefolge zur Andacht ins Münster. Die Gäste traten zur Seite. Auch Siegfried musste sich von ihr lösen; der Gesang der Messe erschien ihm endlos. Als Kriemhild wieder ins Freie trat, ließ sie die Wartenden zu sich bitten und dankte Siegfried für seinen Sieg über die Sachsen:

»Ihr habt verdient, dass die Kämpfer Euch so treu ergeben sind.«

Er sah Kriemhild liebevoll an und erwiderte:

»Ich will Euch immer zu Diensten sein und nicht eher ruhen, bis ich alles getan habe, was Ihr wünscht; nur für Euer Glück, meine Herrin Kriemhild.«

An den zwölf Tagen des Festes sah man Siegfried an der Seite der schönen Kriemhild. Alle bei Hofe erwiesen ihm Ehre. Vor allen anderen bemühten sich Hagen und Ortwin um ihn. Die Verwundeten genasen. Auserlesene Speisen und Getränke wurden gereicht. Der König zeigte sich sehr freigebig und beteuerte: »Verschmäht meine Geschenke nicht, ich will mit Euch teilen.«

Als der Lärm des Festes verstummt war, baten die Helden aus Dänemark vor ihrem Ritt in die Heimat um Vergebung. Lüdegast war von seinen Wunden geheilt, auch der Herrscher der Sachsen war genesen. Für Frieden und ihre Freilassung boten sie so viel Gold, wie fünfhundert Pferde tragen können.

»Das wäre von Übel«, warnte Siegfried, »entlasst sie frei und versichert Euch durch ihr königliches Wort und ihren Handschlag, dass sie nie wieder in Euer Land einfallen. So gewinnt Ihr sie als Verbündete und Freunde.«

Gunter folgte diesem Rat und ließ den fremden Herrschern mitteilen, ihr Gold begehre hier keiner. Umso reicher beschenkte er seine Getreuen vor deren Aufbruch. Ohne abzuwiegen, wurde verteilt, fünfhundert Goldmark und mehr. Manche trugen Schilde voller Schätze nach Hause. Dazu hatte Gernot geraten.

Vor ihrer Abreise machten die Gäste Königin Ute und Kriemhild ihre Aufwartung.

Siegfried dachte, Kriemhild zu gewinnen sei unerreichbar, und rüstete zur Heimkehr. Giselher hielt ihn mit den Worten zurück:

»Wohin wollt Ihr reiten? Bleibt bei König Gunter und seinen Recken. Und hier locken viele schöne Frauen.« Ob er Kriemhild genannt hat, wissen wir nicht.

Da ließ Siegfried die Pferde wieder in die Ställe bringen und die Schilde in die Burg tragen. Wohl wird er gehofft haben, dass jemand ihn von der Heimreise abbringen werde.

Ich glaube, er blieb in Worms wegen der über alle Maßen schönen Kriemhild, die er nun täglich bei Hofe sah. Noch ahnte keiner, dass auch er ihretwegen den Tod finden sollte.

Gunter wirbt um Brünhild

Eines Tages saß König Gunter inmitten seiner Gefährten beim Wein; sie besprachen, um die Hand welcher Schönen er anhalten solle. Da wurde von Brünhild berichtet, einer Königin am Meer, der keine andere in der Welt gleiche. Sie sei nicht nur über alle Maßen schön, hieß es, sondern habe auch gewaltige Kraft, messe sich mit den stärksten Helden im Speerwurf, schleudere den Stein und springe noch darüber hinaus, weiter als jeder andere. Aber wer ihre Liebe begehre, müsse gegen sie ein dreifaches Kampfspiel gewinnen. Wer auch nur einmal unterliege, verliere den Kopf. So viele sich auch bereits diesem Wettstreit gestellt hätten, noch nie sei die Königin bezwungen worden.

»Ich will den Rhein hinab an die See zu Brünhild«, verkündete Gunter, »um die einmalig Schöne zu gewinnen, was auch mit mir geschehe. Für ihre Liebe wage ich mein Leben.«

»Davon rate ich ab«, entgegnete Siegfried, »die Königin ist grausam und bringt Unheil. Um sie zu werben kann das Leben kosten.«

Das bestärkte König Gunter nur noch in seiner Absicht: »Es gibt kein Weib, so stark und tapfer es auch sein mag, das ich nicht mit eigener Hand bezwinge.«

»Auch mit einer Kraft von vier Männern kämt Ihr gegen ihre Wildheit nicht an«, beschwor Siegfried den König. »Wenn Ihr nicht sterben wollt, lasst von ihr ab.«

Gunter aber wurde immer gereizter und war entschlossen, um Brünhilds Macht und Schönheit willen alles zu wagen. Als Hagen sah, dass der König nicht von seinem Vorhaben abzubringen war, bat er ihn, Siegfried um Hilfe zu ersuchen.

Der Held von Xanten zögerte eine Weile, aber er schien die Antwort schon bereitzuhaben:

»Gebt Ihr mir Eure Schwester, die schöne Kriemhild, so will ich Euch Brünhild gewinnen helfen.«

»Kommt die stolze Brünhild ins Land«, gelobte Gunter ihm, »gebe ich dir meine Schwester zum Weibe.« Darauf schwuren sie Eide und ahnten nichts von den Kämpfen und Leiden, die daraus folgen sollten.

Gunter und Siegfried begannen sich für die Reise zu rüsten. Der Held aus Xanten packte den Tarnmantel ein, den er im Streit mit Alberich errungen hatte. Jeder, der ihn trug, gewann die Kraft von zwölf Männern und konnte tun, was er wollte, ohne gesehen zu werden. Damit wollte Siegfried, der schönen Kriemhild wegen, Königin Brünhild überlisten. Ich weiß nicht, was ihn zu den Eiden mit Gunter bewog. War es Übermut, sein Glaube, alles, was er begänne, müsse gelingen? Aus früher Zeit war er längst Brünhild versprochen. Daraus sollte großes Unglück erwachsen. Was Siegfried ehemals mit Brünhild verband, soll bald erzählt werden.

Gunter erwog, mit dreißigtausend Mannen in Brünhilds Reich zu landen. Davon riet Siegfried ab. Die Königin sei schrecklich, beteuerte er, alle könnten durch sie umkommen. »Wir müssen den Rhein hinabfahren, wie es sich für Recken geziemt, nur zu viert, mit uns Hagen und Dankwart. Dann werden keine zweitausend Kämpfer gegen uns bestehen«, meinte er.

»In welcher Kleidung sollen wir um Brünhild werben?«, fragte Gunter.

»Die besten Gewänder, je an einem Hofe gezeigt, trägt man in Brünhilds Burg. Die sollten wir übertreffen«, verlangte Siegfried.

Hagen riet dazu, Kriemhild die Kleidung für die Fahrt auswählen und anfertigen zu lassen. Daraufhin empfing Kriemhild ihren Bruder und Siegfried, ging ihnen entgegen, fasste sie zur Begrüßung an den Händen und führte sie zu den Polstersitzen in die Ecke des Raumes, wo die Vorhänge mit Bildern bestickt waren. Kriemhild rückte ganz nahe zu dem Helden aus Xanten, tauschte mit ihm liebevolle Blicke. Über die Güte der nötigen Kleidung sagte Kriemhild:

»Seide hab ich genug, aber lasst Schilde gefüllt mit Edelsteinen herbeitragen, dann machen wir die herrlichsten Gewänder.«

Für die vier Gefährten sollte an vier Tagen je dreimal neue Kleidung bereit sein, und jede glanzvoll und einmalig.

Kriemhild schnitt die prächtigen Gewänder selber zu. Dreißig schöne Mädchen nähten sieben Wochen lang. Arabische Seide, weiß wie Schnee, und guten Stoff aus Zazamanc, grün wie Klee, besetzten sie mit edelsten Steinen. Keine Königstochter hatte solchen Vorrat an allerbesten Seiden aus Marokko und Libyen.

In dieser Zeit richteten die Helden ihre Rüstungen her und ließen ihre Waffen schärfen. Mit Eifer wurde ein starkes Schiff gezimmert, das die vier hinab zum Meer tragen sollte. Gunter drängte zum Aufbruch. Kriemhild ließ ihn und seine Begleiter kommen, die Gewänder anzuprobieren. Sie waren richtig bemessen. Er habe auf Erden nichts Herrlicheres gesehen, lobte er die Arbeit der Frauen. Die Helden dankten den Schönen und nahmen Abschied.

Die hellen Augen der Frauen wurden von Tränen nass und trüb.

»Viellieber Bruder«, beschwor Kriemhild Gunter, »bleibt hier, werbt um andere Frauen, nicht dort, wo Ihr Euer Leben verlieren könnt. Auch hier gibt es hochgeborene Schöne.«

Kriemhild erinnerte sich an den Traum mit dem Falken. Auch andere Frauen ahnten Unheil. Aber sosehr die Männer die Frauen auch zu trösten suchten, der Goldschmuck vor ihren Brüsten wurde vom Weinen blind.

»Herr Siegfried«, beschwor Kriemhild den Geliebten, »ich empfehle meinen Bruder Eurem Schutz und Eurer Treue an.«

»Bleibt ohne Sorgen«, suchte Siegfried die Angebetete zu beruhigen, »ich kehre gesund mit ihm zurück.«

Nun wurden die vier goldfarbenen Schilde der Helden über den Ufersand zum Boot getragen und Waffen und andere Rüstung verstaut. Man band die Pferde fest. Auch genügend Proviant war vorhanden.

Als das Schiff vom Ufer abstieß, weinten die Schönen laut. Und aus den Fenstern sahen viele zu, wie der Wind in die Segel fuhr.

»Wer soll Schiffsmeister sein?«, fragte König Gunter.

»Ich kann Euch führen«, erbot Siegfried sich, »denn ich kenne den Fluss, die Strudel und Stromschnellen.« Siegfried nahm eine Ruderstange. König Gunter griff selber in die Riemen. Rasch ließen sie das Ufer und die Burg zurück. Sie führten reichlich Speise mit und vom besten Wein, der am Rhein wuchs. Das Schiff glitt sicher dahin. Die Pferde standen ruhig. Ehe es Nacht wurde, segelten sie bei gutem Wind zwanzig Meilen dem Meer entgegen.

Am zwölften Morgen, so wird erzählt, hatten Winde und Strömung das Schiff in Brünhilds Land bis zum Isenstein getragen. Außer Siegfried war dieses Land keinem der vier Helden bekannt. Als Gunter so viele Burgen und weite Marken sah, fragte er Siegfried, wem sie eigen seien.

»Land und Leute gehören Brünhild«, antwortete Siegfried. »Noch heute werdet Ihr auf der Feste Isenstein viele schöne Frauen bewundern.« Dann riet er seinen Gefährten, Brünhild zu täuschen. »Stehen wir vor der Königin«, sagte er, »müssen wir uns einig sein: Gunter ist mein Herr, ich bin sein Mann.«

Der König wollte die Unterwerfung des Helden von Niederland nicht einmal als List annehmen.

»Wollen wir etwa ohne Brünhild heimkehren? Oder überhaupt nicht?«, rief Siegfried.

Da gelobten alle, sich an die Abmachung zu halten, auch der König. »Nur für deine schöne Schwester tue ich das«, versicherte Siegfried dem König, »sie ist mir wie meine Seele, wie mein eigener Leib. Was es auch koste, ich will, dass sie mein Weib werde.«

Brünhilds und Siegfrieds frühe Eide

In dieser späteren Erzählung über Siegfried und Kriemhild steht nichts Näheres über die erste Begegnung. Ehe wir den Bericht über Isenstein fortsetzen, müssen wir die alte Überlieferung heranziehen, sonst bleibt vieles über Brünhilds Schicksal im Dunkel.

Aus alter Zeit wird berichtet, wie Siegfried auf seinem Ross Grani in die Berge ritt, wo Brünhild eingeschlossen war. Das hatten ihm die Meisen, deren Sprache er inzwischen verstand, verraten. Auf einem Gipfel gewahrte Siegfried ein großes Licht, so als brenne Feuer und leuchte zum Himmel. Der Flammenwall, die Waberlohe, loderte, umwogte und schützte den Berg, auf dem Brünhild angeblich wohnte.

Kein gewöhnliches Pferd hätte diesen Sprung gewagt. Kein gewöhnliches Pferd hätte diesen Satz über den Flammenwall heil überstanden. Aber Grani, der vom achtbeinigen Sleipnir abstammte, stieß sich vom Boden ab, streifte die Wolken und landete sicher auf dem Gipfel. Da schien ein Mann in voller Rüstung zu schlafen. Siegfried zog ihm zuerst den Helm vom Kopf. Da langes rötliches Haar hervorquoll, sah er, dass es eine Frau war. Die Brünne saß ihr so fest, als sei sie angewachsen. Mit seinem Schwert schnitt Siegfried der Frau zuerst den Brustpanzer von der Halsöffnung senkrecht bis zum unteren Ende auf, dann schlitzte er die Brünne von dort nach rechts und links mit zwei waagerechten Schnitten bis zu den Enden der Ärmel wie ein Kleid durch. Er klappte die Enden auf und zog sie ab. Dadurch erwachte die Frau und setzte sich auf.

»Hast du eine Ewigkeit geschlafen?«, redete Siegfried sie an.

»Wer ist so stark, dass er meine Brünne zerschneidet und meinen Schlaf stört? Das kann nur Siegfried sein, der Drachentöter.«

»Vom Geschlecht der Völsungen bin ich«, erwiderte Siegfried, »und habe gehört, du seist die Tochter eines mächtigen Königs; gerühmt werden deine Weisheit und Schönheit; die will ich erproben.«

Brünhild nahm ein Trinkhorn, füllte es mit Met, reichte es Siegfried und begrüßte ihn:

»Ich bin eine Walküre und musste eine Schlacht entscheiden«, sagte sie. »Zwei Könige führten Krieg, einer war alt und ein großer Kämpfer, ihm hatte Odin den Sieg verheißen. Ein anderer war noch jung und wenig erfahren, dessen wollte sich keiner annehmen. Da widersetzte ich mich Odin, fällte den alten und ließ den jungen siegen. Zur Strafe für meinen Eigensinn stach Odin mich mit dem Schlafdorn und verbot mir, je wieder einen Sieg zu erstreiten, dafür soll ich mich vermählen. Da diese Strafe nicht zu umgehen ist, gelobte ich dagegen, mich wenigstens keinem Manne hinzugeben, der nicht furchtlos wäre, und bat Odin zum Schutz und zur Prüfung um die Waberlohe.«

»Lass uns beide zusammen trinken«, sagte Siegfried, »führe mich ein in die letzten Geheimnisse der Welt.«

»Du wirst der Weisere sein«, erwiderte Brünhild, »aber gern lehre ich dich mehr vom Zauber und jener Macht der Runen, die du noch nicht kennst. Füllen wir die Trinkhörner. Mögen die Götter uns einen guten Tag schenken, damit dir aus meinem Wissen Ruhm erwachse.«

Brünhild reichte Siegfried ein Trinkhorn und sprach:

»Bier bringe ich dir, gemischt mit Kraft und hohem Ruhm, mit dem Klang von Kampfgesängen und Zaubersprüchen. Und schneide du die siegverleihenden Runen, in den Griff eines Schwertes sollst du sie ritzen, auch in dessen Blatt, zweimal die T-Rune des Kriegsgottes, und du sollst dabei seinen Namen nennen.« Darauf lehrte sie ihn Runen gegen die Wirkung von Gift und Zaubertränken. Auch in Entbindungsrunen unterwies sie ihn, in einem Zauber, um das Kind, wenn es am Hinausschlüpfen behindert würde, aus dem Leib der Mutter zu lösen. Runenzauber gegen Unwetter, vor allem auf See, lernte er, auch Runen, die Redegewandtheit verliehen, wie in Verhandlungen bei Gericht nötig. Und Brünhild lehrte ihm Denkrunen, wie sie Odin selbst ersonnen hatte.

»Ich kenne keine weisere Frau in der Welt als dich«, versicherte Siegfried, »ich schwöre, dass ich dich zum Weib haben will.«

Brünhild wehrte zunächst ab: »Ich bin eine Schildjungfrau, kämpfe in Helm und mit dem Schwert an der Seite von Heerkönigen. Noch keinem Mann räumte ich je neben mir diesen Platz ein und reichte ihm Bier.«

Siegfried bat um weiteren Rat.

»Sei gut zu deinen Verwandten«, empfahl Brünhild, »und räche nichts Feindseliges, sondern trag es mit Geduld, so wirst du gelobt.

Fährst du einen Weg, wo Gefahr droht, nimm keine Herberge an der Straße.

Verführe kein Mädchen, begehre keines Mannes Frau, das Unheil daraus kann dein Leben kosten.«

»Einen klügeren Menschen als dich gibt es nicht. Ich gelobe, ich will dich zur Frau haben«, beteuerte der junge Völsung.

»Ich muss weit springen und große Steine schleudern, den Speer gegen tapfere Recken werfen und ihre Schilde durchbohren, will mit dem Schwert Funken aus ihren Brünnen schlagen und Helme spalten. Für mich gibt es kein größeres Glück als den Sieg im Kampf!«, rief die Walküre und wollte ihn schrecken.

Aber Siegfried sah, wie sie im Frauengemach bei ihren Mägden geschickter war als alle anderen. Auf einen Wandteppich stickte sie in Goldfäden die großen Taten Siegfrieds: wie er den Drachen tötet, den Hort erwirbt.

»Keine Frau ist schöner als du«, versicherte Siegfried.

»Beherzige meinen Rat«, warnte Brünhild, »vertraue keiner Frau ganz, du gerätst in ihre Gewalt, und sie bricht doch ihr Wort.«

Sie redeten und tranken einen ganzen Tag. Und sie ahnten nicht die Folgen.

Dann schwor Siegfried bei den Göttern, dass er nur sie besitzen wolle und niemals eine andere Frau. Und nach langen Gesprächen gestand Brünhild ihm:

»Und könnte ich unter allen Männern wählen, so wollte ich am liebsten dich.«

Und Brünhild und Siegfried schworen heilige Eide, sich miteinander zu verbinden und Hochzeit zu halten. –

Ob Siegfried später bei ihrer Wiederbegegnung Brünhild noch liebte, wird nicht berichtet. Dass ein zauberischer Vergessenstrank diese Erinnerung gelöscht haben soll, kann ich nicht glauben. Was aber weiter auf Isenstein geschah, steht in der jüngeren Erzählung.

Gunter gewinnt Brünhild im Kampfspiel

Inzwischen näherte sich das burgundische Schiff der größten Burg Brünhilds so weit, dass die Schönen in den Fenstern zu erkennen waren.

»Könnt Ihr mir sagen«, fragte der König, »was das für Mädchen sind, die zu uns herabschauen?«

»Späht heimlich nach oben«, forderte Siegfried den König auf, »falls Ihr die freie Wahl hättet, welche wolltet Ihr nehmen?«

»Jene im schneeweißen Gewand, die ist schön, so bin ich noch keiner begegnet; läge es in meiner Macht, die müsste mein Weib werden.«

»Deine Augen haben recht gesehen«, sagte Siegfried, »die Jungfrau ist jene Königin, nach der du dich sehnst.«

Die Frauen schmückten sich für den Empfang der Fremden.

Das Schiff legte an. Siegfried zog ein Ross an Land und hielt nicht nur das starke prächtige Tier am Zaume, bis Gunter im Sattel saß, sondern er hielt dem König überdies den Steigbügel. König Siegfried von Niederland hatte solch einen Dienst noch nie getan. Er ahnte nicht, dass Brünhild dies aus dem Fenster beobachtete und was daraus erwachsen sollte.

Dann führte Siegfried sein eigenes Pferd vom Schiff und schwang sich in den Sattel. Die Rosse beider waren schneeweiß. Auch ihre Gewänder schimmerten blankweiß. Von ihren Schilden blinkte es und lohte wie Feuer. Die Brustriemen der Pferde waren schmal, die Sättel mit funkelnden Steinen besetzt. Am Zaumzeug hingen Schellen von lichtem Golde. Ihre Speere glänzten neu geschliffen. Die breiten Schwerter hingen ihnen bis auf die Sporen hinab. So sprengten sie vor Brünhilds Saal, begleitet von Dankwart und Hagen. Deren Gewänder waren rabenschwarz, besetzt mit kostbaren Steinen aus Indien. Von ihren breiten Schilden blitzte und funkelte es.

Die unermesslich große, stark befestigte Burg hatte sechsundachtzig Türme. Das Tor wurde aufgetan. Sie sahen drei Paläste mit weiten Höfen und kamen in einen prächtigen Saal von edlem Marmor, grüner als Gras. Dort sollten sie dann von Brünhild und ihrem Gefolge empfangen werden.

Den Fremden wurden die Pferde gehalten und die Schilde abgenommen. Und ein Kämmerer bat um ihre Schwerter und Brünnen.

»Die tragen wir selber«, wehrte Hagen ab.

»In dieser Burg ist es Gepflogenheit«, erklärte Siegfried, »dass Fremde keine Waffen behalten. Gebt sie in Verwahrung, das ist rechtens.«

Hagen fügte sich murrend.

Man schenkte den Gästen Met ein. Ihre Ankunft sprach sich

rasch herum. Der Hofstaat der Königin drängte sich in den Saal. Brünhild erkundigte sich bei einem ihrer Vertrauten nach den Angekommenen.

»Ich habe noch keinen von ihnen gesehen«, meinte der, »aber einer gleicht dem berühmten Siegfried, der den Drachen getötet hat. Den sollt Ihr freundlich empfangen, dazu rat ich. Der zweite sieht aus, als ob er große Macht hätte, wie ein König steht er in der Halle. Der dritte wirkt finster und feindselig; obwohl von schöner Gestalt, blickt er stechend, vor dem warne ich. Aber der Jüngste steht vornehm und edel, ohne Tücke und Anmaßung; doch forderten wir ihn heraus, wäre auch er zu fürchten.«

Brünhild ließ sich königlich kleiden und empfing, begleitet von hundert schönen Mädchen, die burgundischen Helden. Auch fünfhundert Recken, die Schwerter in den Händen, schritten an ihrer Seite. Das verdross nicht nur Hagen.

Obwohl Siegfried einem scheinbar Mächtigeren den Steigbügel gehalten hatte, begrüßte Brünhild ihn zuerst.

»Seid willkommen, Herr Siegfried, hier in diesem Land. Gern hätte ich gewusst, was Ihr vorhabt.«

Was Königin Brünhild dachte oder erwartete, fehlt in diesem jüngeren Bericht; aber nach älteren Erzählungen, die wir kennen, könnte sie gehofft haben, der König von Xanten werde endlich seinen Schwur einlösen und sie freien. Seine Antwort wird sie verbittert haben:

»Es ist eine zu große Ehre, Königin Brünhild, dass Ihr mich vor diesem edlen Recken begrüßt, der hier vor mir steht. Es ist König Gunter von Worms am Rhein und ein mächtiger Herrscher. Er wirbt um deine Liebe und will dich zur Frau. Er gebot mir mitzufahren; wäre es nach mir gegangen, hätte ich mich gern geweigert.«

»Wenn er dein Herr ist, bist du sein Gefolgsmann«, folgerte Brünhild, wohl verwundert. Warum erniedrigt sich der Held Siegfried?, wird sie gedacht haben. Ahnte sie eine Täuschung? »Falls dein Herr die Kampfspiele besteht«, fuhr sie fort, »werde ich sein Weib. Aber wenn ich gewinne, verliert ihr alle euren Kopf.«

»Welche Kampfspiele fordert Ihr?«, wollte Hagen wissen. »Seht Euch König Gunter an, mein Herr wird jedes bestehen.«

»Den Stein soll er werfen«, erklärte Brünhild, »und ihn noch überspringen, und den Speer soll er mit mir schleudern. Unterliegt er nur in einem, verliert ihr vier das Leben. Bedenkt das. Noch ist nichts abgemacht, noch seid ihr meine Gäste.«

Siegfried trat neben seinen König und riet ihm, furchtlos auf die Kämpfe einzugehen, mit List und Zauber werde er bestehen.

»Königin, setzt die Regeln«, verlangte Gunter, »auch das Schwerste wage ich für Eure Schönheit. Werdet Ihr nicht mein Weib, verliere ich gern meinen Kopf.«

Daraufhin ließ die Königin den Wettstreit vorbereiten, sich ihre Brünne aus rotem Gold und einen starken Schild bringen und ein Waffenhemd von feiner libyscher Seide anlegen, auf dem helle Borten glänzten und das noch von keiner Waffe geritzt war.

Während dieser Vorbereitungen verging Hagen und Dankwart der Übermut; die Gefahr, in die sie mit ihrem König geraten waren, bedrückte sie. Diese Fahrt kann uns das Leben kosten, meinten sie.

Inzwischen war Siegfried unbemerkt zum Schiff geeilt, hatte den Tarnmantel übergeworfen und begab sich, nun unsichtbar, in die Nähe seiner Gefährten.

Für das Kampfspiel wurde der Ring abgesteckt. Siebenhundert Recken drängten sich im Kreise. Ihre Waffen klirrten und blinkten. Als ob sie um aller Könige Land streiten wollte, so kam Brünhild gerüstet. Der Goldschmuck auf ihrem Seidengewand ließ ihre Haut darunter und ihr Gesicht noch lieblicher scheinen.

Als Hagen und Dankwart sahen, wie Brünhilds Schild herangetragen wurde, hielten sie den Atem an. Er war aus rotem Golde und hatte stählerne Spangen; auf dem Schildband blitzten Edelsteine grün wie Gras und wetteiferten mit dem Feuer des Goldes; und er war so schwer durch das Gold und die stählernen Beschläge, dass vier starke Männer ihn schleppen mussten.

»Was nun, König Gunter«, erschrak Hagen, »jetzt geht's uns an den Hals. Die, um die Ihr werbt, ist eine böse Zauberin.«

Und als Brünhilds Speer gebracht wurde, erblassten Gunter und seine Gefährten und hielten es für Trug. Die Waffe, die sie zu werfen pflegte, war stark, breit und sehr scharf und von einer Schwere, dass vier von Brünhilds starken Männern sie nur mit Mühe schleppen konnten.

Was soll das werden?, dachte Gunter voll Sorge. Selbst dem Teufel in der Hölle gelänge kaum, aus dieser Falle zu entkommen. Wäre ich im Land der Burgunden geblieben! Nie würde ich je wieder um Brünhild werben!, gelobte er sich.

»Mich reut die Fahrt an diesen Hof«, gestand Dankwart. »Wir sind kampfgeübte Recken, unterlagen nie. Sollen wir etwa nun von Weiberhänden fallen?«

Dankwart, sein Bruder Hagen und auch Gunter sahen, mit welchem Übermut die Männer Brünhilds Waffen und deren Gewicht zeigten. Brünhild schien das Entsetzen der Gäste zu freuen und ihre Überlegenheit auszukosten.

Das kränkte Dankwart: »Hätten Hagen und ich unsere blanken Schwerter, verginge Brünhilds Leuten ihre Anmaßung. Und hätte ich tausend Eide geschworen, Frieden zu wahren; ehe ich meinen Herren sterben sähe, erschlüge ich die schöne Hexe.«

»Trügen wir unsere Helme und Schwerter«, sagte Hagen laut, »kämen wir hier ungeschoren davon und vertrieben der stolzen Jungfrau ihren Hochmut.«

Brünhild hörte das und rief lächelnd über die Schulter: »Wenn er so kühn sich dünkt, bringt ihnen ihre Rüstungen, reicht ihnen ihre Schwerter.«

Als die Burgunden ihre Waffen zurückerhielten, sagte Dankwart mit freudigrotem Gesicht: »Mögen die Kampfspiele sein, wie sie wollen, da wir unsere Waffen wiederhaben, ist Gunter nicht zu bezwingen.«

Wie stark die Königin tatsächlich war, erfuhren die Gäste, als für den ersten Wettkampf ein ungefüger Felsblock herangetragen wurde. Zwölf tapfere Helden vermochten ihn nur mit Mühe zu tragen. Hagen löste die Hand vom Knauf seines Schwertes. Beim Anblick dieses Quaders verging den Burgunden jenes Selbstvertrauen, das sie durch ihre Waffen eben wiedergewonnen hatten. »Was hat der König für eine Hexenbraut, zum Teufel mit ihr!«, meinte Hagen.

Brünhild wand an ihren weißen Armen die Ärmel auf, packte den Schild, schwang den Speer als Zeichen für den Beginn des Kampfes. Gunter und Siegfried spürten ihre Feindseligkeit.

Käme der Held aus Xanten seinem König nicht zu Hilfe, verlöre der sein Leben. Siegfried näherte sich, streifte Gunters Hand, dass der verwirrt um sich blickte, aber niemanden sah.

»Was berührt mich?«, fragte der König.

»Ich bin's, Siegfried, dein lieber Freund. Fürchte die Königin nicht. Reiche mir den Schild, ich werde ihn tragen, und merke, was ich sage: mache du die Gebärde zur Täuschung, werfen und springen werde ich selber. Halte meine Zauberlist geheim, dann wird die Königin besiegt. Sieh, wie sorglos sie den Speer hält.«

Erfreut erkannte der König Siegfrieds Stimme.

Brünhild schleuderte mit solcher Kraft, wie sonst nur von Walküren berichtet wird, den Speer gegen den neuen starken Schild Gunters, gehalten von Siegfried. Es zischte in der Luft, Funken sprangen vom Stahl. Die mächtige Speerspitze brach durch den Schildpanzer, dass aus der Brünne Feuer flammte. Gunter und Siegfried stürzten unter der Wucht des Schusses; nur die Tarnhaut bewahrte sie vor dem Tod. Siegfried brach Blut aus dem Mund. Aber bald riss er den Speer, den Brünhild geschossen, aus dem durchlöcherten Schild. Um die Königin nicht zu durchbohren, drehte er ihn um und schoss den Speer mit dem Schaft voran auf ihr Kampfgewand, dass es dröhnte und wie vom Sturm entfacht Feuer aus ihrer Brünne stob. Der Aufprall riss die Königin zu Boden. König Gunter wäre ein solcher Wurf nie gelungen.

Wütend sprang Brünhild wieder auf und rief: »Gunter, edler Held, hab Dank für den Schuss!« Dann eilte sie zornentbrannt zu dem Steinblock, hob ihn in die Höhe und schleuderte ihn mit aller Kraft zwölf Klafter weit. Dann sprang sie mit klirrender Rüstung hinterher und noch über den Stein hinweg.

Siegfried, stark und hochgewachsen, warf den Stein weiter als Brünhild und übertraf die Länge ihres Sprunges. Mit der Zwölfmännerkraft, die ihm der Tarnmantel verlieh, trug er dabei noch Gunter. Da nur der zu sehen war, wurden ihm die Taten zugeschrieben. So bewahrte Siegfried die Burgunden vor dem Tode.

Königin Brünhild wurde zornrot und war gezwungen, ihren Leuten zu verkünden:

»Ihr Verwandten und Gefolgsleute, kommt näher, nun seid ihr alle König Gunter untertan!«

Brünhilds Recken legten die Waffen aus der Hand und verbeugten sich vor Gunter. Der König verneigte sich vor Brünhild; die nahm ihn bei der Hand, schritt mit ihm in den weiten Palast und übertrug ihm, zur Freude von Hagen, die Herrschaft.

Unterdessen war Siegfried vom Schiff der Burgunden zurückgekehrt, wo er den Tarnmantel verborgen hatte. Wieder im weiten Saal, täuschte er Ungeduld vor:

»Wann beginnen endlich die Kampfspiele?« Als ihm das Geschehene berichtet wurde, gab er sich erstaunt.

»Siegfried war an unserem Schiff«, erklärte Hagen seine Abwesenheit.

»Welche Freude«, rief Siegfried übermütig, »dass Euer Stolz gebrochen ist und dass es jemanden gibt, dem Ihr Euch beugen müsst.«

Diese Worte mussten Königin Brünhild zu Tode beleidigen.

Sie wehrte sich heftig, Gunter sofort zu folgen, erst wollte sie mit Verwandten und Freunden Rat halten. Eilig sandte sie Boten aus.

Bald ritten von früh bis spät Brünhilds Mannen scharenweise in die Burg und füllten Säle und Höfe.

»Was hat sie vor?«, vermutete Hagen einen Hinterhalt der Königin. »Plant sie aus Zorn einen Anschlag?« Von Tag zu Tag gerieten die Burgunden mehr in Bedrängnis, bis Siegfried erklärte: »Habt keine Sorge, ich hole auserwählte Recken ins Land; fragt nicht, wohin ich fahre, ich bringe tausend Mann, die besten Helden, die es gibt.«

»Entfernt Euch nicht zu lange«, bat Gunter, »wir brauchen Euren Beistand.«

»Ich kehre in wenigen Tagen zurück«, versicherte Siegfried, »und fragt Brünhild nach mir, so sagt, Ihr habt mich ausgesandt.«

Siegfried fährt ins Nibelungenland

Der Held aus Niederland legte die Tarnkappe an und band am Ufer ein Boot los. Als wäre es von einer Böe weggerissen, führte er es von dannen. Leute am Ufer meinten, ein Sturmwind lasse es herrenlos übers Meer fliegen, so rasch ruderte Siegfried in seinem Tarnmantel.

Mit großer Kraft schaffte er an einem Tag und in einer Nacht wohl hundert Meilen und mehr, dann kam er an die Küste des Landes der Nibelungen, wo sein großer Hort verwahrt war.

Er machte das Boot am Ufer eines Werders fest, stieg auf den Berg, auf dem seine Burg stand, und klopfte an das Tor. Als sich auch nach dem zweiten Pochen nichts rührte, schien ihm, seine Leute behüteten es gut. Nach dem dritten Klopfen hörte er die Stimme seines Wächters, eines unförmigen Riesen:

»Wer pocht so hartnäckig an das Tor?«

»Ich bin ein fremder Recke«, verstellte Siegfried seine Stimme, »lieg nicht faul auf deinem Lager, erheb dich, schließ das Tor auf, sonst fordere ich dich zum Kampf!«

Erzürnt setzte der Wächter seinen Helm auf, nahm den Schild und seine Eisenstange, öffnete das Tor und griff den Fremden an. Siegfried deckte sich mit seinem Schild und freute sich insgeheim über den Eifer und die Aufmerksamkeit seines Wächters, der nun mit raschen Schlägen ihm die Schildspange zerhieb. Mit der Eisenstange brachte der Riese Siegfried so in Bedrängnis, dass er um sein Leben fürchtete. Balmung und die Waffe des Wächters krachten gegeneinander, dass Funken stoben und vom Kampflärm die Burg erdröhnte bis hinunter in den Saal der Nibelungen. Endlich schlug Siegfried dem Riesen die Stange aus der Hand und fesselte ihn.

Alberich, der tief im Berg wohnte, hörte das Getöse des Kampfes, waffnete sich und stürmte in Brünne und Helm zum Tor, wo Siegfried den Wächter eben gebunden hatte. Der starke, wilde Zwerg schwang seine Geißel aus schwerem Golde, die sieben starke Kugeln an Stricken hatte, griff damit Siegfried an und schlug ihm Stücke aus seinem Schild. Wieder musste der Held aus Xanten um sein Leben fürchten. Wieder wollte er seinen Mann, der ihn für einen Fremden hielt, keinesfalls töten. Also stieß er Balmung in die Scheide, warf die Trümmer seines Schildes beiseite und griff Alberich mit seinen starken Händen an. Er packte ihn am Barte und zerrte ihn so, dass der Altersgraue aufschrie:

»Lasst mich am Leben! Wäre ich nicht Knecht eines anderen Herrn, hätte ihm keine Eide geschworen, böte ich Euch meine Dienste an!«

Wie den Riesen, so band Siegfried auch den Zwerg.

»Wie werdet Ihr genannt?« fragte Alberich.

»Ich bin Siegfried, ich meine, du kennst mich.«

»An Eurer Reckenkraft spür ich's, Ihr seid zu Recht Herr unseres Landes. Schont mich. Was Ihr gebietet, werde ich tun.«

Siegfried löste Alberich und dem Riesen die Fesseln und hieß sie die Nibelungen wecken. Alberich eilte in die Säle der Burg, wo die Nibelungen schliefen, und rief: »Hey, heraus, ihr Helden, Siegfried ruft euch!«

An die dreitausend sprangen aus den Betten, warfen ihre Kleidung über, eilten in den Burghof und grüßten Siegfried ehrerbietig. Kerzen wurden entzündet, in deren Flackern die Mauern zu zittern schienen. Tische wurden herbeigeschafft und der Willkommenstrunk aus gewürztem Wein gereicht.

»Fahrt mit mir übers Meer!«, forderte Siegfried seine Mannen auf.

Alle Nibelungen waren sofort bereit und drängten sich, unter jenen tausend zu sein, die Siegfried auswählte. Die wurden dann mit den besten Waffen, Helmen und Brünnen ausgerüstet.

»Ihr tapferen Recken!«, rief Siegfried, »auf zur Burg der Königin Brünhild, dort locken schöne, liebliche Frauen; und wir dienen einem mächtigen König. Führt eure beste Kleidung mit. Erscheinen wir bei Hofe reich und prächtig!«

In Kürze wurden die Schiffe bereit gemacht. Wohlgerüstet und mit den feurigsten Rossen an Bord, stach die Flotte in See.

An den Zinnen von Brünhilds Burg standen die Schönen und spähten aufs Meer. Als sie die reich ausgerüsteten Schiffe sahen, riefen sie die Königin. Die traute ihren Augen nicht und fragte Gunter, der neben ihr stand:

»Weiß jemand, woher jene Flotte kommt, dort auf See? Die herrlichen Segel sind weißer als Schnee.«

»Es ist mein Heer, das ich in der Nähe zurückließ«, brüstete sich Gunter. »Ich sandte Siegfried aus, meine Recken zu rufen.«

Bald sahen sie den Helden von Xanten in einem prächtigen Gewand auf dem Bug eines Schiffes stehen. Dann folgte Brünhild Gunters Rat, trat vor die Burg und empfing die Nibelungen festlich. Nur Siegfried nahm sie von ihrem Gruß aus. Über Gründe sagen die jüngeren Handschriften nichts; wir können sie nur aus älteren Quellen schließen.

Die Nibelungen erhielten Herbergen, wo sie auch ihre Waffen und Rüstung verwahrten.

Weiterhin reisten aus dem ganzen Land Gäste an, drängten sich in den Höfen und Palästen der Burg. Aber die Burgunden bereiteten sich auf die Heimfahrt vor. Da bat die Königin Gunter:

»Dem wäre ich dankbar, der mein Silber und Gold, das meine Truhen kaum fassen, verteilen würde an meine und des Königs Gäste.«

»Vielliebe Königin«, warf Dankwart ein, »überlasst mir die Schlüssel, ich traue mir zu, gerecht zu sein.«

Als Hagens Bruder die Schlüssel erhalten hatte, verteilte er mit offenen Händen. Wenn ein Armer ein Goldstück begehrte, bekam er so viel, dass er prassen konnte. Ohne zu zählen, vergab Dankwart Hunderte von Pfunden. Wer nie zuvor etwas Kostbares getragen hatte, trat plötzlich reich gekleidet vor den Saal.

Die Königin, zornig über diese Missachtung ihres Königsschatzes, beklagte sich bei Gunter:

»Mein König, gebietet diesem Kämmerer Einhalt. Er verschwendet mein Gold und Silber, als ob ich bald stürbe, aber ich will das Erbe meines Vaters bewahren. Und wenn es schon hinausgeworfen werden soll, so kann ich es auch selber tun.«

»In Worms hat König Gunter Gold und Kleidung genug«, warf Hagen ein, »wir bedürfen Eurer Schätze nicht.«

»Dennoch, lasst mich zwanzig Reisetruhen mit Gold und Silber füllen«, beharrte die Königin, »die will ich in Gunters Land mitführen.« Und Brünhild vertraute diese nicht mehr Dankwart, sondern ihrem Kämmerer an. Da lachten Gunter und Hagen.

Dann berief Brünhild den Bruder ihrer Mutter zum Vogt und befahl ihm Land und Burgen an.

Zwanzig mal hundert ihrer Recken wählte Brünhild für ihre Begleitung aus und für ihr Gefolge sechsundachtzig schöne Frauen und hundert schöne Mädchen.

Die Schiffe wurden beladen und zur Abfahrt bereit gemacht. Am Ufer lag ein Boot neben dem anderen. Auch die der tausend Nibelungen warteten auf die Reise nach Worms.

Zum Abschied küsste Brünhild Verwandte und nahe Freunde. Die zurückbleiben mussten, weinten laut und lange, als ahnten sie, dass ihre Königin nie in das Land ihrer Väter zurückkehren werde.

Wind blähte die Segel und führte die Flotte rasch nach Süden. Auf den Booten erklang fröhliches Spiel. Aber während der Fahrt versagte Brünhild Gunter das Beilager.

Siegfried reitet als Bote nach Worms

Nach neun Tagen Fahrt riet Hagen dem König, einen Boten nach Worms vorauszusenden. Gunter bat Hagen um diesen Dienst.

»Ich tauge nicht zum Boten«, entzog sich Hagen, »lasst mich als Kämmerer bei den Frauen und über ihre Schreine wachen. Bittet Siegfried.«

So ließ der König Siegfried rufen. Zunächst wollte auch der Held aus Xanten diesen minderen Dienst nicht leisten. Erst als Gunter auf Hagens Rat hin beteuerte, es sei der schönen Kriemhild zuliebe, fand er sich bereit.

»Wie sollte ich's abschlagen«, sagte er, »da ich sie im Herzen habe. Was Ihr für sie gebietet, werde ich tun.«

Gunter trug Siegfried auf, Königin Ute und die Schwester zu grüßen und von den siegreichen Kampfspielen zu berichten. Kriemhild und Ortwin sollten den Empfang Brünhilds vorbereiten.

Mit vierundzwanzig Recken galoppierte Siegfried nach Worms. Keiner war als Bote besser geeignet als er. Als sie vor der Burg am Rhein abstiegen, sprach sich ihre Ankunft schnell herum. Dass der König fehlte, beklagte das Gesinde. Zur Begrüßung eilten Gernot und Giselher herbei.

Der Held von Xanten berichtete und bat, von Ute und Kriemhild empfangen zu werden. Giselher machte sich zu seinem Fürsprecher.

Fürstlich gekleidet empfingen die beiden Frauen Siegfried. Kriemhild begrüßte ihn in Ängsten:

»Seid willkommen, Siegfried, erwählter Held. Wo ist mein Bruder, der mächtige König? Verlor er gegen Brünhilds unvergleichliche Kräfte? Wehe, dass ich je in diese Welt geboren wurde!«

»Schöne Frauen, ihr klagt ohne Grund«, beruhigte Siegfried Kriemhild und ihre Mutter, »Gunter lachte, als ich losritt und er mir Grüße an Euch auftrug. Lasst Eure Tränen. Der König und Brünhild werden bald hier sein.« Zu keiner Zeit hatten sie Boten lieber vernommen. Kriemhild wischte sich mit ihrem schneeweißen Gewand die Tränen aus den Augen und dankte Siegfried für die gute Nachricht. »Wärt Ihr nicht von so hoher Abkunft«, sagte Kriemhild, »belohnte ich Euch für die Botschaft reich mit Gold.«

»Und hätte ich dreißig Länder«, erwiderte der Held von Xanten, »aus Eurer Hand empfinge ich gern.«

Kriemhild ließ ihren Kämmerer nach dem Botenlohn gehen und überreichte Siegfried vierundzwanzig mit Edelsteinen reich besetzte Armringe. Der Held von Xanten verteilte sie lachend an Kriemhilds Gefolge.

Siegfried überbrachte Gunters Bitte, ihm am Ufer des Rheins entgegenzureiten und ein großes Hochzeitsfest vorzubereiten.

»Aus Treue zu meinem lieben Bruder tue ich alles«, erwiderte Kriemhild. Ihre Wangen röteten sich dabei aus Liebe zu ihm. Später jedoch wird ihre Zuneigung zu Gunter auf schwere Proben gestellt werden. Für die Botschaft wollte Kriemhild ihrem Helden mit einem Kuss danken, doch unterließ sie es wegen der höfischen Sitten. Sindold, Hunold und Rumold beaufsichtigten die Vorbereitungen zum Fest. Am Rheinufer vor Worms wurden Tische und Bänke errichtet und Zelte aufgeschlagen. Ortwin und Gere sandten Boten ins ganze Land und luden Verwandte und Freunde zur königlichen Hochzeit. Die Burg wurde reich geschmückt, für die zahllosen Gäste in Gunters Saal Gestühl gezimmert.

Aus dem ganzen Land trafen Gefährten und Freunde ein; die Straßen vor der Burg waren voller Menschen.

Für den Empfang ließ Kriemhild die besten Kleider wählen. Herrliche Sättel, mit rotem Golde verziert, wurden bereitgehalten. Am Zaumzeug der Pferde funkelte und lohte es vom Feuer edler Steine. Die Pferde schimmerten in goldenem Schein. Kriemhild bestimmte sechsundachtzig vornehme Frauen zu ihrem Gefolge; die trugen Kopfputz oder Stirn- und Wangenbinden. In leuchtenden Kleidern folgten ihnen vierundfünfzig Mädchen, ihr blondes Haar mit glitzernden Bändern geschmückt. Langsam ritt der Zug zum Ufer des Rheins. Die Gäste staunten über die prächtigen Kleider. Manche waren mit Zobel und Hermelin besetzt. Armringe zierten edle Frauen und blitzten im Schein der Sonne. Bewundert wurden kostbare Gürtel auf Röcken aus arabischer Seide. Mit Steinen besetzte breite Spangen schlossen Gewänder vor der Brust. So ritten die Frauen im festlichen Zug zu Gunters Empfang, begleitet von zahllosen Recken mit Eichenspeeren und breiten Schilden.

Gunter feiert mit Brünhild Hochzeit

Die Flotte näherte sich langsam Worms. Obwohl die Männer kräftig ruderten, kamen sie gegen die Strömung nur schwer voran. Bis zum Empfang hatte es keine Eile. So zog Kriemhild mit ihrem Gefolge würdig und gemessen zum Ufer. Recken führten die Rosse der Frauen. Und Siegfried ritt neben Kriemhild auf Grani. Schließlich verließ Königin Ute die Burg, geleitet von Ortwin. Auch Gunters Brüder waren gekommen. Viele Recken und Frauen ritten paarweise. Gold und Silberschmuck glänzte. Am Rhein wurden die Frauen aus den Sätteln gehoben.

Die Bänke auf den Uferwiesen füllten sich. Die Tische wurden rasch gedeckt, Wein und Met bereitgehalten. Recken machten sich fertig für Kampfspiele. Pferde und Männer wurden gerüstet. Mancher Speer barst im Wettkampf vor den festlich gestimmten Frauen.

Gunters Schiffe liefen auf den Strand vor Worms. Dichtgedrängt bedeckte die Flotte beinahe den Fluss in seiner ganzen Breite. Und man wäre ohne eine Brücke über die Boote trockenen Fußes von einem Ufer zum anderen gelangt. Nach den Schiffen des Königs und der Königin und ihres Gefolges drängten die schmalen Drachenboote der tausend Nibelungen und die der zweitausend Recken Brünhilds an den Strand von Worms.

Das Königsschiff legte an. Gunter sprang an Land, reichte Brünhild die Hand und führte sie an burgundisches Ufer. Brünhilds Prachtgewand glänzte, seine kostbaren Edelsteine lohten. Manche empfanden es wie ein Blitzen über dem Rhein und warteten auf den Donner, der jetzt ausblieb, später aber in furchtbarer Weise folgen sollte.

Kriemhild ging stolz und liebenswürdig der Braut Gunters entgegen. Sie küssten einander, wie es Sitte war. Und die Schwester des Königs sprach:

»Seid willkommen in unserem Lande, meiner Mutter und mir, und unseren getreuen Verwandten und Freunden!«

Brünhild dankte für die freundliche Begrüßung und erwiderte Kriemhilds und Utes Umarmung herzlich. Ute und Kriemhild küssten Brünhild wieder und wieder auf ihren rosenfarbenen Mund. Von so einem herzlichen Empfang ist noch nie berichtet worden.

Burgundische Recken standen am Ufer, reichten den Begleiterinnen Brünhilds die Hände, geleiteten sie an Land. Unter Lachen und Scherzen wurde mancher fremden Schönen ihr roter Mund geküsst. Brünhild stand umgeben von der Schar ihrer Mädchen.

Viele Burgunden spähten nach der fremden Königin, die – scheinbar unüberwindlich, wie es hieß – von ihrem König allein bezwungen worden war, und verglichen ihre Reize mit denen Kriemhilds. Keiner hatte je zwei Schönere gesehen. Keine blendete durch Trug oder Schminke. Kenner lobten Gunters Weib; deren

Schönheit kam auch von ihrem hohen Wuchs, der Kraft ihrer Arme und Schultern. Die Weisen priesen dagegen Kriemhilds schmale Gestalt, zogen ihre Anmut und ihren Liebreiz vor. Eine Königstochter von höfischer Sitte, scheinbar zerbrechlich, stand neben der Walküre des Nordens.

Auf den Wiesen vor Worms waren seidene Zelte aufgespannt. Im Schein der Sonne glänzten Schmuck und festliche Gewänder der Königinnen und ihres Gefolges. Unter den Dächern der hohen Zelte fanden die Herrscherinnen Schatten.

Inzwischen waren die Nibelungen mit ihren Drachenbooten gelandet und wurden von den Einheimischen bestaunt, als sie sofort ihre Rosse für Kampfspiele vorbereiteten. Siegfried verließ die Königinnen und empfing seine Kämpfer, führte sie aufs Feld bei den Zelten. Die Nibelungen begannen für die Frauen mit einem Buhurt, bei dem Scharen von Recken gegeneinander ritten. Von galoppierenden Pferden staubte die in der Sonne ausgedörrte Erde, als ob das ganze Land in Flammen stünde.

Frauen und Mädchen bewunderten die Recken aus dem fernen Norden, auch weil Siegfried mehrfach zwischen ihre Scharen ritt. Aber der Schmuck der Schönen und der Glanz ihrer Kleider verblasste im aufgewirbelten Staub.

»Lasst die Pferde stehen«, meinte Gunter, »wenn es kühler wird, geleiten wir die Frauen auf die Burg. Haltet Euch bereit, bis ich das Zeichen gebe.«

Die Nibelungen brachen die Kampfspiele ab. Siegfried gesellte sich wieder zu den Königinnen. Der Nachmittag verging mit Lachen und Trinken. Als die Sonne niederging und Tau auf die Wiesen sank, schwang sich der König auf sein Pferd. Alle brachen auf zur Burg. Dort zogen sich Ute und Kriemhild mit ihrem Gefolge in ihre Gemächer zurück. In der Burg erscholl fröhliches Lärmen und Lachen.

Der König begab sich mit seinen Gästen zu Tische. Neben ihm stand Brünhild, inzwischen mit einer Krone, als Zeichen ihrer königlichen Würde. Die Tafeln trugen auserlesene Speisen. Was die Gäste auch wünschten, alles wurde gereicht. Vor Beginn der Mahlzeit brachten die Kämmerer des Königs Wasser in goldenen Becken. Aber ehe Gunter seine Hände hineintauchte, erinnerte Siegfried ihn an sein Versprechen. Ungeduldig hatte der Held von Xanten darauf gehofft, dass der König selber den Eid einlösen werde.

»Gedenkt des Schwures«, mahnte Siegfried ihn, »wenn Brünhild in Euer Land kommt, gebt Ihr mir Eure Schwester. Was wurde aus dem Eid? Eure Werbung hat mir größte Mühe abverlangt.«

»Ihr mahnt mich zu Recht«, besann sich der König, »meine Hand soll nicht meineidig werden; wie versprochen, so will ich es fügen.« Und Gunter ließ Kriemhild rufen.

Als die Schwester mit der Schar ihrer schönen Mädchen herbeieilte, lief Giselher ihr die Treppe hinab mit den Worten entgegen: »Schick dein Gefolge zurück, du allein sollst vor den König kommen!« Kriemhild trat in die Mitte des weiten Saales. Edle Recken und Große des Reiches standen um den König. Auch Brünhild saß an seinem Tisch.

»Liebe Schwester«, wandte sich Gunter an Kriemhild, »ich versprach dich einem großen Helden, ja ich schwor, dass du seine Frau wirst. Nimmst du ihn zum Mann, erfüllst du meinen Willen.«

»Viellieber Bruder«, antwortete sie, »was Ihr mir gebietet, werde ich tun. Den Ihr mir zum Mann gebt, den will ich gerne nehmen.« Ihr Blick fiel dabei auf Siegfried, dessen Gesicht sich vor Freude rötete.

Dann hieß man beide in einen Ring treten, den vornehme Männer als Zeugen gebildet hatten. Und der König fragte:

»Willst du den Helden aus Niederland zum Manne?«

Auch sie errötete, aber weit mehr als Siegfried, und sprach ein freudiges Ja.

Sie umarmten einander. Und Siegfried küsste sie vor den Augen des Königs und den Augen Brünhilds und vor dem ganzen Gefolge.

Siegfried und Kriemhild nahmen dann Platz auf dem Ehrensitz gegenüber dem König. Und die Nibelungen versammelten sich um Siegfried.

Als Brünhild ihren Helden aus Xanten so vertraut neben Kriemhild sitzen sah, überkam sie großer Schmerz. Der überfiel sie so, dass die Walküre ihn nicht zu bändigen vermochte. Heiße Tränen rannen über ihre lichten Wangen.

»Was ist, was trübt deine Augen?«, fragte Gunter erstaunt, »warum freut Ihr Euch nicht? Euch werden mein Land und meine Burgen untertan, und mächtige Männer dazu.«

Die stolze Brünhild weinte weiter, ehe sie antworten konnte:

»Um deine Schwester ist mir von Herzen leid, sie sitzt neben einem deiner Gefolgsmänner; wie erniedrigt ist sie, darum muss ich weinen.«

»Sei still!«, rief der König ungehalten, »zu anderer Zeit erfährst du, warum ich meine Schwester Siegfried gab. Sie wird fröhlich an seiner Seite leben.«

»Welch ein Jammer für ihre Tugend und Schönheit! Ich bleibe nicht bei dir, liege nie bei dir, solange du mir den wahren Grund dafür verheimlichst.«

»Ich sage es dir«, lenkte er ein, »Siegfried besitzt Burgen und weite Länder wie ich, er ist ein mächtiger König, deshalb gab ich ihm meine schöne Schwester.«

Aber was Gunter auch sagte, Brünhild blieb trübsinnig. Wir kennen den tieferen Grund der Tränen; von ihrer Liebe zu Siegfried ahnte Gunter wohl nichts.

Nach dem Mahl eilten die Recken zum Buhurt in den Hof. Bald erdröhnte die ganze Burg vom Kampfspiel. Aber Gunter hatte Liebesverlangen nach Brünhild; nachdem sie sich auf dem Schiff verweigert hatte, wollte er endlich ihr beiliegen. Früher als üblich ließ er die Reiterspiele abblasen.

Noch einmal begegneten sich Kriemhild und Brünhild vor der Stiege des Saales. Siegfrieds Frau gab sich freundlich; ob Brünhild ihren Missmut zu verbergen vermochte, wird nicht erzählt.

Dann bereitete das Gesinde die Nachtlager vor. In die festlichen Gemächer wurden Lichter getragen, die Liegestätten gerichtet. Danach zog sich die Dienerschaft zurück.

Als Siegfried in Kriemhilds Armen lag, war ihm, als wäre ihr Leib sein Leib und sein Leib würde in ihren übergehen. Sie war ihm die einzige, für sie hätte er auf tausend Schöne verzichtet. Keiner hat Worte genug, ihre Liebesfreuden zu beschreiben. Aber hört, wie Gunter bei Brünhild zu liegen kam. Sie erschien im feinsten weißen Hemd. Gunter verhüllte das Licht im Gemach, nahte sich ihr in Verlangen, legte sich dicht neben sie, berührte ihre zarte Haut und schlang seinen Arm um ihren Leib. Aber statt Zuwendung schlug ihm Feindschaft und Hass entgegen.

»Lasst ab von mir«, warnte Brünhild ihn, »was Ihr wollt, wird misslingen; und das sollt Ihr wissen: solange Ihr mir nicht das Geheimnis verratet, werde ich Jungfrau bleiben.«

Vielleicht dachte Gunter an seine Siege in Isenstein, umfing sie fest, wollte ihr Hemd abstreifen und rang mit ihr. Aber statt dass er sie bezwang, machte sie sich los, griff nach einem Gürtel, den sie um die Hüften trug, band ihm Füße und Hände zusammen und hängte den König an einen Nagel in der Wand. In dem Kampf mit ihr wurde Gunter beinahe zerquetscht. Er, der sie zu bändigen geglaubt hatte, baumelte an der Wand und flehte:

»Vieledle Königin, es gelingt mir nicht, Euch zu bezwingen, also halte ich gehörigen Abstand; aber bitte löst die Fesseln!«

Brünhild lag bequem im Bett und kümmerte sich nicht um Gunter. So hing der König die ganze Nacht am Nagel. Als der lichte Morgen durch die Fenster schien, meinte Brünhild:

»Nun, Herr Gunter, was werden die Kämmerer sagen, wenn sie Euch gebunden finden, von der Hand einer Frau? Ist das nicht eine Schmach?«

»Das käme Euch teuer zu stehen. Ich, der König, am Haken baumelnd! Denkt auch an Eure Würde. Lasst mich frei, ich werde mit meinen Händen nie wieder an Euer Hemd rühren.«

Daraufhin nahm Brünhild den König vom Nagel und löste die Bande. Gunter legte sich mit solcher Vorsicht zu ihr ins Bett, dass er ihr Hemd nicht einmal streifte.

Am Morgen brachten die Diener festliche Kleidung für die Hochzeit. Fröhlichkeit erklang in den Höfen und Sälen. Mit Mühe verbarg der König seinen Zorn.

Für die beiden Paare wurde im Münster die Messe gesungen. Dort standen die vier mit ihren Kronen und in ihren königlichen Gewändern. So wurden sie getraut, dicht umdrängt von Verwandten, Gefährten und zahllosen Recken. Die Türen standen offen. Viele fanden keinen Einlass und warteten, bis Brünhild in Festgewand und Krone ins Freie trat.

Zu Ehren des Königs empfingen sechshundert Knappen das Schwert. Wegen der zwei Hochzeiten herrschte große Freude im Burgundenland. Schwertklänge hallten durch die Höfe, Speere brachen bei den Kampfspielen, Schilde blitzten. Schöne Mädchen saßen in den Fenstern und äugten nach den Helden, wenn sie aufeinander zu ritten und im Speerkampf Feuer lohte.

Siegfried ahnte, warum Gunter so grimmig blickte, und fragte nach der Nacht.

»Eine furchtbare Hexe hab ich auf die Burg geholt«, klagte Gunter und berichtete, wie sie ihn als Bündel an die Wand gehängt und selber wohlig im Kissen geruht hatte. »Das vertraue ich nur dir an, meinem Freund.«

»Das tut mir leid«, bedauerte Siegfried. »Erlaubst du, so bringe ich sie dazu, dass sie dir nie mehr die Liebe verweigert, sondern sich willig hingibt.«

Gunter bat Siegfried, ihm auch dieses Mal beizustehen, und zeigte ihm seine geschwollenen Hände. Die hatte sie ihm gepresst wie in einer Daumenschraube; die Fingerspitzen waren noch grindig von Blut.

»Mir ist deine Schwester mehr wert als mein Leben«, beteuerte Siegfried, »deshalb muss Brünhild diese Nacht dein Weib werden. Ich komme mit meinem Tarnmantel. Von meiner List wird keiner erfahren. Entlass die Kämmerer. Ich lösche die Kerzen, dann weißt du, ich bin in der Nähe. Ich bezwinge dein Weib, damit du sie danach nimmst, und koste es mein Leben.«

»Aber ohne dass du sie beschläfst«, warnte der König. »Sonst tue, was du willst, und wenn die Schreckliche dabei umkommen sollte.«

»Bei meiner Ehre«, versicherte Siegfried, »wie sollte ich mit ihr schlafen, deine schöne Schwester kommt vor allen Frauen, die ich je gesehen.« Gunter vertraute den Worten des Helden von Niederland.

Die Kampfspiele währten Gunter zu lange. Er war des Waffenlärms und der kreischenden Weiber überdrüssig. Bald wurden die Höfe von Pferden und Leuten leer. Der König lud zu Tische und wünschte bald die Nacht herbei. Dieser eine Tag dünkte ihm wie dreißig Tage lang.

Siegfried saß derweil noch vertraut mit seinem Weibe; mit ihren weißen Händen drückte sie die seinen. Aber plötzlich verschwand er aus ihren Augen, sie wusste nicht wie.

»Wer kann mir sagen, wohin der König ist?«, fragte sie erschrocken. »Wer hat mir seine Hände genommen?«

Gunter befand sich bereits in seinen Gemächern, wo viele Kämmerer mit Lichtern hantierten. Als die mit einem Male verloschen, wies der König die Bediensteten aus dem Raum. Er selbst verschloss rasch die Tür und warf zwei schwere Riegel vor.

Der König stellte das Licht hinter den Bettvorhang. Dann legte sich Siegfried nahe zu Brünhild. Die warnte ihn:

»Gunter, lass ab von mir, sonst ergeht es dir wie letzte

Nacht; du wirst am Haken baumeln, bis die Morgensonne dich blendet.«

Um sich nicht zu verraten, schwieg Siegfried und schlang die Arme um die Widerspenstige. Da schleuderte sie ihn aus dem Bett gegen eine Bank, dass sein Kopf laut auf einen Schemel schlug.

Daran ersah Gunter, dass der Held aus dem Niederland mit Brünhild nichts Heimliches trieb. Eher bangte er um den Gefährten.

Wieder auf den Beinen, warf sich der Held erneut auf das Bett. Die Jungfrau setzte sich weiter zur Wehr, entwand sich ihm, sprang auf und warnte: »Rührt mein Hemd nicht an! Soll ich wieder beweisen, wer stärker ist?« Sie presste Siegfried mit ihren Armen und wollte ihn binden wie Gunter. Sie versuchte ihn emporzuheben zwischen Wand und Schrein, aber da zwang er sie durch seine Zwölfmännerkraft ins Bett zurück. Ich meine, spätestens jetzt könnte sie ihn erkannt haben. Lange zog sich ihr Widerstand hin, wird berichtet. Und sie stöhnte und schrie mehrfach. König Gunter schien die Zeit sehr lang, bis Siegfried Brünhild bezwang. Und im Bett war viel Bewegung, heißt es.

Siegfried mag in der Absicht zu ihr gestiegen sein, sie für Gunter bereit zu machen. Aber warum sollte nicht diesmal sie ihn getäuscht haben, um ihn für wenigstens ein Beilager zu kriegen. Ob sie ihn verführt und zu sich gezogen hat, dieses Glück jetzt wenigstens ein Mal mit dem Geliebten genoss, wissen wir nicht. Aber es würde mich wundern, hätte die Königin des Nordens das versäumt. In einem frühen Bericht steht, nur Siegfried habe die Kraft besessen, die Gewaltige zu entjungfern; das erklärte auch die leidvollen Folgen.

Nach geraumer Zeit jedenfalls, als Siegfried sie mehrfach bezwungen hatte, rief Brünhild:

»Lasst mich am Leben, ich sühne, was ich getan habe, werde mich nimmer gegen deine Liebe sperren. Ich musste erfahren, du kannst Frauen meistern!«

Brünhild war, so meine ich, von Liebe verwirrt. Da zog Siegfried ihr unbemerkt einen goldenen Ring vom Finger und nahm ihr den Gürtel, den sie gewöhnlich um die Hüften trug und mit dem sie Gunter geschnürt hatte. Damit verlor sie ihre Kraft. Aus sehr früher Zeit wird erzählt, sie habe Siegfried den Ring geschenkt im Tausch gegen einen von ihm. Siegfried verließ ihr Bett, an seine

Stelle kroch Gunter und nahm sein Eherecht wahr. Das könnte Brünhild unsühnbar verletzt haben.

Brünhild war nun nicht stärker als ein anderes Weib. Gunter umfing sie liebevoll. Brünhild wehrte sich nicht mehr. Ob sie sich Gunter ebenso willig hingab oder nur verstellte, wissen wir nicht. Gunter lag bis zum hellen Morgen neben seiner bezwungenen Frau. Guten Mutes und freudig stand er auf und feierte zwei Wochen lang Hochzeit.

Siegfried umging Kriemhilds Fragen, wo er einen Teil der Nacht verbracht hatte. Erst später, als er ihr in seinem Lande die Krone aufsetzte, schenkte er ihr in seinem Übermut Gürtel und Fingerring Brünhilds. Das sollte später für viele zum Verhängnis werden.

Getöse von Kampfspielen, Freudenlärm und Gesang hallten nun durch Höfe und Säle der Burg. Still wurde es keine Stunde. Was den König das Fest kostete, kann niemand ermessen.

Zu Ehren Gunters verteilten seine Verwandten und Gefährten an Gäste und fahrendes Volk Kleider und rotes Gold, dazu Pferde und Silber. Wer etwas begehrte, erhielt es und schied fröhlich von dannen. So gaben auch Siegfried und seine tausend Nibelungen ihre kostbaren Gewänder und manches Ross mit reichverzierten Sätteln. Nie wurden Gäste besser versorgt und reicher beschenkt.

Siegfried fährt mit Kriemhild in sein Reich

Nachdem das Hochzeitsfest zu Ende war und die Gäste Worms verlassen hatten, drängte Siegfried auf Heimkehr. Kriemhild freute sich auf die Heimat ihres Gemahls, wollte aber mit ihren Brüdern das Erbe teilen. Das hörte Siegfried nicht gern. Die drei Könige wandten sich an ihren Schwager:

»Herr Siegfried, wir werden Euch immer treu ergeben bleiben bis in den Tod.«

Zum Dank verneigte sich Siegfried vor ihnen.

»Wir teilen Land und Burgen, die uns zu eigen sind«, bot Giselher an, »daran sollt Ihr und Kriemhild einen großen Anteil haben.«

»Glück für Euer Erbland und für Eure Burgen«, wünschte Siegfried, »aber mein Weib wird wohl ihren Teil nicht brauchen.

Trägt sie bei mir die Krone, wird sie reicher und herrlicher leben als je eine Königin.«

»Wenn Ihr auf mein Erbland verzichtet«, beharrte Kriemhild, »so ich nicht auf die burgundischen Recken. Die will ich mit meinen Brüdern teilen.«

»Nimm, wen du möchtest«, bot Gernot, »solche, die mit dir reiten wollen, findest du genug. Von den dreißig mal hundert Recken sollst du tausend haben.«

Kriemhild ließ nach Hagen von Tronje und Ortwin von Metz senden und fragte, ob sie mit ihr nach Xanten ziehen wollten. Da wurde Hagen sehr zornig:

»Gunter hat kein Recht, uns jemandem zu übergeben«, widersetzte er sich, »nehmt anderes Gesinde. Unser Platz ist hier am Hofe zu Worms. Diesen Königen dienen wir.«

Siegfried und Kriemhild verwunderten sich über die Schroffheit dieser Worte.

Kriemhild gewann edles Gefolge, darunter zweiunddreißig Mädchen und fünfhundert Recken. Und Graf Eckewart schloss sich Siegfried an. Bald nahte der Abschied mit vielen Küssen. Vor allem Königin Ute fiel die Trennung von ihrer Tochter schwer. Aber fröhlich zogen Siegfried mit seinen tausend Nibelungen und Kriemhild mit ihrem Gefolge durch das burgundische Land in Richtung Norden, begleitet von Verwandten und Freunden. Für Nachtlager war gesorgt, Speise und Trank reichlich mitgeführt.

Beizeiten sandte Siegfried Boten zu Siegmund und Sieglind: der Sohn führe die über alle Maßen schöne Kriemhild heim.

Sieglind belohnte die Boten mit rotem Samt, Silber und schwerem Gold. Festlicher Empfang wurde vorbereitet. Mit Eifer ließ Sieglind das Gefolge neu kleiden. Sitze wurden errichtet und besonders der Ort geschmückt, an dem König Siegmund dem Sohn die Krone übergeben wollte. Der König selbst beaufsichtigte die Arbeiten zum Fest.

Mit einer Schar Recken und begleitet von ihren Frauen, ritt die Königin den Ankommenden entgegen. Nach einer Tagesreise trafen sie Siegfried und Kriemhild. Sieglind führte sie mit ihrem Zug festlich nach Xanten am Rhein.

Dass je ein Sohn prächtiger empfangen wurde, ist nicht berichtet. Wie viele Male küssten Sieglind und Siegmund lachend die schöne Kriemhild! Mit der Heimkehr ihres Sohnes war ihnen alles

Leid genommen. Vor dem Königssaal wurden die Schönen von den Pferden gehoben, was mancher Recke mit Eifer tat. Auch das Gefolge der Ankömmlinge wurde herzlich willkommen geheißen.

Dann wurden die Gäste in Siegmunds geschmückten Saal gebeten. So Großes auch von dem Fest in Worms berichtet wird, hier gab man den Helden noch herrlichere Gewänder, als sie je getragen. Vom Reichtum und der Pracht am Hofe von Xanten werden Wunder erzählt. Schon das Gefolge trug goldfarbene Speere, an denen Perlen und Edelsteine schimmerten. Wozu dann Festgewänder und Ausstattung der Helden oder gar Königinnen beschreiben! Dazu können Worte kaum ausreichen.

Umgeben von den Großen seines Reiches, verkündete Siegmund:

»Von jetzt an trage mein Sohn Siegfried die Krone. Er herrsche über Land und Burgen und halte Gericht.«

Die Niederländer nahmen das mit Freude auf.

Siegfried herrschte als mächtiger König. Feinde fürchteten seine Stärke. Niemand wagte sein Reich anzugreifen. Wer den Frieden brach, wurde hart bestraft. Von Krieg oder gar Eroberungen wird nichts berichtet. Über zehn Jahre lang regierte König Siegfried in hohen Ehren. Gerühmt wird sein Sinn für Gerechtigkeit. Handel und Gewerbe blühten. Fahrende Sänger wurden reich belohnt.

Zehn Jahre nach der Hochzeit gebar Kriemhild einen Knaben, den sie nach dem Onkel Gunter nannte und mit Umsicht und Eifer erzog. Bald nach dessen Geburt starb Sieglind. Im ganzen Land herrschte Trauer; gemindert nur dadurch, dass nun Kriemhild allein Königin war und sie alle Macht zum Wohle des Landes nutzte.

In dieser Zeit bekam auch Brünhild einen Sohn von Gunter. Ebenfalls dem Onkel und Helden zuliebe wurde er Siegfried genannt. Gunter ließ den Sohn zu einem tüchtigen Mann erziehen. Dieser kleine Siegfried ahnte nicht, welches Unglück einst seine Familien treffen würde.

Auch von König Gunter wird Löbliches berichtet. Sein Reich blieb von Feinden verschont. Sein Heer brauchte nicht in Schlachten zu ziehen. Auch Worms wurde noch reicher. Mehr Handwerker siedelten sich an. An manchem Tage lagen im Hafen bei der Burg so viele Schiffe, dass ankommende kaum mehr Platz fanden.

Siegfried war nicht nur König des Niederlandes um Xanten am

Rhein, sondern auch Herrscher des Nibelungenreiches. Er besaß den größten Hort, den je ein Held gewann. Der Schatz war so unermesslich an Gold, Edelsteinen, Waffen und Rüstungen, dass er um nichts abnahm, wenn er reichlich davon verschenkte. Das machte ihn zum mächtigsten Mann der Welt. Ob er sich dessen bewusst war, wissen wir nicht. Und durch die Zwölfmännerkraft seines Tarnmantels wurde er zugleich zum stärksten Mann überhaupt; jedenfalls wird von keinem anderen Vergleichbares berichtet. Das Blut des Drachen hatte ihn unverwundbar gemacht. Vielleicht hielt Siegfried sich deshalb für unbesiegbar. Aber immer öfter vergaß er die Stelle auf seinem Rücken, wo beim Bad im Drachenblut das Lindenblatt gelegen hatte.

Gunter lädt Siegfried und Kriemhild nach Worms ein

Wenn Brünhild durch die Burg der Burgunden schritt, dachte sie – jüngeren Berichten zufolge – oft: Warum gibt sich Kriemhild so erhaben? Siegfried, ihr Mann, ist doch unser eigen, aber er hat uns bislang keinen Dienst getan, keinen Zins oder andere Abgaben geleistet. Warum duldet König Gunter das?

Aber aus älteren Quellen kennen wir tiefere Gründe.

»Deine schöne Schwester sitzt fern in Xanten«, reizte Brünhild den König, »ich würde Kriemhild gern wiedersehen.«

»Das ist unmöglich«, wehrte Gunter ab, »Xanten ist weit, wie sollte sie hergelangen, ich mag sie nicht bitten.«

»Siegfried ist dir untergeben«, antwortete Brünhild mit List, »so reich und mächtig er auch ist, als sein Herr kannst du ihm gebieten.«

Da lächelte Gunter. Was Siegfried für ihn bewirkt, hatte er aus Freundschaft getan, nicht als Dienst. Und der König erinnerte sich an ihre Fahrt nach Isenstein und wie betrügerisch sie die Königin gewonnen hatten. Das stimmte ihn nachgiebig.

»Lieber Herr«, nutzte Brünhild ihren Vorteil aus, »erfüll mir den Wunsch, und aus Liebe zu mir hilf mit, dass Siegfried und deine Schwester zu uns nach Worms kommen. Wie herzlich sie mich empfing, als ich auf deine Burg kam. Und wie wir uns küssten und dann zusammensaßen nach der Nacht, als ich deine Frau wurde.« Ob sie mit Absicht auf diese Nacht anspielte, wissen wir nicht.

Brünhild drängte so lange, bis der König endlich nachgab: »Ihr wisst, keine Gäste sehe ich lieber. Sogleich werde ich Boten absenden.«

»Wer wird fahren?«, forschte die Königin nach.

»Markgraf Gere wird mit dreißig meiner Leute reiten«, erklärte Gunter, ließ die Boten rufen und trug ihnen auf zu sagen, nirgendwo auf der Welt seien die Eingeladenen geschätzter als in Worms und dass sie vor der nächsten Sonnenwende kommen möchten. Auch König Siegmund sollten sie grüßen. Und Kriemhild dürfe die Fahrt keinesfalls unterlassen. Ein großes Fest werde vorbereitet.

Brünhild stattete die Boten mit herrlichen Gewändern aus. Nach drei Wochen erreichten sie die Burg Siegfrieds.

Als ihre Ankunft gemeldet wurde, stand Kriemhild von einem Bett, wo sie geruht hatte, auf und sah den vertrauten Gere in den Burghof reiten; da packte sie Heimweh.

Die Boten wurden herzlich empfangen, ihre Pferde in Ställe gebracht und versorgt. Als Markgraf Gere mit seinem Gefolge in den Königssaal trat, standen Siegfried und Kriemhild von ihren Sesseln auf. Kriemhild nahm Gere bei der Hand.

»Erlaubt erst die Botschaft zu überbringen, ehe wir Platz nehmen«, erklärte der Markgraf, »ich soll Euch von Gunter und Brünhild grüßen, und, Königin Kriemhild, Eure Mutter Ute, Eure Brüder und alle Verwandten haben uns gesandt, Euch ihre Verehrung aus dem Reich der Burgunden zu entbieten.«

»Wir haben auf Eure Treue gebaut«, erwiderte Siegfried, »wie lebt Ihr in Worms? Widerfuhr Kriemhilds Brüdern etwas? Rechnet stets mit meinem Beistand.«

»Am Hofe zu Worms lebt es sich prächtig«, versicherte Gere, »nur eins wird bedauert, dass Ihr so lange fernbleibt. Deshalb laden meine Herren Euch zu einem großen Fest. Wenn der Winter sein Ende genommen, noch vor der Sonnenwende, sollt Ihr kommen.«

»Das wird schwerlich gehen«, wehrte Siegfried ab. Ob die Einladung sein Misstrauen weckte, ist nicht überliefert.

Nun wandte sich Markgraf Gere Kriemhild zu: »Eure Mutter Ute mahnt Euch, auch Gernot und am meisten Giselher, sie klagen täglich, dass Ihr so fern seid. Auch Brünhild, meine Herrin, will Euch wiedersehen.«

Kriemhild erfüllte diese Einladung mit Freude.

Nach erneuter Aufforderung nahmen die Gäste endlich Platz. Wein wurde reichlich eingeschenkt. Nun trat auch Siegmund in den Saal und hieß die Boten willkommen.

Siegfried ließ die Gäste gut bewirten. Neun Tage wohnten sie in bequemen Gemächern, dann drängte Gere auf Heimreise.

Inzwischen beriet sich Siegfried mit seinen Vertrauten. Für Kriemhild wäre die Reise zu lang, meinte der König. Wegen eines Kriegszuges für die Burgunden ritte er durch dreißig Länder, beteuerte er. Seine Vertrauten rieten zur Umsicht, aber mit tausend Recken könne er die Fahrt wagen.

König Siegmund wollte Siegfried mit hundert Recken begleiten.

»Mein viellieber Vater«, dankte der Sohn, »wie froh bin ich, dass du mit uns reitest. In zwölf Tagen sind wir bereit.«

Zum Lohn wurden die Boten so reich beschenkt, dass es ihre Pferde nicht tragen konnten und Saumtiere beladen wurden. Da der König der Einladung zu folgen versprach, reisten die Burgunden heim.

Siegfried ließ für die Fahrt seine Leute neu einkleiden, kostbare Sättel, neue Schilde und die besten Waffen wählen.

Als Markgraf Gere in Gunters Saal trat, sprang der König von seinem Sessel. Auch Brünhild dankte ihm, dass die Gäste so bald kommen würden. Nach Siegfried befragt, berichtete Gere, der König und Kriemhild seien vor Freude errötet.

»Sagt mir, kommt auch Kriemhild?«, vergewisserte sich Brünhild.

»Das ist sicher«, erwiderte Gere.

Der Markgraf und seine Begleiter konnten die reichen Geschenke aus Xanten nicht verbergen und mussten das Gold, den Schmuck und die kostbaren Stoffe vor dem König und seinem Hofstaat ausbreiten. Alle lobten die Freigebigkeit Siegfrieds. Nur Hagen sagte gereizt:

»Der kann bequem verschenken, sein Hort ist unermesslich. Selbst wenn er ewig lebte und täglich verschwendete, der Schatz ist nicht aufzubrauchen. Käme der Hort nur ins Burgundenland.« Dies ist das erste Mal, dass ein Satz Hagens über den Hort berichtet wird. Ob jemand auf ihn achtete, wissen wir nicht.

Für die Gäste wurden Gemächer bereitet, Bänke und Tische im

Königssaal hergerichtet, sogar für die Küchen größere Töpfe, Pfannen und Kessel beschafft. Hunold, Sindold und Rumold fanden kaum Zeit zum Schlafen.

Die Fahrt zum Fest

Mit großem Gefolge brach das Königspaar auf. Im Zug gingen viele Saumtiere mit Reisetruhen beladen. Zu keiner Zeit wurden mehr kostbare Gewänder mitgeführt. Ihren kleinen Sohn ließen Kriemhild und Siegfried am Hofe in Xanten zurück. Dass er Vater und Mutter nicht wiedersehen würde, ahnte niemand. Freudig zog auch König Siegmund mit seinen hundert Bewaffneten nach Worms. Hätte er vorausgesehen, was seinem Sohn dort widerfahren würde, hätte er die Reise unterlassen.

Siegfried sandte Boten voraus.

Gunter ließ den Gästen eine Schar entgegenreiten und bereitete den Empfang mit Eifer vor. Dann fragte er Brünhild:

»Wie begrüßte Euch meine Schwester, als Ihr in mein Land kamt? So solltet Ihr auch Siegfrieds Weib willkommen heißen.«

»Das tue ich gern«, erwiderte Brünhild.

»Sie kommen morgen früh«, sagte Gunter, »empfangen wir sie schon vor der Burg, bereitet Euch vor. So liebe Gäste erwartete ich noch nie.«

Brünhild ließ ihre Mägde zur Hand gehen und die besten Kleider wählen. So trat sie in herrschaftlicher Pracht vor das Tor und empfing Kriemhild mit noch höheren Ehren, als sie damals bei ihrem Einzug in Worms erfuhr.

Siegfried ritt mit seinen Nibelungen heran. Die Scharen sprengten über das Feld, dass Staub aufwirbelte und in Wolken wie Fahnen über den Rhein wehte.

»Seid uns willkommen«, begrüßte Gunter Siegfried und Siegmund, »wie glücklich sind wir über Eure Fahrt zu uns!«

Dann trafen die beiden Königinnen aufeinander, begrüßten sich höflich und festlich. Die Recken erfreuten sich an den zahlreichen Schönen. Auch um ihnen zu gefallen und zur Freude der Gäste, hielten sie vor den Toren Kampfspiele ab. Vom Hauen und Schlagen dröhnte es durch die Mauern. So verging die Zeit mit Kurzweil.

Dann wurden die Gäste in die Burg geleitet. Satteldecken feinster Seide wehten im Windzug der Tore. Auf dem Weg in die Gemächer ruhten Brünhilds Blicke auf Kriemhild. Wie schön sie doch war. Wie vor dem Golde ihr Gesicht rosig rot glänzte!

Vom Trinken und Scherzen erschollen Lärm und Jubel durch Säle und Höfe der Burg. Was die Gäste begehrten, wurde ihnen gewährt. Auch Hagen und Dankwart dienten mit Eifer.

Wie früher erhielt Siegfried am großen Tisch des Königs den Ehrenplatz. Zwölfhundert Recken speisten und tranken im weiten Ring um ihn, mehr als der König der Burgunden bei sich hatte. Da dachte Brünhild: Wie wagt ein Untergebener sich so reich und mächtig zu geben?

Jeden Tag wurden reichlich Wein und Met ausgeschenkt, dabei manchem Trinker die Kleidung beschüttet. Aus ihren Reisetruhen zogen die Frauen täglich neue Kleider, jedes festlicher und mit kostbareren Steinen besetzt. Im Licht der Kerzen funkelte es.

Morgens schmetterten Posaunenklänge. Der Lärm von Flöten und Trompeten erscholl durch die Burg und die Stadt. Bald begannen die Kampfspiele. An den Fenstern spähten die Schönen nach den Recken. Brünhild und Kriemhild begegneten einander öfter und schienen sich gewogen. Nur am elften Tag kam es vor dem Münster zu einem Streit, der Unheil und Mord auslösen sollte.

Brünhild und Kriemhild verfeinden sich

Vor der Vesperzeit vergnügten die Recken sich auf dem Hofe wieder beim Kampfspiel. Viele Frauen und Männer jubelten ihnen zu. Wie an den Tagen zuvor saßen die Königinnen nebeneinander; jede dachte an einen Helden. Während des Festes hatte sich Gunter als mächtiger und freigebiger König erwiesen. Aber wo sich Siegfried auch zeigte, sein Glanz überstrahlte den des Herrschers von Worms.

»Ich habe einen Mann«, behauptete Kriemhild, »dem sollten alle diese Reiche untertan sein.«

»Lebte niemand anders als du und er allein«, erwiderte Brünhild, »dann könnte er herrschen. Aber solange Gunter da ist, kann das nicht sein.«

»Sieh nur«, warf Kriemhild ein, »wie herrlich er inmitten der Recken steht, so wie das helle Mondlicht über die Sterne scheint.«

»So stattlich dein Mann auch ist«, erwiderte Brünhild, »mächtiger ist dein Bruder Gunter. Er kommt vor allen Königen.«

Diese Rede brachte Kriemhild auf. »Soll ich Siegfrieds Taten aufzählen?«, wurde sie lauter. »Er ist nicht nur König der Niederlande, also Gunter wenigstens ebenbürtig. Kein Größerer wird je unter der Sonne herrschen.«

Das Gefolge der beiden Königinnen wurde auf den Streit aufmerksam.

»Ich hörte es selber aus Siegfrieds Mund«, glaubte sich Brünhild im Recht, »das erste Mal in meiner Halle: ich bin Gunters Mann. Den nenne ich untertan, der einem Herrn den Steigbügel hält.«

»Aber«, warf Kriemhild ein, »meine königlichen Brüder hätten nie erlaubt, dass ich die Frau eines Abhängigen werde. Ich bitte dich, Brünhild, kränke mich nicht weiter.«

»Wieso sollte ich auf jene Dienste verzichten, die Siegfried uns als Untertan schuldet?«, gab Brünhild zurück.

Kriemhild stieg Zornesröte ins Gesicht. »Wie sollte Siegfried dir dienen!«, rief sie herablassend. »Er ist edler und mächtiger als dein Mann. Und wenn der tatsächlich Siegfrieds Herr wäre, warum hätte Siegfried Gunter dann über zehn Jahre den Zins verweigern dürfen? Lass endlich deinen Übermut!«

»Genug deiner Anmaßung!«, eiferte Brünhild, »wir werden sehen, ob man dich bei Hofe ebenso ehrt wie mich.«

Beide Königinnen bebten vor Zorn.

»Das werden wir wahrlich sehen«, forderte Kriemhild ihre Widersacherin heraus, »dann sollen die Mannen beider Könige entscheiden, ob ich vor der Frau deines Königs das Münster betreten darf. Du wirst heute erfahren, dass mein Mann von höherem Rang ist als deiner und dass ich eine größere Königin bin als alle, die je eine Krone trugen.«

Der Hass beider Königinnen wurde unversöhnlich. Beider Gefolge schwieg betroffen. Recken beider Könige unterbrachen ihr Scherzen und lauschten dem Streit.

»Willst du schon keine Untergebene sein, dann trenne dich mit deinem Gefolge von meinem!«, verlangte Brünhild.

»So geschehe es!«, ordnete Kriemhild an und ließ dann ihre

Frauen die prächtigsten Gewänder anlegen. Sie selber kleidete sich königlich.

Vor dem Münster warteten Siegfrieds Nibelungen. Auch Gunters Recken umringten den Eingang. Einige wunderten sich, warum die beiden Königinnen nicht wie sonst beisammen waren. Aber die meisten hatten von dem Streit erfahren und harrten der Dinge.

Kriemhild hieß ihre dreiundvierzig schönen Mädchen, die sie aus dem Norden mit nach Worms gebracht hatte, leuchtende Kleider aus arabischer Seide tragen. So zog sie mit ihrem Gefolge zum Münster und hielt es für angebracht, dass Brünhild ihre Beschuldigung zurücknehme. Gunters Frau erwartete sie mit ihren prächtig ausgestatteten Begleiterinnen bereits vor dem Tor. Aber was war das gegen die herrliche Kleidung der Mädchen Kriemhilds. Sie war durch Siegfried so unermesslich reich, dass dreißig andere Königinnen nicht solche Kostbarkeiten hätten zeigen können.

So trafen sie feindselig vor dem Münster aufeinander. Da befahl Brünhild ihrer Widersacherin stehenzubleiben und rief:

»Die Frau eines Untergebenen lässt eine Königin vorangehen!«

»Hättest du nur geschwiegen, das wäre besser für dich!«, erwiderte Kriemhild schroff. »Nun ziehst du Schande auf dich. Wie konnte je die Kebse eines Abhängigen die Frau eines Königs werden?«

»Wen nennst du hier Kebse?«, fragte Brünhild aufgebracht.

Kriemhild zögerte, ehe sie das Geheimnis preisgab. Aber nun konnte sie nicht mehr zurück.

»Dich nenne ich so! Nicht Gunter liebte dich zuerst, sondern Siegfried, mein lieber Mann. Der nahm dich in der ersten Nacht. Warst du von Sinnen, dass du einen Untergebenen in dein Bett ließest?«

»Das werde ich Gunter sagen«, war alles, was Brünhild erwidern konnte.

»Was stört mich das«, sagte Kriemhild. »Dein Hochmut betrog dich. Warum hast du mich auch zu einer Untergebenen herabgesetzt?«

Brünhild fühlte sich im Innersten verletzt und begann zu weinen.

Nun betrat also doch Kriemhild mit ihrem Gefolge vor der burgundischen Königin das Münster. In Brünhild wuchsen Hass und Feindschaft wegen Siegfrieds neuem Verrat. Auch während des Gesanges im Münster blieben ihre lichten Augen trüb und nass. Hat sich Siegfried der Nacht gerühmt, dachte Brünhild, dann muss er es büßen. Sie verließ vor Kriemhild das Münster und stellte sich vor den Ausgang:

»Wartet! Ihr schimpftet mich Kebse, das müsst Ihr beweisen.«

»Lasst es ruhen«, wollte Kriemhild den Streit eindämmen, »die Beweise sind furchtbar.«

Aber Brünhild war zu aufgebracht, um noch einzulenken, ihr Stolz war tödlich verletzt. Und ringsum lauerten zahllose Recken und geschmückte Frauen.

Da wies Kriemhild auf den goldenen Ring, den sie am Finger trug. »Den gab mir mein Liebster«, sagte sie triumphierend, »nachdem er als erster bei Euch gelegen hatte.«

Als Brünhild den Ring sah, erbleichte sie, als ob sie tot wäre. Vor dem Gefolge beider Königinnen und den Gästen war sie bloßgestellt. Nie durfte dieses Geheimnis preisgegeben werden.

»Der Ring wurde mir gestohlen!«, rief Brünhild aufgebracht. »Jetzt kommt ans Licht, wer ihn geraubt hat.«

»Ich bin keine Diebin!«, sprach Kriemhild, »hättest du nur geschwiegen, um deiner Ehre willen. Der Gürtel, den ich trage, hier, der beweist es. Es ist keine Lüge. Mein Siegfried war dein erster Mann.«

Kriemhild band den Gürtel ab und hielt ihn hoch, dass alle ihn sehen konnten. Er war aus Seide von Ninive und mit kostbaren Steinen besetzt.

Als Brünhild ihn erkannte, brach sie wieder in Weinen aus.

»Ruft den König herbei!«, verlangte sie, »er soll hören, wie seine Schwester mich entehrt.« Nun wurmte es Brünhild, dass sie sich auf den Streit mit Kriemhild eingelassen hatte.

Es dauerte nicht lange, und der König kam mit seinem Gefolge. Als er seine Frau vor Wut heulen sah, fragte er:

»Wer tat dir das an?«

»Deine Schwester hat mich beleidigt wie noch niemand«, schluchzte sie, »sie behauptet, Siegfried habe mich zur Kebse gemacht.« Dabei wurde sie blutrot.

»Das wäre sehr tückisch«, erwiderte der König und erbleichte wie eine Leiche.

»Da zeigt sie meinen Gürtel, den ich verlor, und dort meinen

Goldring. Wie konnte man mir das antun! Wäre ich nie geboren! Mein König, reinige mich von dieser großen Schande!«

»Siegfried soll vor uns treten!«, verlangte der König, »wir wollen hören, ob er sich dessen gebrüstet hat oder sich vom Vorwurf befreit.«

Der Held aus dem Niederland, rasch herbeigerufen, fragte erstaunt: »Was weinen die Frauen? Warum sandte der König nach mir?«

»Ich wurde schwer beleidigt«, hielt Gunter ihm vor, »meine Frau Brünhild behauptet, du habest dich gerühmt, ihr vor mir beigelegen zu haben.«

»Falls Kriemhild so gelogen hat, werde ich sie bestrafen und vor allen deinen Mannen einen hohen Eid schwören, dass ich solches nie gesagt habe.«

»Hast du den heiligen Eid hier vor allen geschworen«, erklärte der König, »spreche ich dich von allen Beschuldigungen frei.«

Die Burgunden bildeten einen Kreis um Siegfried. Als der bereits die Hand zum Eid hob, gebot König Gunter Einhalt:

»Mir ist wohl bekannt, dass Ihr unschuldig seid. Hiermit spreche ich Euch von dieser Anschuldigung frei. Wessen Euch meine Schwester bezichtigt, habt Ihr nie getan.«

Die Recken und das Gefolge waren erleichtert.

Und Siegfried erklärte: »Mir tut es leid, dass Brünhild von Kriemhild so gekränkt wurde. Dafür wird sie büßen. Man erziehe Frauen so, dass sie leichtfertiges Gerede unterlassen. Verbiete du es deinem Weibe wie ich meinem. Ich schäme mich für Kriemhild.«

Obwohl die Könige den Streit geschlichtet zu haben schienen, war den Recken und dem Gesinde das Lachen vergangen. Feststimmung kam nicht mehr auf.

Brünhild saß zutiefst verletzt in ihrem Gemach. Gunters Mannen suchten sie zu trösten. Hagen von Tronje ging zu seiner Herrscherin und fand sie weinend. Da gelobte er ihr, Siegfried müsse büßen, sonst könne er selber nie mehr fröhlich sein.

Als so über Siegfrieds Tod geredet wurde, kamen Ortwin und Gernot dazu, schließlich auch Giselher.

»Warum habt Ihr das vor?«, warnte der jüngste Bruder, »Siegfried verdient keinen solchen Hass, dass er deshalb sterben müsste. Worüber sich Frauen streiten, ist oft ohne Belang.«

»Dürfen wir unser Königshaus so entehrt lassen?«, fragte Hagen unerbittlich: »Er hat damit geprahlt, vor meinem König meiner Herrscherin beigelegen zu haben, und damit die Königsehre verletzt, das Höchste, was wir haben. Wenn er sein Leben nicht lassen muss, sterbe ich lieber selber.« Jetzt sah Hagen seine Zeit für große Taten gekommen.

»Siegfried siegte für uns gegen die Dänen und Sachsen, er brachte uns nur Ruhm und Ehre«, versuchte Gunter Hagens Zorn zu dämpfen. »Also soll er leben.«

»Auch seine große Kraft rettet ihn nicht«, beharrte Ortwin von Metz, »wenn es mein Herr erlaubt, töte ich ihn.«

So verständigten sich Siegfrieds Feinde am Hofe. Aber Gunters und Giselhers Einspruch bewirkten, dass keiner den Streit der Königinnen weiterverfolgte. Nur Hagen flüsterte dem König immer wieder ein, Siegfried sei ohnehin zu mächtig und erhaben und werde in Worms höher geehrt als Gunter; und wenn Siegfried nicht mehr lebe, falle ihm viel Königsland zu. Auch von dem Hort wird Hagen, so glaube ich, gesprochen haben.

Die Aussicht auf solchen Machtgewinn brachte den König in große Bedrängnis.

Er sann lange darüber nach.

Die Recken übten sich weiter in Kampfspielen. Wieder wurden Speere gegen Schilde geschleudert, dass es durch die Höfe der Burg dröhnte. Auch bei Gunters Mannen staute sich Unmut über die Verunglimpfung ihrer Königin.

»Zügelt Eure Mordlust«, entgegnete Gunter Hagen, als dieser ihn wieder aufstachelte, »Siegfried bringt uns nur Gutes. Überdies ist er kühn und grimmig stark; erführe er etwas, könnte es für uns alle übel enden.«

»Das bleibt ihm verborgen«, versicherte Hagen, »ich traue mir zu, ganz heimlich vorzugehen. Er soll Brünhilds Tränen noch bitter bereuen. Siegfried ist ewig mein Erzfeind.«

»Wie willst du das bewerkstelligen?«, wurde der König neugierig.

»Wir lassen Boten, die hier keiner kennt«, spann der Tronjer seinen tückischen Faden, »ins Land reiten und uns den Krieg erklären. Dann verkündet Ihr, ein Heer aufzustellen und gegen die Feinde zu ziehen. Der Held aus Xanten wird Euch seine Hilfe anbieten und dabei umkommen. Zuvor erkunde ich seine verwundbare Stelle.«

Diesem Rat widersetzte sich der König nicht.

Siegfried wird verraten

Nach vier Tagen preschten zweiunddreißig Mann in den Burghof und gaben vor, Gesandte Lüdegasts zu sein. Gunter begrüßte sie und nahm ihre Botschaft entgegen. Lüdegast und Lüdeger stünden erneut an der Grenze und drohten einzufallen. Der König gab sich sehr zornig.

Siegfried traute seinen Verwandten am burgundischen Hofe.

Wieder hielt Gunter geheimen Rat. Mancher seiner Vertrauten hätte den Streit wegen Siegfried schlichten und auf die Rache verzichten wollen, aber Hagen gab keine Ruhe und ging nicht von seinem Vorsatz ab. Siegfried stieß zufällig auf diese heimliche Zusammenkunft.

»Was sitzt Ihr so bekümmert?«, fragte er. »Hat Euch jemand etwas angetan, so will ich es rächen.«

Auch Hagens Mordplan könnte den König und seinen Rat bedrückt haben. Aber Gunter lenkte die Rede rasch auf den drohenden Angriff der Dänen und Sachsen.

»Wagen sie das wieder«, erboste sich Siegfried, »verwüste ich ihr Land mehr als vordem. Dafür setzte ich mein Haupt zum Pfand. Bleibt mit Euren Recken daheim. Ich reite mit meinen Nibelungen gegen den Feind.«

»Dank für deine Hilfe«, erwiderte der König, als ob er ernstlich froh wäre; und der Ungetreue verneigte sich tief, vielleicht sollte Siegfried ihm nicht in die Augen sehen.

»Seid ohne Sorge«, beteuerte Siegfried.

Gunter ließ seine Recken und Knechte zum Feldzug bereitmachen. Laut klirrten Waffen, Rüstungen und Gerätschaften, für Siegfried und seine Mannen nicht zu überhören. Auch der Held aus dem Niederlande hieß seine Nibelungen sich vorbereiten und Schilde, Brünnen und Waffen wählen. Die wurden dann auf Tragtiere gebunden.

Siegfried bat seinen Vater, bei Gunter am Hofe auf seine Rückkehr zu warten.

Manche von Gunters Getreuen wussten nichts von dem Scheinfeldzug.

Vor dem Aufbruch des Heeres ging Hagen zu Kriemhild und gab vor, Abschied zu nehmen.

»Wie froh bin ich«, beteuerte die Schwester des Königs, »dass ich Siegfried zum Manne gewann, wie tapfer schützt er unser Königshaus. Mein lieber Freund Hagen, denke daran, dass ich Euch noch nie gehasst habe und Euch vertraue. Lasst mich meinen lieben Mann genießen. Vergeltet es ihm nicht, was ich Brünhild angetan. Es hat mich sehr gereut. Wegen meines Geredes hat mich Siegfried verbleut. Soll ich die Flecke zeigen?«

»Bald werdet Ihr versöhnt«, versprach Hagen. »Kriemhild, liebe Herrin, sagt mir, wie ich Eurem Siegfried dienen kann. Für keinen anderen täte ich das.«

»Im Kampf ist er zu tollkühn und übermütig. Wäre er bedächtiger, könnte ihm nichts widerfahren.«

»Ist er doch verwundbar?«, forschte Hagen weiter und gab sich besorgt. »Herrin, lasst mich wissen, auf welche Weise ich ihn schützen kann. Ich will stets an seiner Seite reiten.«

»Wir sind Verwandte«, versicherte sich Kriemhild, »ich baue auf deine Treue. Behüte meinen Mann.« Und ohne dass Hagen zu fragen brauchte, verriet sie ihm das Geheimnis.

»Mein Mann ist äußerst stark und kühn«, fuhr Kriemhild fort, »als er den Lindwurm erschlug, badete er in dessen Blut. Aber wenn im Kampf viele Speere fliegen, befürchte ich, einer könnte Siegfried verletzen. Wie bange ich oft! Viellieber Freund, im Vertrauen auf deine Treue verrate ich dir etwas: Als er im Drachenblut badete, fiel ein breites Lindenblatt zwischen seine Schultern. Dort ist er nicht gehörnt.«

»Nähe ein kleines Zeichen auf sein Gewand«, riet Hagen, »dann weiß ich, wo ich ihn im Gefecht schützen kann.«

So hoffte Kriemhild ihn zu retten. »Mit feinster Seide ein geheimes Kreuz«, versprach sie, »geratet ihr ins Handgemenge, so achtet auf diese Stelle.«

»Meine vielliebe Herrin«, beteuerte Hagen, »wie gern tue ich das.«

Kriemhild glaubte, es sei zu Siegfrieds Schutz. Hagen verabschiedete sich fröhlich.

Niemals wurde eine Königin so boshaft getäuscht, zu keiner Zeit ein Held je so hinterhältig verraten.

Frohen Mutes brach Siegfried am nächsten Morgen mit seinen tausend Nibelungen auf und glaubte, gegen die Feinde zu reiten. Hagen war dicht hinter ihm. Als der Tronjer das Kreuz erspähte, sandte er heimlich zwei seiner Leute aus, um zu melden, Lüdeger biete Gunters Land Frieden.

Siegfried war in Kampfstimmung, ritt ungern zurück zu König Gunter. Der dankte ihm heuchlerisch und lud zu einer Jagd in den Odenwald. Auch zu dieser List hatte Hagen geraten. Siegfried bat um einen jagderfahrenen Begleiter und einige Hunde. Gunter versprach ihm vier tüchtige Jäger, die sich im Wald und beim Wild gut auskannten. Und Hagen hatte dem König zugeflüstert, wie er Siegfried töten wollte.

Ehe der Held aus Xanten aufbrach, ging er noch einmal zu Kriemhild. Sein Pirschgewand war bereits auf ein Saumtier geladen.

»Unser Schicksal gebe, dass ich dich gesund wiedersehe und du mich«, sagte er und küsste seine Geliebte auf den Mund. »Pflege Kurzweil mit deinen Verwandten in Worms.«

Kriemhild quälte, was sie Hagen verraten hatte, aber sie traute sich nicht, es zu gestehen. Sie weinte maßlos und klagte:

»Oh, wäre ich nie geboren! Oh, wäre ich nie geboren!«

Das Weinen zu unterdrücken gelang ihr nicht. Sie flehte Siegfried an:

»Reite nicht zur Jagd! Ich träumte heute nacht, zwei wilde Eber jagten dich über die Heide, da wurden die Blumen rot. Ich fürchte Angriffe. Es gibt Leute, die könnten uns hassen. Denk daran, wir haben Brünhild beleidigt. Bleib hier, Geliebter, folge meinem treuen Rat!«

»Deine Verwandten wollen mir wohl, dessen bin ich mir gewiss«, versuchte er Kriemhild zu beruhigen, »wieder hätte ich ihnen beigestanden. Du weißt, ich setzte mein Leben für sie ein. In einigen Tagen bin ich zurück.«

»Nein, mein liebster Siegfried«, unterbrach sie ihr Weinen, »ich fürchte um dein Leben. Du rittest im Tal, träumte mir, da stürzten zwei Berge auf dich nieder, und ich sah dich nimmermehr. Scheidest du jetzt, bricht mir das Herz. Ich habe Angst, ich sehe dich nie wieder.«

Siegfried nahm sein schönes Weib in die Arme, liebkoste und küsste sie. Dann verabschiedete er sich und eilte zur Jagdgesellschaft.

Hagen durchbohrt Siegfried mit dem Speer

Gunter und Hagen hatten die Pirsch mit Speeren auf Eber, Bären und Wisente ankündigen lassen. Siegfried ritt an ihrer Seite. An einem kalten Brunnen sollte die Tat ausgeführt werden. Dazu habe Brünhild geraten, heißt es. Ob sie begierig darauf lauerte oder gar ihre Rache bereute, ist unbekannt. Gernot und Giselher blieben in Worms zurück.

Schwerbeladene Pferde waren über den Rhein vorausgesandt; die trugen Brot, Fleisch, Fische und andere Vorräte, die ein König brauchte.

Auf einem Werder wurde das Lager errichtet. Während die Hatz vorbereitet wurde, fragte Siegfried: »Wer findet im Wald die besten Fährten?«

»Trennen wir uns für die Jagd«, schlug Hagen vor, »jeder wende sich dahin, wo er will; treffen wir uns wieder, wissen wir, wer der beste Jäger ist. Auch die Rudel der Hunde sollten wir aufteilen.«

»Ich brauche nur einen Bracken, der scharf genug ist, die Fährten im Wald zu verfolgen«, meinte Siegfried.

Ein alter Jäger wählte einen guten Spürhund und brachte Siegfried in kurzer Zeit dahin, wo sich viele Tiere aufhielten. Sein Ross Grani war so schnell, dass ihm kein Wild entkam. Zuerst erschlug er mit eigener Hand einen starken jungen Eber. Danach scheuchte er einen mächtigen Löwen auf. Siegfried setzte einen scharfen Pfeil auf die Sehne seines Bogens und schoss auf ihn. Der Löwe brach nach drei Sprüngen zusammen. Siegfrieds Begleiter lobten den Schützen.

Danach schlug er einen Wisent, einen Elch, vier starke Auerochsen und einen grimmigen Bockhirsch. Grani trug ihn so geschwind, dass auch das schnellste Tier nicht entkam. Da stöberte der Spürhund einen mächtigen Eber auf. Als der flüchtete, griff der Jäger ihn an. Nun rannte der wütige Eber gegen Siegfried, der durchbohrte das übermäßig starke Tier mit dem Schwert. Kein anderer Jäger hätte das so leicht vermocht. Nun wurde der Spürhund gefangen und an die Leine gelegt, dann die reiche Beute ins Lager geschafft.

»Herr Siegfried, lasst noch einige Tiere am Leben«, scherzten die Jäger, »ihr leert uns sonst Wald und Berge.«

Da begann Siegfried zu lächeln. Fröhlichkeit wird sonst kaum von ihm berichtet.

Das laute Bellen der Hunde, die Rufe der Jäger und das Klirren ihrer Waffen hallten von den Bergen und im Walde wider. An diesem Tage verloren viele Tiere ihr Leben. Die reiche Beute wurde zum Lager getragen. Jeder Jäger hatte gehofft, als bester den Siegerpreis zu bekommen; jedoch nur so lange, bis Siegfrieds erlegtes Wild herangeschleppt wurde.

Der König erreichte mit seiner Jagdgesellschaft das Lager und ließ ins Horn blasen; so wurde zum Gelage gerufen.

Als ein Begleiter Siegfrieds den Klang des Hornes hörte, wollte der Held von Xanten den Wald verlassen. Da brach ein Untier aus dem Unterholz.

»Lass den Hund von der Leine!«, rief Siegfried nach hinten, »da ist ein wilder Bär, den will ich ins Lager bringen.«

Der Hund jagte den Bären. Siegfried setzte ihm nach bis an eine Bergschlucht, dort glaubte das Tier sich sicher. Aber der Held von Niederland sprang von seinem Pferd und überwältigte die Bestie mit bloßen Händen. Obwohl der Bär biss und kratzte, blieb Siegfried durch seine Hornhaut geschützt. Es gelang ihm, das Untier zu fesseln und an den Sattel seines Pferdes zu binden. So ritt er zum Lager und bereitete dort der Jagdgesellschaft große Kurzweil.

Wie königlich er daherkam! Sein Speer war stark und breit. Sein Schwert Balmung hing bis zu den Sporen und war so scharf, dass auch der stärkste Helm ihm nicht standhielt. Siegfrieds Bogensehne war so straff, dass nur er den Bogen zu spannen vermochte; ein anderer hätte eine Winde gebraucht. Sein Köcher steckte voller scharfer Pfeile mit handbreiten Schneiden und goldenen Tüllen. Wer von ihnen getroffen wurde, musste sterben. Das Horn an der Seite glänzte von rotem Golde.

Siegfrieds Rock war aus feiner schwarzer Seide, sein Hut aus kostbarem Zobelpelz, der Köcher mit reichen Borten besetzt. Sein Überzug von Pantherfell duftete fremdländisch. Das Jagdgewand aus Otterfell war mit schmalen Streifen anderen Pelzes besetzt und beiderseits von goldenen Spangen zusammengehalten. Von einem prächtigeren Pirschgewand wurde nie berichtet. So ritt Siegfried stolz und hochgesinnt mit Gebärden eines Herrschers ins Lager ein.

Gunters Mannen liefen ihm entgegen und hielten sein Ross. Der Bär, an den Sattel gebunden, wurde unruhig. Da löste Siegfried ihm die Knebel von Maul und Tatzen und ließ ihn frei. Die Hunde bellten wütend, das verwirrte Tier versuchte, auf kürzestem Wege den Wald zu erreichen, und rannte in die Küche. Die Kochknechte stoben von den Feuern. Kessel wurden umgestoßen. Gute Speisen sickerten in die Asche.

Der Bär begann zwischen dem Küchengerät zu toben. Da sprangen die Herren von ihren Sitzen auf. Rasch hieß der König die Hunde loszulassen. Der Bär floh in den Wald, gefolgt von den Jägern mit Speeren und Bogen. Doch wegen des Getümmels der Hunde wagte keiner zu schießen. Lärm und Getöse der Hatz schallte aus dem Gebirge wider. Im Wald schüttelte das Tier die Verfolger ab. Nur Siegfried holte es ein und erstach es mit Balmung. Nun war er von der Jagd erschöpft; er ließ den blutenden Bären ins Lager zurückschleppen.

Die Jäger priesen die Stärke des Helden von Xanten. Was er auch tat, stets übertraf er alle anderen. Aber nicht nur Hagen verfolgte Ruhm und Glanz Siegfrieds mit Missgunst, sah die Vorführung des Bären als Prahlerei.

Die Jagdgesellschaft lagerte sich und wurde mit auserlesenen Speisen bewirtet. Nur zu trinken fehlte. Kein Schenk ließ sich mit Wein blicken. Dies war Hagens erste List.

»Ich wundere mich sehr«, rief Siegfried ärgerlich, »die Küche bewirtet uns vorzüglich, warum reichen die Schenken keinen Wein? Wo ich nicht gut versorgt werde, will ich kein Jäger sein! Wohl hätte ich Besseres verdient!« Ihm war von der Jagd so warm, dass er es kaum ertrug.

»Was Euch fehlt, sollt Ihr haben«, warf Gunter mit Hinterlist ein, »Hagen ist schuld, lässt aus Spaß uns verdursten.«

»Mein Herr«, versicherte Hagen, »ich meinte, wir pirschen heute im Spessart. Dorthin ließ ich den Wein fahren. Künftig sollen wir nicht mehr dürsten.«

Siegfried war vor Durst und Ungeduld fast zornig geworden.

»Edle Recken«, schlug Hagen vor, »ich weiß in der Nähe einen kühlen Brunnen, lasst uns dahin gehen.«

In der Not seines Durstes beendete Siegfried früher sein Mahl und wollte zur Quelle am Berg. Seine Beute wurde auf Wagen geladen und an den Rhein geschafft. Wer die vielen erlegten Tiere sah, lobte sein Jagdgeschick.

»Niemand schlüge Euch im Lauf, heißt es«, reizte Hagen, »aber um es zu glauben, sähe ich es gern mit eigenen Augen.«

»Versuchen wir's«, ging Siegfried darauf ein, und gewährte einen Vorteil: »Während Ihr loslauft, lege ich mich ins Gras, und ich behalte mein Pirschgewand an, trage Schild und Waffen.«

Gunter und Hagen legten Rüstung und Kleidung ab, rannten dann nur in weißen Hemden los. Wie zwei wilde Panther hetzten sie über die Kleewiese. Obwohl Siegfried erst vom Boden aufspringen musste und die schweren Waffen trug, holte er, klirrend in seiner Rüstung, bald den König und Hagen ein und erreichte vor ihnen den Brunnen.

Wieder erwies sich der Held aus Xanten den anderen überlegen. Wieder könnte er sich deshalb für unbezwingbar gehalten, den Blick für die Gefahr verloren haben. Er löste den Gurt seines Schwertes, legte den Köcher ab und lehnte den starken Speer an einen herabhängenden Ast der Linde, die breit über dem Felsen stand. In seinem Pirschgewand und den goldenen Spangen war Siegfried herrlich vor dem Wasserstrahl anzusehen, der aus dem Felsen brach.

So groß auch der Durst Siegfrieds war, er legte den Schild neben dem Brunnen nieder, wartete aber, bis der König trank. Obwohl selber König, gewährte er dem Gastgeber Vorrang. Aber der wird es ihm schlecht danken.

Der Quell war kühl, rein und hell. Gunter beugte sich nieder und trank reichlich, dann trat er zur Seite. Siegfried, von großem Durst gequält, neigte sich über die kühle Flut und trank lange. Inzwischen trug Hagen rasch Siegfrieds Schwert und Bogen beiseite, eilte mit dem Speer zurück zur Quelle und erspähte das Zeichen auf seinem Rücken.

Als der Held in seinem prächtigen Pirschgewand, berührt von einem Zweig der Linde, den Wasserstrahl sich in den Mund sprudeln ließ und die schrillen Warnrufe der Meisen missachtete, schoss Hagen dem Unverwundbaren aus der Nähe seinen Speer in den Rücken. Aus der Wunde sprang das Blut von Siegfrieds Herzen auf Hagens Kleidung.

Der Speer hatte das feingestickte Kreuz auf dem prächtigen Pirschgewand durchbohrt und stak Siegfried vorn aus der Brust. In furchtbarer Wut sprang der Held auf, suchte sein Schwert und den Bogen. Da er sie nicht fand, riss er unter der breitästigen Linde seinen Schild an sich und rannte – die Speerstange ragte aus seinem Rücken – gegen Hagen an. Der war noch nie im Leben so rasch vor einem Manne geflohen, aber er entkam nicht. Obwohl zu Tode getroffen, schlug Siegfried mit seinem Schild Hagen so nieder, dass die Edelsteine aus dem Schildbuckel durch die Luft sprühten und der derbe Schild zerbarst. Der Schlag, von dem Hagen zu Boden ging, hallte wie ein Donner von den Bergen und vom Wald wider. Hätte Hagen nicht Balmung beiseitegeschafft, wäre er damit erschlagen worden.

Nun wich die Farbe aus Siegfrieds Gesicht, er sank auf die Knie ins Gras. Die Blumen röteten sich von seinem Blut.

»Ihr Elenden, ihr Feiglinge!«, rief er, »ich diente euch, aber ihr stacht mich nieder, zahltet meine Treue mit Mord. Ich verfluche euer ganzes Geschlecht, alle, die von euch geboren werden, wird es treffen.«

Die Jäger und das Gefolge liefen hin zu der Stelle, wo Siegfried starb. So wurde die erfolgreiche Jagd zum freudlosesten Tag. Siegfried wurde beklagt, auch vom König der Burgunden.

»Wer die Untat beging, weine nicht über den Schaden«, höhnte der Sterbende. »Hätte er ihn lieber verhindert!«

»Ich weiß nicht, was Ihr klagt«, sagte Hagen, »nun haben Sorge und Leid ein Ende, keiner trotzt uns mehr, ich hab uns von seiner Herrschaft befreit.«

»Was, Ihr rühmt Euch noch?«, erwiderte Siegfried, »hätte ich nur Eure Mordlust durchschaut! Jetzt sorge ich mich nur noch um Kriemhild und meinen Sohn. Aber für alle Zeit weiß man, Verwandte ermordeten heimtückisch seinen Vater.« Siegfrieds Stimme wurde schwächer. »Nur noch um eins bitt ich Euch, König: habt Ihr noch etwas Treue im Leib, nehmt Euch meiner Kriemhild an, lasst ihr zugutekommen, dass sie Eure Schwester ist, bei Eurer Ehre als König. Vergeblich warten nun mein Vater und meine Getreuen.«

Die Blumen färbten sich vom Blut des Helden leuchtend rot. Er rang mit dem Tode, aber nicht lange. Der Speer war scharf und unerbittlich.

Als die Mannen sahen, dass Siegfried gestorben war, legten sie ihn auf einen Schild, der war auch rot, jedoch von Gold. Dann beratschlagten sie, wie man verheimlichte, dass Hagen es getan hatte. Siegfried sei allein jagen gewesen, da hätten Räuber ihn im Wald hinterrücks erschlagen; das wollten sie verbreiten.

»Ich bring ihn zurück nach Worms«, erklärte Hagen, »was kümmert's mich. Er hat Brünhild entehrt, da mag seine Frau weinen.«

Totenklage und Begräbnis Siegfrieds

Erst in der Nacht setzte die Jagdgesellschaft über den Rhein. Schlimmer wurde kaum je eine Pirsch beendet.

Hagen ließ den toten Siegfried heimlich vor die Tür von Kriemhilds Kemenate bringen.

Wie gewohnt wurde früh vom Münster geläutet. Kriemhild weckte die Mädchen ihres Gefolges, rief nach Licht und ihrem Gewand. Ein Kämmerer fand den Toten, erkannte ihn aber nicht und sagte zu seiner Herrin, vor dem Gemach läge in seinem Blut ein Recke.

Sofort erinnerte sich Kriemhild an Hagens Frage, wie er ihren Gemahl schützen könne, und sank zu Boden, sprach- und blicklos. Sie lag eine Zeit, dann brach ihr Schmerz laut aus ihr heraus; sie schrie über alle Maßen, dass es in den Kemenaten widerhallte und die Mauern erbebten.

»Vielleicht ein fremder Recke«, versuchte der Kämmerer die Königin zu beruhigen.

Aber vor Jammer brach ihr Blut aus dem Mund. »Es ist Siegfried, mein geliebter Mann!«, schrie sie. »Brünhild hat's geraten, Hagen hat's getan.«

Dann ließ sie sich zu dem Helden führen, sah ihn in seinem prächtigen Pirschgewand blutig liegen, hob mit ihrer weißen Hand sein Haupt und erkannte ihn sofort. »Dein Schild ist nicht von Schwertern zerhauen, im Rücken der Speerstich, du fielst durch Mord!«, rief Kriemhild, »wer es getan hat, muss sterben!«

Kriemhilds Gesinde klagte und weinte und teilte den Schmerz seiner Herrin. Die sandte um Kämmerer aus, die Nibelungen zu wecken und König Siegmund zu unterrichten. Siegfrieds Mannen wollten die Tat nicht glauben, bis die Totenklage sie überzeugte. Siegmund hatte schlaflos gelegen, geplagt von Ahnungen, er werde seinen Sohn lebend nicht wiedersehen. Die Nachricht von Siegfrieds Tod wehrte er ab:

»Lasst eure Scherze, behauptet nie wieder, dass er erschlagen wurde.«

»Wollt Ihr nicht glauben«, sagte der Bote, »so hört Kriemhilds Klage.«

Mit seinen hundert Mannen eilte Siegmund zu Kriemhild.

»Wären wir nie in dieses Land gefahren!«, rief er. »Was sind das für Freunde! Aber warum ermordet man mir den Sohn und dir den Mann?«

»Sollte ich den, der es getan, herausfinden«, drohte Kriemhild, »der fände keine Gnade: und ich rächte mich so, dass seine Verwandten nur noch heulen müssten.«

Auch die Nibelungen kamen inzwischen herzu. Unter ihren Augen schloss Siegmund den geliebten Sohn in seine Arme. Das Klagen und Jammern war so groß, dass es bis in den Königssaal und die Höfe hallte. Auch in der Stadt Worms trauerte man um den ermordeten Helden.

Niemand konnte Siegfrieds Weib trösten.

Nun wurde dem Helden das Pirschgewand abgestreift; auch das Otterfell war blutverschmiert. Seine Wunden wurden gewaschen; und als sie den Leichnam auf die Totenbahre gelegt hatten, sah man den Einstich am Rücken, wo das Lindenblatt gelegen hatte.

Die Nibelungen eilten zu ihren Waffen und sammelten sich gerüstet und mit Schilden und Schwertern um ihren ermordeten König. Nach seinem Tod unterstanden sie nun König Siegmund, dessen ausgewählte Recken ebenfalls kampfesgierig auf Rache sannen. Gemeinsam wollten sie gegen Gunter und seine Männer ziehen, die mit ihm zur Jagd waren.

Als Kriemhild die Gewaffneten sah, erschrak sie. So groß auch ihr Leid und ihr Hass waren, sie fürchtete um die Nibelungen und warnte König Siegmund:

»König Gunter hat jetzt zu viele kühne Recken, die Burg und die Stadt sind übervoll. Ihr fändet gegen diese Übermacht den Tod.«

Aber die Helden Siegfrieds und Siegmunds banden die Helme fester und schwangen die Speere.

»Wenn ich den Beweis habe«, beschwichtigte Kriemhild sie, »könnt ihr Siegfried rächen. Warten wir auf die beste Gelegenheit. Helft mir jetzt mein Leid tragen und meinen lieben Mann einsargen.«

Auch die edlen Bürger und deren Frauen jammerten und klagten in den Straßen von Worms, denn niemand konnte sich vorstellen, dass Siegfried jemandem verhasst war. Und man war sich einig, nie wieder würde ein solcher Mann geboren.

Von Schmieden ließ man rasch einen Sarg von Gold und Silber fertigen, sehr groß und sehr stark und mit Spangen aus Stahl umschlossen. Am Morgen wurde der Sarg in das Münster getragen. Alle Gefährten Siegfrieds weinten, auch die Helden der Nibelungen. Niemand vermag genau zu erzählen, wie groß der Schmerz und wie laut die Klageschreie waren.

Da kamen auch König Gunter und der grimme Hagen mit ihrem Gefolge.

»Liebe Schwester«, beteuerte König Gunter, »ich fühle mit dir. Wäre uns nur das Unglück erspart geblieben! Wir werden immer über Siegfrieds Tod klagen.«

»Wäre es Euch wirklich leid, dann lebte Siegfried noch«, erwiderte Kriemhild. »Als Ihr meinen geliebten Mann umbrachtet, habt Ihr mich vergessen. Hättet Ihr doch mich getötet!«

Gunter und seine Leute leugneten weiter.

»Wer unschuldig ist«, sagte Kriemhild, »der trete an die Bahre, dann wird die Wahrheit für alle offenbar.«

Und als Hagen an dem toten Siegfried vorbeiging, begannen seine Speerwunden wieder zu bluten. Nach alter Überlieferung galt das als Zeichen für den Mörder.

Trotzdem beteuerte Gunter, Räuber hätten Siegfried erschlagen. Hagen habe es nicht getan.

»Diese Räuber«, entgegnete Kriemhild, »sind mir wohlbekannt, es sind Gunter und Hagen. Siegfrieds Freunde werden ihn rächen.«

Die Nibelungen banden ihre Helme wieder fester und nahmen die Schilde auf.

Gernot und Giselher, die der Jagd ferngeblieben waren, traten an die Bahre und sprachen:

»Liebe Schwester, solange wir leben, wollen wir dir beistehen und Trost geben.«

Aber niemand auf der Welt vermochte Kriemhild zu trösten. Und nur mit großer Mühe gelang es ihr, die Rachelust von Siegfrieds Gefährten zu dämpfen. Später sei der Sieg gewiss. Jetzt kämen auf einen von ihnen dreißig von Gunters Recken.

Gegen Mittag war der Sarg fertig. Man hob Siegfried von der Bahre und legte ihn hinein, gehüllt in kostbare Seide. Auch Ute und ihr Gefolge beweinten ihn. Es war da niemand, der nicht geweint hätte. Die Gesänge der Messe begannen. Es gab großes Gedränge. Auch viele Bürger der Stadt Worms kamen mit ihren Frauen und trauerten um den ermordeten Helden.

»Um seiner Seele willen werde sein Gold verteilt«, verfügte Kriemhild. Am ersten Tag wurden über hundert Messen gesungen. Als die letzte verklungen war und die Leute das Münster verließen, bat Kriemhild, sie bei der Totenwache in der Nacht nicht allein zu lassen.

»Drei Tage und drei Nächte soll der Sarg geöffnet stehen, da will ich bei meinem Mann sein«, sagte Kriemhild, »vielleicht nimmt auch mich der Tod, dann hätten Not und Qual der armen Kriemhild ein Ende.«

Viele Getreue harrten mit ihr drei Tage aus, mancher verweigerte aus Trauer Essen und Trinken. Wer nicht fasten wollte, nahm vom Totenschmaus, den Siegmund reich bereiten ließ.

Drei Tage wurden Messen gesungen. Kriemhild ließ an Trauernde und Bedürftige Gold, Silber, Schmuck und Gewänder verteilen. Es sollen mehr als dreißigtausend Mark Goldes gewesen sein, wird erzählt. Mancher Arme verließ reich beschenkt das Münster.

Dann wurde der Sarg geschlossen und zu Grabe getragen. Unter Weinen und Klagen und lautem Schreien kam der Zug nur langsam voran. Kriemhild rang mit ihrem Schmerz und brach mehrmals zusammen, so dass sie mit Wasser besprengt werden musste. Es galt als großes Wunder, dass sie wieder und wieder auf die Beine kam und nicht starb.

Am Grabe flehte sie: »Ihr Mannen Siegfrieds, erfüllt mir noch eine Bitte, noch einmal muss ich Siegfrieds schönes Haupt sehen.« Würde sie den Geliebten nicht noch einmal berühren, glaubte sie tot niederzustürzen.

Sie schrie so lange und ihr Jammer war so schrill, dass der herrliche Sarg noch einmal aufgebrochen wurde. Am Rand des Grabes beugte sie sich über Siegfried, hob mit ihrer weißen Hand sein schönes Haupt und küsste den toten Helden. Die Tränen aus ihren lichten Augen wurden blutig.

Als der Sarg wieder geschlossen und in das Grab gelassen wurde, klagte Kriemhild so maßlos, dass ihr die Sinne schwanden. Selbst Besprengen mit Wasser blieb ohne Wirkung, sie musste weggetragen werden. Manche meinten schon, ihr wäre vor Schmerz das Herz zersprungen. Wohl auch aus Hass und Rache wird sie am Leben geblieben sein.

Nachdem der Held begraben war, verharrten nicht nur die Nibelungen lange in unmäßigem Leid. König Siegmund fand keine Freude mehr. Vor Schmerz und Gram hatten viele drei Tage lang weder gegessen noch getrunken; jetzt gaben sie den Zwängen ihres Leibes wieder nach.

Brünhild wählt den Tod

In dem letzten großen Lied über die Nibelungen, dem wir folgen, wird nun Brünhild kaum noch genannt. Sie werde nicht mehr gebraucht, vermuten manche, aber nach alten Berichten schied sie bald selbst aus dem Leben. Siegfried, der Mann, den sie mehr liebte als jeden anderen, hatte ihr durch List und Trug Herrschaft und Reich geraubt und sie einem schwachen König vermählt. Wieder durch seine Schuld wurde beider Geheimnis verraten und sie vor dem Hofe in Worms bloßgestellt, sie verlor ihre Königsehre. Deshalb duldete sie Hagens Mordabsicht.

Nach über zehn Jahren mit Kriemhild war Siegfried wieder auf die frühe Geliebte getroffen. Die nordische Königin war noch keine höfische Dame geworden. Wurde Siegfried erneut von ihrer Urkraft angezogen? Sehnte er sich nach ihr zurück? Was tatsächlich geschah, bleibt im Dunkel. Aber aus älteren Quellen ist ein Gespräch überliefert:

»Du überragst alle Männer«, beteuerte Brünhild, »aber dir wurde keine Frau verhasster als ich.«

»Ganz anderes ist wahr«, versicherte Siegfried, »wie ich jetzt weiß, liebe ich dich mehr als mich selbst. Ich war dem Trug verfallen. Wieder zur Besinnung gekommen, schmerzt es mich, dass nicht du meine Frau bist.«

»Du hast zu lange gezögert, mir diesen Schmerz zu gestehen«, entgegnete Brünhild. »Wer soll nun das Unheil abwenden?«

»Gern bestiege ich wieder mit dir ein Bett und wollte, dass du meine Frau wärst«, sagte Siegfried.

»Ich mag nicht zwei Könige in meinem Saal haben, eher will ich sterben. Einer von uns dreien muss sein Leben lassen.« Und ehe sie weitersprach, erinnerte sie sich wieder an die Eide, die sie mit Siegfried auf dem Berge getauscht. »Jetzt ist alles gebrochen, ich will nicht länger leben.«

Erzählt wird auch, wie Brünhild schrill auflachte, als sie nach Siegfrieds Tod Kriemhilds Klageschreie vernahm. Aber dann fiel sie selbst in noch größeres Weinen. Sie hatte einen Eid geleistet, den zum Manne zu nehmen, der die Waberlohe durchritt, diesen Schwur zu halten oder zu sterben.

Niemand konnte ihr den Entschluss ausreden. Vor Gunter verbarg sie ihn. Ihr Abgang würde auch den König für Trug und Schwäche strafen. Nur die Sorge um ihren kleinen Sohn Siegfried, den sie mit Gunter hatte, ließ sie zögern. Aber bald wurde ihr Schmerz so groß, dass sie ihn nicht mehr ertragen konnte. Um sich endlich davon zu befreien, stieß sie sich ihr Schwert in die Brust.

»Wenn ich schon mit Siegfried nicht leben konnte, will ich wenigstens mit ihm sterben«, sagte sie und verblutete. »Der Tod verbindet uns auf ewig«, waren ihre letzten Worte.

Nach alter Sitte errichteten ihre Getreuen aus Isenstein einen großen Holzstoß, um sie zu verbrennen. So hatte sie es bestimmt.

Inzwischen hatte Siegmund Kriemhild zu baldiger Heimkehr nach Xanten gedrängt.

»Hier in Worms«, sagte er, »sind wir verschmäht, durch meinen Sohn bleibe ich Euch stets treu; Ihr sollt als die Königin herrschen, wie Siegfried es verkündet. Land und Krone bleiben Euch untertan. Und Siegfrieds Leute werden Euch gern dienen.«

Siegmund ließ die Knechte den Aufbruch vorbereiten. Die Mädchen packten die Kleider in Truhen für die Saumtiere. Auch die Nibelungen wollten nicht länger bei den Mördern ihres Königs bleiben.

Als sich Kriemhild für die Abreise rüstete, begannen ihre Verwandten auf sie einzureden, sie möge doch bei ihrer Mutter Ute bleiben.

»Das wird nie geschehen!«, wehrte sie stolz ab. »Wie könnte ich immer den vor Augen haben, der mir das größte Leid zufügte.«

»Vielliebe Schwester, stehe als einzige Tochter deiner alten Mutter bei«, drängte der junge Giselher; er wird sie auch um seiner selbst willen zum Bleiben aufgefordert haben.

»Müsste ich Hagen sehen, würde ich vor Schmerz sterben«, wehrte Kriemhild ab.

»Davor schütze ich dich«, beteuerte Giselher, »du sollst bei mir sein, deinem Bruder; ich will dir helfen, mit dem Tod deines Mannes zu leben.«

»Das kann ich nicht«, warf Kriemhild ein.

Nach dem jungen Giselher flehten auch Ute, Gernot und andere treue Verwandte sie an, bei den Burgunden zu bleiben.

»Dort sind dir alle fremd, keiner ist blutsverwandt, liebe Schwester, bleibe bei deiner Sippe hier«, so drängten sie.

Dann wählte Brünhild den Tod. Kriemhild erfuhr deren letzte Worte. Die kamen ihr nicht mehr aus dem Sinn.

Nun war es Kriemhild unmöglich, den Ort, wo Siegfried ruhte, zu verlassen, auch nicht wegen ihres Sohnes. Sie würde mit Siegfried zusammen sein und keine andere Frau.

Schließlich gelobte Kriemhild Giselher, in Worms zu bleiben.

Währenddessen hatten Siegmunds Mannen die Pferde bereits aus den Ställen geholt und gesattelt, die Rüstungen auf Saumtiere geladen. Siegmund wandte sich an Kriemhild, deren Truhen gepackt standen:

»Siegfrieds Nibelungen stehen bei ihren Rossen und warten auf das Zeichen zum Aufbruch!«

»Die Getreuesten raten mir, in Worms zu bleiben, in Xanten habe ich keine Blutsverwandten.«

»Lasst Euch das nicht einreden«, erwiderte Siegmund zornig, »vor allen meinen Verwandten sollt Ihr die Krone tragen, für Siegfried. Und denkt an Euren Sohn. Soll er verwaisen? Wächst er heran, wird es Euch trösten.«

»Was auch geschieht, ich bleibe bei meinen Verwandten und da, wo Siegfried ruht, der wird mir in meinem Schmerz beistehen.«

Siegmund vernahm das mit Missbehagen, wie auch seine Recken, von denen zu hören war:

»Wie sollen wir das hinnehmen? Bleibt Ihr bei unseren Feinden, wird unsere Heimfahrt noch gefährlicher.«

»Seid ohne Sorge«, beteuerte Kriemhild, »man wird Euch sicher geleiten. Und in Euren Schutz, König Siegmund, gebe ich inzwischen meinen Sohn.«

Als die Nibelungen Kriemhild entschlossen sahen, in Worms zu bleiben, weinten viele Männer. Und Siegmund sagte zum Abschied:

»Noch nie widerfuhr Gästen bei einem Fest so Schreckliches. Man wird uns nimmer bei den Burgunden sehen.«

Aber von Siegfrieds Recken war zu hören: »Wenn herausgefunden ist, wer unseren König erschlug, reiten wir noch einmal in dieses Land.«

Zum Abschied küsste Siegmund Kriemhild und sagte unter Tränen: »Nun lasst uns freudlos heimreiten, nie mehr finde ich Ruhe und Glück.«

Siegfrieds Vater verabschiedete sich von keinem, aber Gernot und Giselher traten zu ihm und seinen Mannen und beklagten den Tod seines Sohnes. »Ich rufe den Himmel zum Zeugen«, erklärte Gernot, »dass ich an seinem Tod keine Schuld trage und nicht einmal weiß, wer sein Feind ist.«

Der junge Giselher gab den Gästen das Geleit bis zur Grenze.

Wie die Fahrt verlief, davon kann ich nichts erzählen. Aber Kriemhild hörte zu keiner Zeit auf zu trauern. Nur der junge Giselher stand ihr treu und mit Trost zur Seite.

Der Nibelungenhort wird nach Worms gebracht

Für Kriemhild wurde nahe bei dem Münster in Worms ein Witwensitz errichtet, ein schlossartiger Bau, weiträumig und reich ausgestattet. Dort saß sie freudlos mit ihrem Gefolge. Graf Eckewart blieb mit seinen Mannen in Treue bei ihr. Jeden Tag stand sie am Grab ihres Geliebten, weinte und vertraute seine Seele ihrem Gott an. Auch ihre Mutter Ute und ihr Gesinde versuchten immer wieder, ihr Trost zu spenden. Aber es gab nichts, was ihren Schmerz lindern konnte. Nie hat ein Weib je so große Sehnsucht nach ihrem Mann gequält. Bis ans Ende ihres Lebens wird sie ihn beklagen.

Nach Siegfrieds Tod sprach Kriemhild dreieinhalb Jahre lang kein einziges Wort mit Gunter; so wird es verbürgt berichtet. Ihren Feind Hagen sah sie in dieser Zeit nie. Aber der begann seine tückischen Fäden weiterzuspinnen und raunte eines Tages König Gunter zu:

»Gelänge es, Eure Schwester zu versöhnen, dann käme der Nibelungenhort in unser Land.«

»Wir sollten es versuchen«, meinte Gunter, »meine Brüder sind oft bei ihr zu Gast, die mögen um ihre Freundschaft werben. Vielleicht hätte sie den unermesslichen Schatz gern bei sich.«

»Das glaub ich nicht«, stichelte Hagen.

König Gunter schickte Ortwin und Markgraf Gere zu Kriemhild. Dann versuchten wieder Gernot und Giselher, Kriemhild versöhnlich zu stimmen, und rieten ihr zu, denn mit dem Hort gewänne sie Macht.

»Zu lange beklagt Ihr Siegfrieds Tod«, bedauerte Gernot, »der König will beweisen, dass er ihn nicht erschlug.«

»Dessen zeiht ihn niemand«, entgegnete Kriemhild, »es war Hagens Hand. Als ich ihm die Stelle preisgab, wie konnte ich ahnen, dass Hass ihn trieb. Wie konnte ich Siegfried verraten! Aber den Mördern verzeihe ich nie.«

Dann flehte Giselher seine Schwester um Versöhnung an. Da willigte sie ein, den König zu empfangen. Er trat mit seinen nächsten Verwandten vor die Witwe. Nur Hagen war sich seiner Schuld bewusst und hielt sich fern.

Nie haben sich enge Verwandte mit so viel Tränen versöhnt. Da aber von Gunters Ratschluss ihr Leid ausgegangen war, wagte er keinen Kuss zur Versöhnung. Noch schmerzte der Mord sie tief, aber allen verzieh sie, außer Hagen.

Kurz darauf trugen die Brüder ihr an, den Hort zu fordern. Und in ihrem Auftrag fuhren Giselher und Gernot ins Land der Nibelungen. Kriemhild schickte achttausend Mann als Heer mit zu Alberich, der mit seinen Recken den Hort bewachte.

Als Alberich den gewaltigen Zug der Burgunden vom Hafen her auf seine Burg zukommen sah, sprach er zu seinen Recken:

»Der Hort ist die Morgengabe unseres Königs, die dürfen wir nicht verweigern. Aber hätten wir mit Siegfried nicht auch den Tarnmantel verloren, behielte ich den Hort. Dass unser König ihn nahm und sich seiner bediente, wurde ihm selbst zum Verhängnis.«

Alberich ließ den Kämmerer die Schlüssel holen.

Giselher und Gernot standen mit ihren achttausend Recken

bedrohlich vor der Burg Alberichs. Der ließ schweren Herzens den Schatz aus den Gängen in der Burg ans Ufer bringen und auf Schiffe laden, die den ganzen Hafen belegten.

Nun hört vom Hort jene Wunderdinge, die erzählt werden. Zwölf schwere Wagen mussten von morgens bis abends dreimal hin- und herfahren, und das vier Tage lang, um das Kostbarste wegzuschaffen. Es bestand aus Gold und Edelsteinen von unermesslichem Wert. Hätte man davon alle Länder und Burgen der Welt gekauft, wäre dieser Schatz nicht um eine Mark Goldes gemindert worden. Eine goldene Wünschelrute gehörte dazu. Wer mit ihr umging, konnte Herrscher über alle Menschen werden. Nicht ohne Grund begehrte Hagen den Hort für die Burgunden.

Viele Recken Alberichs schlossen sich der Flotte der Burgunden an; die schwerbeladenen Schiffe gelangten nur mühsam rheinaufwärts bis Worms.

Hier zählten Neugierige die Fuhren und schätzten das Gewicht der Wagen. Wie sich die Pferde vom Rhein her mühten! Als sich Keller und Kammern von Kriemhilds Wohnsitz längst gefüllt hatten, nahm der Zug noch kein Ende. Von keinem Schatz wurde je wieder so Wunderbares berichtet.

Und wäre der Hort noch tausendmal reicher gewesen, Kriemhild hätte lieber mit leeren Händen Siegfried neben sich gehabt. Kein Held gewann je ein getreueres Weib.

Mit Hilfe des Hortes zog die Witwe unbekannte Recken ins Land, schuf sich ein Gefolge auserwählter Helden, verschenkte mit offener Hand so viel, dass von keiner Königin größere Freigebigkeit zu berichten ist. Überall wurde sie als Herrscherin gepriesen. Schließlich argwöhnte Hagen:

»Bald sammelt sie so viele kühne Männer um sich, dass für uns Gefahr droht.«

»Das ist ihr eigen Hab und Gut«, gestand Gunter ihr zu, »wie soll ich ihr das verwehren? Eben erst gewann ich ihr Vertrauen zurück. Mag sie ihr Gold verteilen.«

»Ein so unermesslicher Schatz gehört in keine Hand eines Weibes«, versetzte Hagen, »der Hinterbliebenen eines Ermordeten. Bald wird sie so viel Macht innehaben, dass die drei Könige es bitter bereuen.«

»Ich schwor ihr Eide«, beharrte Gunter, »ihr nie wieder ein Leid anzutun, und die will ich halten. Sie ist meine Schwester.«

»Ich nehme wieder die Schuld auf mich«, beteuerte Hagen und brachte die Schlüssel für den Hort an sich.

Als Gernot davon erfuhr, wurde er sehr zornig. Und Giselher drohte: »Wie viel Leid fügte Hagen bereits meiner Schwester zu. Wäre er nicht mein Verwandter, ginge es ihm jetzt ans Leben.«

»Ehe uns aus dem Gold Unheil erwächst, versenken wir es lieber in den Rhein, damit es keiner mehr besitzt.« So riet Gernot.

Kriemhild klagte Giselher: »Viellieber Bruder, aber du solltest an mich denken, beschütze mein Leben und mein Gut.«

»Wenn ich zurückkomme, werde ich das«, beteuerte Giselher, »aber jetzt müssen wir ausreiten.«

König Gunter verließ mit seinen Brüdern und vielen Recken sein Land. Hagen blieb in Worms zurück und nährte weiter Hass gegen Kriemhild.

Die Witwe konnte in jener Zeit, als Gunter außer Landes weilte, nicht ständig in ihrem Wohnsitz verweilen. Und sie glaubte Giselher und Gernot und traute Gunter keinen neuen Eidbruch zu. Als Kriemhild einmal mit ihrem Gefolge ausfuhr, ließ Hagen den Hort aus den Gewölben und Kammern rauben. Zurückgebliebene Gefährten wagten nicht, das zu verhindern. Bei Nacht führte Hagen den gewaltigen Schatz nach Lochheim und versenkte ihn dort in den Rhein. Vor dem Ausritt hatten Hagen und die Könige feste Eide geschworen, solange einer von ihnen lebe, keinem diese Stelle zu verraten. Vielleicht hatten sie geglaubt, den Hort später zu nutzen.

Giselher, mit seiner Schwester innig verbunden, wird – so vermute ich – Hagen misstraut haben. Vielleicht hat er beim Ausritt sein Pferd stürzen lassen, eine Verletzung seines Fußes vorgetäuscht, sich vom Zug der Könige abgesetzt und vorgegeben, sich mit Zaubersprüchen heilen zu lassen. So verbarg er sich in der Nähe von Kriemhilds Sitz, folgte dem Zug des Hortes und erspähte die unterirdische Höhle im Rhein, wo der Schatz in schweren Truhen hinabgesenkt wurde. Dass Hagen sich an die eidlich bekräftigte Stelle im Fluss hielt, überraschte Giselher.

Zwar wird diese Probe auf Hagens Treue nicht berichtet, es könnte sich aber so zugetragen haben.

Als Gunter mit seinem Gefolge heimkehrte, empfing Kriemhild ihn mit Klagen und bitteren Vorwürfen. Giselher beteuerte seine Unschuld. Gunter und seine Brüder schoben wieder alle

Schuld auf Hagen. Der angebliche Übeltäter entwich eine Zeit vor dem Zorn seiner Herrscher, später erfuhr er Gnade und blieb ohne Strafe.

Aus Treue zu seiner Schwester könnte Giselher ihr zwar von der Versenkung des Horts berichtet, zugleich aber der Eide wegen die Stelle im Rhein verschwiegen haben. Damit keiner aus dem Hort zu große Macht gewänne, sei er jetzt allen entzogen.

Nach Siegfrieds Tod und dem Raub des Hortes fand Kriemhilds Schmerz kein Ende. Dreizehn Jahre lebte sie in Leid und Trauer und hielt stets ihrem geliebten Mann die Treue.

Etzel lässt um Kriemhild werben

Während der Blütezeit des Burgundenreiches herrschten an der Donau die Hunnen. Ihrem König Etzel war Helche gestorben, seine schöne und stattliche Frau. Obwohl er noch trauerte, rieten seine Vertrauten, bald um eine neue Gemahlin zu werben, und nannten Kriemhild. Die Witwe Siegfrieds sei die mächtigste und schönste Frau, die je ein Held gewann.

»Ich bin Heide, und sie ist getauft«, warf Etzel ein.

»Aber Euer hoher Name, Euer Reichtum! Ihr werdet ihren schönen Leib mit Lust umfangen«, lockte Rüdeger von Bechlaren.

»Sollte sie in meinem Lande die Krone tragen?«, überlegte Etzel und forschte weiter: »Ist sie tatsächlich so schön wie gepriesen?«

»Ich kenne die Königin von Kindheit an«, beteuerte Rüdeger, »ihre Schönheit gleicht der Helches. Keine Herrscherin ist reizvoller. Sie brächte uns Glück.«

»Nicht nur die Schönste ist sie, auch die reichste Königin«, erinnerte ein Vertrauter Etzels an den Nibelungenhort. »Der käme bei einer Heirat mit auf unsere Königsburg.«

»Dann, Rüdeger, wirb für mich um Kriemhild. Liegt die Schöne erst bei mir, werde ich dir das immer lohnen.«

Für die Werbefahrt wollte Etzel dem Markgrafen Rosse, Gewänder und Reisegut überlassen.

»Von deinem Gut zu zehren wäre unlöblich«, wehrte Rüdeger ab, »ich bestreite meine Botenfahrt von dem, was ich bereits aus deinen Händen erhielt.«

Rüdeger ließ Waffen, Rüstungen und Gewänder vorbereiten und fünfhundert stattliche Recken auswählen. Nach vierundzwanzig Tagen verließ er Etzels Burg und sandte Boten voraus nach Bechlaren zu seiner Frau Gotelind. Unterwegs in Wien ließ er die Kleidung anfertigen. Dann wurde er in seiner Burg in Bechlaren liebevoll empfangen, auch von seiner Tochter.

Als die Markgräfin nachts bei Rüdeger lag, wünschte sie ihrem Manne Glück als Bote nach Worms und meinte, es wäre zum Wohle des Hunnenreiches, trüge Kriemhild die Krone neben Etzel.

»Wir müssen so in Worms einreiten, wie noch nie ein König um eine Frau geworben hat«, meinte Rüdeger und ließ seine Frau Gewänder aus feiner schwerer Seide, vom Hals bis auf die Sporen mit Pelz besetzt, verteilen. »Je reicher meine Recken gekleidet sind, desto fröhlicher werden sie vor den König der Burgunden treten.«

Am siebenten Morgen brach der Markgraf mit seinen Mannen von Bechlaren auf. Waffen und Kleidung führten sie auf Saumtieren mit. Auf dem Weg durch Bayern schreckten die fünfhundert Recken Räuber vor Überfällen ab. So gelangten sie unbehelligt nach Worms an den Rhein.

Da die Saumtiere der Boten so schwer tragen mussten, hielt man sie für reich und mächtig. Als sie sich zur Königsburg wandten, legte Rüdeger ein prächtiges Gewand an. Auch seine Begleiter waren kostbar ausgestattet.

König Gunter trat ans Fenster, ließ Hagen rufen und fragte nach den Fremden.

»Zwar habe ich ihn lange nicht gesehen«, sann der Tronjer nach, »aber es könnte Rüdeger von Bechlaren sein.«

»Warum sollte Rüdeger in mein Land reiten?«, verwunderte sich der König.

Kaum hatte Gunter das gesagt, erkannte Hagen den Markgrafen und eilte mit anderen hinunter in den Hof, die Gäste aus dem Hunnenland würdig zu empfangen. Nie hätten Boten herrlichere Gewänder getragen, heißt es.

»Seid herzlich willkommen, Markgraf von Bechlaren, Ihr und Eure Mannen!«, rief Hagen mit dröhnender Stimme, dass es im Burghof widerhallte.

Die Fremden dankten für die Begrüßung und wurden von Hagen in den Saal Gunters geleitet. Der Herrscher, umgeben von seinen Recken, stand von seinem Königssitz auf, ging den Boten entgegen und hieß sie willkommen, er nahm Rüdeger bei der Hand und geleitete ihn zu seinem Sessel. Den Gästen wurde vom schmackhaftesten Met und besten Rheinwein eingeschenkt. Auch Gernot und Giselher und die anderen Mächtigen kamen zur Begrüßung.

Dann fragte Gunter: »Wie geht es König Etzel und seiner schönen Helche?«

»Das berichte ich gerne«, antwortete Rüdeger, stand mit seinen Begleitern von den Sitzen auf und sprach:

»Mein König entbietet Euch und Euren Freunden seinen Gruß und, falls nötig, Beistand. Aber er klagt auch seine Not. Denn die schöne Helche ist gestorben. Das Volk wurde freudlos. Vieler mächtiger Fürsten Töchter, die sie erzog, sind verwaist. Im ganzen Hunnenland wird getrauert. Unser König fiel in Gram und Sorge.«

»Sein Gott möge deinem König lohnen«, erwiderte Gunter, »dass er mir und den meinen Beistand bietet. Mit meinen Freunden bin ich zum Gegendienst bereit.«

»Die ganze Welt beklagt den Tod der schönen Helche«, beteuerte Gernot, »durch ihre Tugenden bleibt sie unvergessen.«

»Erlaubt mir«, sagte Rüdeger, »dass ich meine Botschaft fortsetze. Mein König trug mir Wichtiges auf. Ihm wurde berichtet, Eure Schwester Kriemhild sei ohne Gemahl; der mächtige Siegfried sei gestorben. Und wenn es so ist und Ihr es gestattet, so soll Kriemhild neben Etzel die Königskrone tragen. Das hieß mein Herr ihr übermitteln.«

Die Burgunden blickten überrascht auf Rüdeger. Ob Freude oder Bestürzung überwog, wissen wir nicht.

»Wenn sie darauf eingeht, wird sie auch meinen Willen hören«, sagte Gunter. »Nach Ablauf von drei Tagen gebe ich meine Antwort.«

Für die Gäste wurden prächtige Gemächer hergerichtet. Hagen war um gute Dienste bemüht und entgalt, was Rüdeger ehemals für ihn getan hatte. Aus früher Zeit kannten sich beide, wo sie am Hofe Etzels als Geiseln aufgewachsen waren.

Inzwischen berief Gunter seinen Rat zu sich. Alle Verwandten sprachen dafür, dass Kriemhild Etzels Frau werden sollte. Nur Hagen warnte:

»Auch wenn Kriemhild zu Etzel will, dürft Ihr nicht zustimmen.«

»Warum?«, widersetzte sich König Gunter, »ich gönne der Königin Glück und Liebe. Sie ist meine Schwester.«

»Lasst ab davon«, riet der Tronjer, »hättet Ihr von Etzel so genaue Kunde wie ich, wüsstet Ihr um die Gefahr.«

»Die sehe ich nicht«, beharrte Gunter. »Würde sie sein Weib, bliebe ich in Worms und seinem Hass fern. Können wir uns überhaupt erlauben, seine Werbung abzulehnen? Er ist viel zu mächtig.«

»Dem stimm ich niemals zu!«, widersetzte sich Hagen wie noch nie seinem König.

Da wurden Gernot und Giselher gerufen.

»Freund Hagen«, sagte Giselher, »Ihr fügtet meiner Schwester unermessliches Leid zu, deshalb hasst sie Euch. Jetzt könnt Ihr es vergelten und Treue beweisen, dann wird sie den Schmerz verwinden.«

»Ich warne nur, weil ich voraussehe«, erwiderte Hagen.

»Dann reiten wir eben«, entgegnete Gernot, »solange wir leben, nicht in Etzels Land und halten ihr trotzdem die Treue.«

»Etzel ist ein mächtiger Herrscher, der will nicht nur, der muss neue Fürsten unterwerfen«, beschwor Hagen seine Könige, »Kriege haben seine Schatzkammern geleert. Die Beute war geringer als veranschlagt. Etzel ist goldgierig. Der wirbt um Kriemhild wegen ihres Hortes.«

»Kriemhild ist anmutig, liebreizend«, warf Gernot ein.

»Etzel gewinnt ihre Schönheit und den Goldschatz dazu«, blieb Hagen hartnäckig.

»Der Hort liegt im Rhein«, sagte Gernot, »nur wir kennen die Stelle.«

»Etzel ist selber reich und mächtig genug, der bedarf des Hortes nicht«, beteuerte Giselher.

»Woher solltet Ihr den Hunnenkönig kennen!«, blieb Hagen unerbittlich. »Während er friedfertig lächelt, lauern hinter seiner Stirn Hinterlist und Gier nach Macht. Wie viele Länder überfielen seine Heere. Sollte Kriemhild Helches Krone tragen, kommt Unheil über uns. Verhindert das!«

»Spielen wir ihr nicht wieder übel mit!«, rief Giselher zornig. »Freuen wir uns, dass der mächtige König der Hunnen ihr die

Krone anträgt. Das erhöht auch uns und baut einem Angriff vor. Hagen, missgönnt Ihr Kriemhild auch das? Schwatzt, was Ihr wollt, ich stehe treu zu meiner Schwester.«

Das kränkte Hagen von Tronje. Die Königsbrüder missachteten seinen dringenden Rat und kamen überein: Würde Kriemhild die Werbung annehmen, verweigerten sie ihre Zustimmung nicht.

Daraufhin suchte Gere Kriemhild auf und empfahl ihr, Etzels Werbung zu folgen. Kriemhild verbat sich derartigen Spott. Auch Gernot und Giselher erreichten nichts. Doch Kriemhild gestand zu, Rüdeger zu empfangen, aber nur seiner großen Tugenden wegen: einen anderen Boten hätte sie abgewiesen.

Am anderen Morgen empfing Kriemhild den Markgrafen stolz und in Trauer. In ihrer schlichten Witwentracht hob sie sich von der Farbenpracht ihres festlich gekleideten Gefolges ab. Kriemhild lud Rüdeger und seine Gefährten zum Sitzen ein und nahm wieder auf ihrem Sessel Platz. Wie zwei Wächter standen die Markgrafen Gere und Eckewart vor ihr. Und viele schöne Frauen saßen um die Königin, doch die fiel wieder in Trauer und Klagen.

»Edle Königin«, begann Markgraf Rüdeger, »erlaubt Ihr mir vorzutragen, weswegen wir nach Worms geritten sind?«

»Es sei gestattet«, antwortete Kriemhild in einem Tone, der ihren Unwillen verriet.

»König Etzel sendet Euch Grüße«, erklärte Rüdeger, »er bietet Euch seine Liebe und eheliche Gemeinschaft wie mit seiner Frau Helche, die ihm sehr am Herzen lag.«

»Markgraf Rüdeger«, erwiderte Kriemhild kühl, »wer um meinen bitteren Schmerz weiß, wird mich nicht zu bitten wagen, noch einmal irgendeinen Mann zu wählen. Ich verlor den besten, den je eine Frau gewann.«

»Was heilt Leid besser als Liebe?«, entgegnete Rüdeger, »schenkt Ihr die meinem König, habt Ihr Gewalt über zwölf mächtige Kronen. Dreißig Fürsten, die der König mit eigener Hand bezwungen, stehen mit ihrem Land für Euch bereit. Ihr werdet Herrin über viele kühne Männer, die Königin Helche untertan waren, und zahlreiche Edelfrauen aus fürstlichem Geschlecht. Wenn Ihr die Krone tragen wollt, lässt mein Herr Euch sagen, werdet Ihr dieselbe Macht haben wie Helche, erhaltet Gewalt über alle Mannen Etzels.«

»Wie könnte es mich gelüsten, wieder eines Helden Weib zu werden?«, wehrte sich Kriemhild weiter. »Schon der Tod des einen stürzte mich ins Unglück«, sagte sie und verabschiedete den Abgesandten bis zum nächsten Tag. Dann schickte sie nach Giselher und ihrer Mutter Ute.

»Liebe Schwester«, sagte Giselher, »König Etzel könnte dir dein Leid vertreiben. Kein Herrscher ist so mächtig wie er, kein Reich so weit, es reicht von der Elbe bis zum südlichen Meer. Dass er um dich wirbt, ist ein Glück für dich.«

»Das einzige, was mir noch geziemt, ist, um Siegfried zu weinen. Wie sollte ich mit geschwollenen Augen an der Spitze von Recken zu Hofe schreiten? Sollte ich einmal schön gewesen sein, hat der Gram mich zerfressen.«

»Du sollst wieder Macht haben«, drängte Mutter Ute, »folge dem Rat deiner Brüder, dann wird es dir wieder wohl ergehen. Ich sah dich viel zu lange gebeugt von Schmerz.«

Dann bat Kriemhild ihren Gott innig, er möge es fügen, dass sie wieder Gold und Silber und kostbare Gewänder verschenken könne wie zur Zeit mit Siegfried. Und sie dachte: soll ich, ein christliches Weib, meinen Leib einem Heiden geben? Kriemhild grübelte bis in den Tag hinein. Ihre hellen Augen wurden nie trocken von Tränen. Auch vor der Messe gelang es den drei Königen nicht, ihre Schwester umzustimmen.

Dann bat Rüdeger die Königin um ihre Antwort.

Nie wieder wolle sie einen Mann lieben, beteuerte sie.

»Warum lasst Ihr Eure Schönheit verblühen, Euer Gesicht verdorren?«, warnte er sie. »Noch könnt Ihr die Geliebte eines mächtigen Herrschers werden.«

Am Hofe hatte Rüdeger Kriemhilds Schicksal erfahren. Und als kein Zureden half, versicherte er ihr in geheimer Absprache: was auch geschehen war und noch sein würde, er wolle ihr auf jeden Fall beistehen. Als Rüdeger sah, wie Kriemhild ihren Widerstand langsam aufgab, fuhr er fort:

»Lasst Euer Weinen! Hättet Ihr bei den Hunnen nur mich und meine Getreuen, so müsste schon jeder hart büßen, der Euch je etwas zuleide getan hat.«

»So schwört mir«, ging Kriemhild darauf ein, »dass Ihr der erste seid, der jede Kränkung rächt, wer sie mir auch zugefügt hat.«

»Dazu bin ich bereit«, versicherte Rüdeger und schwor, mit allen seinen Mannen ihr stets treu zu dienen und keinen Wunsch zu versagen. Keiner wusste, was daraus folgen sollte.

Ihre Brüder baten so lange, bis Kriemhild vor den Helden gelobte, Etzels Werbung anzunehmen.

Rüdeger wollte mit seinen fünfhundert Mannen ihr das Geleit geben.

Kriemhild ließ die Reise vorbereiten und kostbares Reitzeug aus Siegfrieds Zeiten bereitlegen. Sie schloss ihre Schatzkammer auf und wollte das Gold, das sie noch aus dem Nibelungenland besaß, an die Boten und im Hunnenland verteilen. Es war noch so viel, dass es hundert Pferde nicht hätten tragen können. Hagen hörte das, wollte es behalten und nicht seinen Feinden überlassen. Neben Kriemhild erfuhr auch Rüdeger davon und sagte:

»Mächtige Königin, was klagt Ihr? Seid Ihr erst bei König Etzel, werdet Ihr aus seinen Schatzkammern so viel verschenken können, dass Ihr nie zu Ende kommt.«

»Vieledler Rüdeger«, erwiderte Kriemhild, »nie besaß eine Königin mehr Reichtum, als den Hagen mir geraubt.«

Da stieß Gernot mit Gewalt die Tür der Schatzkammer auf, ließ an die dreißigtausend Mark Gold herausholen und an die Gäste verteilen. Gunter war froh darüber.

Inzwischen hatten Kriemhilds Mägde zwölf Schreine mit dem reinsten Gold gefüllt; auch der kostbare Schmuck der Frauen wurde darin verstaut.

Kriemhild fürchtete von dem grimmen Hagen Anschläge. Ihr blieben tausend Mark als Opfergold, das ließ sie für Siegfrieds Seelenheil verteilen. Wer mit ihr ins Hunnenland reiten wollte, den ließ sie von dem Schatz Ross, Kleidung und Rüstung kaufen.

»Ich trat als erster in Eure Dienste, war Euch seitdem treu«, versicherte Markgraf Eckewart seiner Herrin, »ich begleite Euch mit meinen fünfhundert Recken. Meine Königin, wir sind für immer verbunden, nur der Tod kann uns trennen.«

Zum Dank verneigte sich Kriemhild vor Markgraf Eckewart.

Auch hundert reich gekleidete Jungfrauen vom Gefolge Kriemhilds wurden in die Sättel gehoben. Tränen tropften aus den hellen Augen. Beim Abschied weinten Verwandte und Freunde in Worms. Frau Ute blieb in Gram zurück. Giselher und Gernot kamen mit ihrem Gefolge und tausend Recken und begleiteten, wie es die

Sitte gebot, ihre Schwester bis zur Donau. Auch Ortwin von Metz und Markgraf Gere zogen mit, so wie Rumold, der Küchenmeister. König Gunter ritt lediglich mit bis vor die Tore der Stadt.

Ehe sie Worms verließen, hatte Rüdeger Boten ins Land der Hunnen gesandt, um König Etzel Kriemhilds Ankunft zu melden.

Kriemhild fährt zu König Etzel

Über Kriemhilds Reise zu den Hunnen ist wenig zu berichten. In Pförting an der Donau verabschiedeten sich ihre Brüder mit Tränen.

»Liebe Schwester«, versicherte Giselher, »gerätst du in Bedrängnis und bedarfst meiner, schicke einen schnellen Boten, ich reite dir zu Hilfe.«

Zum Abschied küsste Kriemhild ihre Verwandten auf den Mund.

Hätten in Bayern Räuber versucht, Kriemhild und ihr Gefolge auszurauben, wäre es ihnen durch Rüdegers Recken übel ergangen.

Der Bischof von Passau ritt seiner Nichte entgegen und begleitete sie in seine Burg. Als in der Stadt, wo der Inn in die Donau fließt, Kriemhilds Ankunft bekannt wurde, leerten sich der Fürstenhof und die Häuser. Viele eilten den Gästen entgegen.

Beim Einzug in Passau wurde Kriemhild besonders festlich von den Kaufleuten empfangen. Obwohl der Bischof die Gäste länger zu bleiben bat, drängte Eckewart zum Aufbruch. Bischof Pilgrim führte die Königin nach Bechlaren, von wo Gotelind ihnen entgegenkam.

»Wie glücklich bin ich«, freute sich Gotelind, »mit eigenen Augen Eure Schönheit zu sehen. Zu keiner Zeit ist mir etwas Lieberes widerfahren.« Rüdegers Gemahlin hatte die Ankunft vorbereitet.

Die Tore der Burg von Bechlaren waren weit aufgetan. Die Gäste ritten ein. Rüdegers Tochter, die junge Markgräfin, ging mit ihrem Gefolge Kriemhild entgegen. Hand in Hand schritten sie in den weiten Saal. Dann saßen sie an den offenen Fenstern und unterhielten sich vergnügt. Was sie sonst noch zu tun pflegten, wird uns nicht erzählt.

Gefolgsleute Kriemhilds drängten auf Weiterreise. Der jungen Markgräfin schenkte die Königin zwölf schöne Armringe von schwerem rotem Gold und das festlichste Gewand, das sie mitführte. Obwohl man ihr den Nibelungenhort geraubt hatte, nahm sie mit dem wenigen, was ihr geblieben war, alle, die sie sahen, für sich ein. Auch Rüdegers Gefolgsleute beschenkte sie reich.

Nach dem Abschiedsmahl bot die Markgräfin Etzels künftigem Weib ihre Dienste an. Kriemhild liebkoste Rüdegers Tochter, die gern zu ihr an den Hof kommen wollte. Die Königin dankte für das Vertrauen. Dann wurden die Rosse bestiegen. Und die Fahrt ging an Melk vorüber. Burgherr Astold ließ ihnen als Willkommenstrunk Wein in Goldgefäßen reichen und wies ihnen die Straße weiter nach Österreich.

Bei Mutaren im Donautal verabschiedete sich der Bischof von seiner Nichte. Rüdegers Mannen begleiteten sie bis ins Land an der Traisen. Dort kamen ihr Scharen der Hunnen entgegengeritten und übernahmen den Schutz der Königin.

Kriemhilds Empfang und Hochzeit

Die zahllosen Reiter auf der Straße von Traismauer nach Tulln wirbelten Staub auf; da das Gedränge auf dem Weg kein Ende nahm, legte sich die Staubwolke nie. Es schien, als ob es überall brenne.

Auch Etzel war unterwegs nach Tulln und dachte an die herrliche Kriemhild, da schwand all sein Kummer dahin. Auf den Straßen nach Tulln waren Sprachen aller Art zu hören. Aus Russland und Griechenland, aus Polen, dem Land von Kiew und von den Walachen kamen viele kühne Recken. Die wilden Petschnegen spannten den Bogen, bis fast die Sehne riss, und schossen schnellfliegende Vögel.

Auf einem weiten Feld vor dem Ort hatte Rüdeger die Begrüßung Etzels und Kriemhilds vorbereitet. Vierundzwanzig mächtige Fürsten ritten stolz und stattlich vor den König und sahen ihre Ehre darin, die neue Herrscherin zu begrüßen. Rumung, der Herzog der Walachen, preschte mit siebenhundert Mann an ihr vorbei; seine Leute schwirrten wie Vögel an ihr vorüber. König Gibich kam mit herrlichen Scharen. Hornboge wandte sich mit tausend Mann seiner neuen Herrin zu. Der kühne Hawart aus Dänemark, Iring, ein Held ohne Falschheit, und Irnfried aus Thüringen empfingen

Kriemhild mit eintausendzweihundert Recken. Etzels Bruder Blödel kam prächtig mit dreitausend Mann der Königin entgegen.

Dann erschien König Etzel selber, an seiner Seite Dietrich von Bern mit seinen Gefährten. Beide waren umgeben von zahlreichen tüchtigen Recken. Kriemhild freute sich über Ansehen und Macht ihres künftigen Gemahls.

»Herrin, jetzt empfängt Euch der König«, wandte sich Rüdeger an sie. »Nur wen ich Euch zu küssen nenne, den sollt Ihr so ehren.«

Da wurde die herrliche Königin von ihrem Ross gehoben. Der mächtige Etzel und seine Begleiter stiegen aus den Sätteln. Der König schritt auf Kriemhild zu. Zwei Fürsten trugen die Schleppe ihres Kleides, wird erzählt. Kriemhild schob das Kopfgebinde höher, ihr Gesicht leuchtete zwischen dem funkelnden Gold, und sie begrüßte Etzel fröhlich mit einem Kuss. Viele Recken meinten, Helche sei nicht schöner gewesen als sie.

Rüdeger hielt Kriemhild an, Blödel, der neben Etzel stand, auch Dietrich von Bern und König Gibich zu küssen. Zwölf Recken ehrte sie auf diese Weise. Die anderen grüßte sie durch Verneigen.

Zur Kurzweil pflegten die Recken Kampfspiele. Schilde barsten, Lanzen splitterten. Hütten und Zelte waren in großer Zahl errichtet worden. Mancher Held führte eine Schöne hinein.

Auf einem Thronsitz, errichtet von Rüdeger, saß Etzel liebevoll neben Kriemhild. In seiner Rechten lag ihre weiße Hand. Was Etzel gesprochen hat, ist uns nicht überliefert. Aber Rüdeger ließ noch nicht zu, dass Etzel Kriemhild beilag. Als der lichte Morgen heraufschien, sattelten manche Recken bereits ihre Pferde und begannen zu Ehren des Königs mit Kampfspielen.

Bald ließ der König zum Aufbruch rufen. Das große Gefolge und Tausende Bewaffnete zogen nach Wien. Auch dort wurde Etzels neue Gemahlin mit großen Ehren empfangen. Hier hatte Rüdeger die Hochzeit vorbereitet. Es kamen weit mehr Gäste, als in der Stadt Herberge fanden. Wer nicht zum Fest geladen war, wurde gebeten, in Orten vor der Stadt zu nächtigen. Wie erzählt wird, war Dietrich stets in Kriemhilds Nähe zu sehen.

An einem Pfingsttag wurde in Wien Hochzeit gefeiert, da lag Etzel das erste Mal Kriemhild bei. Pfingsten wurde sie auch einst mit Siegfried vermählt. Und die Königin erinnerte sich, wie sie in Worms neben Siegfried saß; da wurden ihre Augen nass. Nach dem großen Leid am Rhein empfing sie hier aber hohe Ehre. Vielleicht um weniger an die glückliche Zeit bei den Nibelungen zu denken, schenkte sie jetzt reichlich, tat mit ihren Gaben wahre Wunder. Das Fest währte siebzehn Tage. Von keinem König wird eine größere und prächtigere Hochzeit berichtet. Alle, die zu Gast waren, trugen danach neue Kleider, so erzählt man zumindest.

Obwohl Siegfried durch den Hort weit reicher war als Etzel, zog er nie so viele Recken an seinen Hof wie der Hunne. Denn Siegfried war anderen Sinnes. Griffen Feinde an, konnte er mit eigener Kraft und wenigen Gefährten gegnerische Heere aufreiben. Aber in den dreizehn Jahren, die Kriemhild bei ihm lebte, wird kein einziger Eroberungszug gemeldet. Ob Kriemhild Etzels Wesen bald durchschaute, weiß ich nicht zu berichten.

Zur Hochzeit verschenkten viele Mächtige Gold und Kleidung. Gegen Dietrichs Gaben wogen selbst die Rüdegers gering. Und Blödel ließ viele Truhen von Gold und Silber leeren.

Auch Wärbel und Schwämmel, des Königs Spielleute, wurden reich beschenkt. Jeder bekam wohl tausend Mark und mehr. Denn sie spielten täglich, bis ihre Arme schlaff herabhingen, vor den Ehrensitzen des Königspaares.

Am achtzehnten Tag ritten Etzel und Kriemhild mit ihrem riesigen Gefolge und den Mannen aus Wien fort ins Land der Hunnen. Bei der Rast unterwegs wurden Kampfspiele abgehalten. Von Etzels Recken waren die Straßen überfüllt. Niemand hätte die Kämpfer zählen können, und wie viele schöne Frauen lockten in der Heimat Etzels!

In der mächtigen Stadt Meisenburg bestieg das Königspaar und sein Gefolge Donauschiffe. Damit die Wellen die Boote nicht auseinandertrieben, wurden diese durch Taue verbunden. So schien das Wasser ganz bedeckt mit Rossen und Männern. Auch waren für die Frauen Zelte gespannt; es war, als hätten die Fahrenden noch festes Land und Feld unter sich.

Nach dem Schmerz um Helches Tod wurde auf der Etzelburg Kriemhild festlich empfangen. Viele Frauen und Mädchen erwarteten sie am Ufer.

Als der König mit seiner Gemahlin vom Gestade heranritt, wurden ihr die hochgeborenen Frauen vorgestellt. Darunter waren sieben Königstöchter. Zu nennen sind noch Herrat, die Tochter von Helches Schwester und König Näntwin, dem Helden Dietrich von

Bern verlobt. An die Frauen und Mädchen verteilte Kriemhild freigebig Schmuck und edle Gewänder. Nun wurden alle Verwandten und Mannen König Etzels Kriemhild untertan, hatten ihr zu dienen bis zu ihrem Tod. Bald gebot Kriemhild mit solcher Macht, wie es die milde Helche nie vermocht hatte. Auch dadurch gewannen der Hof und das Land noch größeren Ruhm.

Die Burgunden werden eingeladen

Sieben Jahre lebten Etzel und Kriemhild zusammen, dann gebar sie einen Sohn, den sie Ortlieb nannten. Niemals war der König der Hunnen froher und glücklicher, heißt es. Kriemhild drängte darauf, den Jungen christlich zu taufen.

Die neue Herrin befleißigte sich, so tugendhaft zu leben wie Königin Helche. Herrat lehrte sie hunnische Sitten, litt aber heimlich immer noch unter Helches Tod. Fremde und Einheimische erfuhren, dass keine Herrin besser und freigebiger war. So gewann Kriemhild überall Zuneigung. Obwohl ihr jetzt zwölf Könige dienten, dachte sie unablässig an das Leid, das ihr daheim zugefügt worden war, und an die besonderen Ehren im Nibelungenland. Hagen hatte ihr alles genommen, und dafür wollte sie sich rächen. Locke ich ihn in dieses Land, könnte es geschehen, dachte sie. Im Traum ging sie öfter Hand in Hand mit ihrem Bruder Giselher, küsste ihn vertraut. Dachte sie daran, wurde ihr Blick von heißen Tränen trüb. Und Kriemhild fragte sich, wie sie dazu gebracht worden war, einen heidnischen Mann zu nehmen. Hatte Hagen ihr auch das insgeheim zugefügt? Ich bin reich und mächtig, dachte sie, und kann Hagen strafen. Nicht nur ihre eigenen, auch die Mannen des Königs liebten sie sehr. Eckewart, der als Kämmerer diente, hatte viele Freunde gewonnen. Niemand am Hofe vermochte sich Kriemhilds Willen zu widersetzen.

Als der König Kriemhild eines Nachts in den Armen hielt, schmeichelte sie:

»Mein lieber Herr, lasst mich doch sehen, ob Ihr meinen Verwandten wirklich innig zugetan seid.«

»Es macht mich glücklich, dass du solche Brüder hast«, erwiderte der König.

»Ihr wisst, ich leide darunter, dass sie noch nie unser Land besucht haben«, sagte Kriemhild, »die Hunnen nennen mich immer noch die Fremde.«

Etzel kannte die Rachelust Kriemhilds. Dass sie seine geheimen Absichten ahnte, dürfen wir vermuten. Bei der Werbung um sie hatte der König damals zwar vom Hort nicht gesprochen. Noch lebte Etzel reich und mächtig, aber seine verschwenderische Hofhaltung ließ seine Schätze dahinschmelzen. Auch sein Oberkämmerer mahnte ihn, es sei an der Zeit, den Hort herzuführen. Längst wusste der König, dass der Schatz im Rhein versenkt war und nur Kriemhilds Brüder und Hagen die Stelle kannten. Von ihnen wollte er das Recht einfordern. Aber auch Kriemhild selbst verlangte inzwischen den Hort, der würde ihr am Hofe noch mehr Macht verleihen.

»Vielliebe Frau«, sagte Etzel, »wenn es deinen Verwandten nicht zu weit ist, würde ich alle, die du gern hier siehst, über den Rhein zu uns einladen.«

Kriemhild freute sich, dass der König auf ihren Wunsch einging:

»Wollt Ihr Euch treu erweisen, sendet Boten nach Worms.«

»Gefällt es dir, meine vielliebe Frau«, erklärte der König, »sende ich meine Fiedler an den Rhein.«

Am nächsten Tag wurden die Spielleute herbeigerufen.

»Ich entbiete meinen Verwandten Heil und Glück«, trug der König ihnen auf, »sagt ihnen, wir erwarten sie an meinem Hofe. Nehmen meine Schwäger die Einladung an, mögen sie noch in diesem Sommer zu einem großen Fest kommen.«

»Wann wird das gefeiert?«, fragte Schwämmel.

»Zur nächsten Sonnenwende«, bestimmte Etzel.

»Wir tun alles, was Ihr gebietet«, versicherte Wärbel.

Für die beiden Boten wurden prächtige Gewänder gefertigt. Auch die vierundzwanzig Recken, die sie begleiten sollten, erhielten neue Kleidung.

Die Königin empfing Wärbel und Schwämmel heimlich in ihrer Kemenate und versprach ihnen, handelten sie nach ihrem Willen, reiche Geschenke und kostbare Kleidung.

»Gebt in Worms nicht zu erkennen«, bat sie, »dass ihr mich hier je betrübt gesehen. Bittet, der Einladung des Königs zu folgen. Sagt, die Hunnen glauben, ich hätte keine Verwandten. Wenn ich ein Recke wäre, hätte ich Worms längst besucht. Und versichert Gernot, meinem edlen Bruder, dass ihm auf der Welt niemand gewogener sei, und bittet ihn, die engsten Verwandten mitzubringen. Sagt auch Giselher, meine Augen wollen ihn hier sehen. Berichtet meiner Mutter Ute, wie ehrenvoll ich hier als Königin lebe. Und wenn Hagen von Tronje sich weigert mitzukommen, dann fragt: wer soll durch das Land führen? Er kennt die Wege zu den Hunnen aus seiner Kindheit.«

Warum Hagen unbedingt mitkommen sollte, erfuhren die Boten nicht. Später wurden durch ihn viele Recken in den Tod gerissen.

Kriemhild übergab Schwämmel noch ein mit Goldfaden verschnürtes Päckchen für Giselher. Sie befürchtete, wegen des Hortes könnte Etzel geheime Anschläge gegen ihre Brüder hegen. Ihr Kämmerer Eckewart hatte sie gewarnt.

Reich gekleidet brachen die Boten mit ihren Begleitern auf. Von Etzel und insgeheim auch von Kriemhild, also doppelt, mit Gold und Reisegut ausgestattet, konnten sie fröhlich leben und hatten keinen Grund, sich zu beeilen.

Schwämmel und Wärbel überbringen die Botschaft

Die Abgesandten rasteten in Bechlaren, wurden von Rüdeger und Gotelind freundlich empfangen und beschenkt. Das Markgrafenpaar entbot Grüße nach Worms und ließ Ute und ihren Kindern bestellen, kein Markgraf könne ihnen gewogener sein.

In Passau erhielten die Boten von Bischof Pilgrim den Auftrag, seinen Verwandten auszurichten:

»An den Rhein kommen werde ich wohl nicht. Aber sollten die Söhne meiner Schwester durch Passau reiten, wäre ich sehr froh.« Was er noch bestellen ließ, ist unbekannt. Auch über den Weg der Boten durch Bayern kann ich nichts mitteilen. Vielleicht versuchte aus Furcht vor der Macht des Hunnenkönigs niemand, ihnen Silber und Gewänder zu rauben.

Als die Spielleute in Worms vor die Königsburg ritten, wusste keiner Gunter etwas über ihre Herkunft zu sagen. Wieder musste Hagen aus dem Fenster blicken.

»Das sind Etzels Spielleute Wärbel und Schwämmel, die sandte

Eure Schwester an den Rhein. Um ihres Herren willen sollten sie uns willkommen sein.«

Noch nie kamen Spielleute herrlicher daher. Das Gesinde des Königs empfing die Boten und gab ihnen gute Herberge. Ihre Reisekleidung wäre reich und edel genug gewesen, um damit vor den König zu treten; aber die verschenkten sie und legten für den Empfang bei Hofe noch prächtigere Gewänder an.

Als die Gesandten in den Saal Gunters traten, sprang Hagen von seinem Sitz auf, eilte ihnen entgegen und empfing sie herzlich.

»Wie geht es Etzel und seinen Mannen?«, begann er zu fragen.

»Nie stand das Land so in Blüte«, berichtete Schwämmel, »noch nie waren die Leute fröhlicher.« Von Kriemhild schwieg er.

Dann traten die Boten auf den König zu, der sie begrüßte:

»Seid willkommen, Spielleute König Etzels.«

Die Boten verneigten sich vor dem König.

»Mein Herrscher und Kriemhild, Eure Schwester«, sprach Wärbel, »entbieten Euch Grüße und versichern Euch ihrer Treue.«

»Ich bin froh über Eure Nachricht«, sagte der König, »wie lebt es sich bei König Etzel und meiner Schwester im Hunnenland?«

»Beiden ging es nie besser«, versicherte Schwämmel, »auch ihren Verwandten und Recken nicht.«

Der König dankte für die Grüße.

Inzwischen waren auch die beiden jungen Könige erschienen.

Noch einmal beteuerte Schwämmel die liebevolle Verbundenheit Kriemhilds und wie sie den Brüdern gewogen sei. »Doch zuvörderst«, betonte er, »sandte uns der König wegen einer Einladung. Er bittet Euch, in sein Land zu reiten. Wenn Ihr schon Eure Schwester meidet, so möchte er gern wissen, was er Euch angetan, dass Ihr Euch von seinem Land fernhaltet. Wäre die Königin Euch auch unbekannt, so hätte der mächtige König der Hunnen einen Besuch verdient. Jedenfalls bereitete ihm das eine große Freude.«

Die Königsbrüder wurden still. Ihre Recken schwiegen. Wer wollte wagen, die Einladung des größten Herrschers ihres Teiles der Welt abzuweisen?

»In sieben Tagen«, erklärte Gunter, »verkünde ich Euch, was ich mit meinem Rat bedacht habe. Geht inzwischen in Eure Herberge und ruht Euch aus.«

Ehe die Boten sich in ihre Gemächer zur Ruhe begeben wollten, bat Wärbel noch darum, Königin Ute aufsuchen zu dürfen. Das wurde ihnen gewährt.

Die Erfahrensten in Gunters Rat versicherten ihm, er könne unbekümmert in Etzels Land fahren. Nur Hagen wandte sich grimmig dagegen und flüsterte dem König zu:

»Wir wissen, was wir getan haben. Ich erschlug Siegfried. Wir dürfen uns nicht in Etzels Land wagen.«

»Meine Schwester gab ihren Zorn auf«, meinte Gunter, »verzieh uns zum Abschied mit ihrem liebevollen Kuss. Es sei denn, sie will allein Euch verderben.«

»Täuscht Euch nicht«, beharrte der Tronjer, »Ihr könnt Ehre und Leben verlieren. Nicht nur Kriemhilds Rache ist unversöhnlich. Um das Versteck des Hortes zu erpressen, kann Etzel uns in sein Land locken. Ich kenne den Hunnenherrscher. Er ist nie reich und mächtig genug.«

»Dreizehn Jahre hat er den Hort nicht gefordert«, hielt Gernot entgegen, »warum jetzt? Etzel ist selber reich und mächtig. Oder fürchtet Ihr den Tod im hunnischen Reich? Warum sollten wir unsere Schwester nicht sehen? Wir wären üble Gesellen.«

Ehe Hagen erwidern konnte, warf Giselher ein: »Wir sind über Kriemhild mit Etzel verwandt, also seine Schwäger. Warum sollte er gegen uns Gewalt üben, im Angesicht unserer Schwester? Und da Ihr Euch schuldig wisst, Freund Hagen, so bleibt in Worms und macht Euch schöne Tage, aber hindert nicht jene, die den Mut haben, mit uns zu unserer Schwester zu reiten.«

»Nennt mich nicht feig!«, rief der Tronjer zornig. Dieser Vorwurf kränkte ihn tief. »Vermag Euch jemand ins Land der Hunnen zu führen, der Kühneres wagt als ich? Lasst Ihr von Eurer Reise nicht ab, so beweise ich es.«

Erst jetzt mischte sich Rumold in den Streit ein und redete bedächtig: »Ich glaube, noch kein Rat Hagens hat Euch geschadet. Folgt Ihr ihm nicht, so hört, was Rumold rät: König Gunter hat ein reiches Land. Er ist mächtig. Hier kann ihm und den Seinen nichts widerfahren. Hier gibt es vorzügliche Speisen, schöne Frauen und Mädchen und den besten Wein. Was Euch bei Etzel erwartet, kennt Ihr nicht. Als Meister von Küche und Hof weiß ich von Vertrauten: mit Hilfe des Hortes will Etzel der mächtigste Mann der Welt werden.«

»Meine Schwester und der König luden uns freundlich ein«, erwiderte Gernot. »Ich vertraue dem Herrscher der Hunnen. Wer nicht gern mitkommen will, bleibe zu Hause.«

»Nur wir in Worms wissen, wo der Schatz in den Fluten ruht«, unterbrach Giselher. »Wenn wir ihn heben, kann uns nicht mal Etzel besiegen.«

König Gunter war noch unentschieden. »Droht aber Gefahr, bricht ein Held erst recht auf!«, entschloss er sich. »Je höher das Wagnis, desto ruhmreicher der Sieg.« Und er dachte an die Kampfspiele mit Brünhild.

»Lasst Euch nicht durch mich abhalten«, lenkte Hagen ein, »sehen wir, wie es ausgeht. Aber in Treue rate ich Euch: wollt Ihr heil zurückkehren, reitet in Wehr und Waffen. Wollt Ihr von der Fahrt nicht lassen, so ruft die besten Recken zusammen, ich wähle die tausend tapfersten aus; wie an einem Schild sollen da Kriemhilds Anschläge abprallen.«

Gunter befolgte diesen Rat.

Auch aus Furcht vor ihrem Herrn verdross es die Gesandten Etzels, nicht längst mit einer Botschaft abreisen zu können. Aber Hagen hielt sie durch List zurück. »Lasst sie erst ziehen, wenn wir selber in sieben Tagen bereit sind auszureiten«, riet er dem König, »dann bleibt Kriemhild nicht genug Zeit, gegen uns zu rüsten. Aber falls sie doch etwas gegen uns im Schilde führt, so haben wir über tausend kampferprobte Mannen.«

Als Gunter seine Recken gut genug vorbereitet hatte, ließ er die Boten rufen. Hagen hatte seinen Bruder Dankwart geheißen, achtzig Mannen an den Rhein zu führen. Volker von Alzey, der Spielmann, kam mit dreißig seiner Kämpfer. Gernot teilte den Boten mit, die Burgunden würden der Einladung folgen und zur nächsten Sonnenwende eintreffen.

Dann ließ Gunter auf breiten Schilden Gold vor die Boten tragen. Auch Gernot, Giselher, Gere, Ortwin und andere boten Geschenke.

»Großer König, lasst Eure Gaben im Land«, wehrte Schwämmel erschrocken ab, »mein Herr verbot uns, Geschenke zu empfangen.«

Darüber wurde Gunter sehr aufgebracht. Um ihn nicht noch mehr zu erzürnen, nahmen die Boten die Gaben doch.

Dann geleitete Gernot die Gesandten bis nach Schwaben. Unterwegs verbreiteten sie, die Burgunden hätten vor, bald ins Hunnenland zu reisen. So erfuhren es auch Bischof Pilgrim und Markgraf Rüdeger.

Die Gesandten erreichten Etzel in Gran und bestellten Grüße über Grüße; da wurde, wie es heißt, sein Antlitz vor Freude rot. Als die Königin erfuhr, dass ihre Brüder kommen würden, belohnte sie die Spielleute reich. Dann fragte die Königin nach ihrem Feind.

»Hagen kam am frühen Morgen zum Rat«, berichtete Wärbel, »und sprach dagegen. Und als sich die anderen über die Reise zu den Hunnen einigten, da hieß das für den grimmen Mann schon, dem Tod entgegenzureiten.« Und Volker komme noch mit, mehr wisse er nicht, schloss Wärbel.

»Den kann ich entbehren«, erwiderte Kriemhild. »Aber Hagen bin ich gewogen«, log die Königin, »er ist ein großer Held.«

Etzel ließ in seiner Burg das Fest vorbereiten.

Die Burgunden fahren zu den Hunnen

In Worms wurden eifrig Sattel- und Zaumzeug über die Höfe geschleppt, die Waffen geschärft und die Rüstungen vervollständigt. Gunter ließ seine eintausendundsechzig Mannen prächtig kleiden. Nie ritten Recken herrlicher in eines anderen Königs Land. Auch neuntausend Knappen bereiteten sich zum Aufbruch vor. Die sie zu Hause ließen, mussten das später beweinen. Was es mit dem Kaplan für eine Bewandtnis haben würde, ahnte noch keiner.

»Bleibt hier, teure Helden«, warnte Ute ihre Söhne, »mir träumte heute nacht, alle Vögel fielen tot vom Himmel.«

Hagen, der bei den Königsbrüdern stand, lästerte:

»Wer sich nach Träumen richtet, der weiß nichts von der Ehre eines Recken. Ich wünsche, mein Herr bräche bald auf. Mein Schwert hat lange kein Blut mehr gekostet.«

Nun riet also auch Hagen zu der Reise. Später bereute er das, wird erzählt. Nur weil Gernot hartnäckig an seine Untat erinnerte, habe er auf die Fahrt gedrängt.

»Meint Ihr, Hagen von Tronje zittert vor Angst?«, rief er. »Wann brechen wir endlich auf?«

Die Schiffe lagen bereit, die Recken mit ihren Pferden und Rüstungen über den Rhein zu setzen. Auf dem Gras wurden Zelte und Hütten errichtet. Am Morgen erklangen zum Aufbruch Flöten und Posaunen. Wer eine Geliebte im Arm hatte, umschlang sie noch einmal. Für manchen Recken war das die letzte Liebesnacht.

Rumold, der den Söhnen Utes tapfer und in Treue diente, wandte sich vertraulich an den König: »Ich bin in großer Sorge, dass Ihr zum Hofe Etzels fahrt. Wem wollt Ihr Land und Leute überlassen?«

»Das Land und mein Kind befehle ich dir an«, entschied der König. »Und schütze die Frauen! Das ist mein Wille. Wenn sie weinen, tröste sie. Kriemhild vermag uns kein Unheil zuzufügen.«

Mit Küssen verabschiedeten sich die Könige und ihre Mannen von ihren Frauen und gingen zu ihren Rossen. Beiderseits des Rheins weinten burgundische Männer und Frauen. Manche ahnten wohl, dass die Helden nicht zurückkehren würden. Aber die drei Könige zogen fröhlich mit ihren Scharen von dannen.

Gunter ließ Hagen den Zug führen; und Dankwart war Marschall. Am zwölften Morgen erreichten sie die Donau. Hagen, an der Spitze der Scharen, stand am Fluss. Der war angeschwollen und über die Ufer getreten. Weit und breit war kein Boot zu sehen. Wie würden sie übersetzen?

»König von Worms«, wandte sich Hagen an Gunter, »wie du selber siehst, ist der Strom reißend, er wird manchen von uns in den Tod ziehen.«

»Was wirfst du mir vor?«, entgegnete der König, »suche uns lieber eine Furt, damit wir unsere Rosse und Rüstung ans andere Ufer bringen.«

»Um in den Fluten zu ersaufen, ist mir mein Leben zu schade«, erwiderte Hagen, »da laufen noch viele Hunnen in Etzels Landen, deren Schädel zu spalten sind. Wartet hier am Ufer, ich will Fährleute suchen.«

Hagen nahm seinen Schild auf und ging in Helm und Waffen den Strom entlang. Nach einiger Zeit hörte er Quellwasser rauschen. Dort badeten weise Meerfrauen. Hagen schlich sich heran, da flohen sie und waren froh, ihm entronnen zu sein. Er aber nahm ihre Kleider an sich.

Da rief eine Meerfrau, Hadeburg genannt:

»Edler Recke Hagen, gebt uns die Gewänder zurück, dann tun wir Euch kund, wie Eure Fahrt zu den Hunnen ausgehen wird.«

Die Meerfrauen schwammen leicht im Wasser, schwebten wie Vögel. Auch deshalb hielt Hagen sie für gut und weise. Was sie schauten, wollte er glauben. Also bat er darum.

»Reitet in Etzels Land«, sprach die Meerfrau. »Ich verbürge mich dafür, nie gelangten Helden reicher und ehrenvoller in ein Königreich.«

Diese Worte waren nach Hagens Sinn. Er gab ihnen ihre Kleider zurück. Aber als die Meerfrauen ihre wunderlichen Gewänder übergestreift hatten, verkündeten sie ihm die Wahrheit. Sigelint, die andere Meerfrau, sprach:

»Ich warne dich, Hagen, Aldrians Sohn. Nur der Kleider zuliebe log meine Muhme. Kommst du zu den Hunnen, geht es für dich schlecht aus. Kehre um, Hagen, noch ist Zeit. Um zu sterben, lud man euch in Etzels Land. Wer dorthin reitet, den hat der Tod schon bei der Hand.«

»Täuscht mich nicht!«, schrie Hagen. »Wie könnte es geschehen, dass wir alle umkommen, durch den Hass eines einzigen Menschen?«

»Es wird so sein, dass keiner zurückkehren wird«, prophezeite sie genauer, »nur der Kaplan des Königs. So ist es uns bekannt. Nur er gelangt gesund heim in Gunters Land. Und du, Hagen, kennst den König der Hunnen. Hüte dich auch vor ihm.«

»Wie bitter wäre es, meinem König zu verkünden«, antwortete Hagen grimmig, »dass wir alle unser Leben lassen müssten. Aber jetzt, weise Meerfrau, wie gelangen wir über den Fluss?«

»Da du schon unseren Rat ausschlägst, dort beim Ufer ist eine Herberge, da wohnt weit und breit der einzige Fährmann.«

Und die zweite Meerfrau rief dem zornigen Recken nach:

»Herr Hagen, wartet noch, hört! Wenn Ihr ans andere Ufer kommt, dort herrscht Markgraf Else. Sein Bruder heißt Gelpfrat, ein Herr im Bayernlande. Wollt Ihr durch seine Mark, hütet Euch! Begegnet dem Fährmann ohne Hochmut, denn der ist grimmig. Nur wenn Ihr guten Sinnes seid, lässt er Euch ungeschoren. Bietet ihm Fährmannssold. Ist er säumig, so ruft über den Fluss, Ihr heißet Amelrich, dieser Held wurde außer Landes getrieben.«

Hagen verneigte sich vor den Meerfrauen, sie glitten davon. Er ging am Wasser einen Hang hinan und sah auf dem anderen Ufer ein Haus.

»Hol mich über, Fährmann!«, rief Hagen, »hier, mein Fährlohn ist ein goldener Armreif!«

Der Fährmann war so reich, dass er niemanden überzusetzen brauchte. Auch seine Knechte waren hochmütig.

Hagen stand am Ufer und schrie so laut über den Fluss, dass es im Tal widerhallte und die Wellen davon noch höher schlugen:

»Ich bin Amelrich, der Lehnsmann Elses, ich musste vor starken Feinden fliehen!« Er steckte den Armring auf die Spitze seines Schwertes, hielt es hoch, dass das Gold über den Fluss leuchtete. Da stieg der Fährmann doch in sein Boot und nahm das Ruder. Erst vor kurzem hatte er ein schönes Weib heimgeführt und wollte für sie den Lohn erwerben. Also ruderte er mit kräftigen Zügen über den Fluss, aber als er den Tronjer erblickte, rief er:

»Wohl mögt Ihr Amelrich heißen, doch jenem, den ich erhoffte, gleicht Ihr nicht. Von Vater und Mutter her war er mein Bruder. Da Ihr mich betrogt, bleibt auf Eurem Ufer!«

»Ich bin ein fremder Recke, sorge mich um meine Gefährten«, beteuerte Hagen, »nehmt den Lohn, ich bin Euch gewogen.« Und ehe der Fährmann zurückrudern konnte, sprang Hagen in das Boot.

»Bleib draußen!«, wehrte der Fährmann ab, »meine Herren haben viele Feinde, Fremde setze ich nicht über. Verlasse mein Boot!«

»Nehmt mir zuliebe das Gold. Bringt tausend Mann mit Rossen über den Fluss«, bat Hagen ihn.

Aber der Fährmann hob sein schweres, breites Ruder und schlug nach Hagen, dass der strauchelte und in die Knie ging. So einem furchtbaren Fährmann war der Tronjer noch nie begegnet. Um den Eindringling zu vertreiben, hieb der starke Schiffer ihm eine Ruderstange über den Kopf, dass sie auf dem Helm zerbarst. Trotzdem zog Hagen sofort sein Schwert, was den Fährmann überraschte, schlug ihm zornentbrannt den Kopf ab und warf den in die Flut.

Inzwischen hatte die Strömung das Boot abgetrieben. Hagen ruderte so heftig zurück, dass der Riemen unter seinem starken Druck riss. Rasch ersetzte er ihn durch seinen Schildriemen und steuerte auf einen Uferwald zu, wo das Heer lagerte. Einige Recken eilten herzu, empfingen ihn fröhlich und sahen in dem Boot das Blut dampfen, das aus dem Rumpf des Fährmannes quoll.

Als Gunter das heiße Blut im Boot rinnen sah, fragte er: »Sagt mir, wo ist der Fährmann? Ich glaube, Ihr habt ihn geköpft.«

»Als ich das Boot festgebunden fand«, log Hagen, »löste ich es, kein Fährmann war weit und breit, durch mich erlitt niemand Schaden.« Und ehe andere Recken nähertraten, kippte Hagen rasch den Rumpf über Bord.

»Ich glaube, dir ist nur wohl, wenn du Unheil stiftest«, meinte Gunter.

»Da wir keinen Schiffer haben«, warnte Gernot, »könnten viele von uns im Hochwasser ertrinken.«

»Ich gelte als der beste Fährmann vom Rhein«, beteuerte Hagen, »und bring Euch sicher in Gelpfrats Land.«

Damit die Pferde rascher hinüberschwammen, peitschten die Knechte sie in den Fluss. Gewänder, Gut und Waffen wurden in das Boot geladen. Hagen brachte auch die tausend Recken und neuntausend Knechte über den reißenden Strom. Die Weissagung der Meerweiber ging ihm nicht aus dem Sinn. Als der Kaplan sich auf seine heiligen Gerätschaften stützte, stieß Hagen ihn aus dem Boot. Einige verlangten, ihn zu retten. Und Giselher wurde sehr zornig. Aber der Tronjer ließ nicht davon ab, den Kaplan mit dem Ruder vom Boot fernzuhalten.

»Was nützt Euch der Tod des Geistlichen?«, entrüstete sich Gernot. »Was hat er Euch getan?«

Der Priester planschte um sein Leben, keiner wagte ihm zu helfen. Hagen stieß ihn sogar unter Wasser. Als keiner den armen Mann aus dem Wasser zog, kehrte er um und strebte zurück. Obwohl er nicht schwimmen konnte, half ihm, wie es in dem großen Lied heißt, Gottes Hand, das verlassene Ufer wieder zu erreichen. Als Hagen dann den Kaplan am Ufer stehen und sich wie ein Hund das Wasser abschütteln sah, wusste er, die Voraussagen der Meerweiber würden eintreffen.

Nach dem letzten Entladen des Schiffes schlug Hagen es in Stücke und warf diese in die Strömung. Die Könige und ihre Recken sahen ihn entsetzt an.

»Was tust du, Bruder?«, fragte Dankwart erschrocken, »wie werden wir bei der Heimfahrt übersetzen?«

»Wer unser Heer aus Feigheit verlässt, wird in der Flut ersaufen.«

Volker, der Held und Spielmann, lobte alles, was Hagen unternahm, so auch diese Tat.

Wieder wurden die Saumtiere beladen. Die Recken wollten aufsitzen und weiterreiten. Trotz der überfluteten Donau hatte der Zug der Könige noch keinen Schaden genommen. Nur der Kaplan des Königs musste zu Fuß wieder an den Rhein zurück.

Der Kampf in Bayern

Als die Burgunden bei Mehringen die Donau überquert hatten und weiterziehen wollten, fragte Gunter:

»Wer kann uns den rechten Weg weisen?«

»Ich werde Euch führen«, versicherte der starke Volker.

Recken und Knechte schwangen sich bereits auf ihre Pferde, da bat Hagen, noch innezuhalten:

»Ich muss Euch Unheil voraussagen, nimmermehr werden wir ins Land der Burgunden heimkehren.« Und Hagen berichtete von der Weissagung der Meerfrauen. »Um sie Lügen zu strafen«, fuhr er fort, »habe ich versucht, den Kaplan zu ertränken; denn die Weiber behaupteten, nur er allein käme lebend zurück. Also wappnet Euch, Ihr Helden, wir haben hier starke Feinde.«

Wie ein Schwarm Vögel flogen diese Warnungen zu den Recken und Knappen. Auch die tapfersten Helden erblassten.

Hagen sprach davon, auch wie er den Fährmann erschlagen musste, einen Mann des Markgrafen Gelpfrat, und dass dieser sich rächen und die Burgunden angreifen werde. »Und lasst die Pferde langsamer gehen«, riet er, »damit niemand glaubt, wir würden fliehen.«

Volker, der Spielmann, dem die Wege hier bekannt waren, band sich den Helm fester und ritt herrlich gerüstet voran. An seinem Speer flatterte ein rotes Fähnchen.

Markgraf Gelpfrat und Else sandten nach dem Tod ihres Fährmannes Boten zu ihren Recken und sammelten in Kürze siebenhundert Mann, die als Kämpfer berüchtigt waren. Geführt von ihren Herren, preschten sie den Fremden nach und wollten ihren Kampfesdurst stillen.

Hagen hatte es so gefügt, dass er mit Dankwart und seinen Mannen die Nachhut bildete. Der Tag war vergangen, der letzte

Abendschimmer verlosch. Hagen fürchtete um seine Gefährten. Sie ritten gedeckt von ihren Schilden. Da hörten sie beiderseits der Straße und hinter sich Hufgetrappel.

»Bindet die Helme auf!«, rief Dankwart.

Wie bei der Nachhut üblich, hielten sie an und sahen in der Finsternis Schilde blinken. Hagen duldete keinen Aufschub und rief:

»Wer jagt uns auf der Straße nach?«

»Wir verfolgen unsere Feinde. Ich weiß nicht, wer meinen Fährmann erschlug.« Das konnte nur Gelpfrats Stimme sein.

»War der Fährmann dein?«, vergewisserte sich Hagen, »er weigerte sich, uns überzusetzen, die Schuld liegt deshalb bei mir.« Nur weil der Schiffer ihn mit dem Ruder niedergeschlagen habe, versicherte Hagen, habe er ihn in Notwehr töten müssen. Dafür biete er nun Sühne an.

Gelpfrat wies dieses Ansinnen schroff zurück:

»Als Gunter hier mit seinen Leuten heranritt, wusste ich, Hagen von Tronje würde uns schaden. Er bezahle den Tod des Fährmanns mit dem Leben.«

Da neigten Gelpfrat und Hagen die Speere über ihre Schilde und preschten gegeneinander los. Auch Else und Dankwart begannen hart miteinander zu kämpfen.

Hagens Pferd barst der Vordergurt, so gelang es Gelpfrat mit einem starken Stoß, den Tronjer zu Fall zu bringen. Nun wurde Hagen gelehrt, was kämpfen heißt. Auch von den Recken beider Scharen war das Krachen der Speere zu hören. Hagen erholte sich rasch und kam mit bitterem Hass auf den Bayern wieder auf die Füße. Beide standen sich nun gegenüber und griffen einander mit ihren Schwertern an. Auch ihre Recken kämpften Mann gegen Mann. Mit welcher Gewalt Hagen gegen Gelpfrat auch anrannte, der Markgraf schlug ihm ein großes Stück aus dem Schild, dass es wie Feuer lohte und Gunters Gefolgsmann fast sein Leben verlor.

»Zu Hilfe, lieber Bruder!«, rief Hagen Dankwart zu, »ein Teufel greift mich an, der wird mich töten.«

Sofort sprang sein Bruder herbei und versetzte dem Bayern mit seinem Schwert einen solchen Hieb, dass der mit gespaltenem Helm tot zusammenbrach.

Nun wollte Else seinen Bruder rächen, wurde aber selbst verletzt; und viele seiner achtzig Mannen lagen auf dem Kampfplatz.

Ihnen blieb nur die Flucht vor Hagens Mannen. Die jagten ihren Feinden nach. Harte Schwertschläge hallten aus dem Wald, und noch mancher Bayer musste sein Leben lassen.

»Kehren wir auf die Straße zurück!«, gebot Dankwart bald, »lasst sie reiten, sie haben genug geblutet.« Als sie zum Kampfplatz zurückkamen, hielt Hagen sie an, die Gefallenen zu zählen. Seine Nachhut hatte nur vier Recken verloren, auf die kamen einhundert aus dem Bayernlande. Blut der Erschlagenen klebte auf den Schilden der Tronjer. Manchmal brach heller Mondschein durch die Wolken. Da schimmerte es; von den rot und trüb verkrusteten Schilden schien es noch zu tropfen.

Hagen befahl seinen Leuten, dem König bis zum Morgen den Kampf zu verschweigen. Vom Gefecht war die Nachhut müde, musste aber mit der Hauptmacht in der Nacht weiterreiten. Erst als die Sonne aufgegangen war und die Berge aufleuchten ließ, sah Gunter die Blutspuren auf Brünnen und Schilden. Zornig fragte er:

»Was ist das, Freund Hagen? Warum gabst du mir keine Nachricht, als ihr die Schwerter ziehen musstet? Wer tat das?«

Hagen gab Bericht von dem Angriff.

Inzwischen war überall bekannt, auch in Passau, dass die Söhne Königin Utes zu einem Fest bei den Hunnen zogen. Bischof Pilgrim empfing seine Neffen festlich. Die Stadt war zu klein; auf einem Feld über dem Fluss wurden Zelte aufgespannt. Die Mannen des Königs mussten eine Nacht und einen Tag bleiben und sich reich bewirten lassen.

Als sie dann weiterritten und an die Grenzmark kamen, fanden sie einen Recken schlafend, dem nahm Hagen sein starkes Schwert ab. Eckewart erwachte, sah sich vor den Fremden ohne Waffe und klagte:

»Wehe, diese Schande! Warum zieht Ihr in dieses Land? Seit ich Siegfried verlor, bin ich ohne Freude und Glück. Ach, Markgraf Rüdeger, ich sollte deine Grenze bewachen. Wie verging ich mich gegen dich!«

Als Hagen hörte, dass der Held drei Tage und Nächte nicht geschlafen, sondern nur gewacht hatte, gab er ihm seine Waffe zurück und sechs Armringe von rotem Gold dazu. »Als Zeichen, dass ich dein Freund bin«, tröstete der Tronjer ihn, »bewachst allein die Grenze, bist ein kühner Recke!«

»Das lohne Euch Euer Gott«, dankte Eckewart, »doch dass Ihr zu den Hunnen fahrt, betrübt mich sehr. Du hast Siegfried erschlagen, nun wirst du hier gehasst. Auch Etzel ist heimtückisch. Hütet Euch.«

»Behüte uns Gott«, erwiderte Hagen, »und Dank für den Rat. Aber jetzt ist unsere Sorge: Wo finden der König und seine Mannen für diese Nacht Herberge? Unsere Rosse sind erschöpft, die Vorräte verzehrt, zu kaufen ist nichts, ein Wirt täte uns not.«

»Ich zeig Euch einen«, erwiderte Eckewart, »wie Ihr keinen besseren findet, meinen Herrn Markgrafen Rüdeger. Wie der herrliche Mai auf dem Gras Blumen sprießen lässt, so entfaltet er seine Freigebigkeit.«

»Wollt Ihr uns führen?«, fragte König Gunter, »und nachforschen, ob Rüdeger mich und meine Recken aufnehmen kann?«

»Der Bote bin ich gern«, erwiderte Eckewart und preschte los.

Rüdeger stand auf dem Turm seiner Burg und sah einen Recken herangaloppieren, als würde er verfolgt. »Dort kommt Eckewart, Kriemhilds Recke!«, rief der Markgraf und stieg zum Tor hinab.

Während Eckewart den Gurt des Schwertes löste und es aus der Hand legte, übermittelte er die Botschaft König Gunters.

»Welch ein Glück«, antwortete Rüdeger lachend, »dass ich die drei Königsbrüder empfangen darf. Ich bin froh, dass sie in mein Haus kommen.« Gern wurde auch der Bitte des Marschalls Dankwart entsprochen, die über tausend Recken und neuntausend Knappen aufzunehmen.

Empfang in Bechlaren

Der Markgraf kündigte den Besuch in den Frauengemächern an. Aus den Truhen wurden die festlichsten Kleider geholt. Die Frauen schmückten sich durch prächtigen Kopfputz mit goldleuchtenden Bändern; ihr schönes Haar sollte nicht vom Wind zerzaust werden. Am Burgtor begrüßte Rüdeger die Burgunden:

»Seid mir willkommen, Ihr Herren, auch Eure Mannen. Mit großer Freude sehe ich Euch hier!«

Die Gäste verneigten sich dankbar. Besonders grüßte der Markgraf Hagen, mit dem er die Jugend am Hofe Etzels verbracht hatte.

Auch für die über tausend Recken wurde gesorgt. »Ihr Knechte«, wandte sich Rüdeger an diese, »spannt Zelte auf, zäumt die Pferde ab und lasst sie frei laufen.« Das war von noch keinem Herrn erlaubt worden.

Auch die Markgräfin und ihre Tochter waren ans Tor getreten, umgeben von sechsunddreißig schönen Mädchen und vielen Frauen mit herrlichen Gewändern und goldenen Armringen. Das Feuer von Edelsteinen lohte an der prächtigen Kleidung. Nach der Mutter küsste auf Geheiß des Vaters auch die junge Markgräfin die drei Königsbrüder. Rüdeger befahl seiner Tochter, auch Hagen zu küssen. Sie blickte ihn an; er erschien ihr so furchtbar, da hätte sie es gern unterlassen. Aber der Vater verlangte, seinen Jugendfreund gemäß höfischer Sitte zu begrüßen. Ihr Gesicht wechselte dabei die Farbe, wurde erst bleich, dann rot. Rasch küsste sie dann Dankwart und den Spielmann.

Die Markgräfin nahm König Gunter bei der Hand und führte ihn in den weiten Festsaal der Burg, die schöne Tochter geleitete Giselher, und der Markgraf nahm Gernot an eine Seite. Auch andere Recken und Frauen nahmen in dem Saal Platz. Den Gästen wurde bester Wein eingeschenkt. Niemals dürften Helden besser bewirtet worden sein.

Viele Recken sahen Rüdegers Tochter liebevoll an; ihre Schönheit und Anmut weckten Begehren. Nach dem Brauch gingen Frauen und Recken bald auseinander, und im Saal wurden die Tische für ein festliches Mahl gerichtet. Zu Ehren der Gäste setzte die Markgräfin sich dazu. Da die Tochter bei den Mädchen bleiben musste, konnten die Recken sich nicht an ihrem Anblick erfreuen. Als die Gäste getafelt hatten, wurde die Schöne wieder in den Saal gerufen. Die Recken empfingen sie, schon heiter vom Wein. Nach dem Spiel auf seiner Fiedel unterhielt Volker mit lustigen Sprüchen.

»Mächtiger Markgraf!«, rief er dann aber, »wie gnädig ist Euch Gott, schenkte Euch ein so schönes Weib und ein so glückliches Leben. Wäre ich ein König und dürfte eine Krone tragen, wollte ich Eure schöne Tochter zur Frau. Sie ist so edel und anmutig. Nichts wünschte ich mir mehr.«

»Wie könnte es geschehen«, erwiderte der Markgraf, »dass je ein König meine liebe Tochter begehrte? Meine Frau und ich sind heimatlos. König Etzel nahm uns auf. Was nutzt da die schönste Tochter?«

»Sollte ich mir eine Frau wählen«, erwog Gernot, »wäre ich über eine solche Tochter froh.«

»Mein Herr Giselher sollte sich bald ein Weib nehmen«, pflichtete Hagen mit Eifer bei, »die junge Markgräfin ist nicht nur von großer Schönheit, sondern auch von hohem Adel. Trüge sie in Worms die Krone, dienten ich und meine Mannen ihr gern.«

Markgraf Rüdeger und Gotelind hörten das mit Freude und fühlten sich geehrt. König Gunter und Gernot lobten den Vorschlag. Giselher errötete vor Scham und Freude und war Hagen, dem er oft feindlich gesonnen, dankbar. Aber auch Gunter und Gernot ahnten nicht, was der Tronjer mit dieser Verbindung im Schilde führte.

Rüdeger hieß die Jungfrau vor den König rufen. Und man schwor, Giselher die Schöne zu geben. Auch er gelobte sie zu ehelichen. Als Morgengabe beschied man der Tochter Burgen und Land. König Gunter und Gernot bekräftigten das durch Eide.

»Da ich keine Burgen habe«, sagte der Markgraf, »versichere ich Euch meine Treue. Und ich gebe meiner Tochter so viel Gold und Silber, wie hundert Saumtiere tragen können.«

Nach alter Sitte musste das Paar in einen Ring treten, den Vornehme bildeten. Viele junge Recken blickten neidvoll auf Giselher.

Das liebliche Mädchen wurde gefragt, ob sie den König wolle. Obwohl sie Giselher sehr mochte, schämte sie sich der Frage. Vater Rüdeger riet ihr, mit einem Ja zu antworten und zu sagen, dass sie ihn gern nehme. Daraufhin umschloss Giselher sie mit seinen weißen Händen.

»Ihr edlen Könige«, erklärte der Markgraf, »wenn Ihr wieder heim nach Worms reitet, so könnt Ihr mein Kind mitführen.«

Nach und nach verklang der Lärm des Festes. Am nächsten Morgen wollten die Burgunden aufbrechen.

»Das lasse ich nicht zu«, hielt Markgraf Rüdeger sie zurück, »so liebe Gäste hatte ich noch nie.«

»Ausgeschlossen«, entgegnete Dankwart, »woher wollt Ihr Speise, Brot und Wein nehmen, um so viele Recken und Knappen länger zu bewirten?«

»Das muss Euch nicht kümmern«, beharrte Rüdeger, »meine viellieben Herren, verwehrt mir das nicht, Speisen und Wein reichen für Euch vierzehn Tage. Bisher forderte Etzel nichts von mir.« Sosehr sich die Burgunden sträubten, sie mussten bis zum vierten Morgen bleiben. Ob Giselher es war, der Dankwart und Gunter doch umgestimmt hatte, wissen wir nicht. Dann rüsteten sie, von Rüdeger reich beschenkt, zum Aufbruch. Gerühmt wird die Freigebigkeit des Markgrafen. Giselher hatte Rüdegers schöne Tochter bekommen. Gunter, der als König selten Gaben annahm, erhielt eine Rüstung und verneigte sich dankend. Gernot bekam ein scharfes Schwert, ein Geschenk der Markgräfin, durch das Rüdeger bald selbst den Tod finden sollte. Nachdem der König eine Gabe angenommen hatte, bot Gotelind auch Hagen ein Geschenk. Zunächst schlug der es aus, kam aber dann der Markgräfin entgegen:

»Von allem, was ich jemals sah, begehre ich nichts mehr als jenen Schild dort an der Wand; den trüge ich gern in Etzels Land.«

Da begann Gotelind zu weinen. Denn sie dachte an Naudung, der von Witege erschlagen worden war. Wieder überkam sie Leid und Jammer wegen dessen Tod. Dennoch ging die Markgräfin zur Wand, nahm mit ihren weißen Händen Naudungs Schild und gab ihn Hagen. Das kostbare Stück war mit weißer Seide bespannt und mit glitzernden Edelsteinen besetzt. Noch nie hatte Tageslicht einen besseren Schild beschienen. Wer ihn kaufen wollte, musste wohl tausend Goldmark bezahlen.

Dankwart beschenkte Rüdegers Tochter mit prächtigen Kleidern.

Zum Abschied trat Volker vor Gotelind und spielte Liebeslieder. Aus Dank ließ die Markgräfin eine Lade hereintragen, nahm zwölf Armringe heraus, streifte sie dem Spielmann über die Hand und sagte: »Tragt sie mir zu Ehren am Hofe Etzels.«

Um den Burgunden das Geleit zu geben, hatte Rüdeger fünfhundert seiner Mannen zum Aufbruch rüsten lassen. Keiner von ihnen sollte je lebend zurückkehren.

Ehe sich Rüdeger auf sein Pferd schwang, küsste er Gotelind und schloss sie in die Arme. Die junge Markgräfin wollte Giselhers Hand nicht loslassen. Überall wurden die Fenster aufgetan. Als die Recken aus der Burg ritten, weinten Mädchen und Frauen. Manche ahnten Unheil. Doch Rüdeger und die Burgunden ritten mit ihren Scharen freudig ins hunnische Land. Rüdeger sandte Boten voraus an Etzels Hof.

Ankunft bei den Hunnen

An einem Fenster der Burg Etzels hielt Kriemhild Ausschau und sah ein Heer, wohlgerüstet, heranreiten, da rief sie:

»Wie viele neue Schilde und silbrige Halsbergen tragen meine Verwandten!«

Als Etzel die Burgunden kommen sah, begann er zu lachen; ob aus Freude oder Heimtücke, wird nicht berichtet.

Hildebrant meldete seinem Herrn die Ankunft der Burgunden. Dietrich von Bern hieß die Gäste wohl empfangen und ritt ihnen mit seinen Mannen entgegen. Auf einem Feld, wo die Burgunden ihre Zelte auf Saumtiere banden, sah Hagen von Tronje Dietrich mit seinen Leuten herankommen und sagte zu seinen Herren:

»Ihr solltet Euch von Euren Sitzen erheben. Es sind Recken aus dem Amelungenland.«

Dietrich stieg mit seinen Begleitern von den Pferden, ging den Gästen entgegen und begrüßte sie. Nun sollt ihr hören, was Dietrich zu den drei Königen sagte; denn der Besuch missfiel ihm, und er glaubte, Rüdeger hätte sie vor der Gefahr gewarnt.

»Seid willkommen, Gunter und Giselher, Gernot und Hagen, auch Volker und Dankwart! Ist Euch nicht bekannt, wie sehr Kriemhild noch immer um Siegfried weint?«

»Soll sie ihre Tränen vergeuden! Nun liebe sie den König der Hunnen«, entgegnete Hagen, »Siegfried ist seit langer Zeit begraben, er kehrt nicht zurück.«

»Warum an Siegfrieds Wunden rühren?«, meinte Dietrich. »Aber solange Kriemhild lebt, stiftet sie Unheil. König der Burgunden, davor hüte dich.«

»Wie soll ich das?«, erwiderte Gunter. »Etzel sandte uns Boten, er und unsere Schwester luden uns ein in sein Land.«

»Ich rate Euch«, drängte Hagen, »bittet Herrn Dietrich, Genaueres zu offenbaren.« Daraufhin gingen die drei mächtigen Könige, Gunter, Gernot und Dietrich, zu einer geheimen Unterredung beiseite.

»Ich höre jeden Morgen«, warnte Dietrich, »wie Etzels Weib über Siegfrieds Tod klagt und weint.«

»Was wisst Ihr noch?«, forschte Gernot weiter.

»Auch über den Verlust des Hortes klagt sie. Etzel will ihn fordern.«

In Sorge kehrten die beiden burgundischen Könige zu ihren Gefährten zurück. Aus einem Lederbeutel zog Giselher den Goldring, der mit Wolfshaar umwickelt war, und gestand:

»Hätte ich Euch den in Worms gezeigt! Dieses Geschenk Kriemhilds steckten die Boten mir heimlich zu. Erst jetzt verstehe ich seinen Sinn.«

»Da drüben steht Etzels Burg«, sagte Volker, »nun können wir nicht mehr zurück; reiten wir zu Hofe und sehen, was geschieht.«

Das taten sie und zogen prächtig, wie in ihrem Lande Sitte, in die Burg ein. Neugierige Hunnen fragten einander, wer wohl jener Hagen sei, der Siegfried, den stärksten aller Helden, erschlagen habe. Sie zeigten einander den Tronjer. Er war wohlgewachsen, hatte eine breite Brust, sein Haar zierten graue Strähnen, er hatte lange Beine, sein Blick war furchtbar, aber sein Gang herrlich.

Die Burgunden bekamen Herbergen zugewiesen; Gunters Knechte wurden gesondert untergebracht. So war es am Hofe Etzels bestimmt worden. Gunter vertraute Dankwart, seinem Marschall, die Knappen an.

Dann kam die Königin mit ihrem Gefolge und empfing die Gäste mit tückischem Sinn. Sie küsste nur Giselher und nahm ihn bei der Hand.

Als Hagen das sah, band er seinen Helm fester und raunte:

»Nach solcher Begrüßung nehmt Euch in acht. Schon Könige werden unterschiedlich empfangen. Wir waren schlecht beraten, zu diesem Fest zu fahren.«

»Nun seid dem willkommen, der Euch gerne sieht«, sagte Kriemhild, »nicht aus Freundschaft grüß ich Euch. Sagt, was bringt Ihr mir von Worms über den Rhein?«

»Hätte ich gewusst, dass Ihr von Recken ein Geschenk wollt, trüg ich eins bei mir«, beteuerte Hagen, »ich bin reich genug.«

»Lasst mich wissen: Wo habt Ihr den Hort der Nibelungen? Wie Euch bekannt, ist der mein eigen. Den solltet Ihr mir herführen in Etzels Land.«

Dass ihre Schwester sogleich den Hort fordern würde, hatten die Könige nicht erwartet.

»Wahrhaftig, Herrin Kriemhild«, fand Hagen zuerst Worte, »wie viele Tage gingen ins Land, seitdem ich nichts mehr vom Hort hörte. Meine Herren ließen ihn in den Rhein versenken, dort ruht er bis zum Jüngsten Tag.«

»Es ist, wie ich mir's dachte!«, rief die Königin aufgebracht, »obwohl der Hort mein eigen ist, haltet Ihr ihn zurück. Das werdet Ihr mir bezahlen.«

Als die Burgunden gerüstet ins Innere der Burg wollten, hielt Kriemhild ihnen entgegen: »In Etzels Königssaal trägt man keine Waffen, gebt sie mir in Verwahrung.«

»Wollt Ihr als Königin meinen Schild und meine Waffen zur Herberge schleppen?«, verwunderte sich Hagen.

»Weh mir!«, rief Kriemhild, »warum behalten meine Brüder und Hagen ihre Schwerter? Wüsste ich, wer sie gewarnt hat, der hätte den Tod verdient.«

»Ihr sollt's erfahren, ich warnte die Könige und den tapferen Hagen«, antwortete trotzig Dietrich von Bern, »nur zu, wenn Ihr strafen wollt.«

Kriemhild fürchtete König Dietrich und schämte sich. Sie sagte nichts mehr und warf im Gehen ihren Feinden böse Blicke zu. Und sie erfuhr später, dass sich Dietrich von Bern und Hagen an der Hand fassten, was großes Aufsehen erregte. Denn von den Schlachtfeldern her gelten Helden als hart und kaum zu solcher Vertrautheit fähig.

»Wie schroff war die Königin soeben«, bedauerte Dietrich; »dass Ihr zu den Hunnen gekommen seid, schmerzt mich.«

»Alles wird sich finden«, meinte Hagen.

Auch Etzel sah die beiden im Gespräch, erkannte sie wegen ihrer tief herabreichenden Helme nicht sogleich und fragte: »Ich wüsste gern, wer jener Recke ist, mit dem Dietrich so freundschaftlich spricht.«

»Er stammt aus Tronje, sein Vater heißt Aldrian«, erklärte ein Gefolgsmann Kriemhilds, »jetzt gibt er sich heiter, aber er ist grimmig.«

»Wohl kenne ich Aldrian«, erinnerte sich Etzel, »der war mein Gefolgsmann, gewann bei mir Ruhm und Ehre; ich beschenkte ihn reich mit Gold. Auch Helche mochte ihn sehr. Sein Sohn und der Spanier Walter wurden mir als Geiseln gesandt. Hagen focht für mich, später sandte ich ihn wieder heim. Walter floh mit Hildegund.«

Kriemhild will Hagen töten lassen

Nach seinem vertraulichen Gespräch mit Dietrich von Bern schaute sich Hagen über die Schulter nach einem Kampfgefährten um, sah Volker neben Giselher und bat den Spielmann mitzukommen. Beide verließen die anderen Recken, erkundeten den weiten Platz, gelangten zu einem Palas und setzten sich gegenüber auf eine Bank. Kriemhild erspähte die beiden vom Palas aus; wie wilde Tiere wurden sie von den Hunnen begafft. Ihre herrlichen Brünnen glänzten und leuchteten. Aber Kriemhild begann zu weinen. Etzels Mannen fragten, warum sie so plötzlich in Tränen ausbreche.

»Wegen Hagen, ihr kühnen Helden«, schluchzte Kriemhild.

»Wie kommt das?«, fragten die Recken, »vor kurzem sahen wir Euch noch so froh. Hätte Euch der Tapferste gekränkt und Ihr hießet es rächen, so ginge es ihm ans Leben.«

»Wer meine Rache stillt, dem lohne ich das immer. Ich fall vor Euch auf die Knie«, flehte die Königin, »rächt mich an Hagen, tötet ihn!«

Nach Kriemhilds Willen rüsteten sich rasch sechzig kühne Recken. Die Königin wies die kleine Schar grimmig ab:

»Was wollt ihr mit so wenig Leuten gegen Hagen ausrichten? So tapfer er sein mag, noch viel gefährlicher ist jener, der bei ihm sitzt, Volker der Spielmann.«

Also rüsteten sich eilig vierhundert Recken. Als die Königin genügend Gewaffnete sah, sagte sie:

»Wartet noch eine Weile, ich will mit der Krone vor meine Feinde treten. Der Mörder wird zu stolz sein, seine Tat zu leugnen.«

Dann stieg Kriemhild mit ihren Recken die Treppe hinunter in den Hof. Da sagte Volker zu Hagen:

»Seht, wie sie daherschreitet, die uns treulos in ihr Land lockte. Noch nie sah ich die Frau eines Königs mit so viel Bewaffneten, kampfgierig, mit blankem Schwert. Freund Hagen, manche haben eine zu breite Brust. Unter ihren Gewändern schimmern blanke Brünnen. Gegen wen ziehen sie?«

»Die Schwerter sind auf mich gerichtet«, erwiderte Hagen zornig. »Nun sagt mir, Freund Volker, wenn Kriemhilds Mannen mich angreifen, steht Ihr mir bei? Ich würde es Euch nie vergessen.«

»Seid dessen gewiss«, beteuerte Volker, »und rückte der König mit allen seinen Mannen gegen uns; solange ich lebe, ohne Furcht wiche ich keinen Fußbreit von Euch.«

»Das lohn Euch unser Gott im Himmel, vieledler Volker. Wollt Ihr mit mir kämpfen, was brauch ich mehr!«

Die Königin näherte sich mit ihren Recken.

»Nun lasst uns aufstehen«, riet Volker, »sie ist eine Königin, grüßen wir sie in Ehren.«

»Aus Liebe zu mir, nein!«, bat Hagen, »sonst glauben ihre Recken, wir hätten Angst. Warum sollte ich jene ehren, die mich hasst? Das tue ich nimmer, solange ich lebe.«

Trotzig legte Hagen ein Schwert über seine Knie, eine lichte Waffe. An seinem Knauf leuchtete ein glänzender Jaspis, grüner als Gras. Kriemhild erkannte Siegfrieds Schwert Balmung, sah den goldenen Griff, die Scheide mit roter Borte. Da überfiel sie ein Weinkrampf, und vielleicht war das Hagens Absicht.

Und Volker zog von der Bank seinen Fiedelbogen auf seine Knie; der war stark und lang und sah aus wie ein scharfes, breites Schwert. Nun saßen die beiden Helden furchtlos nebeneinander und dünkten sich so erhaben, dass sie vor niemandem in der Welt, auch keinem Kaiser, aufgestanden wären.

Die Königin fasste sich, trat zornig vor beide und begrüßte sie feindselig:

»Wie konntet Ihr wagen, in dieses Land zu reiten? Wo Ihr doch wisst, was Ihr getan habt! Ihr wärt bei mehr Klugheit besser in Worms geblieben.«

»Nach mir hat niemand gesandt«, entgegnete Hagen, »Etzel hat drei Könige geladen, die sind meine Herren, so bin ich ihr Mann. Noch bei keiner Reise zu Hofe fehlte ich an ihrer Seite.«

»Warum tatet Ihr, weswegen ich Euch hasse?«, schrie Kriemhild. »Warum habt Ihr Siegfried erstochen, meinen lieben Mann, hinterrücks? Bis an mein Lebensende muss ich ihn beweinen.«

»Was soll es noch?«, erwiderte Hagen, »geredet ist genug; ich bin noch immer Hagen, der den Helden Siegfried erschlug. Wie sehr musste der Held büßen, dass die Herrin Kriemhild die schöne Brünhild schalt. Ich bekenne, ich allein bin schuld an Eurem Unglück. Nun räche es, wer will. Ich bestreite nicht, ja, ich tat Euch schweres Leid an.«

Nun glaubte Kriemhild, ihre Recken hätten mit eigenen Ohren genug gehört, und rief:

»Nun, Ihr Helden, er leugnet nicht. Auf, Etzels Mannen, lasst ihn für seine Untat büßen!«

Hagen und Volker saßen so entschlossen und kampfbereit, dass Etzels Recken noch keinen Angriff wagten; sie sahen, solche Helden würde es nie wieder geben. Etzels Mannen blickten einander scheu und fragend an.

»Warum starrt Ihr so fordernd?«, fragte ein Recke seine Königin, »was ich vorhin gelobte, davon gehe ich ab. Für kein Geschenk lasse ich mein Leben.«

»Böte man mir Türme voll roten Goldes«, warf ein zweiter ein, »schon wegen seiner furchtbaren Blicke zöge ich kein Schwert gegen diesen Spielmann.«

»Ich kenne Hagen aus seiner Jugend«, fuhr ein anderer fort, »wir kämpften zusammen in zweiundzwanzig Schlachten. Keiner kann jene zählen, die von seiner Hand fielen. Mit Walter von Spanien siegte er in mancher Schlacht für Etzel. Schon damals, als Hagen fast noch ein Kind war, wurde er gerühmt. Jetzt ist er grau und klug und grimmig. Und seht, er trägt Balmung, das er von Siegfried erbeutet.«

Als das berühmte Schwert genannt wurde und Etzels Recken es stahlblinkend auf Hagens Knien sahen, zögerten auch die Hitzköpfe unter Kriemhilds Mannen und steckten ihre Waffen weg.

Vor Schmerz und Zorn krampfte sich Kriemhilds Herz zusammen. Die vierhundert hunnischen Recken fürchteten den Tod, kehrten um und schlichen vom Hof.

»Nun sahen wir unsere Feinde«, meinte Volker, »eilen wir zu unseren Königen, dann wagt keiner, sie anzugreifen.« Hagen folgte ihm zu den burgundischen Helden, die noch zum großen Empfang auf dem Hofe standen.

»Wie lange wollt Ihr noch im Gedränge ausharren?«, rief Volker laut, »Ihr solltet in den Palast gehen und vom König hören, wie er uns gesinnt ist.«

Da bildete sich ein Zug. Je einer vom Hofe Etzels nahm einen der Gäste bei der Hand. Dietrich von Bern ging mit König Gunter an der Seite. Irnfried von Thüringen führte Gernot. Rüdeger sah man mit Giselher gehen. Wer sich zu wem auch gesellte, Hagen und Volker trennten sich niemals mehr, bis zu ihrem letzten Kampf und Tod.

Außer den Königen gingen tausend tapfere Recken und sechzig Mann aus Hagens Gefolge mit zu Hofe. Hawart und Iring, zwei auserwählte Recken, sah man an der Seite ihres Königs.

Als Gunter mit seinen Begleitern in Etzels Saal trat, erhob sich der Hunnenherrscher von seinem Sessel und begrüßte die Gäste:

»Seid willkommen, Herr Gunter, und auch Herr Gernot und Euer Bruder Giselher. Ich entbot Treue und Freundschaft nach Worms an Euren Hof. Besonderen Gruß Euren zwei Helden Hagen und Volker.«

»Dank für die Botschaft«, erwiderte Hagen. »Wäre ich nicht mit meinen Herren bei Euch, käme ich Euch zu Ehren allein.«

Etzel nahm die Gäste bei der Hand und führte sie zu seinem Herrschersitz. Dann wurde ihnen in weiten goldenen Schalen Met, Maulbeertrank und Wein gereicht.

»Ich gestehe«, sagte König Etzel, »nichts ist mir lieber auf der Welt, als dass Ihr burgundischen Helden bei mir weilt. Auch die Königin befreit Ihr von ihrer Trauer.«

Nicht nur Hagen, auch die Könige hörten aus diesen Worten Hohn. Denn der Tronjer hatte von der Begegnung mit Kriemhild am Palas erzählt.

Am Sonnenwendabend waren die Burgunden mit ihren Recken am Hofe Etzels eingetroffen. Dass Helden in solch einer Weise empfangen wurden, ist nirgends sonst berichtet. Essen und Trinken gab es im Überfluss. Und was die Gäste auch begehrten, war für sie bereit.

Hagen und Volker halten Schildwache

Nach der langen Reise und dem üppigen Gelage waren die Recken müde und brauchten Nachtruhe. Auf dem Wege dahin wurden die Burgunden von den Hunnen bedrängt. Volker herrschte sie an: »Was tretet Ihr uns fast auf die Füße! Lasst das, sonst versetze ich Euch mit meinem Fiedelbogen einen kräftigen Hieb, und Eure Frauen haben zu weinen. Geht aus dem Weg!«

Auch Hagen wandte sich um und rief: »Der tapfere Spielmann rät Euch, Ihr Helden Kriemhilds, kriecht in Eure Löcher! Was Ihr im Schilde führt, gelingt nicht. Wenn Ihr etwas wollt, so kommt morgen früh! Gönnt uns Fremden die Nachtruhe!«

Die Gäste wurden in einen weiten Saal gebracht. Dort fanden sie überall lange und breite Betten aufgestellt; kostbar von Arraras gesteppte Decken gab es, gefüttert mit lichtem Samt, Tücher von feinster arabischer Seide, mit leuchtenden Borten besetzt, Bettdecken aus Hermelin und schwarzem Zobel. Nie hat ein König mit seinem Gefolge so prächtig geruht.

»Weh, was für ein Schlafgemach!«, rief Giselher, »und wehe meinen Freunden, die mit uns gekommen sind. Wie herrlich bereiteten das Etzel und meine Schwester! Aber ich fürchte, wir müssen darin sterben.«

»Habt keine Furcht«, versuchte Hagen die Recken zu beruhigen, »ich wache heute nacht.«

Die Burgunden verneigten sich dankbar und legten sich schlafen. Hagen begann sich zu waffnen.

»Wenn Ihr erlaubt, Hagen, so halte ich mit Euch bis morgen früh Schildwache.« Hagen dankte seinem Freund:

»Das lohn dir dein Gott im Himmel, viellieber Volker, in der Not wünsche ich mir allein dich zum Gefährten. Solange der Tod mich nicht hindert, werde ich dir beistehen.«

Beide legten ihre glänzenden Rüstungen an, jeder nahm seinen Schild; so traten sie vor die Tür des Saales und wachten. Dann lehnte Volker seinen Schild an die Wand, holte seine Fiedel, setzte sich unter die Tür auf einen Stein und begann zu spielen. Die liebliche Musik erschallte im ganzen Haus, bis auch die sorgenvollen Recken schliefen. Als keiner mehr wach lag, nahm Volker wieder seinen Schild in die Hand und stellte sich vor die Tür.

Um Mitternacht oder kurz davor sah Volker in der Dunkelheit einen Helm blinken und flüsterte: »Vor dem Haus stehen Bewaffnete.«

»So schweigt«, flüsterte Hagen, »lasst sie näher heran.«

Einer der Späher erkannte, dass die Tür bewacht war, und sagte:

»Der Fiedler hält Schildwache, sein Helm glänzt gefährlich, seine Panzerringe leuchten wie Feuer. Auch Hagen ist bei ihm, wir sollten von unserem Vorhaben ablassen.«

Die Hunnen entfernten sich wieder vom Hause. Volker wollte sie verfolgen und zur Rede stellen, aber Hagen hielt ihn zurück: Sie könnten beide in einen Kampf verstrickt werden, die Tür wäre dann ungedeckt, und die Hunnen könnten die Schläfer überfallen.

»Aber lass sie wenigstens merken, dass ich sie gesehen habe, sonst leugnen Kriemhilds Mannen ihre tückische Absicht«, beharrte Volker.

Hagen gab ihm dafür ein Zeichen der Zustimmung.

»Wer schleicht hier in Waffen?«, rief Volker spottend. »Reitet ihr tapferen Recken auf Raub? Sollen wir euch helfen?«

Da keiner antwortete, rief Volker: »Pfui, ihr Feiglinge, wollt ihr uns im Schlaf erschlagen? Das hat Recken noch keiner zugemutet.«

Als die Königin erfuhr, dass ihre Mannen auch diesmal nichts ausrichten konnten, wurde sie, nach jüngeren Berichten, sehr zornig. Aber nach alten Erzählungen hat auch Etzel hinter den Anschlägen gesteckt und neue Fäden gesponnen. Wem von beiden welche Tat zuzuschreiben ist, bleibt im Dunkel.

Das Kampfspiel

»Mir wird kalt«, sagte Volker in seinem Ringpanzer, »ich glaube, die Nacht vergeht, der Morgen dämmert, ich spüre es am Wind.«

Das Morgenlicht blendete die Schläfer durch die Saalfenster. Hagen weckte die Recken und fragte, ob sie zur Messe gehen wollten. Da begannen einige Helden ihre festlichen Gewänder anzulegen; die waren prächtig, solche hatten Recken noch nie in ein Königsland mitgebracht. Hagen sah das und rief verärgert:

»Werft Rosen und Stirnreif mit Edelsteinen beiseite, greift nach Waffen und Helmen! Lasst Euch sagen, noch heute müssen wir kämpfen. Legt statt Seidenhemden die Halsberge an! Nehmt statt der kostbaren Mäntel breite Schilde! Geht in die Kirche, klagt dem mächtigen Gott Eure Ängste!«

So schritten die Könige mit ihren Mannen zum Münster. Hagen hielt sie an, beisammenzubleiben, denn keiner wisse, was die Hunnen im Schilde führten. Hagen und Volker gingen voran, denn sie befürchteten, die grimmige Königin könnte sie im Gedränge angreifen lassen.

Auch Etzel kam mit seiner Gemahlin und viel Gefolge; alle waren prächtig gekleidet. Als der König der Hunnen die Burgunden und ihre Recken gewaffnet sah, sprach er:

»Warum gehen meine Freunde unter Helmen? Wollte ihnen jemand etwas antun, kränkte mich das. Sollte etwas geschehen sein, so will ich es vergelten. Was Ihr auch gebietet, ich bin zu allem bereit.«

»Wer sollte uns etwas antun?«, erwiderte Hagen. »Bei meinen Herrn ist es Sitte, dass wir zu Festen drei Tage in Waffen gehen. Wäre uns etwas zugestoßen, erführe es der König.«

Kriemhild blickte den Tronjer feindselig an, verriet aber nicht, was tatsächlich im Lande der Burgunden üblich war. Als die Königin mit ihrem Gefolge in das Münster ging, blieben Hagen und Volker an der Tür stehen, wichen keinen Fingerbreit zurück. Kriemhild musste sich mit ihrem Gefolge wie zwischen Säulen hindurchdrängen; zum Ärger ihrer Kämmerer, aber in Gegenwart Etzels wagten sie keine Beschwerde. Zunächst gab es nur großes Gedränge, sonst geschah weiter nichts.

Nachdem Gott gedient war, begannen Kampfspiele im Hof. Kriemhild setzte sich mit ihren Frauen neben Etzel ins Fenster. Auch Dankwart, der Marschall, kam mit Knappen herbei, um Buhurt zu reiten. Hagen meinte, man solle wie im Burgundenland buhurtieren. Auch die Könige von Worms waren dabei und viele ihrer Recken. Der Lärm vom Kampfspiel scholl über den weiten Hof. Sechshundert Recken Dietrichs preschten auf die Burgunden zu. Aber Dietrich ritt dazwischen und verbot seinen Mannen, gegen die Burgunden anzutreten. Nachdem Dietrichs Leute abgerückt waren, kamen fünfhundert Mannen Rüdegers von Bechlaren mit Schilden und in Waffen. Auch Rüdeger preschte wohlweislich durch seine Scharen und hielt sie davon ab, mit den aufgebrachten Mannen Gunters zu buhurtieren.

Wie uns erzählt wird, kamen dann die Thüringer und tausend dänische Recken. Endlich ritten die Scharen ineinander. Speere brachen, Splitter flogen durch die Luft. Irnfried und Hawart stürmten in den Buhurt. Die Burgunden lieferten sich mit ihnen auch manchen Zweikampf mit Speeren. Das erfreute Etzel und Kriemhild in ihrem Ausblick. Dann folgte Blödel mit dreitausend hunnischen Recken und stellte sich den Burgunden zum Kampfspiel.

Gebrochene Speerschäfte flogen bis hoch über die Wand des Königssaals. Beinahe hätte ein Splitter Kriemhild verletzt.

So viel auch gestochen und gehauen wurde, so laut es auch von den Schlägen dröhnte im Hof, es blieb bei Spiel und großem Getöse. Durch verzierte Samtdecken rann den Pferden blanker Schweiß. Alle, die zuschauten, spendeten den Burgunden Lob und Beifall: sie hätten den Siegerpreis verdient.

Da sahen die Burgunden einen Hunnen anmaßend und selbstgefällig daherreiten wie keinen zweiten, als habe er sich kürzlich verliebt und weibisch herausgeputzt und wolle sogleich um die Hand eines Helden anhalten.

»Wie könnte ich widerstehen, diesen Frauenhelden zu rammen?«, meinte Volker.

»Unterlasst das!«, warnte König Gunter, »beginnen wir, haben wir schuld. Lass die Hunnen anfangen, das fügt sich besser.«

König Etzel und Kriemhild beobachteten das von ihrem Fenster.

»Ich reite in den Buhurt«, rief Hagen, »die edlen Frauen und Recken sollen sehen, wie wir kämpfen. Den Preis bekommen Gunters Mannen sowieso nicht.«

Da preschte Volker im Buhurt gegen den Schönling und bohrte ihm den Speer durch den Leib. Sofort jagte Hagen mit seinen sechzig Recken an die Seite des Spielmannes. Auch die drei Könige deckten ihn mit ihren Mannen. Schon waren tausend burgundische Recken auf dem Platz.

Verwandte des Durchbohrten klagten und riefen nach Rache für ihren Markgrafen. Dessen Mannen wollten nun Volker töten. Etzel hatte alles gesehen und eilte hinunter in den Hof, riss einem Verwandten des Gefallenen das Schwert aus der Hand und trieb die Rachelüsternen beiseite.

»Erschlügt Ihr den Spielmann, würde meine Königspflicht verletzt!«, rief Etzel. »Ich sah, er stach ohne Absicht, sein Pferd strauchelte.«

Etzel gab dann den Gästen das Geleit und lud sie zu Speise und Trank in den Festsaal der Burg.

Nachdem ihre Recken erneut versagt hatten, wandte sich Kriemhild an die Fürsten und nahm bei der Tafel zunächst Dietrich beiseite:

»König von Bern, ich suche deinen Rat, deine Hilfe, deinen Beistand.«

»Wer die Burgunden angreifen will, tue das ohne mich«, kam Hildebrant, der nicht von Dietrichs Seite wich, ihm zornig zuvor, »behalte deine Schätze, noch stehen die Helden unbezwungen.«

Nach alten Berichten bot die Königin Dietrich viel mehr:

»Ich gebe dir so viel Gold und Silber, wie du selbst festsetzt. Willst du über den Rhein vorstoßen, um dich an deinen Feinden zu rächen, stehe ich dir bei.«

»Mächtige Königin, lasst diese Bitten!«, entgegnete Dietrich von Bern, »deine Verwandten taten mir nichts; die Burgunden sind meine besten Freunde. Meine Hand wird Siegfried nicht rächen.«

Nach alten Berichten wandte sich Kriemhild dann an Etzel: »Wo sind die Wagen voll Gold, die meine Brüder uns mitbrachten?«

»Ich habe keine gesehen.«

»Mein König, wer wird Siegfrieds Tod rächen?«, bedrängte Kriemhild ihren Gemahl. »Tue du es aus Liebe, und du erhältst den ganzen Nibelungenhort.«

»Deine Rache ehrt dich. Aber deine Brüder genießen meine Gastfreundschaft.« Nach jüngeren Erzählungen wies Etzel Kriemhild ab; sie loben ihn als König ohne Argwohn und Hintergedanken, nennen ihn mild und friedfertig, ohne die Absicht, den unermesslichen Hort zu erlangen. Dies scheint uns eine Beschönigung zu sein.

Wie weltfremd wäre ein Herrscher, ließe er sich den unermesslichen Schatz entgehen? Aber so wie Kriemhild den Saal für ihre Verwandten mit Hermelin und Zobel schmückte, begrüßte der mächtige Etzel die Schwäger mit besonderen Ehren. Kriemhilds Bitte, ihre Brüder offen anzugreifen, würde er nicht folgen, aber heimlich seinen Bruder Blödel einweihen. Und als Kriemhild sich an diesen wandte, wusste der um die Absicht des Königs.

»Herr Blödel, Ihr müsst mir helfen, in diesem Hause sitzen meine Feinde. Sie haben meinen Mann erschlagen. Wer mir das zu rächen hilft, dem werde ich immer untertan sein.«

»Nun, Herrin, Ihr wisst, gegen Etzels Willen kann ich nichts tun«, wandte Blödel zunächst ein, »das würde der König mir nie verzeihen.«

Vielleicht vermutete Kriemhild List hinter Blödels Weigerung und versprach:

»Darum sorget nicht, Herr Blödel. Ich würde dir immer ergeben sein, erhältst zum Lohn Gold und ein schönes Mädchen. Naudungs Verlobte, die magst du gern in Liebe umarmen. Land und Burgen gebe ich dazu. Gewinnst du die Grenzmark, in der einst Naudung herrschte, lebst du in Freuden. Das alles gelobe ich dir.«

Als Blödel den Preis erfuhr, vor allem das herrliche Mädchen, fiel er in Kampfesfieber. Vielleicht lockte ihn doppelter Lohn; denn auch Etzel wird seinem Bruder einen Teil des Hortes versprochen haben.

»Geht wieder in den Saal«, bat Blödel die Königin, »bald hört Ihr Kampflärm. Für seine Tat soll Hagen büßen. Ich werfe Euch den Mörder gebunden vor die Füße.«

Blödel hieß seine Mannen sich waffnen.

Kriemhild ging wieder an den Tisch des Königs und ließ ihren Sohn holen.

Vier Mannen trugen Ortlieb, den jungen König, an den Tisch Etzels, an dem auch Hagen saß.

Als der König seinen Sohn erblickte, sagte er zu seinen Schwägern:

»Nun seht, meine Freunde, das ist mein einziger Sohn und der Eurer Schwester. Gerät er nach Eurem Geschlecht, wird er ein kühner Held, edel und mächtig, schön und stark. Lebe ich noch eine Weile, bekommt er zehn Länder, dann mag der junge Ortlieb Euch nützlich sein. Wenn Ihr wieder an den Rhein reitet, könntet Ihr ihn mit nach Worms nehmen und zu einem tapferen, ehrbaren Recken erziehen. Ist er erwachsen, könnte er Euch im Kampf gegen Eure Feinde helfen.«

Wie Kriemhild diese Worte aufnahm, wissen wir nicht. Vielleicht hielt Hagen sie für tückisch und erwiderte deshalb:

»Da müsste Ortlieb zum Manne heranwachsen. Aber wie ich sehe, ist der junge König eher vom Tode gezeichnet.«

Etzel blickte Hagen furchtbar an und strafte ihn durch kaltes Schweigen. Was nahm sich der Untergebene Gunters heraus! Und die Könige vom Rhein gaben sich zwar gekränkt, aber Widerspruch ist nicht überliefert. Das wird Etzel noch mehr gegen die Burgunden aufgereizt haben. Noch wusste keiner, was Hagen weiter anstiften würde.

Die burgundischen Knappen werden überfallen

In der Herberge der Knappen saß deren Marschall Dankwart mit seinen Recken und Knechten zu Tische. Da trat Blödel mit einigen seiner Mannen ein und wandte sich an Dankwart, der ihn freundlich empfing:

»Willkommen hier im Hause, mein Herr Blödel, mich wundert nur, wieso Ihr so hereinstürmt.«

»Du brauchst mich nicht zu grüßen«, erwiderte Blödel. »Dass ich zu dir eindringe, wird dein Ende sein. Dein Bruder Hagen hat Siegfried erschlagen.«

»Nein, Herr Blödel«, entgegnete Dankwart, »wie müssten wir unsere Fahrt zum Hofe Etzels bereuen. Ich war nicht auf jener Jagd, bei der Siegfried zu Tode kam. Warum sollte Kriemhild sich an mir rächen?«

»Mehr weiß ich nicht«, sagte Blödel, »deine Verwandten taten es, Gunter und Hagen. Nun wehrt euch, fremde Recken!«

»Wollt Ihr davon nicht ablassen«, empörte sich Dankwart, »dann reut es mich, dass ich freundlich zu Euch war.« Blitzschnell sprang der Held von seinem Tische auf, zog sein scharfes Schwert und schlug, ehe Blödel sich wehren konnte, ihm den Kopf ab, dass der vor dessen Füße rollte.

»Das ist deine Morgengabe für Naudungs Braut«, spottete Dankwart, »morgen mag sie einen anderen nehmen.« Ein getreuer Hunne hatte ihm verraten, was die Königin im Schilde führte.

Als Blödels Mannen sahen, dass ihr Herr ohne Kopf im eigenen Blute lag, zogen sie ihre Schwerter und sprangen mit grimmigem Hass gegen die Knappen.

»Ihr seht, Knappen, was geschieht, nun wehrt euch, wie ihr könnt!«, rief der Marschall.

Wer kein Schwert erreichen konnte, zog unter den Tischen schwere Schemel hervor und schlug den Hunnen Beulen in Helme und Köpfe. Wild kämpfend setzten sich die überraschten Knappen zur Wehr und trieben die bewaffneten Hunnen aus dem Haus. Aber fünfhundert und mehr blieben drinnen tot zurück. Von deren Blut waren viele Burgunden bespritzt. Aber die Feinde gönnten den Knappen keine lange Pause. Als die Hunnen vom Tode Blödels und seiner Mannen erfuhren, stürmten bald zweitausend und mehr hasserfüllt und gut bewaffnet in die Herberge der Knappen.

Diesen Scharen waren die Knappen nicht gewachsen. Obwohl sie, schlecht bewaffnet, sich tapfer wehrten und zahllose Hunnen erschlugen, fielen sie alle gegen die Übermacht. Nun hört das Ungeheuerliche: Neuntausend Knappen lagen erschlagen, dazu neun edle Recken Dankwarts.

Als der letzte gefallen war, legte sich der Kampflärm – es herrschte einige Augenblicke Stille. Der Held Dankwart blickte sich über die Schulter nach seinen Kämpfern um und rief:

»O weh, ich habe meine Freunde verloren! Nun stehe ich allein unter meinen Feinden!«

Kaum hatte er die Worte gesprochen, musste er sich wieder gegen Schwertschläge decken, hielt seinen Schild höher und hieb mit seinem Schwert gegen manchen Brustpanzer, dass dessen Träger zu Boden ging.

»Weicht zurück, ihr Hunnen!«, rief Dankwart, »mir ist heiß vom Kampf, lasst mich an die kühle Luft!«

Da bildete die Schar der Feinde eine Gasse und ließ den Helden ins Freie schreiten. Jene Hunnen draußen, die ihn noch keine Schädel spalten sahen, sprangen gegen ihn an. Der Lärm ihrer Schwerter dröhnte auf seinem Helm.

»Hätte ich einen Boten«, erscholl Dankwarts Stimme, »der meinem Bruder zuriefe, wie ich hier bedrängt werde, Hagen würde mich heraushauen oder neben mir fallen!«

»Du wirst selber Bote sein«, kreischten die Hunnen, »wenn wir deine Leiche deinem Bruder vor die Füße werfen.«

»Haltet euer Großmaul, macht den Weg frei, sonst wird es gleich da unten Blut saufen, während der Panzer euch noch aufrecht hält.« Dankwart köpfte noch einige, dann wahrten sie Abstand und schossen aus sicherer Entfernung so viele Speere in seinen Schild, dass er ihm, so beschwert, aus der Hand sank.

Nun glaubten die Hunnen den Marschall zu bezwingen, aber ungedeckt schlug er umso heftiger um sich. Als die Feinde wieder von beiden Seiten gegen ihn vorsprangen, wich er vor ihnen aus wie ein Eber im Wald vor einer Hundemeute. Bis er den Aufgang zum Königssaal erkämpfte, wurde sein Weg immer wieder von heißem Blut getränkt. Truchsessen und Schenke, vom Lärm der Schwerter aufgeschreckt, warfen Speisen und Getränke von sich und liefen davon. Wächter sperrten die Treppe zum Saal.

»Schleppt nur eure Speisen«, rief Dankwart, »aber lasst mich meinen Königen berichten!« Wer sich ihm dennoch in den Weg stellte, den vertrieb er oder hieb ihn nieder, bis er endlich kampfmüde und mit bluttriefender Rüstung in die Saaltür trat.

Der Kampf im Saal

»Verrat! Bruder Hagen!«, rief Dankwart, »Ihr tafelt hier beim Wein, und draußen liegen alle unsere Knechte erschlagen!«

Der Lärm des Festes erstarb.

»Wer hat das getan?«, erscholl Hagens Stimme.

»Blödel und seine Mannen!«, schrie Dankwart zurück. »Aber er büßte es mit seinem Kopf.«

Im Saal herrschte nun Totenstille.

»Es ehrt einen Recken, von der Hand eines Helden zu fallen«, rief Hagen, »aber sagt mir, Bruder, wovon seid Ihr so rot, blutet Ihr?«

»Was von meiner Rüstung rinnt, ist das Blut anderer Männer. Und sollte ich schwören, die Zahl der Erschlagenen kann ich nicht zählen.«

»Bruder Dankwart, versperre die Tür, kein Hunne kommt aus dem Saal! Wegen der Knappen stelle ich Etzels Leute zur Rede.«

Dankwart stand in der Tür, nassrot Helm und Brünne, und zückte sein Schwert, das nicht mehr blank war, weil von ihm Blut tropfte. Die Hunnen im Saal raunten und wandten sich feindselig gegen diese Drohung.

»Kriemhild verwindet nicht Siegfrieds Tod«, rief der Tronjer, »das weiß ich seit langem. Auch ihm zu Ehren trinken wir Etzels Wein. Sein Sohn sei der allererste.«

Und ehe einer am Tische einschreiten konnte, zog Hagen das Schwert Balmung und schlug Ortlieb den Kopf ab; der sprang Kriemhild in den Schoß. Und sein Blut floss am Schwert entlang auf Hagens Hände.

Dann bedachte Hagen den Erzieher des jungen Königs mit einem solchen Hieb, dass dessen Kopf über den Tisch rollte. Darauf schlug er in seinem Zorn noch dem Spielmann Wärbel die rechte Hand ab.

»Für deine Botschaft, die du nach Worms brachtest!«, rief der Tronjer.

»Weh mir, meine Hand«, klagte der Spielmann, »was habe ich Euch getan? Ich kam aus Treue nach Worms. Wie soll ich nun ohne Hand die Saiten schlagen?«

Etzel sprang auf und rief: »Meine Recken, macht die Burgunden nieder!«

Ein grausiges Morden begann. Kampflärm und Schreien erfüllte den Saal. Hunnen und Burgunden fielen übereinander her. Von seinem Tisch sprang der Spielmann aus Worms auf und ließ seinen Fiedelbogen erklingen, schlug ungefüge Töne auf Helmen und Panzern der Hunnen. Auch die drei Könige sprangen von ihren Sitzen auf und versuchten, ehe noch mehr Blut floss, den Kampf zu beenden. Aber Hagen und Volker wüteten bereits zu sehr unter den Hunnen. Da zog König Gunter selber sein Schwert und hieb den Feinden tiefe Wunden. Gernot brachte mit der Waffe, die Rüdeger ihm geschenkt hatte, manchem Hunnen den Tod. Aber so tapfer auch die zwei Könige und ihre Recken kämpften, Giselher übertraf sie alle; von ihm gefällt, sanken die meisten Gegner zu Boden. Auch die Mannen Etzels wehrten sich tapfer und streckten viele burgundische Recken nieder.

Bei Dankwart, der die Tür versperrte, klirrten Schwerter und Helme so laut, dass Hagen um ihn fürchtete und Volker zurief:

»Freund Volker, rettet meinen Bruder!«

»Das tue ich gern!«, antwortete er, schwang seinen Fiedelbogen, dass es laut auf den Helmen und Panzern der Hunnen klirrte. So kämpfte er sich mit den Klängen seiner Musik bis zur Tür durch und versperrte mit seinem Schwert den Saal, während der kampfmüde Dankwart die äußere Tür schützte und keine Feinde zum Entsatz hereinließ.

»Die Tür ist verschlossen!«, schrie Volker über die Köpfe der Kämpfer, »Freund Hagen, so sicher, als legten zwei Helden tausend Riegel vor!«

Als Hagen die Tür so gesichert sah, warf er den Schild auf den Rücken und begann, sich für den Tod der Knappen erst recht an den Feinden zu rächen.

Dietrich von Bern sah, wie Hagen wütete und mit Balmung Helm um Helm spaltete, da sprang er auf eine Bank und rief:

»Hagen schenkt uns allen tödlichen Wein aus!«

Vor Etzels Augen fielen viele seiner Freunde, da fürchtete er für sein eigenes Leben. Was half ihm, dass er König war?

Die bedrohte Kriemhild rief Dietrich zu:

»Hilf mir, edler König, du Hort der Tugenden. Wenn Hagen mich erreicht, wird er mich töten!«

»Wie soll ich Euch schützen, edle Königin?«, erwiderte Dietrich. »Ich bin selbst bedroht, Gunters Mannen sind so erzürnt, auch ich kann keinen Frieden mehr stiften.«

»Edler Dietrich, beweise deine Größe, hilf mir hier heraus, oder ich sterbe!« So nah glaubte sich Kriemhild dem Tode noch nie.

»Ich versuche Euch zu helfen«, versicherte Dietrich. »Seit langem schlugen keine Helden so unerbittlich drein. Wohin ich blicke, springt Blut durch zerschlagene Helme.«

Dietrich reckte sich, auf einer Bank stehend, und brüllte mit solcher Urkraft, dass es wie das Horn eines Wisents durch die Burg dröhnte; auch an Stimme übertraf Dietrich alle.

Trotz Kampflärm und Geschrei hörte König Gunter ihn und rief:

»Das ist Dietrich. Verlor er Recken durch uns? Er winkt auf einem Tisch. Burgunden, brecht den Kampf ab! Lasst uns sehen, was wir ihm angetan.«

Die Mannen hörten auf ihren König und ließen mitten im Gemetzel die Schwerter sinken.

»Fiel einer Eurer Leute durch uns?«, rief Gunter. »Ich will es gern sühnen.«

»Mir ist nichts geschehen«, erwiderte Dietrich, »gewährt mir Frieden, lasst mich mit meinen Mannen aus dem Saal, dafür sichere ich Euch immer Beistand zu.«

Wolfhart, ein Recke Dietrichs, widersetzte sich und wollte gegen Volker den Ausgang freikämpfen. Aber der König der Amelungen gebot ihm zu schweigen.

Kampfgetöse und Schwerterklirren nahmen ab. Die Recken lauschten in der Kampfpause auf das Wort ihrer Könige.

»Ich erlaube es Euch!«, rief Gunter, »führt aus dem Hause, wen ihr mögt, nur meine Feinde, die bleiben hier. Die Hunnen haben meine neuntausend Knechte und neun Recken erschlagen.«

Dietrich hörte dies, nahm die Königin an einen Arm, an den anderen König Etzel und verließ mit seinen sechshundert Amelungen den Saal.

»Dürfen auch andere, die Euch ergeben sind, aus dem Hause?«, fragte Markgraf Rüdeger. »Guten Freunden sollte man Frieden gewähren.«

»Ihr und Eure Mannen seid uns treu verbunden«, antwortete Giselher, »wir gewähren Euch Frieden, Sühne und freien Abzug.«

Mit Rüdeger verließen fünfhundert und mehr seiner Recken den Saal. Bald sollte von ihnen Gunters Mannen großer Schaden zugefügt werden.

Ein Hunne sah seinen König an Dietrichs Seite durch die Tür gehen und wollte mit vorbeihuschen, da versetzte der Spielmann ihm einen solchen Schlag, dass sein Kopf Etzel vor die Füße flog.

Als der Hunnenkönig vor seinen Saal gelangt war, wandte er sich um und sah Volker an:

»Weh über solche Gäste«, klagte er, »sollen alle meine Recken von seiner Hand sterben? Wehe über dieses Fest. Da ficht einer im Saal wie ein wilder Eber, und ist doch ein Spielmann; seine Bogenstriche sind rot, seine Töne töten. Noch nie hatte ich einen so furchtbaren Gast!«

Nachdem der letzte, dem es erlaubt war, den Saal verlassen hatte, erhob sich drinnen erneut gewaltiger Kampflärm. Die Burgunden rächten sich weiter. Volkers Fiedelbogen tanzte wieder auf Helmen und Panzern, und Hagen zerschnitt Brünnen und Schilde. Der Kampf währte so lange, bis der letzte Hunne im Saal getroffen war und sich nicht mehr rührte. Erst dann legten die Burgunden ihre Schwerter aus den Händen, und es trat eine große Stille ein.

Die Toten werden aus dem Saal geworfen

Die vom Kampf ermüdeten Burgunden wollten sich setzen und ruhen. Aber weil überall Tote lagen, war kein Platz. Und als Hagen und Volker vor den Saal traten, sich übermütig auf ihre Schilde lehnten und klug redeten, rief Giselher:

»Ehe wir ruhen, räumt die Toten aus dem Saal. Bevor die Hunnen uns im Sturm überwältigen, werden wir ihnen noch viele Wunden schlagen, aber die Leichen sollen uns nicht behindern.«

»Wohl dem Manne, der solch einen Herrn hat!«, meinte Hagen.

Die Burgunden folgten dem Rat, trugen siebentausend Tote

vor die Tür und warfen sie die Saaltreppe hinunter. Mancher war nur mäßig verwundet und wäre gesund zu pflegen gewesen, verlor aber durch den hohen Fall gänzlich das Leben.

Darüber klagten die Hunnen laut, was den Spielmann reizte. Statt wie Weiber zu plärren, sollten sie sich lieber um ihre Verwundeten kümmern, meinte er. Ein Markgraf nahm das als Aufforderung und umschloss einen verletzten Verwandten mit den Armen, um ihn fortzutragen. Da durchbohrte der Spielmann ihn mit einem Speer.

Alle verfluchten Volker und flüchteten. Er nahm einen Speer, den die Hunnen in den Saal geschleudert hatten, und schoss ihn mit ungeheuerer Kraft über die Scharen der Hunnen, die daraufhin noch weiter zurückwichen. Zu Tausenden standen sie nun in einiger Entfernung vom Saal, in ihrer Mitte König Etzel und Kriemhild.

Hagen reizte den König der Hunnen:

»Für einen Herrscher geziemt sich, an der Spitze seines Heeres zu kämpfen wie meine Könige.«

Der zornige Etzel griff zu seinen Waffen.

»Wenn Hagen Euch erreicht, ist das Euer Tod«, wollte Kriemhild ihn zurückhalten.

Aber Etzel fühlte seine Königsehre verletzt und wollte kämpfen. Gefährten mussten ihn am Schildriemen zurückziehen. Obwohl er sich das als König hätte verbitten können, ließ er es zu. Ob sein Kampfeifer nur vorgetäuscht war, wird nicht berichtet.

Daraufhin höhnte Hagen weiter gegen Etzel:

»Vor dir war Siegfried Kriemhilds Geliebter! Boshafter König, warum bist du mir feind?«

Nach dieser schweren Schmähung vor seinen Mannen ließ Etzel seinen Schild los, trat wieder einige Schritte vor und rief:

»Ihr raubtet die Morgengabe meiner Königin. Jenen Hort, der ihr eigen, habt Ihr im Rhein versteckt. Diesen Schatz fordere ich.«

Auch Kriemhild geriet über Hagens Schelte in Zorn und rief:

»Wer mir Hagens Kopf vor die Füße wirft, dem fülle ich Etzels Schild mit rotem Golde und belohne ihn mit starken Burgen und Ländereien.«

»Nie sah ich Helden so jämmerlich!«, spottete Hagen. »Bei so hohem Lohn! Sie essen des Königs Brot, kriechen aber in seiner höchsten Not feige weg. Diese Schande werden sie nie los.«

Da kam Unruhe in Etzels Scharen. Und Markgraf Iring von Dänemark rief:

»Ich siegte in vielen Schlachten und lebe für meine Ehre. Bringt mir meine Waffen, ich werde Hagen bezwingen!«

»Ich rate dir ab«, entgegnete Hagen, »aber willst du es doch, dann halte mir die Hunnen fern.«

»Ich kämpfe allein mit dem Schwert gegen dich«, beteuerte Iring und waffnete sich. Aber mit ihm taten das Irnfried von Thüringen, ein kühner Jüngling, der vielstarke Hawart und wohl noch tausend Mannen, die ihm beistehen wollten.

Der Spielmann sah Iring mit seiner großen Schar Gewaffneter, die Helme festgebunden, und rief zornig:

»Geziemt sich für einen Helden so zu lügen? Tausend oder mehr kommen mit Euch!«

»Was ich gelobte, will ich leisten«, erwiderte Iring. »Ich habe keine Furcht. So schrecklich Hagen auch ist, ich will allein gegen ihn antreten.« Iring bat seine Mannen so lange, bis sie nachgaben und zurückblieben.

Dann reckte Iring seinen Speer, deckte sich mit seinem Schild, stürmte so hinauf vor den Saal; dann begann der Lärm des Kampfes. Beide schleuderten mit kräftiger Hand die Speere, die durchbohrten ihre derben Schilde und prallten auf ihre Rüstungen, dass die Speerschäfte durch die Luft wirbelten. Dann griffen die beiden Helden grimmig zu ihren Schwertern. Obwohl Hagen tapfer kämpfte, hieb Iring so auf ihn ein, dass das ganze Haus erdröhnte und die Schläge in Palas und Türmen widerhallten. Aber da er gegen den Tronjer nichts auszurichten vermochte, ließ er ihn unverwundet stehen und griff den Spielmann an. Doch dem gelang es, die harten Schläge abzuwehren und dann zu einem Hieb auszuholen, der Irings Schildspangen umherfliegen ließ. Da Iring ihn für einen üblen Mann hielt, wandte er sich von ihm ab und lief gegen Gunter an. So heftig dann Iring und Gunter einander angriffen, keiner brachte dem anderen Wunden bei; beider starke Rüstungen bewahrten sie davor. Dann ließ Iring auch von König Gunter ab und griff Gernot an, dass Feuer aus seinen Panzerringen sprühte. Aber als Gernot Iring zu erschlagen drohte, sprang der gewandt davon und erschlug rasch vier Burgunden.

Nie sah man Giselher zorniger, denn es waren seine Leute.

»Herr Iring«, rief er, »dafür müsst Ihr büßen«, und versetzte ihm einen solchen Schlag, dass er ins Blut der eben Erschlagenen stürzte. Man meinte, der Held sei tot. Aber Iring war von der Wucht des Hiebes nur betäubt. Als seine Sinne langsam zurückkehrten, dachte er, ich lebe und bin ohne Wunden, nun erst weiß ich, was Giselher für ein großer Held ist. Iring hörte die Feinde über sich und sann darüber nach, ihnen zu entfliehen. Wie ein Tobsüchtiger sprang er aus dem Blute hoch, entkam nur dank seiner Schnelligkeit, lief aus dem Haus und traf am Tor auf Hagen. Beschützt dich nicht der böse Teufel, bist du des Todes, dachte der. Dennoch schlug Iring ihm mit seinem Schwert Waske durch den Helm eine Wunde. Als Hagen das spürte, hieb er so wütend auf Iring ein, dass der, den Kopf mit seinem Schild gedeckt, davor die Treppe hinunter floh. Und wäre die Treppe dreimal so lang gewesen, der ihn verfolgende Hagen hätte ihn keinen einzigen Schlag tun lassen. Rote Funken stoben aus Irings Helm! Wohlbehalten entkam er zu seinen Leuten.

Kriemhild nahm ihm selbst den Schild aus der Hand und dankte ihm:

»Hagens Panzer ist rot von Blut, das tröstet mich.«

»Wartet mit Eurem Dank«, rief Hagen ihr von der Tür der Halle her zu, »versuchte er es erneut und kehrte heil zurück, ja dann wäre er ein kühner Recke. Die kleine Wunde reizt mich erst recht, ihn zu erschlagen.«

Im Wind kühlte Iring mit abgebundenem Helm seinen Ringpanzer. Seine Mannen rühmten, dass er den Tronjer, der mit Balmung kämpfte, verwundet hatte. Das reizte ihn wieder zum Kampf. Für seinen zerhauenen Schild ließ er sich einen dickeren reichen. Besser gewaffnet nahm er aus Hass gegen den Tronjer einen stärkeren Speer und lief erneut gegen Hagen an. Der kam mordgierig die Treppe herunter, konnte den Angriff kaum erwarten und schoss seinen Speer gegen den Dänen. Obwohl der stark war und beide so auf die Schilde hieben, dass feuerrote Funken stoben, gelang dem Tronjer beim Schwertkampf, Iring durch dessen Brünne hindurch zu treffen. Nach seiner Verletzung hob Iring den Schild höher. Aber Hagen begnügte sich nicht mit der Verwundung, sondern hob seinen Speer auf und schoss ihn so, dass Iring die Stange aus dem Kopf ragte. So floh Iring zu den Dänen. Ehe man ihm den Helm abnehmen konnte, musste man ihm den Speer aus dem Kopf reißen. Irings Verwandte weinten über seinen nahen Tod.

Die Königin beugte sich über ihn und beklagte seine Wunden.

»Was helfen Eure Tränen«, stöhnte Iring, »ich muss doch sterben.« Dann wandte er sich an die Dänen und Thüringer: »Wer gegen Hagen antritt, wählt den Tod.« Irings Gesicht wurde fahl, ein Zeichen seines nahen Endes.

Nun mussten die Dänen in den Kampf eintreten. Irnfried und Hawart stürmten mit tausend Mann gegen die Halle. Der Thüringer griff den Spielmann an, doch der hieb ihn durch den starken Helm, und tödlich verletzt führte Irnfried noch furchtbare Schläge gegen Volker, dass dem Spielmann Feuer aus der Brünne stob. Dann sank der Thüringer tot zu Volkers Füßen.

Nun kämpften Hagen und Hawart gegeneinander. Obwohl der Däne sehr tapfer focht, kam er nicht gegen den Tronjer an und wurde von ihm erschlagen. Als die Dänen und Thüringer sahen, dass ihre Herren gefallen waren, begann vor dem Hause ein furchtbares Gemetzel.

»Weicht aus und lasst sie herein!«, riet Volker, »drinnen machen wir sie in kurzer Zeit nieder!«

Als die Angreifer übermütig in den Saal stürmten, wurden vielen Hände oder Füße oder gar der Kopf abgeschlagen, manche wurden in zwei Stücke gehauen. Tausendundvier drangen in den Saal ein. Alle fielen durch die burgundischen Helden. Dann verstummte der Kampflärm. Und es trat solche Stille ein, dass man nicht nur die Vögel singen, sondern auch das Blut rinnen und aus dem Abflussstein plätschern hörte.

Die Burgunden legten ihre Schwerter und Schilde beiseite und setzten sich zur Ruhe nieder. Nur der Spielmann wachte vor der Tür.

»Nun bindet die Helme ab«, sagte Hagen, »ich und mein Gefährte werden wachen.«

Die Burgunden taten das und setzten sich auf die Toten, die in ihrem Blute lagen.

Der Mordbrand

König Etzel und Kriemhild klagten über ihre Gefallenen. Frauen und Mädchen rauften sich die Haare aus Schmerz und Verzweiflung. Nun sammelte das hunnische Königspaar wohl zwanzigtausend Recken für den Sturm auf den Saal. Als sie anrückten, sprang Dankwart, der bei seinen Königen stand, zur Tür und versperrte den Feinden den Zutritt. Viele Burgunden fielen, aber weit mehr Hunnen. Dieser große Mord geschah zur Sonnenwendzeit. Und der Kampf währte, bis der Tag zerrann; und als die Nacht hereinzubrechen begann, dachten die Burgunden, statt langer Qualen wäre ein kurzer Tod besser. So baten die Gäste um Frieden und wollten mit König Etzel sprechen.

Der Hunnenherrscher und Kriemhild traten vor ihre Mannen, deren Zahl durch Zuzug aus ihrem Lande ständig wuchs. Etzel sprach zu den Burgunden:

»Solange ich lebe, gibt es keine Gnade. Ihr erschlugt meinen Sohn und viele meiner Verwandten. Deshalb verwehre ich Euch ewig Friede und Sühne.«

»Uns zwang große Not«, beteuerte König Gunter, »Ihr ließet meine neuntausend Knappen erschlagen. Womit habe ich das verdient? Wir kamen zu dir im Vertrauen. Aber Ihr habt den Kampf begonnen.«

»Recken Etzels, was habe ich euch getan?«, pflichtete Giselher bei, »ich ritt als Freund in euer Land.«

»Lasst uns den Kampf durch Sühne beenden, das wäre gut für beide Seiten«, verlangte König Gunter erregt, »was Etzel uns hier antut, haben wir nicht verschuldet.«

»Unser und Euer Leid sind viel zu ungleich«, beharrte Etzel, »Ihr habt mir weit mehr angetan.«

»Lasst uns hinausgehen und erschlagt uns im Freien«, bat Gernot, »das gereichte Euch zur Ehre.«

Einige Anführer der Hunnen wollten die Belagerung des Saales aufgeben, aber andere rieten davon ab, wie auch Kriemhild:

»Lasst ihr die Mordrächer aus dem Saal, fielen bald alle eure Verwandten. Kühlten meine Brüder im Wind ihre Rüstung, so wärt ihr alle verloren.«

»Vielschöne Schwester, o wäre ich deiner Einladung nie gefolgt«, sagte Giselher, »immer stand ich dir bei, womit habe ich hier den Tod verdient? Gewähre uns Gnade, anderes darfst du nicht zulassen.«

»Hagen fügte mir bitterstes Leid zu. Solange ich lebe, gibt es dafür keine Sühne. Liefert mir Hagen als Geisel aus, dann rede ich mit den hunnischen Helden wegen eurer Sühne.«

Von den Burgunden war Hohn zu hören.

»Wären auch tausend unserer Sippe im Saal eingeschlossen«, erwiderte Gernot, »lieber lägen wir alle tot, als dass wir auch nur einen einzigen Mann als Geisel auslieferten.«

»Sterben müssen wir doch«, sagte Giselher, »ich breche keinem Freund die Treue.«

»Mein Bruder Hagen steht nicht allein«, erklärte Dankwart. »Wer uns den Frieden verwehrt, dem wird das noch leidtun.«

»Und verließe ich gegen Euren Willen den Saal?«, reizte Hagen seine Könige und Etzel, »kämpfte, solange ich Balmung führen kann, allein gegen das Heer der Feinde? Dann würde den Burgunden Sühne gewährt.« Hagen trat drei Schritt vor.

Die Burgunden murrten und argwöhnten eine neue List Hagens.

»Kriemhild wäre damit Genüge getan, nicht aber mir«, gebot König Etzel Einhalt, »Ihr erschlugt nicht nur meinen Sohn und viele Verwandte. Noch immer verweigert Ihr uns den Hort. Bis der herbeigeschafft ist, fordere ich die drei Könige als Geiseln.«

»Der Hort ist so tief versenkt, den kann keiner mehr heben«, erwiderte Gunter.

»Der Schatz ist unermesslich«, fügte Giselher hinzu, »wer ihn besitzt, hat Macht über die Welt. Wer wollte die einem König anvertrauen? Damit sie keiner missbrauche, haben wir sie allen entzogen, auch uns selbst.«

»Ersann Hagen diese List?«, rief Etzel. »Versenktet Ihr den Hort für immer, wärt Ihr keine Herrscher. Er muss auf unsere Burg.«

»Ein burgundischer König bei Euch gefangen?«, höhnte Giselher, »eher stürze ich mich in mein Schwert.«

Dieser Streit mit Etzel wird zwar nicht berichtet, könnte sich aber so zugetragen haben.

Nun rüsteten sich Etzels Recken zum Sturm auf den Saal und schlossen das Gebäude ein. Burgunden, die noch draußen standen, wurden mit Schwertern und Speerwürfen hineingetrieben. Dann wurde der Saal an allen vier Ecken angezündet. Wind fachte die Flammen an. Bald brannte das Dach lichterloh. So wurden die Burgunden mit Feuer überzogen.

»O weh, diese Hitze!«, riefen manche, »lieber fiele ich im Feuer des Kampfes!«

»Bald liegen wir tot!«, klagte ein anderer. »Mich plagt Durst. Das halte ich nicht aus.«

»Wenn wir verdursten, können wir nicht kämpfen. Die Not zwingt uns, Blut zu trinken, das ist in der Hitze besser als Wein.« Sogleich wurde Hagens Rat befolgt.

Ein Recke beugte sich über einen Gefallenen, nahm ihm den Helm ab und schlürfte aus seiner Wunde das rinnende Blut. Dann sagte er:

»Dass ich nach Eurem Rat so wohl getrunken habe, lohne Euch Gott. Selten wurde mir besserer Wein ausgeschenkt.« Als die anderen hörten, wie gut das dem Recken bekam, tranken so noch viele und gewannen neue Kräfte.

Inzwischen stürzten brennende Balken in den Saal, es regnete Glut, Funken stoben heißer als vom schärfsten Kampf. Die Recken deckten sich mit ihren Schilden. Aber Rauch und Hitze bereiteten große Qualen. Als das Dach einstürzte, rief Hagen:

»Stellt Euch an die Wände, lasst nichts Brennendes auf Eure Helmbänder fallen, tretet es ins Blut der Saalmitte!«

So verging die Nacht. Hagen und der Spielmann hielten wieder Schildwache.

»Gehen wir in den Saal«, meinte Volker, »dann glauben die Hunnen, wir seien in der Hitze umgekommen.«

»Es tagt langsam, ein kühler Wind hebt an«, war eine Stimme zu hören.

»Meine Schwester Kriemhild bereitet uns ein arges Fest«, meinte einer der Könige.

»Jetzt spüre ich den Tag«, sagte ein anderer, »Helden, waffnet euch.«

Etzel war sich nicht sicher, ob die Burgunden verbrannt oder durch den Rauch erstickt wären. Aber im Saal überlebten sechshundert Recken. Nie besaß ein König tapferere Helden. Späher der Hunnen berichteten, dass sich viele von Asche bestäubt in den Trümmern regten. Das wollte Kriemhild nicht glauben. Die Feuersbrunst könne keiner überlebt haben.

Die Hunnen begrüßten ihre Gäste am Morgen mit einem harten Angriff. In dichter Folge wurden scharfe Speere gegen den Saal geschleudert. Die Burgunden gerieten in Bedrängnis. Um die Kampfgier der Hunnen anzustacheln, wurden Schilde voll roten Goldes vor die Halle getragen. Wer wollte, konnte sofort welches empfangen. Viele ließen dafür ihr Leben. Nie warb ein König sich Kämpfer mit höherem Sold. Unablässig rannten die Hunnen gegen die Burgunden an. König Gunter verlor seine besten Helden. Aber so viele Feinde die Burgunden auch fällten, immer neue Scharen strömten aus dem Umland der Burg herbei. »Es ist, als kämpften wir gar nicht«, meinte Hagen. Und die Zahl der Recken um die drei Könige schmolz immer mehr zusammen.

Rüdeger fällt

Der Markgraf kam in die Burg, erschrak über den niedergebrannten Saal, die vielen Toten und Verwundeten ringsum und das unermessliche Leid bei Hunnen und Burgunden. Da vermochte Rüdeger die Tränen nicht zurückzuhalten. Und Kriemhild musste von ihm hören:

»Weh mir, dass ich je geboren wurde. Kann niemand dieses Morden beenden! Wie gern stiftete ich Frieden, doch der König lehnt es ab.« Daraufhin ließ Rüdeger Dietrich von Bern ausrichten, nur er hätte noch die Macht, das Geschick der drei Könige zu wenden. Aber der Berner bestellte ihm, König Etzel weise jede Versöhnung zurück.

Bei Rüdeger und Kriemhild stand ein Hunne, der sah den Markgrafen weinen und wollte sich vor der Königin brüsten. »Nun seht doch, wie er dasteht«, griff er Rüdeger an, »wie viele tapfere Recken hat er, wie viele Burgen erhielt er vom König, führte aber noch keinen Schwertschlag für seinen Gönner. Wagt er das nicht?«

Voll Zorn blickte Rüdeger auf den Hunnen und dachte: dass du mich feige nennst, war zu vorlaut. Der Markgraf ballte die Faust und versetzte dem Großmaul einen solchen Schlag, dass er tot vor seine Füße stürzte. »Fahr hin«, meinte Rüdeger wütend, »leide ich nicht genug? Wieso wirfst du mir vor, dass ich nicht kämpfe? Für Etzel tät ich das gern. Aber ich führte seine Gäste her und gab ihnen Geleit. Deshalb hebe ich das Schwert nicht gegen sie.«

Inzwischen kam auch Etzel. »Helft Ihr uns so, edler Rüdeger? Haben wir nicht schon genug Tote?«

»Er hat mich beleidigt«, wehrte sich der Markgraf. »Nun hat der Lügner den Schaden.«

»Ich wage für Euch Ehre und Leben, habt Ihr uns, edler Rüdeger, immer wieder versichert«, sagte Kriemhild. »Wie viele Recken preisen Euch. Ich erinnere an den Schwur, den Ihr in Worms getan, als Ihr mich für Etzel gewonnen habt. Bis einer von uns tot ist, verspracht Ihr mir zu dienen. Mir armem Weibe war das noch nie so nötig wie jetzt.«

»Ich schwor, mit Ehre und Leben für Euch einzustehen«, räumte Rüdeger ein, »das will ich nicht leugnen. Aber meine Seele zu verlieren schwor ich nicht. Den drei Königen gab ich Geleit zu diesem Fest.«

»Rüdeger, ich erinnere dich an deine Eide«, beschwor die Königin ihn, »wer mir auch schadet, das wolltest du immer rächen.«

»Ich versagte mich Euch noch nie«, beteuerte Rüdeger.

Noch war es dem mächtigen Etzel nicht gelungen, die Burgunden zu besiegen. Hunderte ihrer Recken scharten sich noch um ihre drei Könige im ausgebrannten Saal, bereit zu neuen Kämpfen. Bei den Angriffen waren Tausende Hunnen gefallen. Etzels Heer, das bei der Burg stand, war aufgerieben. Neue Scharen heranzuführen würde Zeit kosten. Also setzte er jetzt auf Rüdeger mit seinen Mannen.

Da geschah etwas so Unerhörtes, dass alle überrascht waren: Neben Kriemhild warf der große Herrscher der Hunnen sich dem Markgrafen zu Füßen und flehte ihn, einen ihm Untergebenen, um Hilfe an.

»Wehe mir!«, rief der Markgraf verzweifelt, »dass ich dies erleben muss. Meine Ehre und Treue, alles ist dahin. Unterlasse ich das eine und tue das andere – immer handle ich ehrlos, unterlasse ich beides, so schilt mich jeder. Nun rate mir, der mir zu leben auferlegte.«

Aber der König und die Königin entließen ihn nicht aus seinen Eiden, bestanden auf seinem Eingreifen. Nun müsst ihr hören, wie schrecklich zu handeln er gezwungen wurde.

»Nehmt alles zurück, was ich von Euch habe«, beschwor der Markgraf sein Königspaar, »hier sind Land und Burgen zurück, nichts soll mir bleiben. Ich will zu Fuß in die Fremde gehen.«

»Wer hülfe mir dann?«, drang Etzel verzweifelt in ihn, »ich gebe dir Land und Burgen, damit du auch meinen Sohn Ortlieb rächst. Du sollst neben mir ein mächtiger König sein.«

»Meine Tochter gab ich Giselher zur Braut. Nie sah ich einen jungen König so treu und mächtig. Ich darf meinen Schwiegersohn und meine Schwäger nicht angreifen!«

»Hört Ihr die Verwundeten ringsum stöhnen?« Etzel gab nicht nach und bestand auf seinen Eiden. »Nie lud ein König schrecklichere Gäste ein. Und wir fordern Kriemhilds Nibelungenhort!«

»Was Rüdeger von Euch erhielt, zahlt er heute mit seinem Leben«, klagte der Markgraf, »darum muss ich von der Hand eines Burgunden sterben. Mein Weib und mein Kind befehle ich Eurer Gnade an, sowie meine fremden Recken in Bechlaren.«

»Das lohne dir dein Gott«, sagte Etzel, »deine Leute stehen unter meinem Schutz. Ich vertraue meinem Königsheil, dass du den Kampf gut überstehst.«

Kriemhild begann zu weinen.

»Was ich schwor, werde ich halten«, gelobte Rüdeger. »Wehe meinen Verwandten, gegen die ich wider Willen das Schwert ziehen muss.« Voll Schmerz wandte sich Rüdeger vom König ab, ging zu seinen Mannen und gebot ihnen, sich zu waffnen.

Bald sah man Rüdeger unter dem Helm, mit ihm fünfhundert seiner Leute gewappnet; zwölf Recken, die Ruhm erwerben wollten, schlossen sich ihnen an, ahnten aber nichts von ihrem nahen Tode. Mit breiten Schilden und geschärften Schwertern schritt Rüdeger mit seinen Recken auf die Ruine des Saales zu.

Als Giselher seinen Schwiegervater mit den behelmten Mannen kommen sah, wurde ihm froh zumute. »Was für Freunde gewannen wir auf der Fahrt!«, rief er. »Meinem Weib verdanken wir die Hilfe. Wie froh bin ich über die Heirat.«

»Worauf baut Ihr?«, wandte Volker ein. »Saht Ihr zu einer Versöhnung je so viele Mannen mit aufgebundenen Helmen und blitzenden Schwertern?«

Bevor der Spielmann zu Ende gesprochen hatte, setzte Rüdeger vor dem Hause seinen Schild ab. Statt seine Verwandten zu begrüßen, rief er hinauf zum Saal:

»Ich wollte Euch helfen, nun muss ich gegen Euch kämpfen. Wir waren Verwandte, aber ich muss die Treue aufkündigen. Kühne Burgunden, nun wehrt Euch!«

Das vermochten die Eingeschlossenen nicht zu fassen.

»Verhüte Euer Gott«, rief König Gunter, »dass Ihr Euren Treueeid brecht! Ich verlasse mich darauf, dass Ihr das nimmer tut.«

»Was kann ich noch ändern,« erwiderte Rüdeger verzweifelt, »mich binden ältere Eide an die Königin. Ich bin Markgraf König Etzels. Ist Euch Euer Leben lieb, wehrt Euch!«

»Lasst ab, edler Rüdeger!«, widersetzte sich Gernot. »Kein Herr nahm seine Gäste so liebevoll auf. Bleiben wir am Leben, werdet Ihr reich belohnt.«

»Wollte Gott, dass Ihr am Rhein geblieben und ich in Ehren tot, denn ich werde gezwungen, gegen Euch zu kämpfen. Nie wurde Recken von ihren Verwandten Schlimmeres angetan.«

»Hier halte ich das Schwert, das Ihr mir gabt«, mahnte Gernot. »Es ist stark, unter seiner Schneide sanken viele Männer in den Tod. Nie wieder wird ein Recke eine so scharfe Waffe verschenken. Aber greift Ihr uns an und erschlagt auch nur einige unserer Mannen, so gehe ich Euch mit diesem Schwert ans Leben.«

»Alle Eure Freunde sollen leben, Herr Gernot«, beteuerte Rüdeger, »mein Weib und meine Tochter vertrauten sich Euch an.«

»Wollt Ihr Eure Tochter so früh verwitwen? Greift Ihr uns aber an, brecht Ihr die Treue. Weil ich Euch vertraute, wählte ich Eure Tochter zur Frau«, sagte Giselher, um den Kampf abzuwenden.

»Kommt Ihr heil heraus, lasst es die Jungfrau nicht büßen«, bat Rüdeger.

»Wie gern täte ich das«, entgegnete Giselher, »aber fallen von deiner Hand hohe Verwandte, muss ich die Freundschaft mit dir und deiner Tochter brechen.«

»Nun sei Gott uns gnädig!«, rief Rüdeger und hob seinen Schild als Zeichen für seine Mannen, den Saal zu stürmen. Da erdröhnte Hagens Stimme von der Treppe:

»Haltet ein, vieledler Rüdeger! Reden wir noch, zum Kampf bleibt Zeit genug. Was wird Etzel unser Tod nützen? Fast bin ich ungedeckt. Jenen Schild, den mir Frau Gotelind schenkte, zerhieben mir die Hunnen. Trüge ich jetzt einen solchen Schild, wie du ihn hältst, bedürfte ich im Kampf keiner Halsberge mehr.«

Nach der ungewöhnlichen Bitte, vom Feind eine bessere Wehr zu erhalten, trat große Stille ein. Keine Waffe klirrte. Und noch nie hatte Hagen den Markgrafen mit du angeredet.

»Wagte ich das vor Kriemhild«, zögerte der Markgraf, »gäbe ich dir gern den Schild. Doch nimm ihn hin«, entschloss er sich plötzlich, »ach könntest du ihn heimbringen ins Burgundenland.«

Als Rüdeger seinem künftigen Feind bereitwillig den guten Schild übergab, traten vielen Recken heiße Tränen in die Augen. Es war das letzte Geschenk Rüdegers für einen Recken. Wie grimmig und hartherzig Hagen sonst auch war, diese Großmut Rüdegers rührte den Tronjer. Ob auch seine Augen tränenfeucht wurden, wissen wir nicht.

»Das lohn Euch Euer Gott, vieledler Rüdeger«, dankte ihm Hagen, »nie wieder wird ein Recke vor dem Kampf seinem Gegner den besseren Schild schenken. Möge diese Tugend immer in Erinnerung bleiben! Wir haben es schwer genug. Müssen wir nun noch gegen die besten Freunde kämpfen?«

»Das schmerzt mich sehr«, erwiderte Rüdeger.

»Ich lohn dir den Schild«, versicherte Hagen, »erschlügt Ihr auch alle Burgunden, ich hebe keine Hand mehr gegen Euch.«

Rüdeger dankte ihm.

Auch darüber, dass keine Aussöhnung mehr möglich war, weinten die Recken, und dass sie sich gegenseitig erschlagen und in ihrem Blut sterben würden.

Vom Haus herab rief Volker: »Auch ich gewähre Euch Frieden wie mein Gefährte Hagen. Das habt Ihr verdient. Markgräfin Gotelind schenkte mir für das Fest diese roten Armreifen. Hier, seht her! Ich trage sie. Ihr seid Zeuge.« Der Spielmann hob den Arm, das Gold funkelte rotfeurig zwischen den fahlen Waffen.

»Wie wünschte ich, die Markgräfin könnte Euch weit mehr schenken. Kehre ich gesund heim, erfährt sie es.« Als Rüdeger das gelobt hatte, hob er den Schild, zauderte nicht mehr und stürmte an der Spitze seiner Mannen gegen den Saal. Um nicht an Rüdeger zu geraten, zogen sich Hagen und Volker von der Tür zurück. Eine Zeitlang widerstanden den Eindringenden andere Recken, bis sie erschlagen waren und die Mannen Rüdegers in den Saal drangen. Sie zerschlugen zahllose Helme und Schilde der Burgunden, die sich, vom tagelangen Kampf ermüdet, tapfer wehrten. Noch hielt sich Giselher zurück und hoffte zu überleben; er dachte auch an seine Braut.

Mit seinem Schwiegervater wollte er keinesfalls die Schwerter kreuzen. Aber Gunter und Gernot waren begierig, ihren Recken beizustehen und die Gefallenen zu rächen. Sie stellten sich den Eingedrungenen in den Weg und fällten viele mit Hieben durch deren Ringpanzer. Inzwischen war Rüdegers ganze Gefolgschaft in den Saal gestürmt. Hagen und Volker sprangen gegen sie an, gewährten nur dem Markgrafen Schonung. Von ihren Schwertschlägen rann das Blut unter feindlichen Helmen. Grimmig klangen die Schwerter, Schildgespänge zersprangen; Edelsteine, mit denen die Schilde besetzt waren, splitterten unter den Schlägen und fielen ins Blut der Gefallenen. Die Helden kämpften so gewaltig, wie es wohl nie wieder geschehen ist.

Rüdeger von Bechlaren schlug sich mit dem Schwert eine Gasse und fällte viele der tapfersten burgundischen Helden. Das wurde Gernot gewahr und rief ihn an:

»Wollt Ihr mir keinen Recken leben lassen? Das kann ich nicht länger dulden! Mit diesem Schwert zahlt Ihr nun für die Freunde, die Ihr mir nahmt. Wendet Euch mir zu!«

Ruhmgierig und todesmutig fielen die beiden Helden einander an, schützten sich mit ihren Schilden. Aber ihre Schwerter waren so scharf, dass kein Panzer half. Und so schlug Gernot mit dem Schwert, das Rüdeger ihm geschenkt, durch dessen steinharten Helm, dass Blut hervorbrach. Zu Tode getroffen, hieb Rüdeger noch durch Gernots Schild und Kinnriemen, wodurch auch der König sterben musste. So lag einer neben dem anderen, jeder vom Gefährten und Gegner auf den Tod verwundet. Ihr Blut am Boden floss ineinander.

»Diesen Verlust verwinden Länder und Leute nie!«, rief Hagen. »Jetzt nehmen wir Rüdegers Leute als Pfand.«

»Weh mir, mein Bruder ist gefallen!«, rief Gunter. »Auch Rüdeger wird mich ewig schmerzen.« Da griffen jene Burgunden, die das Gemetzel überstanden hatten, die Mannen Rüdegers in einer Weise an, dass bald der letzte mit gespaltenem Helm oder zerschlagener Brünne niedersank.

Dann traten Gunter und Giselher, Hagen und Volker zu Gernot und Rüdeger, die in ihrem Blute starben. Auch viele andere Helden jammerten und weinten.

»Der Tod raubt uns die Besten«, klagte Gunter.

»Was für eine Welt ist das, die uns zwingt, die edelsten Freunde zu erschlagen?«, verzweifelte Giselher.

»Hört auf zu weinen«, verlangte Hagen, »kühlen wir im frischen Wind unsere Panzer. Ich glaube, wir haben nicht mehr lange zu leben.«

Die vom Kampf müden Recken saßen in der mit Toten überfüllten Halle oder lehnten an der Wand. Der Lärm der Schwerter war verstummt. Die Stille währte so lange, bis Etzel das verdross.

»O weh, wie dient Rüdeger uns«, klagte Kriemhild, »er hat den Kampf abgebrochen, will die Burgunden heimbringen. Was hilft es, dass wir alles, was er wollte, mit ihm teilten? Dieser Verräter! Statt uns zu rächen, hat er sich versöhnt.«

Kriemhilds Klage verhallte zwischen den verrußten Mauern. Hagen erwiderte mit dröhnender Stimme:

»Du irrst dich und verleumdest Rüdeger. Was sein König ihm gebot, erfüllte er so treu, dass der Markgraf und seine Mannen alle erschlagen liegen. Er diente Euch als Held bis in den Tod. Ihr glaubt es wohl nicht?«

Um den Hunnen größten Schmerz zuzufügen, trug man den Toten an eine Stelle, wo König Etzel ihn sehen konnte. Nie hatten seine Recken einen größeren Verlust erlitten. Als sie den ausgebluteten Markgrafen sahen, da begannen Männer und Frauen so über alle Maßen zu klagen, dass kein Schreiber es auszudrücken vermag. Und Etzel brüllte vor Schmerz so laut wie ein Löwe.

Der Kampf mit Dietrichs Recken

Das Wehklagen drang bis in den Palas und die Türme der Burg. Ein Recke Dietrichs vernahm das und sagte zu seinem Herrn:

»Noch nie hörte ich solche Klagen, noch nie hartgesottene Helden so weinen. Das Leid ist so maßlos, dass nur der König oder die Königin getroffen sein kann.«

»Was die Gäste auch getan haben mögen«, beteuerte Dietrich, »es geschah aus großer Not. Haltet Euch daran, ich bot ihnen Frieden.«

Der kühne Wolfhart wollte nachfragen und seinem Herren berichten. Doch Dietrich fürchtete, dessen ungehobelte Art könnte die Burgunden unnötig aufreizen, und sandte den besonneneren Helferich. Der kehrte bald unter Tränen zurück.

»Was habt Ihr erfahren, dass Ihr weint?«, fragte Dietrich.

»Die Burgunden erschlugen Rüdeger.«

»Das darf Gott nicht zulassen!«, rief Dietrich. »Wie hätte Rüdeger das von ihnen verdient?«

»Haben sie das getan«, eiferte Wolfhart, »geht es ihnen allen ans Leben. Der Markgraf war uns in Treue verbunden.«

Dietrich sandte nun Meister Hildebrant, um Genaueres zu erkunden. Dann setzte der König der Amelungen sich leidvoll und nachsinnend an ein Fenster. Hildebrant wollte waffenlos zu den Burgunden, da hielt Wolfhart, der Sohn seiner Schwester, ihn zurück:

»Geht Ihr unbewaffnet, kann man Euch schelten. Gegen einen Gerüsteten wagt keiner zu lästern.«

Da hörte der weise Ältere auf den jungen Hitzkopf und waffnete sich. Bevor er es gewahrte, trugen alle Mannen Dietrichs Schwerter und Rüstungen. »Wohin wollt Ihr?«, fragte Hildebrant und hätte sie gern zurückgehalten.

»Euch begleiten«, hieß die Antwort, »dann wird Hagen Euch kaum zu verspotten wagen.« Hildebrant gab den Recken nach.

Volker sah als erster die Mannen des Berners mit Schilden und in Waffen herannahen und sagte:

»Dietrichs Mannen kommen unfriedlich unter Helmen, ich glaube, jetzt geht es uns ans Leben.«

Als Hildebrant den Saal erreichte, setzte er seinen Schild vor den Füßen ab und fragte:

»O weh, ihr Helden, was hat euch Rüdeger von Bechlaren getan?«

»Die Botschaft ist wahr«, bestätigte Hagen, »wie froh wäre ich, aus Liebe zu ihm, der Markgraf stünde noch bei uns.«

Dietrichs Mannen hatten nun Gewissheit und klagten. Tränen rannen über Bart und Kinn. Wolfwin von Amelungen sagte:

»Sähe ich heute meinen Vater tot, empfände ich keinen größeren Schmerz.«

Vor Schluchzen konnte Hildebrant nichts weiter fragen, bat nur:

»Übergebt uns, ihr Recken, wonach mein Herr mich aussandte, bringt uns Rüdeger aus dem Saal. Wir wollen den Helden nach seinem Tode ehren.«

»Einen Freund nach dem Tode ehren ist gut«, meinte Gunter, »mit Recht wollt Ihr ihm danken.«

»Wie lange sollen wir noch betteln?«, drängte Wolfhart ungeduldig, »lasst uns den Markgrafen forttragen und begraben.«

»Keiner bringt ihn euch«, reizte Volker, »holt ihn selber aus dem Hause, wo er mit dem Tode kämpft. Erst dann dientet ihr ihm vollkommen.«

»Herr Spielmann, fordert uns nicht heraus. Ihr habt uns beleidigt. Aber unser Herr hat uns zu kämpfen verboten«, antwortete Wolfhart.

»Wer alles unterlässt, was man ihm verbietet, hat Furcht. Ist das Heldenmut?«

»Wagt nicht zu viel«, drohte Wolfhart, »sonst bringe ich Eure Saiten arg in Verwirrung. Euer Hochmut passt nicht zu meiner Ehre.«

»Verwirrst du mir meine Saiten«, hielt Volker dagegen, »so trübe ich dir den Glanz deines Helmes.«

Wolfhart wollte auf den Spielmann losspringen, aber sein Oheim riss ihn zurück und warnte: »Wüte nicht in sinnlosem Zorn!«

»Lass den Löwen los«, reizte Volker weiter, »dann schlag ich ihn.«

Da konnte sich Wolfhart nicht mehr bezähmen, riss den Schild hoch und lief wie ein wilder Löwe seinen Mannen voraus. Aber so weit seine Sprünge auch waren, vor der Treppe holte Hildebrant ihn ein, um an vorderster Stelle zu kämpfen. Und so griff er Hagen an, dass ihre Schwerter klirrten und Funken wie feuerroter Wind stoben, bis sie im Kampfgewühl auseinandergerieten. Der starke Wolfhart lief gegen den Spielmann an und versetzte ihm einen solchen Schlag, dass die Schwertschneide bis an die Spangen des Schildes drang. Volker vergalt es ihm mit Hieben gegen dessen Panzerringe, dass Funken stoben. König Gunter empfing die berühmten Helden der Amelungen mit williger Hand. Und Giselher schlug manchen ihrer blanken Helme bluttriefend. Hagens Bruder Dankwart kämpfte mit den Mannen Dietrichs noch grimmiger. Auch Sigstadt, der Sohn von Dietrichs Schwester, schlug sich wie rasend und rächte Rüdegers Tod. Volker gewahrte, wie dieser vielen Burgunden blutige Bäche aus den Ringpanzern hieb, stellte sich ihm und versetzte ihm einen tödlichen Schlag. Hildebrant sah das, rief dem Fiedler zu, das koste ihn das Leben, und griff Volker so grimmig an wie noch keinen Feind, er hieb so hart gegen den Spielmann, dass Stücke von dessen Helmband und Schildspangen durch die Luft flogen bis zur Saalwand. Volker sank getroffen zu Boden.

Die zwei berühmtesten Geschlechter, die Burgunden und die Amelungen, standen sich gegenüber. Dietrichs Mannen drangen gegen die Burgunden weiter vor und kämpften so heftig, dass zertrümmerte Panzerringe durch die Luft und abgehauene Schwertspitzen bis ans Dach flogen. Durch gespaltene Helme sprudelten Bäche heißen Blutes. Das Getümmel war so groß, dass die Erschlagenen kaum zu Boden fallen konnten.

Da sah Hagen von Tronje seinen Gefährten Volker im Tode liegen. Das war der schmerzlichste Verlust auf diesem Fest. Um sich furchtbar an Hildebrant zu rächen, kämpfte er sich eine Gasse frei. Inzwischen erschlug der tapfere Helferich den burgundischen Helden Dankwart. Als der im Getümmel des Kampfes fiel, wurden Gunter und Giselher von Schmerz ergriffen. Wolfhart hieb sich währenddessen mehrmals quer durch den Saal und fällte alle Burgunden, die sich ihm in den Weg stellten. Als er die dritte Kehre durch den Saal machte und eine Schneise von Toten hinterließ, rief König Giselher ihm zu:

»Wehe, dass ich je so einen grimmigen Feind hatte, nun wende dich gegen mich, ich will deinem Wüten ein Ende machen.«

Wolfhart kämpfte sich bis zu Giselher durch, so dass Blut unter seinen Füßen bis über seinen Kopf spritzte. Giselher empfing ihn mit harten Schlägen. Aber gegen die Kraft des jüngsten Königs kam Wolfhart nicht an. Giselher hieb ihm durch seine feste Brünne, dass es aus der Wunde sprudelte. Als Wolfhart die Verletzung spürte, ließ er den Schild fallen und holte zu einem solchen Schlag aus, dass sein Schwert Helm und Ringpanzer des Königs durchschnitt. So fällten sich gegenseitig Wolfhart und Giselher. Damit fiel der letzte von Dietrichs Helden. Auch von Gunters Helden lebte keiner mehr.

Hildebrant trat zu Wolfhart, der in seinem Blute lag. Ich glaube, niemals vor seinem eigenen Tode widerfuhr ihm solcher Schmerz. Hildebrant wollte seinen Neffen wegtragen, aber es gelang ihm nicht. Da warnte ihn der zu Tode Verwundete:

»Viellieber Oheim, mir könnt Ihr nicht mehr helfen, hütet Euch lieber vor Hagen; und wollen meine Verwandten mich beklagen, dann sagt ihnen, sie sollen nicht weinen, ich fiel durch die Hand eines Königs, das ist ein herrlicher Tod. Auch ich rächte mich bitter; fragt jemand, sagt voll Stolz: von meinen Händen liegen wohl hundert erschlagen.«

Inmitten zahlloser Toter standen nur noch drei Helden im Saal, Gunter, Hagen und Hildebrant. Hagen gedachte seines tapferen Gefährten Volker, der durch Hildebrant fiel, und rief ihm zu:

»Jetzt werde ich vergelten, dass ich durch Euch so viele tapfere Freunde verlor.«

Hagen griff mit Balmung den Waffenmeister an. Der schlug hart zurück, vermochte jedoch den Tronjer nicht zu verwunden. Aber dem Helden König Gunters gelang, Hildebrants Brustpanzer durchzuhauen. Als der alte Hildebrant seine Wunde spürte, fürchtete er von Hagen größeren Schaden, warf den Schild auf den Rücken und entkam.

Nur noch Gunter und Hagen saßen im Saal.

Mit blutüberströmter Rüstung hastete Hildebrant in das Haus, wo Dietrich in Schmerz und Trauer saß und auf Botschaft wartete. Der Berner sah den Alten in seiner roten Brünne und fragte:

»Nun sagt mir, Meister Hildebrant, warum sickert Herzblut aus Eurem Panzer? Ich fürchte, Ihr habt mit den Gästen gekämpft. Das hatte ich streng verboten.«

Hildebrant berichtete vom Kampf mit Hagen, nur mit Mühe sei er diesem Teufel entkommen.

»Euch geschah recht«, schalt Dietrich. »Wie konntet Ihr den Frieden brechen, den ich den Gästen zugesichert. Wäre es für mich keine Schande, büßtet Ihr jetzt dafür mit Eurem Kopf.«

»Zürnt nicht zu sehr, mein Herr Dietrich, wir erlitten schon Schaden genug. Gunters Mannen verwehrten uns, Rüdeger wegzutragen.«

»O weh, ist Rüdeger doch tot!«, rief Dietrich. »Gotelind ist die Tochter meiner Tante. Nie verwinde ich, dass der Markgraf gefallen.« Dietrich begann heftig zu weinen und fragte, wer Rüdeger erschlug.

Nach Hildebrants Bericht rief der Berner:

»Nun sagt meinen Mannen, sie sollen sich waffnen.«

Als Hildebrant zögerte, ermahnte der Berner ihn.

»Wen soll ich noch rufen?«, verwunderte sich der Waffenmeister. »Alle stehen vor Euch. Die andern, außer mir, sind tot.«

Dietrich wurde fahl wie eine Leiche. Niemals im Leben traf ihn größerer Schmerz.

»Wenn alle meine Recken tot sind, hat mein Gott mich vergessen; mich armen Dietrich!«, rief er. »Ich war ein mächtiger, gewaltiger König! Wie können diese kampfmüden Burgunden alle meine Helden besiegen? Verlässt mich mein Königsheil? Verfolgt mich Unglück?«

Nach dem weiteren Bericht seines Waffenmeisters klagte Dietrich: »O weh, lieber Wolfhart, habe ich dich verloren, so reut mich, dass ich geboren wurde! Und die anderen Helden wie Helferich! Das ist der letzte Tag, an dem ich glücklich war. Wie bitter, dass vor Schmerz niemand sterben kann!«

Dietrich greift ein

Nun legte Dietrich selbst die Rüstung an. Seine Totenklage hatte im ganzen Haus widergehallt. Aber als er seine Waffen aufnahm und den Schild hob, gewann er seinen Heldenmut zurück und ging mit Hildebrant zu dem Saal, wo Gunter und Hagen an der Wand lehnten. Durch die vielen Toten war zum Sitzen kaum Platz.

»Nach den Verlusten, die wir ihm zugefügt«, meinte Hagen zu seinem König, »wird Dietrich uns fordern. Ich trete allein gegen ihn an.«

Der Berner und Hildebrant hörten diese Worte und setzten ihre Schilde ab. Dietrich warf Gunter vor, nicht nur Rüdeger, sondern alle seine Gefolgsleute erschlagen zu haben, er solle auch an den Tod seiner eigenen Mannen denken.

»Niemals in der Welt wurde einem Manne größeres Leid zugefügt!«, klagte Dietrich, »was ich an Freude und Glück hatte, das liegt hier durch Eure Schwerter erschlagen. Solange ich lebe, werde ich den Tod meiner Verwandten beklagen.«

»So viel Schuld tragen wir nicht«, verwahrte sich Hagen, »Eure Recken kamen bewaffnet. Euch wurde schlecht berichtet.«

»Was soll ich nun glauben?«, rief der Berner. »Ihr habt meinen Wunsch, den gefallenen Rüdeger herauszugeben, verspottet.«

»Ich verweigerte Euch den Markgrafen«, bestätigte Gunter, »aber das war gegen Etzel, nicht gegen Euch gerichtet.«

»Gunter, edler König, leiste mir für das, was du mir zugefügt, einen Ausgleich«, bat Dietrich, »ergib du und dein Mann dich als Geisel, dann will ich dafür sorgen, dass euch nichts geschieht.«

»Es verhüte Gott im Himmel!«, entrüstete sich Hagen, »dass

zwei Helden, die noch in Waffen vor ihren Feinden stehen, sich ihnen ergeben.«

»Wehrt es nicht leichtfertig ab, Gunter und Hagen«, erwiderte Dietrich, »Ihr fügtet mir den größten Verlust zu, den je ich erfuhr, das muss gesühnt werden. Ich gelobe Euch durch Handschlag: ich geleite Euch heim, oder ich will selber tot sein. Was Ihr mir angetan, will ich dann vergessen.«

Diese großmütige Versöhnung bot Dietrich jenen, die seine Liebsten erschlugen. Ob der Berner von Etzels Hortgier wusste oder gar eingeweiht war, bleibt uns verborgen. Den Burgunden aber ging die Ehre über alles. Hagen antwortete:

»Drängt nicht weiter. Nie darf von uns behauptet werden, zwei Helden hätten sich ergeben, zumal neben Euch nur Hildebrant steht.«

»Bald ist die Stunde, da wäre Sühne Euch recht«, sagte Hildebrant.

»Lieber nähme ich die Sühne an, als so feige aus dem Saal zu laufen, Herr Hildebrant«, höhnte Hagen.

»Wie saßt Ihr am Waskenstein untätig auf Eurem Schild«, hielt der Waffenmeister Hagen vor, »als Walter von Spanien Euch so viele Gefährten erschlug.«

»Für Recken ziemt sich nicht, wie alte Weiber zu keifen!«, beendete Dietrich den Streit, »Hildebrant, ich verbiete dir jedes weitere Wort!« Dann wollte er sich vergewissern:

»Hörte ich recht, Hagen will allein gegen mich kämpfen?«

»Ich bin sehr erzürnt, dass Ihr uns beide als Geiseln verlangt, ich fordere den Zweikampf«, erklärte Hagen.

Dietrich sah, wie grimmig Hagen gegen ihn sein Schwert zog, da riss er seinen Schild hoch. Hagen sprang ihm von der Treppe entgegen. Hell klang das Nibelungenschwert auf Dietrichs Rüstung. Der Berner wusste um die Kraft Balmungs, deckte sich geschickt und hieb mit seinem Schwert Mimung zurück. In dem ausgebrannten Saal standen sich schließlich die größten Helden gegenüber. Dietrich gelang es mit Stärke und Schläue, in dem Augenblick, als Hagen ungedeckt stand, ihm eine lange und tiefe Wunde zu schlagen.

Du bist müde von den langen Kämpfen, dachte der Berner, dein Tod brächte mir wenig Ehre, so will ich versuchen, dich so zu bezwingen. Dietrich verzichtete auf den Todesstoß, den Hagen wohl gegen ihn geführt hätte, ließ seinen Schild fallen, packte ihn und ging das Wagnis ein, ihn nicht niederzuringen. Aber durch seine gewaltige Kraft gelang ihm das. Gunter wahrte das Recht des Zweikampfes, griff nicht ein und sah mit an, wie Dietrich den berühmten Helden fesselte.

Nach den jüngsten Erzählungen brachte Dietrich den Gebundenen zu Kriemhild. Mehr glaube ich älteren Berichten, wonach er ihn Etzel, seinem König, übergab. Der Berner kannte Kriemhilds Rachsucht.

Der kühnste aller Helden, der je ein Schwert geführt, war nun gefangen bei Etzel und Kriemhild. Die verneigte sich vor Dietrich und sprach:

»Von nun an begleiten dich Glück und Heil. Für all das, was ich erlitten, hast du mich gerächt. Bis zu meinem Tode werde ich dir dienstbar sein.«

»Lasst den Helden am Leben«, bat Dietrich, »nun kann er für alles sühnen.«

Etzel und Kriemhild ließen Hagen in einen Kerker schließen, wo keiner ihn erreichte.

Inzwischen dröhnte König Gunters Stimme aus dem niedergebrannten Saal:

»Wo bleibt der Held von Bern?«

Dietrich ging zu ihm mit klirrender Rüstung. König Gunter lief vor den Saal und warf sich tapfer dem Berner entgegen. Vom Klang der Schwerter hallte es. Trotz Dietrichs Ruhm war Gunter so erzürnt und wütete mit seinem Schwert, nach den größten Verlusten kämpfte er nun mit seinem ärgsten Feind. Man hält es noch jetzt für ein Wunder, dass der Berner nicht fiel. Beide waren über alle Maßen stark und tapfer; Palas und Türme erdröhnten von ihren Schlägen, die Mauern schienen zu beben, bis es Dietrich gelang, den ermatteten König mit einem Hieb so zu treffen, dass Blut aus dessen Panzer sickerte.

Obwohl Könige nicht gefesselt werden durften, band Dietrich den Burgunden; sonst hätte dieser den Kampf fortgesetzt.

Gunters und Hagens Schicksal

Dietrich führte auch Gunter zu Etzel und der Königin.

»Willkommen, König der Burgunden«, höhnte die Schwester.

»Vielliebe Schwester, wäre Euer Gruß freundlich gemeint, verneigte ich mich gern. Aber Ihr zürnt Hagen und mir.«

»Große Königin, mächtiger König«, flehte Dietrich, »noch nie wurden solch berühmte Helden als Geiseln genommen. Um meinetwillen schont die Heimatlosen.«

Nach jüngeren Berichten blieb Etzel untätig und überließ Hagen Kriemhild und ihrer Rache. Aber nach alten Erzählungen lenkte der Herrscher der Hunnen das Geschick der Gefangenen, auch um ihnen das Versteck des Hortes abzupressen. Ehe wir dem nachgehen, wollen wir zunächst dem jüngeren Lied folgen. Danach rächte sich Kriemhild furchtbar und ließ Gunter und Hagen in getrennte Kerker werfen. Dietrich hatte weinend Etzels Halle verlassen.

Kriemhild ging zunächst zu Hagen und forderte:

»Gebt Ihr mir das Geraubte wieder, mögt Ihr lebend zu den Burgunden heimkehren.«

»Spart Eure Rede«, trotzte der Gefangene, »ich habe geschworen: solange einer meiner Herren am Leben ist, zeige ich niemandem den Hort.«

»Ich bringe es zu Ende«, sagte Kriemhild, verließ den Kerker und gab den Auftrag, Gunter zu töten. Dann trug sie selbst den blutenden Kopf zu Hagen. Als der das Haupt seines stolzen Königs sah – von Kriemhild rachelüstern ihm entgegengestreckt –, packte ihn furchtbarer Schmerz, er rief:

»Du brachtest es zu Ende, nach deinem Willen und so, wie ich es mir gedacht. Nun ist mein edler König tot, wie auch Gernot und Giselher. Wo der Hort liegt, weiß niemand außer Gott und mir. Und dir, Teufelin, bleibe es für immer verborgen.«

»So habt Ihr, was Ihr mir schuldet, schlecht vergolten«, schrie Kriemhild zurück, »aber ich behalte Siegfrieds Schwert. Als ich ihn das letzte Mal sah, trug er Balmung. Ehe Ihr ihn hinterrücks erstacht. Hier«, sie zog es aus der Scheide, »koste Balmung selbst.« Eigenhändig schlug sie damit Hagen den Kopf ab.

Als Etzel das sah, schmerzte es ihn sehr.

»Wehe«, entsetzte sich der Herrscher, »der kühnste Held liegt nun tot, gefällt von Weibes Händen. Wie sehr er mir auch feind war, so bitter ist mir sein Tod.«

»Was mir auch geschieht«, rief Hildebrant, »dass sie den Helden zu köpfen wagte, bleibe nicht ohne Sühne. Obwohl der Tronjer mich fast zu Tode brachte, will ich ihn rächen.«

Zornig sprang der Waffenmeister gegen Kriemhild. Die schrie schrill und bebte vor Angst. Aber Etzel schritt nicht ein. So hieb Hildebrant sie mit dem Schwert mittendurch. Da lagen nun all die Toten. Etzel und Dietrich weinten um sie. Damit fand das große Fest des Hunnenherrschers sein Ende.

Kriemhilds Ende

Folgen wir den alten Berichten, könnte das blutige Fest anders ausgegangen sein.

Kaum aus Liebe war Kriemhild Etzels Werbung gefolgt; sie wollte seinen Reichtum genießen, an seiner Macht teilhaben und Siegfried rächen. Und Etzel wählte Kriemhild nicht nur ihrer Schönheit wegen. Als er mit ihr Hochzeit hielt, lag ihre Vermählung mit Siegfried sechsundzwanzig Jahre zurück, der Held war dreizehn Jahre tot und ihr Sohn Gunter wohl neunzehn Jahre alt. Bis zur Zeit dieses großen Festes vergingen weitere dreizehn Jahre.

Während Siegfried mit Kriemhild über ein Jahrzehnt als König geherrscht hatte, ließ er den Hort im Nibelungenland ruhen. Aber Etzel wollte den Schatz heben, das Gold und alle Macht gewinnen.

Kriemhild ahnte zwar, Etzel liebe den Hort mehr als sie. Aber bis zu dem Fest gelang es ihm, seine Gier nach dem Schatz zu verbergen. Kriemhild wollte Hagen und ihre Rache. Als nur noch zwei Eingeweihte überlebten, stand der Streit zwischen Etzel und Kriemhild bevor.

Als Kriemhild Hagen töten wollte, schritt Etzel ein. Seine Kerkermeister ließen die Königin nicht mehr zu den Gefangenen. Etzel brauchte den König und Hagen. Er lud sie getrennt zu sich und bot ihnen große Macht.

»Du sollst mit mir König sein«, lockte er Gunter. »Ich bin alt, mein Sohn ist tot. Du könntest hier Herrscher werden und mein Reich erben.«

»Dann lasst mich frei und gebt mir meine Waffen zurück«, verlangte Gunter. Aber auch mit Hagen durfte er nicht sprechen. Daher misstraute der Burgunde dem Hunnen.

Seit langem bewunderte Etzel den Helden und klugen Ratgeber Hagen, lobte dessen List, wie er Siegfried, als der zu mächtig wurde, sterben ließ. Und wie wissend um kommendes Unheil war der Tronjer der tödlichen Einladung zu den Hunnen gefolgt. Hagen und der Hort, dachte Etzel – das heißt Macht über alle und alles.

Als er der Königin den Zugang zum Kerker der beiden Gefangenen verwehrte, brach der Streit aus. Sie wollte Hagen töten.

Liebt Etzel noch mich, die grauhaarige Königin, die Siegfried vor neununddreißig Jahren gefreit? Nicht ich war gemeint, dachte sie, sondern der Hort. Das weiß ich erst jetzt. Wieder Täuschung und Betrug, wie durch Hagen. Jetzt wollte sie Etzel den Hort nicht lassen. Ihre Rache wandte sich auch gegen ihn.

Über Vertraute gelangte Kriemhild doch in Hagens Kerker und schlug Siegfrieds Mörder mit dessen Schwert den Kopf ab. Gunter ließ sie davon erfahren.

Nun traute Gunter dem Herrscher der Hunnen überhaupt nicht mehr und verlangte seine Freiheit. Als Etzel ihn wieder fesseln lassen wollte, da entrang Gunter einem Wächter das Schwert und kämpfte sich ins Freie. Der König der Burgunden forderte nach Heldenart den König der Hunnen zum Zweikampf. Darauf ging Etzel nicht ein, sondern ließ Gunter mit Speeren angreifen. Da ihm Schild und Ringpanzer genommen, verwundete ein Speer ihn tödlich. Das wird zwar nicht berichtet, könnte sich aber so zugetragen haben.

Nach Gernot und Giselher war nun auch Gunter gefallen. Der Hort lag unauffindbar im Rhein. Dort sollte er ewig ruhen. Und Kriemhild wollte heimkehren zu Siegfried.

Am Abend betrank Etzel sich mit Vertrauten, wohl aus Schmerz über seine Gefallenen und aus Zorn darüber, dass der Hort nun nicht gehoben würde. Als Dietrich von Bern, Hildebrant und andere den König verlassen hatten, verriegelte Kriemhild die Türen des Raumes und zündete ihn auf allen vier Seiten an. Dann stand sie draußen und schaute in die Flammen.

Was wollte sie ohne Siegfried, ohne ihre Brüder, ohne Liebe, ohne den Hort? Aus Schmerz über all das stürzte sie sich in das Schwert Balmung. Noch einmal dachte sie an ihren Sohn Gunter, der inzwischen über dreißig Jahre und ohne sie aufgewachsen war, und an Siegfried, den gleichaltrigen Sohn ihres Bruders Gunter. Die würden neue, beständigere Reiche gründen. Ehe Kriemhild verblutete, nahm sie ihre letzte Kraft zusammen und schritt in die Flammen.

Wieland der Schmied

Nun soll von Wieland erzählt werden, dem berühmtesten Schmied der nördlichen Hälfte der Welt. Einige sagen ihm albische Herkunft nach. Anderer Überlieferung zufolge waren sein Großvater ein König, seine Großmutter eine Meerfrau und sein Vater der Riese Wade.

Dieser Riese besaß zahlreiche Höfe auf der Insel Seeland und galt als klug und mächtig. Statt durch Kriegszüge seinen Besitz zu vermehren, hielt er seine Söhne Egil und Schlagfider an, das Land zu bebauen und in den Wäldern zu jagen. Sein Sohn Wieland sollte ein besonderes Handwerk erlernen. Deshalb brachte Wade ihn, als er neun Jahre alt war, ins Hunnenland zu dem Schmied Mime, der als Eisenschmied bekannt war.

Dort lernte Wieland jede Schmiedearbeit. Da ihn aber ein aufsässiger Schmiedejunge mit Namen Siegfried neckte, ihm böse Streiche spielte und ihn schlug, holte Wade seinen Sohn auf seine Höfe nach Seeland zurück.

Wieland war jetzt zwölf Jahre alt, blieb ein Jahr daheim, brachte die meiste Zeit bei seinem Amboss zu und ließ das Schmiedefeuer nicht verlöschen.

Unterdessen hörte Wade von zwei Zwergen als neuen Lehrmeistern, die in einem Berge hausten und nicht nur Eisen besser als andere Zwerge oder Menschen zu schmieden verstanden, sondern auch Schwerter, Helme und Brünnen mit Edelsteinen verzierten und aus Gold und Silber kostbare Ringe und Halsbänder fertigten.

Der Vater machte sich mit Wieland auf den Weg zu diesen Zwergen und kam an einen Sund. Da weder ein Fährmann noch ein Schiff zu sehen war, hob der Riese seinen Sohn auf die Schultern, watete durch die Meerenge, die hier neun Ellen tief war, und erreichte bald den Berg, in dem die Zwerge hämmerten. Der Felsen war geöffnet. Der Riese bat die beiden Zwerge, seinen Sohn zwölf Monate lang jede Kunstfertigkeit zu lehren. Als die beiden zögerten, bot Wade so viel Gold und Silber, wie sie verlangten. Eine Mark geforderten Goldes bekamen die Schmiede sogleich in die Hände gelegt. Und sie verabredeten den Tag, an dem Wieland von Wade wieder abzuholen sei.

In allem, worin die Zwerge ihn unterwiesen, zeigte Wieland sich als überaus geschickt. Als der Vater am vereinbarten Tag kam, wollten die Zwerge Wieland nicht fahren lassen und baten Wade, die Zeit für den Jungen um zwölf Monate zu verlängern. Dafür wollten sie die Mark Goldes zurückgeben; Wieland sollte dann noch einmal so gut zu schmieden verstehen wie jetzt. Wade freute sich über die Gelehrigkeit seines Sohnes und ging auf den Vorschlag ein. Aber einige Hammerschläge später bereuten die Zwerge ihr Entgegenkommen und verlangten, falls Wade an dem verabredeten Tag nicht eintreffe, Wieland den Kopf abschlagen zu dürfen. Der Riese gestand ihnen dieses Recht zu.

Wade ließ sich von seinem Sohn vor den Berg begleiten, wo sie eine Zeitlang miteinander redeten. Dort stieß der Riese sein Schwert unter einem Gebüsch in den Boden und sagte: »Sollte ich zur vereinbarten Zeit nicht zurück sein und die Zwerge wollen dir den Kopf abschlagen, so wehre dich. Aber ich sehe keinen Grund, den festgesetzten Tag zu versäumen.« Vater und Sohn verabschiedeten sich heiter. Wieland ging wieder in den Berg hinein. Und Wade kehrte zurück auf seine Höfe in Seeland.

Wieland lernte arglos, hämmerte auch oft, wenn die Zwerge schliefen, wetteiferte mit ihnen und entlockte ihnen Geheimnisse, Waffen von besonderer Härte zu fertigen. Manchmal argwöhnten die Zwerge, Wieland gelängen schärfere Schwerter und festere Helme als ihnen selbst. Neidisch sannen sie über einen Anschlag nach.

Um den vereinbarten Tag nicht zu versäumen, machte sich der Riese Wade rechtzeitig vor Ablauf der zwölf Monate auf den Weg. Der war weit und beschwerlich; Wade lief Tag und Nacht und erreichte den Berg drei Tage zu früh. Da der Felsen noch verschlossen war, legte Wade sich vor die Steinwand und wartete. Vom langen Fußmarsch ermüdet, gähnte der Riese, schlief ein und schnarchte laut. Platzregen fiel aus heiterem Himmel. Im selben Augenblick bebte die Erde, Felsklüfte rissen auf, Quader lösten sich, bildeten mit Wasserstürzen, Baumstämmen und Geröll eine Lawine, die den Riesen erschlug und begrub.

Am vereinbarten Tag öffneten die Zwerge den Berg, traten auf eine Anhöhe und taten, als hielten sie nach Wade Ausschau. Auch

Wieland kam aus dem Felsen, suchte nach seinem Vater, stieß am Berghang auf die Lawine und sah im Geröll abgebrochene Zweige mit unverdorrtem Grün. Der Felssturz muss frisch sein, dachte Wieland, und könnte meinen Vater verschüttet haben. Jenes Gebüsch, in dem das Schwert versteckt lag, war weggerissen. Wie konnte er sich gegen die Übeltäter verteidigen? Nun suchte Wieland die Halde ab, sah plötzlich den Schwertknauf schimmern, riss die Waffe aus der Erde und verbarg sie unter seinem Mantel. Dann entdeckte der Schmied die Zwerge auf der Anhöhe, trat auf die Hinterhältigen zu, erschlug den einen und durchbohrte den zweiten. Noch einmal ging er zur Geröllhalde, unter der sein Vater begraben lag, und dann in den Berg hinein, nahm alle Werkzeuge und so viel Gold, Silber und Kostbarkeiten, wie er auf ein Pferd packen und selbst tragen konnte, und zog in seine Heimat.

Nach dem Tod des Vaters bewirtschafteten Wieland und seine Brüder Egil und Schlagfider die ererbten Höfe. Und anstatt zu schmieden, lief Wieland mit seinen Brüdern auf Schneeschuhen durch den Wald und jagte Wild. Gern hielten sie sich in abgelegenen Tälern auf und bauten sich am Wolfssee in den Wolfsbergen ein Haus. Für Wieland errichteten sie eine Schmiede, brachten das erbeutete Werkzeug und das Gold dorthin. Monatelang lebten die Brüder abgeschieden am Wolfssee.

Eines Morgens saßen am Ufer des Sees drei ungewöhnlich schöne Mädchen; die Brüder beobachteten sie beim Flachsspinnen und verfielen augenblicklich ihrer Schönheit. Die Mädchen waren Walküren, über den Dunkelwald geflogen, hatten ihre Flughemden am Strand abgelegt und spannen am Schicksal mächtiger Männer. Die Brüder stahlen die Flughemden. Nun konnten die Walküren nicht mehr in ihre Schwanengestalt zurückkehren und fügten sich dem Willen der Brüder. Jeder nahm eines der Mädchen zur Frau. Wieland gewann die Herwör. Auch die Mädchen fassten Zuneigung zu den Brüdern und lebten mit ihnen zusammen.

Sieben Jahre saßen die Walküren ruhig bei den Brüdern in der Halle. Doch die Frauen waren gewohnt, Schicksalsfäden zu spinnen und für Walhall Gefallene von den Schlachtfeldern zu wählen. Im achten Jahr ertrugen sie ihre Sehnsucht nach dem Klirren der Schwerter und dem Surren der Pfeile kaum noch, im neunten forschten sie das Versteck der Flughemden aus, zogen sie eines

Tages, als die Brüder zur Jagd waren, über und kehrten für immer zurück auf die Schlachtfelder.

Als die Brüder wieder in die Halle traten, klirrte es bei jedem Schritt vor Kälte. Die drei irrten durch die leeren Säle. Dann fuhr Egil mit Schneeschuhen ostwärts, und Schlagfider preschte westwärts, um die Frauen zu suchen. Wieland hockte allein neben seinem Feuer, schmiedete Tag und Nacht und wartete auf die Rückkehr seiner Frau. Einen goldenen Ring, der Zauberkräfte besaß, hatte Herwör auf den Amboss gelegt; und Wieland schlug nun nach diesem Vorbild Ring auf Ring und reihte sie alle auf ein Seil, geflochten aus Lindenbast.

Nidung, der König des Nachbarlandes, erfuhr durch Späher, dass Wieland allein in den Wolfstälern schmiedete, und sandte nachts Bewaffnete an den Wolfssee. Ihre Brünnen waren mit Eisenplatten benagelt, ihre Schilde blinkten im Licht des Halbmondes. Hinter Wielands Haus sprangen die Männer aus den Sätteln, drangen in den Saal ein und nahmen die siebenhundert Ringe vom Bastseil. Der Truchsess, Anführer der Horde, fand den Ring von Herwör heraus und nahm ihn an sich; alle anderen Ringe ließ er wieder aufhängen. Dann verließen die Bewaffneten das Haus, verbargen sich abseits im Wald und warteten auf Wieland.

Nach der Jagd kehrte der Schmied zurück; der Wetterkundige hatte eine Braunbärin erlegt und weidete sie aus. Er schob Kiefernreisig, vom Wind getrocknet, ins Feuer und briet das Fleisch. Es prasselte, die Flammen loderten. Dann hockte Wieland auf dem Bärenfell und zählte die Ringe. Da jener von Herwör fehlte, meinte er, seine Frau sei zurückgekehrt. Lange harrte er am Feuer aus, dachte an sie, wartete und schlief ein.

Vom Druck schwerer Fesseln an Armen und Beinen erwachte Wieland, sah die Bewaffneten um sich und fragte: »Welche Mächtigen ließen mich binden?«

Zu König Nidung gebracht, fragte der ihn: »Woher hast du das Gold in den Wolfstälern?« Der Truchsess wies das Geraubte vor.

»Flüsse und Täler dort führen kein Gold, das dir gehören könnte«, erwiderte Wieland. »Was ich an Kostbarem schmiedete, brachte ich mit an den Wolfssee.«

Die Königin beobachtete ihn, trat vor den Gefesselten und sagte mit gedämpfter Stimme:

»Ist, der aus dem Walde kommt, friedfertig? Seine Augen funkeln wie die einer Schlange. Sieht er das Schwert an der Seite des Königs, fletscht er die Zähne. Brechen wir ihm lieber die Kraft und zerschneiden seine Sehnen! Soll er auf einer Felseninsel für uns schmieden.«

Der König zögerte, dem Rat seiner Frau zu folgen. Da bat Otwin, der älteste Sohn Nidungs, den Schmied zu schonen und die Fesseln zu lösen. Obwohl der König dies bewilligte, weigerte sich Wieland zu schmieden. Ihm gelang es aber, seine Schmiedewerkzeuge und seine Schätze aus den Wolfstälern in der Nähe des Hofes in einem Stamm zu vergraben; das beobachtete ein Mann.

Wieland sollte nun dem Mundschenken am Hofe zur Hand gehen und legte am Tische des Königs für ihn die Messer zurecht; wegen seiner feinen Sitten wurde er geschätzt. Einmal glitt ihm beim Putzen am See das beste Tischmesser, das der König besonders liebte, aus der Hand. Das Ufer war hier zu steil, um das kostbare Stück herauszufischen. Da beschuldigte sich Wieland, nicht einmal diese kleine Arbeit beim König verrichten zu können; nun würden selbst Knechte ihn Dummkopf nennen.

Er schlich sich in die Werkstatt des Amilias, des Königs Schmied. Während der Meister mit seinen Gesellen zu Tische saß, brannte das Schmiedefeuer. Über ein Jahr lang hatte Wieland keinen Schmiedehammer angerührt; nun zog er rasch ein Stück Eisen aus der Glut und schmiedete, ehe Amilias vom Essen zurückkehrte, ein Messer.

Weiterhin reichte Wieland an der Tafel des Königs die Messer. Mit einem von ihnen schnitt Nidung eines Tages Brot ab und dazu ein ganzes Ende vom Tisch. Der König wunderte sich über die Schärfe dieses Messers und fragte:

»Wer hat das gemacht?«

»Der alle deine Messer und alles andere für dich geschmiedet hat«, erwiderte Wieland.

Amilias stand in der Nähe und sagte: »Ich habe es gemacht.«

»Ein so scharfes kam noch nie von dir«, tat ihn der König ab und blickte Wieland zornig an. Der musste den Verlust des Messers und die Nachbildung eingestehen.

»Noch nie schnitt ich mit einem derartigen Messer!«, rief der König.

»Obwohl Wieland dieses Messer gemacht hat, ist er kein besserer Schmied als ich«, ereiferte sich Amilias, in seiner Schmiedeehre verletzt. »Wetteifern wir um unsere Fertigkeiten!«

»Mögen meine gering sein«, entgegnete Wieland, »aber ich will meine Kunst beweisen. Mache du ein Stück, ich schmiede ein anderes; dann soll jeder sehen, welches besser ist.«

»Wetten wir darauf!«, rief Amilias.

»Ich besitze nichts, um etwas zu setzen«, sagte Wieland.

»Dann biete deinen Kopf«, verlangte Amilias. »Ich setze meinen dagegen, und der bessere Schmied soll ihn dem anderen abschlagen.«

»Was willst du anfertigen?«, fragte Wieland.

»Mache du ein Schwert, ich schmiede einen Helm, eine Brünne und Brünnenhosen«, schlug Amilias vor. »Sollte dein Schwert meine Haut ritzen, darfst du mich köpfen. Verletzt deine Waffe mich nicht, verlierst du dein Leben.«

Weil Wieland befürchtete, Amilias könnte sein Wort nicht halten, wollte er als Bürgen zwei der tapfersten Männer aus dem Gefolge des Königs. »Niemand weiß, was ich kann«, sagte Wieland und vermochte keinen Bürgen zu nennen. Da erinnerte sich der König an die Schärfe des von Wieland gefertigten Messers und stand selbst für ihn ein.

Noch am gleichen Tag ging Amilias mit den Gehilfen in seine Schmiede und begann die Stücke zuzurichten, an denen er zwölf Monate arbeitete. Wieland aber bediente den König weiter bei Tisch.

Nach einem halben Jahr wurde Nidung ungeduldig und fragte Wieland, wann er denn zu schmieden gedenke.

»Wenn ich eine Werkstatt habe«, sagte Wieland.

Der König ließ ihm eine Schmiede errichten. Aber als Wieland sein Werkzeug aus dem Versteck holen wollte, fand er den Stamm aufgebrochen, Gerät und Schätze geraubt. Da erinnerte er sich, dass ein Mann ihm beim Graben zugesehen hatte, ging zum König und berichtete das Vorgefallene. Nidung versprach zu helfen und fragte, ob er den Mann wiedererkennen würde.

»Ja«, beteuerte Wieland, »aber ich weiß seinen Namen nicht.«

Da berief der König alle Männer seines Reiches zu einem Thing. Viele wunderten sich, zu diesem Zeitpunkt pflegte man sich sonst nie zu versammeln. »Fehlt einer?«, vergewisserte sich der

Schmied. »Alle sind auf dem Thing«, versicherte der König. Wieland trat vor jeden Mann und blickte ihm ins Gesicht. Aber als der Schmied keinen fand, der dem Gesuchten glich, sah sich Nidung bei seinen Leuten dem Spott preisgegeben und nannte Wieland einen Dummkopf. So verlor der Schmied außer Gold und Werkzeug auch noch die Gunst des Königs.

Während Wieland am Tisch des Königs weiter die Messer zurechtlegte, sann er darüber nach, wie er den Dieb finden könne, und schmiedete heimlich – bis zu dem Abend, als er den König mit einer Kerze zu seiner Schlafstatt begleitete und sie an einer Ecke vor der Halle auf einen Mann stießen, vor dem der König stehenblieb und ihn anredete:

»Heil dir, mein Freund Regin! Wie weit gedieh mein Auftrag in Schweden? Warum kommst du nicht herein?«

»Der Kerl ist überheblich und kann dir nicht antworten, denn er ist aus Eisen«, sagte Wieland. »Ich machte Gestalt und Gesicht nach meiner Erinnerung. Also Regin stahl mein Werkzeug und Gold.«

»Er fehlte auf dem Thing«, erinnerte sich der König, »ich hatte ihn als Boten nach Schweden gesandt.« Sogar Regins Haar war geschickt nachgeahmt. Nidung lobte Wielands Kunstfertigkeit und versprach, ihm sein Schmiedegerät und seine Schätze zu beschaffen.

Nach Regins Rückkehr ließ der König ihn rufen und stellte ihn zur Rede. Er habe Werkzeug und Gold nur zum Scherz ausgegraben und an sich genommen, beteuerte der Beschuldigte und gab es Wieland zurück. Dem Schmied war es auch ohne sein bewährtes Gerät gelungen, den König mit dem eisernen Regin zu täuschen. Trotz dieses Ruhms diente er weiter an dessen Tisch.

Nach vier Monaten mahnte Nidung den Schmied: »Wann wirst du endlich beginnen? Amilias ist boshaft und sehr geschickt.«

Wieland ging in seine Werkstatt und schmiedete in sieben Tagen ein ungewöhnlich großes Schwert. Als es erkaltet war, stand der König neben dem Amboss und versicherte, er habe noch nie ein schöneres gesehen. Wieland bat den König, ihn zum nahen Fluss zu begleiten; dort warf er eine Wollflocke von der Größe und Stärke eines Fußes ins Wasser und hielt das Schwert in die Flut, die Schneide in Richtung der Strömung; es teilte die Wollsträhne glatt.

»Ich habe noch nie ein so scharfes Schwert gesehen«, beteuerte der König und wollte es sogleich anlegen.

»Die Waffe ist nicht schlecht, aber ich werde sie noch härter schmieden«, meinte Wieland und nahm sie mit in seine Werkstatt. Und der König ging heiter in seine Halle.

Wieland zerfeilte das Schwert zu einem Häufchen Späne, mengte die mit Mehl und fütterte das Gemisch zahmen Vögeln, die er drei Tage hatte hungern lassen. Im Schmiedeofen schmolz er den Kot und fällte die Schlacke aus dem Metall. Daraus schmiedete er ein zweites Schwert, das war kleiner als das erste. Und wieder kam der König, lobte es und wollte es an sich nehmen.

Diesmal warf Wieland eine doppelt so dicke Wollflocke in den Fluss; das Schwert zerschnitt sie wie die erste.

»So weit ich auch suchte, ich fände kein besseres Schwert als dieses«, lobte der König.

»Die Waffe ist gut, doch sie soll noch schärfer werden«, wehrte Wieland ab.

Zufrieden ging Nidung in seine Halle. Wieland kehrte in seine Schmiede zurück, feilte auch das zweite Schwert in feine Späne und verfuhr wie mit dem ersten. Nach drei Wochen hatte er ein blankes Schwert geschmiedet, kleiner als das zweite, sehr handlich und mit Gold eingelegt.

Jetzt warf Wieland einen drei Fuß langen und dicken Wollknäuel ins Wasser, hielt das Schwert ruhig in die Strömung; die Schneide schnitt die Wolle glatt wie das Wasser.

»Du kannst durch die ganze Welt ziehen und findest kein Schwert, das so ist wie dieses«, beteuerte Nidung. »Ich will es in jedem Kampf tragen.«

»Ich nenne es Mimung, und es soll keinem anderen gehören als dir«, erwiderte Wieland, »aber erst fertige ich dazu eine Scheide und einen Trageriemen.«

Der König ging gutgelaunt in seine Halle.

Wieland eilte an seinen Amboss und schmiedete ein Schwert, das keiner von Mimung zu unterscheiden vermochte. Die echte Waffe verbarg er unter den Blasebälgen und sagte: »Liege du da, Mimung, bald brauche ich dich selbst.«

Wieder verrichtete der Schmied seine Arbeit an der Tafel des Königs bis zu dem Tage, an dem die Wette entschieden werden sollte. An diesem Morgen zog Amilias seine Brünnenhosen an und ließ sich auf dem Markt bestaunen; vor dem Frühstück legte er außerdem die Brünne an, auch die war doppelt und prächtig gearbeitet; vor dem Tafeln beim König setzte er noch den Helm auf, der war besonders dick und schien gegen jeden Schlag gefeit. Nidung lobte ihn. Und alle Leute meinten, nie eine so gute und sichere Rüstung gesehen zu haben.

Nach dem Mahl begaben sich alle hinaus auf einen Platz, Amilias schritt in ihrer Mitte. Der Gerüstete zeigte sein Schwert, mit dem er Wieland dann den Kopf abzuschlagen gedachte, und setzte sich auf einen Stuhl, bereit für die Wette. Das Gefolge des Königs und andere Männer standen im Kreis um ihn her. Wieland trat mit gezückter Waffe in die Runde vor den König, dann hinter Amilias, setzte die Schwertspitze auf den Helm und fragte den Schmied des Königs, ob er sie spüre. Der lachte und prahlte: »Schlag mit aller Kraft zu. Oder bist du zu schwach?«

Wieland drückte die Schwertspitze lediglich fest gegen den Helm, da schnitt Mimung Helm und Amilias' Kopf, Brünne und Körper bis zum Gürtel in zwei Hälften.

Noch nie hatte jemand von solch einem scharfen Schwert gehört. Der König wollte Mimung sogleich anlegen. Aber der Schmied gab vor, noch die Scheide aus der Werkstatt holen zu müssen, steckte Mimung unter den Blasebalg und übergab dem König die Nachbildung.

Nun fertigte Wieland für König Nidung und sein Gefolge prächtige Waffen und kostbarstes Geschmeide. Die prunkvollen Stücke ließen den Ruhm des Königs noch heller glänzen. Wieland galt auf der Nordhälfte der Welt als so bedeutend, dass man von einem Stück, das weit kunstvoller als andere geschmiedet worden war, sagte, das stamme wohl von einem Wieland.

Eines Tages stürmten Boten an die Tafel des Königs und meldeten, ein großes feindliches Heer sei in sein Reich eingefallen, brenne Orte nieder und verwüste das Land. Nidung sammelte sofort eine starke Mannschaft – auch Wieland war in seinem Gefolge – und zog gegen den Feind. Nach fünf Tagen berührte sein Heer den Gegner. Am Tag vor der Schlacht wollte der König seinen Siegstein in die Hand nehmen und die Gedanken sammeln, da bemerkte er, dass er ihn in seiner Burg vergessen hatte. Nidung glaubte, ohne die Kraft dieses Steines die Schlacht zu verlieren, rief die Vertrauten in sein Zelt und verkündete:

»Wer den Stein herbeischafft, ehe morgen die Sonne aufgeht, erhält meine Tochter Bödwild zur Frau und mein halbes Reich.«

Wegen des langen Weges wagte niemand die Fahrt. In seiner Not wandte der König sich abends an den Schmied: »Mein guter Freund Wieland, wirst du reiten?« Der König wusste von Skemming, dem schnellen Pferd des Schmiedes.

»Du rätst mir also«, erwiderte Wieland. »Hältst du deine Versprechen, werde ich reiten.« Der König gelobte, sie zu erfüllen.

Auf seinem Hengst Skemming, der so schnell war, wie ein Vogel fliegt, preschte Wieland davon und erreichte um Mitternacht Nidungs Burg. Bödwild übergab Wieland den Siegstein. Da blickte die Königin arglistig. Den Weg, für den Nidung fünf Tage gebraucht hatte, legte der Schmied in zwölf Stunden zurück und erreichte vor Sonnenaufgang das Lager. Nicht weit dem Königszelt ließ Wieland Skemming Kunstsprünge machen. Da ritten ihm sieben Männer entgegen, an ihrer Spitze der Truchsess, und hießen Wieland willkommen.

»Mein guter Freund, hast du den Siegstein?«, fragte der Anführer des königlichen Gefolges. »In dieser Zeit hätte das keiner von uns geschafft.«

»Ich erfüllte den Auftrag, so gut ich konnte«, erwiderte Wieland.

»Gib mir den Siegstein!«, verlangte der Truchsess. »Ich werde ihn dem König überreichen. Du bekommst von mir so viel Gold und Silber, wie du willst.«

»Wie verträgt sich das mit deiner Ehre? Für dich war der Weg nicht länger als für mich!«, entgegnete Wieland und verweigerte den Stein.

»Glaubst du wirklich«, schrie der Truchsess, »ein kleiner, erbärmlicher Schmied kriegt die Königstochter, die bisher keiner aus den besten Geschlechtern des Landes bekam? Und dazu ein halbes Königreich? Etwas anderes kriegst du: nehmt ihm den Siegstein und das Leben!«

Die Mannen des Truchsess griffen Wieland an. Der zog sein Schwert Mimung und spaltete dem Truchsess Helm und Kopf. Daraufhin flohen die anderen sechs Männer.

Wieland ging zum König, übergab ihm den Siegstein und wurde freundlich empfangen. Als Nidung aber vom Tod des Truchsess erfuhr, verfluchte er den Schmied:

»Du erschlugst meinen besten Mann. Verlasse sofort das Lager und kehre nie in mein Land zurück, sonst lasse ich dich hängen!«

»Du willst deine Versprechen nicht einlösen, deshalb verbannst du mich!«, empörte sich Wieland.

Ein Vertrauter des Königs erinnerte sich an den Rat der Königin, Wieland die Sehnen zu zerschneiden und ihn für den Hof schmieden zu lassen. Doch Nidung erlaubte Wieland fortzureiten.

Am gleichen Tage besiegte der König mit seinem Heer die Wikinger und kehrte ruhmvoll und mit reicher Beute auf seine Burg zurück, wo die Königin ihm vorhielt, gegenüber Wieland zu nachsichtig zu sein.

Der Schmied sah sich betrogen, wollte sich am König rächen, ging verkleidet an dessen Hof und gab sich als Koch aus. Eine der Schüsseln, für die Wieland Fleisch zubereitet hatte, kam auf die Tafel vor den König und seine Tochter. Bödwild schnitt das Fleisch mit einem Messer, das zu klingen begann; denn es hatte die Fähigkeit, vor Verdorbenem und Vergiftetem zu warnen. Nidung ließ den Koch, der das Stück zubereitet hatte, ergreifen und vorführen. So wurde Wieland erkannt.

Jetzt musste Nidung sich dem Rat der Königin fügen, ließ Wieland an Füßen, Kniekehlen und Oberschenkeln die Sehnen durchschneiden und sagte: »Weil du so meisterhaft schmiedest, sollst du dein Leben behalten.«

Der Krüppel dankte dem König für die Milde: »Nun kann ich mich nie mehr von dir trennen; und falls ich es könnte, so täte ich es nicht.«

»Dafür erhältst du reichlich Gold und Silber«, erwiderte der König und ließ eine neue Schmiede auf der ufernahen Insel Säwarstadt errichten.

Da saß nun Wieland am Schmiedefeuer, schwang den Hammer, schlief kaum und fertigte Stück auf Stück. Manchmal schleppte er sich zur Tür, blickte auf die ziehenden Vögel und dachte an die freie Jagd in den Wolfstälern. Er sandte eine Botschaft an seinen Bruder Egil.

Eines Tages kamen die beiden jüngsten Söhne des Königs mit ihren Bögen zu Wieland und gaben vor, er solle für sie Pfeile schmieden. In Wahrheit wünschten sie seine Schätze zu sehen, von denen sie gehört hatten. Wieland widersetzte sich zunächst ihren Bitten. Schließlich erfüllte er sie, hob den schweren Deckel der Truhe und ließ die Kinder hineinblicken. Sie sahen das rote Gold, das funkelnde Geschmeide und konnten ihren Blick nicht losreißen. Das war unheilvoll, denn Wieland kam dabei der Gedanke, in welcher Weise er sich rächen könnte. Die Kinder baten, bald zurückkehren und wieder in die Truhe sehen zu dürfen. Wieland versprach, ihnen die kostbarsten Stücke zu schenken, machte aber zur Bedingung, ihren Besuch auch Knechten und Mägden zu verheimlichen, Neuschnee abzuwarten und rückwärts zur Schmiede zu stapfen.

Und genau so geschah es. Der frische Schnee glitzerte weiß und rein. Als die Jungen neugierig ihre Köpfe über die Truhe beugten, ließ Wieland den schweren Deckel fallen und schlug sie ihnen vom Halse. Ihr Blut sammelte er in einer Blase und machte es haltbar. Die Leichen verbarg er in der Grube unter den Blasebälgen.

Der König ließ überall nach seinen Söhnen suchen. Auf Befragen erklärte Wieland, sie seien zwar in der Schmiede gewesen, jedoch – wie die Fußspuren zeigten – in Richtung der Königshalle zurückgegangen. Die Abdrücke im Schnee galten als untrügliche Zeichen; keiner verdächtigte Wieland. Der König und die Königin mussten annehmen, ihre Söhne seien im Walde bei der Jagd nach Vögeln von Wölfen zerrissen worden, oder die See habe sie beim Fischen in die Tiefe gerissen.

Für seine Rache war Wieland nun hart und wild genug. Er nahm die Leichen der Königssöhne, schabte das Fleisch von den Knochen, schlug die Hirnschalen in Gold und Silber und machte zwei Trinkbecher. Aus den vergoldeten Schulterblättern fertigte er Gefäße zum Bierschöpfen. Die Augen fasste er in Gold, als wären es edle Steine, aus den Zähnen fertigte er Brustschmuck für Bödwild. Die Prunkschalen schenkte er dem Königspaar. Die Schädelbecher und knöchernen Bierschalen voll Met wurden bei Gelagen nur mächtigen Männern gereicht.

Für Wielands Rache ergab sich weiter Gelegenheit. Als Bödwild mit ihren Mägden im Garten herumtollte, brach ihr bester Goldring; jener, der Wielands Herwör gehört und den der König seiner Tochter geschenkt hatte. Nun fürchtete Bödwild, ihr Vater werde sie strafen, und besprach sich mit ihrer Magd. Die meinte, nur Wieland gelänge es, den Schaden zu beheben. Also schickte

Bödwild die Magd zu Wieland. Der verlangte, die Königstochter selbst möge mit dem Ring in die Schmiede kommen. Als sie mit ihrer Magd erschien, ließ er nur Bödwild in die Werkstatt und gab vor, er habe noch ein Stück im Feuer, das erst fertigzustellen sei, und riegelte die Tür ab. Dann schenkte Wieland der Königstochter Bier ein und legte sich zu der Berauschten. Nun besserte Wieland den Ring aus, machte ihn beinahe schöner als vorher, und gab ihn zurück. Bödwild verriet auch ihrer vertrautesten Freundin nicht, was in der Schmiede vorgefallen war.

Auf Bitten Wielands hin hatte der König Egil an den Hof rufen und in sein Gefolge aufnehmen lassen. Der Bruder des Schmiedes war schöner als die meisten Männer; und es hieß, niemand schieße mit dem Bogen so gut wie er. Nachdem der König einige Meisterschüsse Egils gelobt, wollte er nun erproben, ob er tatsächlich der berühmteste Schütze sei. Nidung ließ den dreijährigen Sohn Egils in den Hof der Burg stellen, einen Apfel auf seinen Kopf legen und verlangte, der Vater solle genau den Apfel treffen, und er dürfe nur einen Pfeil nehmen. Aber Egil steckte drei Pfeile in den Köcher. Das versammelte Gefolge verstummte. Der Schütze ergriff einen Pfeil, strich die Fiederung glatt, legte ihn auf die Sehne und schoss den Apfel mittendurch. Nidung lobte den Meisterschuss und fragte Egil:

»Warum nahmst du drei Pfeile?«

»Wäre mein Sohn verletzt, hätte ich die beiden anderen auf dich geschossen.«

Der König nahm diese Antwort hin. Das Gefolge murrte und fand sie kühn und vermessen.

Wenn Wielands Taten ans Licht kämen, würde der König ihn erschlagen lassen. Das wusste der Schmied und sann über seine Flucht nach. Er bat seinen Bruder, Vogelfedern zu beschaffen und einen Besuch Bödwilds zu vermitteln.

Wieland fasste Zuneigung zu Bödwild und versicherte ihr, keine andere zur Frau zu nehmen als sie. Und die Königstochter beteuerte, keinen anderen Mann zu wählen als ihn.

»Du wirst ein Kind erwarten, und es wird sicher ein Sohn sein«, verkündete Wieland, »ich schmiede für ihn Waffen und verberge sie in der Schmiede dort, wo das Wasser hereinfließt und der Wind hinausfährt. Falls ich nicht mehr dazu komme, sage du ihm das.« Dann gingen Bödwild und Wieland zufrieden auseinander.

Egil jagte weiter große und kleine Vögel und brachte die Federn zu Wieland, der daraus Flügel und ein Flughemd für sich fertigte; es glich dem Federkleid des Vogels Greif. Als es vollendet war, drängte Wieland seinen Bruder:

»Streif das Flughemd mit den Flügeln über und probiere es für mich.«

»Wie soll ich abheben, wie fliegen und landen?«, fragte Egil.

»Du sollst gegen den Wind abheben, hoch und lange fliegen und mit dem Wind landen«, riet Wieland.

Egil legte das Federgewand an und stieg auf in die Luft und flog so leicht wie der gewandteste Vogel. Als er aber landen wollte, fiel er mit dem Kopf nach unten und stürzte auf die Erde, dass es in seinen Ohren dröhnte, in seinen Schläfen pochte und er seine Sinne nicht gleich wiederfand.

»Waren die Flügel brauchbar?«, fragte Wieland.

»Könnte man so gut aufsetzen wie fliegen, wäre ich in der Luft geblieben, flöge in ein anderes Land, und du bekämst die Flügel nicht zurück.«

»Ich will die Mängel ausbessern«, sagte Wieland und fuhr dann mit Egils Hilfe in das Federhemd, hob ab und setzte sich auf das Dach der Halle. Von dort rief er zu Egil hinunter:

»Ich misstraute dir und riet, mit dem Wind zu landen. Aber alle Vögel heben gegen den Wind ab und kehren gegen den Wind auf die Erde zurück. Nun sollst du erfahren, was ich vorhabe. Ich werde nach Hause fliegen. Zuvor aber will ich mit dem König abrechnen. Und zwingt er dich, Pfeile auf mich zu richten, so ziele unter meinen linken Arm. Da hängt eine Blase mit dem Blut der Nidungssöhne.«

Nun flog Wieland auf den höchsten Turm der Königsburg. Da kam Bödwild über den Hof, sah Wieland mit den Flügeln schlagen und rannte weinend davon, aus Kummer um den Geliebten und aus Furcht vor dem Zorn des Vaters. Auch die Königin erfuhr davon und eilte in die Halle zum König, der auf seinem Thron stumm vor sich hin brütete.

»Wachst du?«, fragte die Königin.

»Seit dem Tod meiner Söhne hocke ich immer ohne Schlaf. Mir friert der Kopf. Dein Rat war unheilvoll«, erwiderte Nidung, ging hinaus und redete den Schmied an:

»Wieland, bist du ein Vogel?«

»Ja, das wurde ich und werde nie zurückkehren. Du hattest Eide geschworen, mir deine Tochter zu geben. Und ich preschte davon und holte den Siegstein. Aber du schicktest den Truchsess, mich zu erstechen, und brachst den Schwur. Du gewannst die Schlacht und ließest meine Sehnen kappen. Nun rächt sich der Krüppel.«

Der König schwieg und fragte dann:

»Sag mir, wo sind meine Söhne?«

»Erst sollst du alle Eide leisten, dass du Wielands Braut, die an deiner Tafel sitzt, nicht tötest!«, rief Wieland hinab. »Schwöre beim Bord des Schiffes, beim Rand des Schildes, bei der Schneide des Schwertes, dass du unserem ungeborenen Kind nichts antust.«

Mit schwerer Zunge gelobte der König:

»Ich beeide beim Bord des Schiffes, es möge mit mir untergehen, beim Rand des Schildes, er möge mich nicht mehr schützen, bei der Schneide des Schwertes, es möge mich verwunden, wenn ich meinen Schwur breche.«

Nach diesen Sätzen des Königs offenbarte ihm Wieland:

»Geh in die Schmiede, die du erbauen ließest, dort findest du die Kopfhäute deiner Söhne, von den Schädeln abgezogen. Ihre Füße warf ich in die Grube unter die Blasebälge, schlug die Hirnschalen deiner Söhne in Gold und Silber für Trinkbecher auf deiner Tafel. Die Augen deiner Söhne fasste ich in Gold, hämmerte aus den Zähnen deiner Söhne Brustschmuck für Bödwild. Ich machte deine Tochter berauscht und nahm sie; jetzt geht sie mit einem Kind von mir schwanger.«

Daraufhin sandte Nidung seinen Vertrauten Dankrat in die Halle, Bödwild zu holen, und auf Befragen ihres Vaters gab sie zu:

»Ich vermochte dem Schmied nicht zu widerstehen.«

»Nie hörte ich Sätze, die mich mehr schmerzten«, klagte der König. »Wieland, du musst sterben. Aber selbst von einem Pferd aus kann dich keiner ergreifen. Kein Speerwurf erreicht dich, aber ein Pfeil. Egil, schieß ihn herunter!«

»Er ist mein Bruder!«

»Dann wirst du erschlagen!«, drohte der König und wies sein Gefolge an.

Da legte Egil einen Pfeil auf die Bogensehne und schoss Wieland, als er aufflog, unter den linken Arm. Blut spritzte zur Erde.

Da meinten der König und alle, die um ihn standen, der Schmied sei tödlich getroffen. Aber Wieland flog heim nach Seeland.

Egil sattelte Wielands Pferd Skemming und folgte mit seinem Sohn, dem Werkzeug und den Schätzen des Schmiedes auf die väterlichen Höfe.

Als Nidung erfuhr, wie seine Söhne umgekommen waren und die Brüder ihn getäuscht hatten, erkrankte er. Und nachdem seine Tochter von seinem Erzfeind einen Sohn, Witege, gebar, wurde der König noch verbitterter und starb bald.

So rächte sich Wieland für den Eidbruch und die Verstümmelung durch Nidung, ließ den König und dessen Tochter im Hass unversöhnlich zurück. Auch um Bödwild zu schänden, hatte er die Liebe zu ihr nur vorgetäuscht.

Nach späteren Erzählungen wurde nach Nidungs Tod Otwin, sein ältester Sohn, König; der war bei allen im Lande beliebt und freundlich zu seiner Schwester.

Als Wieland dies erfahren hatte, sandte er einige Zeit nach der Geburt seines Sohnes Witege einen Vertrauten zu dem jungen König mit der Bitte um Versöhnung und Frieden. Otwin lud den Schmied auf seine Burg ein, wo er gut aufgenommen wurde. Der König gab ihm seine Schwester Bödwild zur Frau und bat ihn zu bleiben. Später zog Wieland, von Otwin reich beschenkt, mit Bödwild und dem dreijährigen Witege heim nach Seeland.

Die meiste Zeit verbrachte Wieland an seinem Schmiedefeuer und wurde in den Ländern der nördlichen Welt noch berühmter. Bald schmiedete er seinem Sohn einen Helm von besonderer Härte und machte ihm einen Schild, der war weiß, und in Rot leuchteten darauf Hammer und Zange als Zeichen der Schmiedekunst.

Witege wurde ein berühmter Held und Gefährte Dietrichs von Bern. Doch davon soll später erzählt werden.

Dietrich von Bern

Der berühmteste Herrscher des Geschlechtes der Amaler war Dietrich von Bern. Er griff in die Geschicke großer Könige ein wie die der Burgunden an Etzels Hof. Gerühmt werden seine Besonnenheit und sein Sinn für Gerechtigkeit.

Amal hieß ein früher Vorfahr dieses Geschlechts, daher der Name. Der Großvater jenes Amal soll Gaut gewesen sein, der Urvater der Gauten oder Goten. Noch heute heißt eine Insel in der Ostsee vor Schweden Gotland. Gaut ist wohl nur ein anderer Name für Odin oder Wodan, und es gibt Erzählungen, die Dietrich von Bern göttliche Abstammung nachsagen.

Schon von Dietrichs Vater, König Dietmar, wird als mächtigem Herrscher von Bern Großes berichtet. Er war streitbar, aber auch verständig, strafen konnte er und milde sein. Bei seinen Mannen galt er als großzügig und beliebt. Auch die Weisheit und Geschicklichkeit seiner Gemahlin Odilia scheint der Sohn geerbt zu haben.

Bereits als Dietrich heranwuchs, übertraf er alle Knaben gleichen Alters. Seine Schultern wurden zwei Ellen breit und seine Arme dick wie ein großer Baumstamm und so hart wie Stein. In der Mitte seines Leibes schmal, waren seine Hüften und Schenkel so stark und seine Waden und seine Schienbeine so dick, dass man meinte, sie gehörten einem Riesen. Dietrichs Kraft war so gewaltig, hieß es, wie kein gewöhnlicher Mensch sie besaß und er selbst sie kaum ganz erproben konnte. Nur so gelang ihm später an Etzels Hof, Hagen und Gunter niederzuringen.

Trotz seiner Stärke war Dietrich nicht grobschlächtig, ihn zierten schöne Hände, sein Gesicht war schmal und regelmäßig, er hatte helle Haut. Und er blickte mit ungewöhnlich scharfen, dunkelbraunen Augen, die den Herrscher und seine hohe Abstammung verrieten. Sein Haar fiel in langen Locken über seine Schultern und glänzte wie geschlagenes Gold. Ihm soll nie ein Bart gewachsen sein.

Als Dietrich zwölf Jahre alt war, setzte König Dietmar ihn zum Anführer seines Gefolges ein. Dass aus dem ungefügen Knaben ein weiser und mächtiger König wurde, ist auch einem Manne zu danken, dem die Erziehung des jungen Herrschers übertragen wurde.

Jener Mann stammte aus Venedig, sein Vater war dort Herzog und hieß Reginbald. Sein Sohn Hildebrant hatte eine ungewöhnliche Begabung für das Kriegshandwerk. Auch er wurde als Zwölfjähriger, in Rüstung und gewaffnet vor dem Fürstensessel seines Vaters stehend, zum Anführer von dessen Gefolge ernannt.

Hildebrant sah man seine Abstammung und seinen edlen Sinn an. Hochgewachsen, schön von Gestalt und Angesicht, hatte er helle Haut, ein breites Gesicht, eine gerade Nase und ungewöhnlich scharfe Augen. Sein Haar und sein Bart glänzten wie gelbe Seide und waren kraus wie Sägespäne. An Mannestugenden und Weisheit übertraf er die meisten. Deshalb wurde er später ein kluger Ratgeber Dietrichs. Freundschaft hielt er so treu und verlässlich, dass er Dietrich nie im Stiche ließ. Auch seine Freigebigkeit wurde gerühmt. An Mut und Tapferkeit glich ihm im Lande keiner.

Mit dreißig trat Hildebrant wieder vor den Herrschersitz seines Vaters und erklärte: »Reite ich weiterhin nur nach Venedig oder hocke in Schwaben, erlange ich niemals Ruhm. Ich will Leben und Sitten anderer Herrscher kennenlernen!«

»Wohin willst du ziehen?«, fragte der Herzog.

»Gehört habe ich von einem mächtigen König«, erwiderte der Sohn, »das ist Dietmar von Bern. Dahin will ich reiten.«

Herzog Reginbald ließ fünfzehn Recken als Begleiter ausrüsten.

Hildebrant zog mit seinen Gefährten nach Bern, wo er vom König herzlich aufgenommen und gebeten wurde zu bleiben; er dankte und bekam Platz an der Seite des Königs. Sofort gewann der fünfjährige Dietrich Zutrauen zu Hildebrant. Der unterrichtete den jungen König in den Sitten bei Hofe und in der Beredsamkeit, er führte ihn in die Studierstuben weiser Männer. Gründlich lehrte er ihn das Waffenhandwerk und die Gepflogenheiten bei der Jagd. Hildebrant erzog Dietrich, bis dieser zwölf Jahre alt war und Anführer wurde. Aber auch danach blieben sie enge Freunde. Einer liebte den anderen so, dass niemals von herzlicherer Zuneigung unter Männern berichtet wurde.

Eines Tages ritten sie in den Wald mit ihren Hunden und Jagdvögeln. Als sie eine wildreiche Stelle erreichten, ließen sie die Hunde los und die Falken fliegen. Da brach ein Hirsch aus dem

Dickicht. Dietrich verfolgte ihn und scheuchte dabei einen Zwerg auf. Der junge König wandte sein Pferd und jagte ihm nach, packte ihn am Nacken und riss ihn zu sich hoch in den Sattel. Vielleicht wusste Hildebrant vom Aufenthalt des berühmten Zwerges und führte seinen Zögling absichtlich an diesen Ort. Nun zappelte der diebische Wicht in Dietrichs starken Händen.

»Herr«, jammerte der Zwerg, »kann ich mein Leben aus Eurer Hand lösen, so führe ich Euch dorthin, wo noch einmal so viel Gold und Silber und alle Arten von Kostbarkeiten liegen, wie dein Vater besitzt. Dieser Schatz gehört Hild und Grim. Der hat Zwölfmännerkräfte, aber seine Frau ist noch stärker. Grim verwahrt das beste aller Schwerter, und das habe ich selbst geschmiedet. Nur mit diesem Schwert Nagelring gewinnst du stets große Siege. Erwirb es, statt mich zu packen.« Dietrich umspannte den Zwerg noch fester und verlangte:

»Erst wenn du schwörst, mir noch heute dieses Schwert zu verschaffen, lasse ich dich los. Auch musst du mir den Weg zu dem Schatz weisen.«

Als der Zwerg das versprach, ließ Dietrich ihn frei und jagte weiter nach Vögeln. Um die neunte Stunde ritten Dietrich und Hildebrant an den Eingang der Schlucht, wo sie sich verabredet hatten. Alberich, der Zwerg, schleppte das Schwert auf einen Felsvorsprung, übergab es dem jungen König und sprach:

»An jener Berghalde bei dem steilen Felsen ist die Höhle von Hild und Grim. Holt Euch den Schatz; und wenn ich zwei Mannesalter erlebe, in Eure Gewalt kriegt mich keiner mehr!«

Nach diesen Worten verschwand der Zwerg zwischen den Steinen. Dietrich und Hildebrant stiegen von ihren Pferden und banden sie fest. Neugierig zog Dietrich Nagelring aus der Scheide. Auch der kriegserfahrene Hildebrant hatte nie ein schöneres und schärferes Schwert gesehen.

Beide kamen nun mit der neuen Waffe über die Berghalde zum unterirdischen Gang der beiden Schatzhüter. Dietrich und Hildebrant banden ihre Helme fester, spannten ihre Brünnen und Brünnenhosen und hoben ihre Schilde. So drangen sie in die Höhle ein, Hildebrant dicht hinter Dietrich. Der starke Grim wollte sich wehren, griff in seine Waffentruhe, vermisste sein Schwert und ahnte den Dieb. Wütend riss er einen brennenden Baumstumpf aus dem Herdfeuer, um die Angreifer zu vertreiben, kam aber gegen Dietrich mit Nagelring nicht an. Hildebrant erging es schlechter; ehe er mit seinem Schwert zuschlagen konnte, sprang Hild ihm an den Hals und umklammerte ihn so fest, dass er nach hartem Ringen zu Boden ging; Hild stemmte sich auf ihn und umkrallte seine Arme, dass Blut aus seinen Nägeln brach.

»Dietrich, steh mir bei, das Weib zerquetscht mich!«, rief Hildebrant.

Blitzschnell schlug Dietrich mit Nagelring dessen ehemaligem Besitzer den Kopf ab. Dann sprang er seinem besten Freund zur Seite und hieb das Weib in zwei Stücke. Aber das Trollwesen Hild war so zauberkundig, dass ihre Hälften wieder zusammenfanden. Also schlug Dietrich sie ein zweites Mal mittendurch. Auch diese beiden Hälften fügten sich wieder zusammen, als ob sie eins wären.

»Tritt zwischen Kopfstück und Fußteil!«, rief Hildebrant. Also schlug Dietrich zum dritten Mal das Trollweib in zwei Teile und stellte sich sofort dazwischen. Da blieb die untere Hälfte tot, aber der Kopfteil sprach noch: »Hätte Grim Dietrich so unter die Knie gezwungen wie ich Hildebrant, so wären wir Sieger.«

Dann fielen die Hälften nach beiden Seiten und blieben regungslos. Hildebrant stand auf und dankte für den Beistand. Der junge König und sein Lehrer packten Gold, Silber und Edelsteine, so viel ihre Pferde schleppen konnten, das andere verbargen sie in der Höhle. Unter den Schätzen befand sich ein Helm von solcher Dicke, wie sie noch keinen gesehen. Hild hatte ihn Hildegrim genannt. Seitdem trug Dietrich ihn in vielen Kämpfen.

Nun soll erzählt werden, wie Dietrich seine anderen Gefährten fand; zunächst begegnete ihm Heime.

Heime kommt zu Dietrich und fordert ihn heraus

In einem dichten Wald des Landes Schwaben bewirtschaftete eine Familie mit Namen Studas ein Gehöft. Wie der Vater wurde auch der Sohn der beste Pferdezüchter weit und breit. Hengste zuzureiten und sich in Kampfspielen zu üben war seine Lieblingsbeschäftigung. Die Pferde waren grau, fahl oder schwarz; feurig und kühn jagten sie dahin, schnell wie fliegende Vögel. Nach Berichten mancher sollen diese Pferde von Sleipnir abstammen, dem Reittier

Odins, das, wie man sagt, acht Beine hat und schneller ist als der Wind.

Wie wenige verstand der Sohn mit dem Schwert umzugehen, den Speer zu werfen und mit der Armbrust zu schießen. Er war streitsüchtig, aufbrausend, starrköpfig und wollte überall der erste sein. Wegen dieser Wesensart war er verhasst und hatte wenige Freunde; für die jedoch setzte er sein Leben ein. Da der Sohn in seiner Wesensart einem Drachen mit Namen Heime glich, war er auch so genannt worden.

Eines Tages trat Heime mit seinem Ross Rispe und seinem Schwert Blutgang vor seinen Vater und erklärte:

»Anstatt im heimischen Wald zu altern, möchte ich die Sitten fremder Länder kennenlernen und dort Ruhm und Ehre erwerben.«

»Wenn du nicht den Hof bewirtschaften willst«, erwiderte der Vater, »wohin gedenkst du dich zu wenden?«

»Ich will südwärts übers Gebirge bis zur Stadt Bern. Dort lebt der Königssohn Dietrich, mit dem will ich kämpfen und sehen, wer der Stärkere ist.«

»Von glaubwürdigen Männern weiß ich«, wandte der Vater ein, »dieser Held ist unbezwingbar. Erprobe dich anderswo. Hochmut und Anmaßung kosteten schon manchem den Kopf.«

Streitsucht erwachte sogleich in dem Sohn; wütend entgegnete er seinem Vater:

»Wie ruhmlos redest du! Ich will früh sterben oder mächtiger werden als du. Ich bin siebzehn Winter alt, der junge König ist aber erst zwölf. Was kann er mir schon anhaben?«

Heime schwang sich auf sein Pferd Rispe und ritt davon. Bis Bern machte er kaum Rast. Dort preschte er bis an die Burg, gab sein Pferd in Obhut und stand bald in der Halle des jungen Königs vor dessen Königssessel.

»Von deinen Taten drang Kunde bis in ferne Wälder«, erklärte er. »Nun bin ich hergeritten und fordere dich zum Zweikampf. Der Sieger gewinne die Waffen des anderen.«

Dietrich wies den anmaßenden Fremden ab. Noch niemand hatte gewagt, ihn im Zweikampf zu fordern. Um künftig Großsprecher abzuschrecken, nahm er jedoch die Herausforderung an und meinte, der Fremde habe sich schon um Kopf und Kragen geredet.

Mit seinen Vertrauten verließ Dietrich die Halle und rüstete sich für den Zweikampf. Ein Recke brachte ihm die Brünnenhosen, ein anderer die Brünne, ein dritter den Schild; der war breit und rot wie Blut, mit einem goldenen Löwen aufgemalt. Ein vierter Recke reichte ihm den Helm Hildegrim, ein fünfter holte sein Ross und ein sechster sattelte es, ein siebenter überreichte ihm den Speer. Sein Schwert Nagelring trug er ohnehin. Als achter hielt sein Ziehvater Hildebrant ihm den Steigbügel. So ritt Dietrich gewaffnet mit seinen Begleitern aus der Burg auf den vereinbarten Platz.

Dort wartete bereits Heime in voller Rüstung. Die Vorbereitungen zum Kampf waren kurz. Bald preschten die Gegner aufeinander los. Viele Recken hielten es für leicht, den zwar starken, aber kurzarmigen und kurzbeinigen Heime aus dem Sattel zu schleudern. Aber keiner der beiden vermochte mit seinem Speer gegen den Schild des anderen etwas auszurichten. Auch beim zweiten Anrennen galoppierten die Pferde aneinander vorbei, und die Speere prallten an den Schilden ab. Wild entschlossen zum tödlichen Stoß, schleuderten die Gegner beim dritten Mal ihren Speer mit noch größerer Wucht. Heimes Speer brach durch Dietrichs Schild und prallte an der Brünne unter dem Arm ab. Aber Dietrichs Speer durchbohrte Heimes Schild samt der doppelten Brünne und verwundete ihn leicht an der Seite. Beide Speerschäfte brachen mittendurch.

Nun stiegen die beiden Recken von ihren Pferden und zogen ihre Schwerter. Beide kämpften lange, keiner wich auch nur einen Fußbreit vor dem Gegner. Schließlich gelang Heime ein gewaltiger Schlag auf Dietrichs Helm Hildegrim mit dem Schwert Blutgang, so dass es am Griff in zwei Stücke brach. Der waffenlose Heime fiel damit in Dietrichs Gewalt. Aber der junge König mochte ihn nicht erschlagen, machte ihn vielmehr, wie es damals häufig geschah, zu seinem Gefolgsmann. Sie wurden die besten Freunde. Als Dietrich mit seinen Mannen nach Bern zurückritt, hatte er noch größeren Ruhm erworben.

Witege auf dem Wege nach Bern

Wie schon erzählt, hatte Wieland der Schmied mit seiner Frau, König Nidungs Tochter, einen Sohn mit Namen Witege. Der war bereits im Alter von zwölf Jahren von gewaltiger Größe und Kraft, aber auch beliebt und nicht streitsüchtig. Damit er ein ebenso berühmter Schmied werde wie er selbst, wollte der Vater ihn seine Künste lehren.

»Nie werde ich einen Hammer schwingen oder eine Zange in die Hand nehmen«, sträubte sich der Sohn.

»Wie sonst willst du ein Haus bauen, Speise und Trank verdienen?«, fragte Wieland.

»Ich möchte vor allem einen guten Hengst besitzen«, erwiderte Witege, »ein scharfes Schwert führen, einen harten Helm und eine weiße Brünne tragen. Solange ich zu leben habe, will ich damit Herrschern dienen.«

»Das sollst du erhalten«, gestand Wieland zu, »aber wohin willst du ziehen?«

»Ich hörte von Dietrich«, sagte Witege, »dem berühmtesten Helden der Welt. Den will ich zum Zweikampf fordern. Halte ich seinem Schwert nicht stand, wird er mir das Leben schenken und mich als Gefährten aufnehmen, wie es dem bekannten Heime erging. Aber Vater, ich fühle mich stark genug, den Berner zu bezwingen.«

Wieland erschrak über die Vermessenheit seines Sohnes; um ihn von dieser Fahrt abzubringen, riet er:

»Du wirst seinem berühmten Nagelring unterliegen. Nicht weit von hier verwüstet ein Riese Ortschaften. Schlägst du den nieder, erwirbst du großen Ruhm und der Schwedenkönig gibt dir seine Tochter und sein halbes Reich dazu.«

»Einer Frau wegen?«, entrüstete sich Witege, »erschlüge mich der Unhold, würde man mir einen lächerlichen Tod nachsagen. Nein, ich reite südwärts.«

»Kann ich dich nicht davon abbringen«, erwiderte Wieland, »so will ich dich rüsten wie noch keinen Recken zuvor.«

»Warum sollte mein Vater kein besseres Schwert schmieden als ein Meisterzwerg? Sind die etwa kunstfertiger als du?«, stachelte Witege den berühmten Schmied an.

Wieland lachte und befahl dann, dem Sohn dicke Brünnenhosen anzulegen und eine lange weiße Brünne, die glänzte wie Silber, hart war wie Stahl und doppelt geschmiedet.

»Dieses Schwert Mimung, hier, nimm es«, sagte Wieland, »ich habe es selbst geschmiedet und für dich aufbewahrt. Kein anderes beißt wie das.«

Auch einen Helm aus härtestem Stahl reichte Wieland ihm, stark geschweißt und mit großen Nägeln beschlagen. Das Bild einer goldenen Schlange war darauf; als Zeichen seiner Kampfeslust spie sie Gift. Der Schild war so stark und schwer, dass kein gewöhnlicher Recke ihn mit einer Hand heben konnte. Auf dem weißen Schild prangten in Rot gemalt Hammer und Zange, die Schmiedezeichen des Vaters. Am Schildrand oben blitzten drei Karfunkelsteine und verwiesen auf das Königsgeschlecht der Mutter. Zum Schluss gab der Vater Witege seinen berühmten Hengst Skemming, dazu einen elfenbeinernen Sattel, den das Bild einer Natter zierte.

Zum Abschied küsste Witege seine Mutter, die schenkte ihm drei Mark Goldes und ihren Fingerring. Der Sohn küsste auch seinen Vater. Dem Hartgesottenen wurde der Abschied schwer.

Witege nahm seinen Speer und schwang sich samt seiner schweren Rüstung, ohne den Steigbügel zu berühren, in den Sattel. Da lachte Wieland, unterwies seinen Sohn in den Wegen nach Süden und geleitete ihn durch den Wald bis hinaus auf die Straße.

Witege durchritt große Wälder, die nur wenig bewohnt waren, und stieß an den großen Fluss Eider. Aber jene Furt, die sein Vater ihm gewiesen hatte, verfehlte er. Daraufhin band er sein Pferd im Wald fest, verbarg seine Waffen und Kleidung unter Laub im Gebüsch, watete in die Strömung und suchte nach der Furt. Drei Männer ritten am Ufer entlang und sahen nur noch einen Kopf über dem Wasser. Hildebrant, Heime und Hornboge waren im Auftrage ihres Herrn Dietrich unterwegs.

»Draußen im Fluss zappelt ein Zwerg«, sagte Hildebrant, »das wird Alberich sein; Dietrich fing ihn schon einmal. Versuchen wir, ihn erneut zu packen, und gewinnen noch größeres Lösegeld.«

Witege hörte das und rief über das Wasser: »Lasst mich an Land steigen, dann könnt ihr sehen, ob ich ein Zwerg oder ein Mensch bin.« Die drei gewährten ihm Frieden. Mit einem Sprung von neun Fuß setzte Witege aus dem Fluss an Land.

»Wer bist du? Woher kommst du?«, fragte Hildebrant.

»Wie kannst du einen Nackten fragen? Lass mich erst Kleider und Waffen anlegen.«

Das billigten sie ihm zu. Witege eilte zu seinem Versteck und kam bald auf Hengst Skemming, mit seinem roten Schild und Mimung zum Ufer zurück und sagte:

»Ihr drei Tapferen, wüsste ich euren Namen, würde ich euch damit anreden. Jetzt könnt ihr mich fragen, so viel ihr wollt.«

»Wie heißt du? Woher stammst du? Warum reitest du allein in der Fremde?«

»Mein Vater ist Wieland der Schmied, meine Mutter König Nidungs Tochter, ich heiße Witege und will nach Bern zu Dietrich, um mich mit ihm zu messen. Vielleicht könnt ihr mir den Weg weisen?«

Hildebrant meinte, einen so riesenhaften Recken noch nicht gesehen zu haben. Auch beim Anblick seiner Waffen und Rüstung glaubte er, dass es auch für Dietrich nicht leicht sein würde, ihn zu bezwingen. Deshalb ersann Hildebrant eine List und sagte:

»Endlich ein Recke, der den Mut hat, Dietrich zu fordern. Der hält sich schon für unbesiegbar. Wenn du wirklich so tapfer bist, wirst du seinen Übermut kühlen. Schlag ein, lass uns Brüder sein. Einer stehe für den anderen ein!«

Witege bestaunte Hildebrants Waffen und Rüstung und sagte: »Du scheinst ein großer Herr zu sein, warum sollte ich deine Freundschaft zurückweisen? Und wie heißt du?«

»Ich bin Boltram, der Sohn Reginbalds, des Herzogs von Venedig, der neben mir heißt Sistram, der andere ist Herzog Hornboge.«

Die Männer stiegen von ihren Pferden. Hildebrant und Witege reichten sich die Hände, schlossen Brüderschaft und begossen sie mit einem kräftigen Schluck Met. Dann ritten die Männer zum Fluss, wo Hildebrant ihnen die Furt zeigte, durch die sie nun gemeinsam die Eider überquerten.

Eine Zeitlang zogen sie durch Wälder und weite Auen, bis Hildebrant sie an einem Scheideweg anhalten ließ.

»Ein langer und schlechter Weg führt nach Bern«, sagte er, »aber auch ein viel kürzerer, nur ist der gefährlich und geht über einen reißenden Fluss. Räuber sperren die steinerne Brücke und fordern von uns als Zoll Waffen und Rosse. Kommen wir unverletzt hinüber, können wir froh sein. Da auch Dietrich das Kastell noch nicht nahm, rate ich zu dem längeren Weg.«

»Wir reiten den kürzeren Weg!«, verlangte Witege, »wer wird von einem Fremden hier Zoll fordern?«

Hildebrant und seine Gefährten verwunderten sich über die Kühnheit Witeges und folgten ihm den kürzeren Weg. Bald ragte vor dem Lyrawald das Kastell auf. Da forderte Witege seine Gefährten auf anzuhalten:

»Wartet hier. Ich will auf die Brücke vorausreiten und erreichen, dass wir ohne Zoll über den Fluss gelangen. Schlägt es fehl, kehre ich zurück.«

Die Gefährten gaben ihm den Vorritt.

Die Räuber saßen auf der Brückenmauer, sahen den Fremden heranreiten, lobten seine Ausrüstung und begannen sie zu verteilen.

»Sein großer Schild passt zu mir«, bestimmte Hauptmann Gramaleif.

»Sein Schwert ist gut, das wird meins!«, rief der zweite.

»Die Brünne kriege ich«, verlangte der dritte.

»Der Helm passt mir«, krächzte der vierte.

»Seht sein Ross, das wird meins«, meldete sich der fünfte.

»Ich will seine Kleidung!«, schrie der sechste.

»Für mich bleiben dann nur die Brünnenhosen«, bedauerte der siebente.

»Seinen Geldgurt hat noch keiner, den nehme ich«, frohlockte der achte.

»Da ihr alles schon verteilt habt, gehört mir seine rechte Hand«, forderte der neunte. Und der zehnte:

»Ich will sein rechtes Bein!«

»Da nehme ich mir seinen Kopf!«, triumphierte der elfte.

»Was bleibt dem Mann, wenn ihr ihm alles genommen habt?«, schloss der zwölfte mit Namen Studfuß.

Hauptmann Gramaleif schickte drei seiner Leute vor, Witege Waffen und Kleidung abzunehmen. Statt die auszuliefern, verwickelte Witege sie in ein Gespräch und verlangte mit dem Hauptmann zu reden. Gramaleif waffnete sich wütend und sprengte mit all seinen Gefährten über die Brücke.

»Willkommen!«, rief Witege ihnen entgegen.

»Willkommen ist uns dein Gut, das wir längst unter uns verteilt haben«, schrie Gramaleif zurück. »Willst du ans andere Ufer, wirst du auch Hand und Fuß bei uns lassen. Nun schwatz nicht mehr, gib mir deinen prächtigen Schild!«

»Wenn ich heimkehre, wird mein Vater meinen, Dietrich hätte ihn mir genommen.«

»Liefere dein Schwert aus!«, forderte Studfuß.

»Wie soll ich ohne das gegen Dietrich kämpfen?«

Auch die anderen verlangten von dem Fremden endlich die vereinbarte Beute. Aber Witege, noch wenig in der Welt erfahren, verstand nicht, warum die Männer das von ihm fordern konnten, und wollte über die Brücke, ohne einen einzigen Pfennig Zoll zu zahlen.

»Sind wir alte Weiber?«, schrie Studfuß, »dass wir zwölf uns von einem Schwätzer aufhalten lassen? Zieht blank! Jetzt lasse er zu seinen Waffen noch sein Leben!«

Studfuß griff Witege an und hieb auf seinen Helm. Aber eher hätte man einen Stein gespalten als ihm eine Schramme geschlagen. Rasch zog Witege Mimung und führte seinen ersten Schlag so gegen Studfuß' linke Schulter, dass Brust, Schulterblätter und Brünne bis zur rechten Seite durchschnitten wurden und er in zwei Teilen zur Erde fiel. Einige der Räuber wollten davonlaufen, aber andere trieben sie wieder zum Angriff, so dass Witege auch Gramaleifs Kopf und Rumpf bis auf den Sattelknopf spalten musste.

Hildebrant, der mit seinen Gefährten den Kampf aus der Ferne beobachtete, sagte:

»Reiten wir hin und sehen nach. Besiegt Witege die Räuber, ohne dass wir ihm beistehen, wird er uns vorwerfen, wir hätten ihn im Stich gelassen. Wir brächen unseren Bruderschaftseid, und das würde er uns heimzahlen.«

»Gewinnt er, müssen wir ihm beistehen«, erwiderte Heime, »aber sollte er unterliegen, reiten wir besser davon. Warum wegen eines fremden Mannes den Hals wagen?«

»Wir brächen unseren Eid«, warnte Hildebrant.

»Wir gelobten Treue und Beistand. Ihm zu helfen ist ehrenhaft«, pflichtete Hornboge bei.

»Also greifen wir ein!«, rief Hildebrant und sprengte auf die Steinbrücke los. Die beiden folgten ihm.

Inzwischen hatte Witege sich tapfer geschlagen. Von den zwölf Räubern waren nur Sigstaf und vier Gefährten übrig. Als die Hildebrant mit seinen Begleitern herangaloppieren sahen, flohen sie. Dann ritten die vier zum Kastell, dort aßen und tranken sie von den mitgeführten Vorräten. Trotz des starken Metes konnte Hildebrant in der Nacht nicht einschlafen. Dass der Schmiedesohn auf Anhieb den Hauptmann und sechs seiner Gesellen erschlug, ließ Hildebrant über Witeges Schwert nachsinnen. In der Nacht stand er auf, vertauschte Griff und Knauf von Mimung und seinem eigenen Schwert, schob das in Witeges Scheide und nahm selber Mimung. Den Rest der Nacht schlief Hildebrant.

Ehe sie am nächsten Tag aufbrachen, fragte Witege, was mit der Befestigung werden solle. Nun offenbarte Hildebrant ihre tatsächlichen Namen und versicherte, dass sie sich an die Schwurbrüderschaft halten würden. Er riet, die beiden Gefährten im Kastell zur Bewachung zurückzulassen. Inzwischen wolle er mit Witege nach Bern zu König Dietrich.

»Über die Brücke führt eine große Straße für jedermann«, sagte Witege, »vom Kastell aus stifteten die Räuber Unfriede, verlangten Zoll. Könnte ich bestimmen, sollte jeder frei über die Brücke ziehen: Einheimische und Fremde, jung und alt, arm und reich.«

»Wer das Kastell mit dem Schwert gewann, soll auch darüber entscheiden, ob es stehen bleibt oder nicht«, meinte Hornboge.

Da nahmen sie alles Nützliche aus der Befestigung an sich. Und Witege schleuderte einen Feuerbusch in eines der Gebäude. Erst als alles niedergebrannt und abgebrochen war, ritten sie von dannen.

Als sie die Weser erreichten, fanden sie die Brücke zwischen zwei Felsen von Sigstaf und seinen Leuten abgerissen. Nach ihrer Niederlage fürchteten die Räuber einen zweiten Kampf. Aber Witege gab seinem Ross Skemming die Sporen und sprang wie ein abgeschossener Pfeil über den Strom. Noch heute sollen am Uferfels die Abdrücke der Hufe zu sehen sein. Hildebrant und Hornboge setzten mit ihren Pferden nach, landeten aber im Wasser und erreichten das andere Ufer schwimmend. Heime sprang mit Rispe, Skemmings Bruder, ebenso wie Witege von einem Uferfels zum anderen. Inzwischen griff Witege die fünf Räuber an. Aber Heime stand ihm nicht bei, sondern wartete, bis Hornboge kam, erst dann ritt er mit ihm an Witeges Seite. Die fünf Räuber blieben tot auf dem Kampfplatz.

Dietrich und Witege im Zweikampf

Nun ritten die vier nach Bern. Als Dietrich die Ankunft der Gefährten gemeldet wurde, sprang er auf, eilte ihnen entgegen und begrüßte sie herzlich. Da Witege ihm unbekannt war, sprach er ihn nicht an. Daraufhin zog der einen silberverzierten Handschuh.

»Was hat das zu bedeuten?«, fragte der Berner.

»Hiermit fordere ich dich. Viel habe ich von dir gehört und möchte erproben, ob du ein so gewaltiger Recke bist, wie überall gepriesen. Ich bin wohl gerüstet.«

»Nicht jeder Hergelaufene und jeder feige Knecht darf mich zum Zweikampf fordern«, wehrte der König ab.

»Herr, sprich nicht so«, warnte Hildebrant, »du kennst Witege nicht; ob du ihn bezwingst, ist nicht sicher.«

Reinald, ein Mann Dietrichs, pflichtete dagegen seinem König bei: »Dass jeder Knechtssohn wagt, dich zum Zweikampf zu fordern, ist wahrlich eine Schande.«

»Beleidige meinen Schwurbruder nicht noch einmal«, erwiderte Hildebrant und versetzte Reinald mit der Faust einen solchen Schlag, dass er ohnmächtig niederstürzte.

»Der Fremde wird es noch nötig haben, dass du ihm beistehst«, sagte Dietrich. »Noch heute soll er vor Bern hängen.«

Dietrich legte Brünne und Brünnenhosen an, setzte seinen Helm Hildegrim auf, gürtete sich mit Nagelring, hob seinen weißen Schild, auf dem ein goldener Löwe gemalt war, und ritt auf Falke, einem Bruder von Skemming und Rispe, zum Kampfplatz vor Bern. Dort warteten bereits Witege und Hildebrant und auch viel Volk, das sich versammelt hatte.

Heime reichte Dietrich eine Schale Wein mit den Worten: »Trink, Herr, auf deinen Sieg.« Der Berner tat das und gab das Gefäß zurück.

Auch Hildebrant übergab Witege eine Schale. Der aber bat, Dietrich solle zuvor daraus trinken. Doch der wies die Schale zornig zurück, worauf Hildebrant ihm vorhielt:

»Dein Gegner ist kein Knecht, sondern ein Held. Warte ab.« Dann gab er Witege die Schale mit den Worten: »Wehre dich tapfer. Dein Gott stehe dir bei!«

Witege trank, gab die Schale Hildebrant zurück, schenkte ihm einen Goldring und dankte ihm für den Beistand.

Dann legten Dietrich und Witege die Speere ein und ritten aufeinander los, als stürzten sich hungrige Habichte auf ihre Beute. Dietrichs Speer prallte an Witeges Schild ab, aber Witeges Speer durchbohrte Dietrichs Schild und zersplitterte in drei Stücke.

Beim zweiten Waffengang besaß nur Dietrich noch seinen Speer und wollte Witege die Brust durchbohren. Der aber zerhieb den Speerschaft und zugleich den Rand von Dietrichs Schild.

Darauf sprangen die Gegner von ihren Pferden und begannen den Schwertkampf. Lange konnte keiner dem anderen beikommen, bis Witege dem König einen furchtbaren Hieb auf dessen Helm versetzte. Hildegrim hielt dem Schlag stand und brach das Schwert in zwei Stücke.

»Wieland, hol dich der Teufel!«, wütete Witege gegen seinen Vater, »hättest du mir ein festeres Schwert geschmiedet! Nun bringst du mir und dir Schande!«

Jetzt wollte Dietrich mit Nagelring Witege den Kopf abschlagen. Da stellte sich Hildebrant dazwischen und bat seinen Herrn:

»Gib diesem Mann Frieden und nimm ihn in dein Gefolge. Du findest keinen, der tapferer wäre. Diente er dir, gereichte es dir zur Ehre.« Und der Waffenmeister berichtete, wie Witege allein das Kastell erobert hatte. Aber Dietrich blieb hart:

»Noch heute soll er vor Bern hängen.« Was er einmal verkündet, sollte Bestand haben.

»Witege ist von königlicher Abstammung«, beteuerte Hildebrant, »und er will dein Gefolgsmann werden; nimm ihn ehrenvoll auf.«

»Damit nicht mehr jeder Knechtssohn mich zum Zweikampf fordert, muss er sterben. Geh mir aus dem Weg!«, rief Dietrich aufgebracht, »sonst hau ich dich zuerst in zwei Stücke.«

Als Hildebrant merkte, dass Dietrich uneinsichtig blieb und auch ihn selbst bedrohte, begegnete der Lehrmeister seinem König schroff:

»Dietrich, dir ist nicht zu helfen. Man gebe dem Kind, wonach es schreit.« Er zog sein Schwert aus der Scheide.

»Verflucht sei meine Hinterlist«, gestand er Witege, »aber ich halte den Schwur, hier, nimm Mimung zurück, wehre dich und helfe dir dein Gott, ich vermag nichts mehr.«

Da wurde Witege froh wie ein Vogel, küsste die goldene Verzierung des Schwertes. »Vater, verzeih mir meine harten Worte. Dietrich, großer Held, jetzt giere ich nach Kampf mit dir, wie ein Hungernder nach einem Stück Brot.« Mit dieser Streitlust griff er Dietrich so hart an, dass der überrascht weiter nichts vermochte, als sich gegen Mimung zu wehren. Als sei mit seinem Wunderschwert alle Kraft zurückgekehrt, hieb Witege derart auf den Berner ein, dass der jedesmal ein Stück von seinem Schild oder seiner Brünne verlor. Keinen Streich vermochte Dietrich zurückzugeben, und bald blutete er aus fünf Wunden. Nun ahnte er, wie der Kampf ausgehen würde, und bat seinen Meister Hildebrant um Hilfe:

»Beende den Kampf, ich weiß nicht, wie ich ihn abbrechen soll!«

»Vorhin hast du meinen Rat gescholten«, erwiderte Hildebrant, »aber sieh, als ich Witege tapfer nannte, log ich nicht. Hast geprahlt und dich mit deiner Kraft gebrüstet. Nun wirst du unterliegen.«

Da trat König Dietmar mit seinem roten Schild zwischen die Kämpfenden. »Tapferer Held«, wandte er sich vermittelnd an Witege, »mein Sohn wird fallen, ich bitte dich, halt ein. Brichst du den Kampf ab, schenke ich dir eine Stadt; dort kannst du als Graf herrschen, mit einer Schönen von hoher Geburt als Frau, so du möchtest.«

»Dein Sohn verdient das Urteil, das er gegen mich verhängte«, beharrte Witege, »oder willst du mich etwa durch die Masse deines Gefolges zwingen?«

Der König achtete die Regeln des Zweikampfes und trat zur Seite. Obwohl Dietrich sich tapfer wehrte, behielt Witege seine Überlegenheit und zerschnitt endlich Dietrichs Helm Hildegrim von links nach rechts.

Jetzt sprang Hildebrant zwischen seinen jungen König und Witege. »Guter Freund, Witege«, forderte er, »gewähre um unserer Brüderschaft willen Dietrich Frieden, werde sein Gefährte. Reitet ihr gemeinsam durch die Welt, seid ihr unbesiegbar.«

Witege setzte seinen Schild ab und bedachte die Worte Hildebrants.

»Zwar hat er keine Schonung verdient, aber unserer Bruderschaft wegen sei Friede gewährt«, lenkte er ein und legte Mimung aus der Hand.

Hildebrant veranlasste, dass Dietrich und Witege sich die

Hände reichten und Schwertbrüderschaft schwuren. Dann ritten alle heim nach Bern. Und keiner ahnte, welches Unheil noch von diesem fremden Recken ausgehen sollte.

Ecke und Fasolt

Dietrichs Wunden heilten langsam. Auch der Schmerz über seine Niederlage gegen Witege brannte. Nun gehörten die Helden Hildebrant, Witege, Hornboge und Heime zu Dietrichs Gefolge. Als der König wieder genesen war und eines Tages allein von Bern nach Norden reiten wollte, weihte er nur Witege ein:

»Auch wenn du mich bezwangst, werde ich meinen Ruhm bewahren. Erst wenn ich eine größere Tat als je zuvor vollbracht habe, kehre ich zurück.«

So schnell er vermochte, ritt Dietrich sieben Tage und Nächte, auf fremden Wegen, an Orten vorüber, durch unbewohntes Land, bis an den Rand eines großen Waldes. Dort erfuhr er in einer Herberge von einem Riesen Ecke, der sich oft im dunklen Tann aufhielt. Dessen Bruder Fasolt sollte noch stärker und grimmiger sein und gelobt haben, jeden Gegner im Kampf mit nur einem Schlag niederzustrecken. Bisher war ihm das immer gelungen.

Dietrich wollte, ohne Ecke zu begegnen, durch den Wald gelangen. Aber der Berner verirrte sich und traf unversehens auf den Riesen. Ecke fragte ihn nach dem Namen.

»Ich bin Heime Studassohn und reite in eigenen Angelegenheiten«, log Dietrich.

»Aber deine Stimme klingt, als wärst du Dietrich selber. Warum verleugnet sich ein so großer Held?«

»Ich bin Dietrich, aber will ruhig meines Weges ziehen.«

»Wie ich gehört, unterlagst du neulich im Zweikampf; jetzt kannst du gegen mich wieder Ehre gewinnen.«

»Auch wenn du mich forderst, nicht deswegen brach ich auf. Du bist noch zu jung und wenig im Kampf geübt. Außerdem ist dunkle Nacht, keiner sieht den anderen.«

Die Zurückweisung reizte Ecke zu erneuter Herausforderung.

»Neun Königstöchter und ihre Mutter, meine Braut, rüsteten mich zum Kampf. Die wollen dich, den berühmten Helden, mit eigenen Augen sehen, auf ihrer Burg, gebunden oder tot. Mein Helm ist aus rotem Gold. Und kein Schild ist so mit Gold und edlen Steinen geschmückt wie meiner. Aber noch kostbarer ist mein Schwert Eckesachs, geschmiedet von Alberich, wie dein Nagelring. Neun Königreiche durchforschte er, bis er das Wasser fand, es zu härten. Setzt man die goldziselierte Klinge mit der Spitze auf die Erde, scheint dir, eine Schlange laufe hinauf zum Griff. Kehrst du das Schwert um, so läuft sie zur Spitze. Es bewegt und regt sich, als ob der Wurm lebte. Überwinde mich im Kampf und gewinne das Schwert«, stachelte der Riese Dietrich an.

»Kühle deine Stirn, du hast mir nichts angetan«, versuchte der Berner den Hitzkopf zu besänftigen.

»Wagst du nicht gegen mich anzutreten?«, fuhr Ecke fort, den Helden zu beleidigen.

»Ist dir dein Leben lieb, lass ab davon, reize mich nicht zum Zweikampf«, beherrschte sich Dietrich.

»Schiede ich so von dir, würde ich nimmer froh, gewänne keinen Ruhm, da verspotteten mich die Königstöchter. Oder fliehst du etwa vor mir?«

Feigheit durfte Dietrich sich keinesfalls vorhalten lassen. Aber da es so dunkel war, zog er Nagelring und hieb gegen die Felsen, dass es von den Feuerfunken hell wurde und der Riese sich aus der Dunkelheit abhob. Froh, dass Dietrich doch mit ihm kämpfen wollte, schlug auch Ecke mit seinem Schwert gegen die Steine, dass die Nacht um sie davon erleuchtet wurde.

Nie hätten zwei Helden miteinander härter gestritten, wird berichtet. Nagelring und Eckesachs ließen von den meisterhaft geschmiedeten Rüstungen Funken stieben. Die Schläge der Schwerter dröhnten im Wald und von den Bergen, sie übertönten den Gesang der Vögel. Wie Blitze zuckte es aus den Rüstungen, donnergleich hallte es wider. Nach der Erzählung eines Nordländers zerhieben die Kämpfenden einander schließlich die Rüstungen, blieben aber unverletzt, bis Ecke Dietrich mit einem Schlag zu Boden warf und umklammerte. Mit letzter Kraft riss der Berner sich los und packte seinerseits den Riesen. So soll es einige Male hin und her gegangen sein, bis Dietrichs Ross Falke, unruhig geworden, endlich den Zaum zerriss, sich losmachte, zu den Kämpfenden lief und mit einem Vorderhuf gegen Ecke trat, dass ihm das Rückgrat brach. Dadurch kam Dietrich auf die Beine und versetzte Ecke den Todesstoß.

Nach anderen Berichten gelang es Ecke durch seinen Riesenhass, Dietrich den Schild aus der Hand zu schlagen. Der Berner musste ein Stück weichen, gewann aber bald den Mut eines Löwen zurück; sie schlugen sich wieder so hart, dass Blut wie ein Regen auf die Erde niederging. Und Dietrich versetzte dem Riesen einen Hieb, dass dieser zu Boden stürzte und für Augenblicke die Sinne verlor. Aber dann sprang Ecke wieder auf und lief erneut gegen Dietrich an. Der Riese soll fünf Mal gefallen sein, wird erzählt, und sein Blut das Gras gerötet haben. Beim letzten Mal forderte der Berner, der Riese solle sich ergeben und sein Mann werden. Dietrich wollte ihm das Leben schenken.

»Nie will ich zum Gespött der Königinnen werden. Gib mir den Tod«, bat der Riese, »so wird man dich loben.«

»Wie reut mich dein Tod«, klagte Dietrich, »wie konnte ich mich von deinem Übermut zum Kampf hinreißen lassen.« Der Berner schämte sich seiner Tat.

Trotzdem begann er, Eckesachs und die Rüstung Eckes an sich zu nehmen und gegen seine eigene auszutauschen.

»Lass mich nicht so liegen!«, flehte der Sterbende seinen Bezwinger an, »ich bitte dich, Dietrich, schlag mir den Kopf ab!«

Der Berner tat es und band das Haupt des Erschlagenen an seinem Sattel fest.

Danach ritt Dietrich zu der Burg, deren Königin auf die Rückkehr Eckes wartete. Von einem Turm erblickte sie ihn und rief ihren Töchtern zu, Ecke kehre zurück. Sie schmückten sich für den Empfang des Siegers. Erst als sie ihn begrüßten, sahen sie, dass ein Fremder Eckes Waffen und Rüstung trug. Durch diese Verkleidung war Dietrich unbehelligt zur Königin gelangt. Er warf ihr Eckes Kopf vor die Füße und schalt sie dafür, dass sie den jungen Recken gegen ihn aufgehetzt und in den Tod getrieben hatte. Die Königin wich vor dem blutenden Kopf zurück und schrie.

Dietrich verließ die Burg und ritt, ehe die Mannen der Königin ihn verfolgen konnten, in den nahen Wald. Doch bevor er seine eigene Rüstung wieder angelegt hatte, begegnete er Fasolt, der nun ebenfalls glaubte, Ecke zu treffen. Beim Näherkommen erkannte er, dass ein anderer die Waffen seines Bruders trug, und rief:

»Du Hund, du Mörder, überraschtest meinen Bruder im Schlaf, erschlugst und bestahlst ihn. Ecke ist so tapfer, der wäre nie unterlegen.«

Dietrich rief zurück, wie es sich tatsächlich zugetragen hatte. Aber Fasolt glaubte ihm nicht, zog sein Schwert und griff ihn so wütend und kampfgierig an, dass Dietrich, überrumpelt, den Schlag nicht abwehren konnte, den der Riese gegen seinen Helm führte. Der Berner stürzte von seinem Pferd und verlor die Besinnung.

Fasolt hielt sich an sein Gelübde, keinen zu töten und ihm die Waffen zu nehmen, es sei denn durch einen einzigen Hieb. So wandte sich der Riese der Stadt zu. Bald kam Dietrich wieder zu sich, schwang sich auf sein Pferd und preschte Fasolt nach, um sich zu rächen. Er holte ihn auch bald ein und rief:

»Reite nicht davon! Wenn du ein Kämpfer bist, räche deinen Bruder! Sonst bist du ein Feigling!«

Diese Schmähung konnte Fasolt nicht auf sich beruhen lassen. Sie sprangen von ihren Pferden und zogen die Schwerter. Der Kampf war so hart, dass Dietrich drei leichte Wunden davontrug, Fasolt aber fünf schwere. Der Riese verlor viel Blut und sah seine Niederlage voraus. Trotz seiner Tapferkeit streckte Fasolt seine Waffen und wollte Dietrichs Mann werden. Doch der Berner entgegnete ihm:

»Ich gewähre dir Frieden, verzichte aber auf deinen Dienst. Da ich deinen Bruder erschlug, trau ich dir nicht. Aber als Buße biete ich dir meine Ehre. Lass uns einen Treueeid schwören wie Brüder, dass jeder dem anderen beistehe in Not und Gefahr, und jeder sei dem anderen gleich.«

Gern nahm der Riese diese Buße für seinen Bruder an und dankte seinem Bezwinger. So schworen sie diesen Eid, stiegen auf ihre Rosse und jagten davon.

Dietleib

Eines Tages saß Dietrich mit seinen Gefährten beim Trunke. Heime reichte ihm in einer Goldschale vom besten Met. Da zog der Berner sein Schwert Nagelring und sagte:

»Guter Nagelring, wie ich meine, gibt es kein besseres Schwert als dich. Heime, guter Freund, du hast es am meisten verdient, nimm es und führe es.«

Heime dankte für die berühmte Waffe.

»Nagelring, du hast es übel getroffen«, wandte Witege ein, »wärst du doch lieber in die Hände eines Tapferen gelangt.« Als Dietrich nachfragte, berichtete Witege, wie Heime ihn gegen die fünf Räuber vom Kastell im Stich gelassen und wohlgerüstet auf seinem Ross gewartet hatte, bis Hornboge heran war.

»Welche Schande, seinem Gefährten in Not nicht beizuspringen!«, entrüstete sich Dietrich, »abscheulicher Hund, verschwinde, du verdientest, draußen vor Bern zu hängen!«

Im Zorn verließ Heime den Saal, nahm seine Waffen, schwang sich auf seinen Hengst Rispe und ritt davon.

Nun wusste Heime nicht, was er beginnen sollte, streifte umher nach einer Tat, um wieder Ruhm zu erwerben. Da vernahm er, im Falsterwald zwischen dem Sachsenland und Dänemark wirke der große Wiking und Anführer Ingram. Der liege mit dem Sachsenherzog in Streit, lasse keinen unbehelligt in den Wald und nehme es allein mit zwölf Männern auf.

Heime ritt zu den Wegelagerern, schloss mit Ingram Waffenbrüderschaft und wurde der zwölfte ihrer Bande. Sie überfielen auch große Züge von bewaffneten Kaufleuten, dünkten sich stärker als andere und meinten, keiner könne sie besiegen. Heime schlug sich gut und hielt sich für tapferer als früher. Aber bald sollte ihm und der Schar ein ungewöhnlicher Gegner erwachsen.

Im benachbarten Dänemark galt Biterolf als größter Kämpfer. Mit seiner Frau Oda, der Tochter des Sachsenherzogs, hatte er einen Sohn mit Namen Dietleib, der aus der Familie zu schlagen schien. Denn obwohl er groß und kräftig war, mied er Pferde und spielte nicht mit Waffen. Statt zu laufen, Steine zu werfen oder sich auf andere Art zu ertüchtigen, lag er lieber in der Küche neben der Asche oder wälzte sich mit den Küchenjungen. Deshalb achteten Vater und Mutter ihn kaum, nannten ihn einfältig und einen Toren. Und weder vom Kämmen noch von Badestuben hielt er etwas, wollte sich nur in der Küche lümmeln.

Biterolf wurde mit seiner Frau und allem Gefolge zum Festmahl eines mächtigen Mannes geladen. Da wollte Dietleib mit einem Male dabei sein. Der Mutter wurde zu ihrer Überraschung berichtet, wie er sich in der Küche die Asche abschüttelte, Hände und Gesicht wusch. Als er ihr seine Bitte vortrug, erwiderte sie:

»Was willst du Nichtsnutz auf diesem Fest? Lagst die letzten zwölf Monate neben dem Ofen, setzt dich nie zu den Männern im Saal oder reichst ihnen Met, bist ungeübt, mit Recken zu reden.«

»Wenn ich zur dir kam, hast du mich missachtet«, erwiderte der Sohn, »statt zu lieben, hasst du mich. Darf ich zum Fest, will ich alles vergessen. Schließt ihr mich aus, gehe ich erst recht.«

Dann suchte er in der Schlafkammer seinen Vater auf und bat um Ross und Waffen.

»Was kannst du denn schon?«, erwiderte Biterolf, »Hühner und Gänse braten, Holz spalten, Reisig brechen, aber nicht mit den Söhnen von höfischer Bildung sprechen, du dummer Tor. Ich war ein anderer Kerl. Bist du überhaupt mein Sohn?«

»Zwar möchte ich keinen anderen Vater suchen. Aber wäre ich der Sohn eines Bettlers, so könnte der sich kaum weniger um mich gekümmert haben.«

»Ab in die Küche, siel dich in der Asche!«, wies der Vater ihn ab.

»Verbietest du mir das Fest, so gehe ich dennoch hin«, antwortete der Sohn trotzig, sattelte das beste Pferd und ritt zu einem Bauern seines Vaters. Der Bauer lieh ihm Waffen. Als der Vater die Hartnäckigkeit des Sohnes sah, gab er auch dem Rat seiner Mannen nach, ihn für das Fest gut auszurüsten. Er sollte sich erproben können. Dietleib ging in die Badestube, wurde gekleidet und mit guten Waffen versehen. Und als die Frauen ihn hoch zu Ross sahen, meinten sie, nie einem stattlicheren Jüngling begegnet zu sein.

Auf dem Fest gab sich Dietleib so gewandt und gesprächig, als ob er dies alles gewohnt sei. Oda kehrte mit der Gefolgschaft nach Hause zurück. Doch Biterolf und sein Sohn wurden sogleich zu einem zweiten Fest geladen. Auf dem Heimweg mussten Dietleib und sein Vater durch den Falsterwald und trafen auf die zwölf Wegelagerer. Da sagte Biterolf zu seinem Sohn:

»Du bist noch jung und keine Kämpfe gewohnt. Wärest du lieber bei deiner Mutter geblieben, ich habe Angst um dich.«

»Ich fürchte mich nicht!«, rief Dietleib, »steigen wir vom Pferd und kämpfen Rücken an Rücken.«

Ingram schickte fünf seiner Leute in den Kampf. Vater und Sohn wehrten sich hart und erschlugen alle, ohne selbst verwundet zu werden.

Dann griff Ingram mit dem Rest seiner Spießgesellen an. Nach längerem Gefecht gelang es Biterolf, Ingram Helm und Kopf zu spalten, dass der Räuberhauptmann in zwei Hälften zur Erde fiel. Dietleib erschlug inzwischen zwei andere Räuber.

Bald stand nur noch Heime und hieb dem angreifenden Biterolf mit solcher Wucht auf den Helm, dass der Ältere vom Pferd fiel und ihm die Sinne schwanden. Daraufhin geriet der Sohn in großen Zorn, griff Heime blindwütig an und traf seinen Helm, dass der Recke in die Knie sank. Schon glaubte Dietleib, der Feind sei gefallen. Aber bald sprang Heime wieder auf, hetzte zu seinem Ross, schwang sich darauf und floh, so schnell er nur konnte, und meinte den ganzen Tag, Dietleib verfolge ihn. Heime war froh, noch einmal entkommen zu sein, und preschte Tag und Nacht, bis er Bern erreichte. Dort versöhnte er sich wieder mit Dietrich.

Biterolf und sein Sohn nahmen die Beute der Räuber und zogen als Sieger nach Hause.

Nach dem Kampf mit den Räubern setzte Biterolf große Hoffnung auf seinen Sohn und rüstete ihn mit guten Waffen, schönen Kleidern und allem Nötigen aus. Auch den Wunsch, seinen Großvater, den Sachsenherzog, zu besuchen, gewährte er ihm. Nur weiter nach Süden ziehen solle er nicht, riet der Vater und warnte:

»Solltest du über Sachsenland hinauskommen und gar bis Bern, so hüte dich vor dem Kampf mit Dietrich oder einem seiner Gefährten. Seinen Schlägen bist du nicht gewachsen. Kein Schwert durchschlägt Dietrichs Helm Hildegrim. Gegen sein Schwert Eckesachs hilft kein noch so starker Schild. Sein Falke ist schneller als jedes andere Pferd.«

Auf dem Wege nach Sachsen erfuhr Dietleib, Dietrich weile nicht in Bern, sondern sei unterwegs zu einem Hoffest seines Oheims Ermrich in Rom. An der Weggabel, wo Dietleib sich entscheiden musste, verschob er den Besuch bei seinem uralten Großvater auf den Rückweg von Dietrich.

In der Herberge, in der Dietrich sich aufhalten sollte, fragte ein Recke ihn, woher er komme und wohin er wolle.

»Ich suche König Dietrich von Bern, möchte gern in seine Dienste treten, ihm Pferde versorgen und Waffen bewachen. Aber wer seid Ihr?«

»Wenn du Dietrich von Bern suchst, er steht neben dir«, erwiderte Witege, »so auch Heime und andere Gefährten.«

»Heil Dir, König!«, wandte sich Dietleib an den Berner, »wie froh bin ich, Euch zu treffen. Hiermit biete ich meine Dienste an.«

Dietrich nahm sein Angebot an und ließ ihn während der Fahrt nach Rom zum Hoffest Pferde und Waffen beaufsichtigen.

Als sie dort ankamen, begann das Fest. Die Säle waren reich geschmückt. Mächtige und prächtig gekleidete Recken drängten sich.

Dietleib mochte nicht wie die anderen Dienstleute bei den Ställen bleiben und verachtete die schmalere Kost der Knappen. Also speiste er von dem, was er besaß, reicher und lud Gefährten ein. Auf dem Markt kaufte er guten Wein, Met und Leckerbissen und prasste mit seinen Gästen nicht schlechter als am Tisch des Königs. Nach drei Tagen waren seine dreißig Mark Goldes zerronnen. Um sein Gelage fortzusetzen, nahm er Heimes Schwert Nagelring, dessen Hengst Rispe und verpfändete beides für zehn Mark Goldes. Als die verbraucht waren, verpfändete er Witeges Pferd Skemming, sein Schwert Mimung und seine anderen Waffen für zwanzig Mark Goldes. Nun konnte er noch großzügiger Spießgesellen und lockere Vögel bewirten. Nach sieben Tagen war auch dieses Geld erschöpft. Nun warteten seine zahlreichen Gäste, bis er für die verbleibenden zwei Tage Dietrichs Ross Falke, das Schwert Eckesachs, den Helm Hildegrim und das andere für dreißig Mark Goldes verpfändet hatte. Im Saale, wo Dietleib prasste, sollen zuweilen dreitausend Leute gezecht haben. Am neunten und letzten Tag des Festes beschenkte Dietleib die Spielleute reich, den berühmten Gaukler Isung mit dem Goldring seiner Mutter und König Dietrichs Purpurgewändern.

Nachdem das Hoffest beendet war, hielt Dietrich seinen Bediensteten an, das Verwahrte zu holen und die Pferde zu satteln.

Das müsste erst eingelöst werden, meinte Dietleib und zählte auf, was er verpfändet hatte.

Heime, der neben Dietrich stand, erkannte jetzt Dietleib. Der hatte ihn schon bei seiner Ankunft an den Räuber im Falsterwald erinnert.

»Wir haben einen zum Knecht gemacht, der unsere edelsten Waffen in die Kotgrube geworfen hat«, sagte Heime.

Entrüstet wegen der Verschwendung Dietleibs wandte sich Dietrich an König Ermrich und fragte, ob er die Zeche seiner Dienstleute bezahle. Der Gastgeber stellte Dietleib zur Rede.

»Es kostet nicht viel, Herr«, erwiderte Dietleib, »meine dreißig

Mark brauchst du nicht zu ersetzen, nur die sechzig Mark Goldes, um Waffen und Pferde meines Herrn Dietrich und seiner zwei Gesellen auszulösen.«

»Was nimmst du dir heraus?«, empörte sich der König. »Ein Rossknecht verprasst in neun Tagen so viel, wie mein ganzes Hoffest gekostet hat. Bist du ein Held oder ein Dummkopf?«

»Zu großen Herrn sprach ich nie leeren Mundes und mit trockener Kehle«, erwiderte Dietleib ungerührt.

Daraufhin ließ Ermrich Speise bringen und eine Schale Wein, so groß, dass der Schenke sie schleppen musste. Dietleib trank sie in einem Zuge aus.

»Was kannst du außer prassen und saufen noch?«, rief Walter von Wasgenstein. »Bestimmt nicht den Stein schleudern und den Speer werfen?«

»Ich nehme es mit jedem von euch auf«, erwiderte Dietleib.

»Dann tritt gegen mich an«, forderte Walter, »gewinnst du, verfällt dir mein Kopf, ist deine Kraft nur Prahlerei, wirst du mit Hohn und Spott dein Leben lassen. Denn man erzählt sich, dein Fest sei prachtvoller gewesen als das des Königs.«

»Mehr als den Kopf kann ich nicht verlieren«, meinte Dietleib und ging auf den Wettkampf ein.

Die Könige begaben sich mit ihrem Gefolge und den Gästen ins Freie. Um dem Wettkampf zuzusehen, versammelte sich viel Volk. Walter hob einen Quader, wohl vom Gewicht zweier schwerer Männer, und schleuderte ihn zehn Fuß weit. Dietleib warf ihn einen Fuß weiter. Beim zweiten Wurf erreichte Walter dreizehn Fuß, aber sein Gegner achtzehn. Da verzichtete der Herausforderer auf einen dritten Wurf. Sie kehrten in die Königshalle zurück.

Da ließ König Etzel, auch zum Fest geladen und neben Ermrich stehend, seine Bannerstange reichen. Die war dicker und schwerer als jeder Speer. Walter warf sie mit ungeheurer Kraft durch die Halle, dass die Stange an der Wand gegenüber auftraf. Dietleib schleuderte die Stange nicht nur zurück, sondern rannte hinterher und fing sie in der Luft auf. Solch einen Wurf hatte noch niemand gesehen. Alle, die zugesehen hatten, waren sich über den Sieger einig. Und König Ermrich sagte zu ihm:

»Ich will Walters Haupt mit Gold, Silber und Edelsteinen einlösen.«

»Das schenk ich dir«, erwiderte Dietleib, »löse nur die Waffen und das Gut meines Herren und seiner Gefährten aus. Gib nicht mehr, als du willst.«

»Ich nehme dein Angebot gerne an«, versetzte König Ermrich, »und will es lohnen.« Daraufhin ließ er so viel ausbezahlen wie nötig, um alle Waffen und das übrige verpfändete Gut auszulösen, und schenkte Dietleib die verprassten dreißig Mark eigenen Goldes, dazu eine kostbare Rüstung.

Danach nahm Dietrich Dietleib in den Kreis seiner Schwurbrüder auf und zog mit ihnen nach Bern. Dort erfuhr er vom nahen Tod seines Vaters Dietmar. Der schied auch bald aus dem Leben und wurde mit großen Ehren begraben. Dietrich wurde nun König von Bern und galt als der berühmteste Herrscher auf dem ganzen Erdkreis. Sein Name wird leben und nicht untergehen, solange die Welt besteht, hieß es.

Zwergenkönig Laurin

Dietrich herrschte einige Zeit, ohne dass Besonderes zu berichten ist. Die Höchsten und Edelsten in den Landen waren ihm untertan. Alle lobten nicht nur seine Stärke, sondern auch seine Gerechtigkeit und Freigebigkeit.

Eines Tages sagte Witege zu Hildebrant: »Ich kenne keinen mächtigeren König als Dietrich.«

»Aber in den Tiroler Bergen wohnen Zwerge«, entgegnete Hildebrant, »die sind mächtig auch durch Zauber und haben bisher jeden besiegt. Erst wenn Dietrich die überwunden hat, dürftest du ihn über alle stellen.«

Dietrich war hinzugekommen, hatte die Rede beider gehört und warf ein: »Meister Hildebrant, wären die Zwerge tatsächlich so stark, hättest du mir das längst gesagt.«

Darüber erzürnte Hildebrant und verwahrte sich gegen den Vorwurf leichtfertigen Geredes:

»Tief in Tirol herrscht König Laurin, ihm sind viele Zwerge untertan. Er ist nur drei Spannen lang, versteht sich auf Zauberei; seine Höhlen sind hell vom Schein edler Steine. Keiner ist reicher als er. Noch niemand bezwang ihn im Kampf. Seinen Rosengarten schätzt er am meisten; den schützt eine Seidenschnur. Wer sie überschreitet und seinen Rosen etwas antut, dem hackt er den Fuß oder den rechten Arm ab.«

Auch Witege hörte das mit Staunen. Dietrich sah sich herausgefordert:

»Ich suche den Rosengarten und nehme es, selbst wenn ich in Gefahr geraten sollte, mit Laurin auf.«

»Ich fahre mit dir, König Dietrich, will in den Garten dringen und die Rosen zertreten«, fiel Witege ein.

Bald brach der König mit seinem Gefährten auf. Sie ritten bis Tirol, durch dichten Tannenwald, und gelangten auf einen grünen Anger. Dort sahen sie es funkeln und leuchten; und sie staunten. Als sie näher kamen, stießen sie an die Seidenschnur. Dahinter blühten zahllose rote Rosen, behangen mit goldenen Borten, Edelsteinen und anderem Schmuck, dass es zwischen den Blumen strahlte und blitzte und funkelte. Und süßer Duft stieg von ihnen auf.

Dietrich stand eine Weile davor, erfreute sich am schönsten Rosengarten, den er je gesehen, und wagte ihn nicht zu zerstören. Wäre er allein gewesen, hätte er wohl dieses Wunder geachtet. Aber Witege erinnerte Dietrich an die Macht des Zwergenkönigs, so dass er seinen Gesellen nicht zurückhielt, als der die goldene Schnur niedertrat und Rosen und goldene Bänder zerhieb. Edelsteine und Geschmeide, die um die Blüten hingen, splitterten und sprühten umher. Der köstliche Duft erlosch. Der Rosengarten lag verwüstet. Dietrich, der selber prächtige Bauten errichten ließ mit Rosen aus Marmor, wird sich nicht ohne Bedauern von dem zerstörten Garten abgewandt haben.

Inzwischen preschte Laurin heran, sein Pferd nicht größer als ein Reh. Hell-goldener Schein wie von einem Heiligen ging von ihm aus, so dass Witege meinte, es müsse ein Engel aus dem Paradiese sein. Laurins Rüstung war golden, Edelsteine zierten das Zaumzeug. Die Brünne, in Drachenblut gehärtet, hielt jedem Schwert stand. Auch vom goldroten Helm lohten Rubine und Karfunkel, umgaben den Zwergenkönig mit einem lichten Schein. Ein feiner Gürtel um das Gewand verlieh Laurin Zwölfmännerkraft. Von seiner Zauberwirkung wussten die Eindringlinge noch nichts.

Zornig schwang Laurin sein Schwert und rief:

»Wie konntet ihr Toren es wagen, meine lieben Rosen zu

schänden? Dafür fordere ich zur Sühne euren linken Fuß und die rechte Hand.«

Vielleicht reute Dietrich die Untat, und er bot deshalb Sühne.

»Kühle deinen Zorn«, versuchte er Laurin zu besänftigen. »Von Fürsten fordert man keine Hand. Aber als Buße gebe ich dir so viel Gold und Silber, wie du festsetzt. Und kommt der Sommer, blühen deine Rosen neu.«

»Gold habe ich mehr als drei Könige«, erwiderte Laurin, »und Fürsten nennt ihr euch?«, meinte er verächtlich, »ohne dass ich euch etwas getan, zerstört ihr meinen Garten. Dafür müsst ihr büßen.«

»Was erlaubt sich der dumme Wicht gegen meinen König!«, ließ Witege seinem Zorn freien Lauf, »ich würde ihn bei den Füßen packen und zerschmettern.«

Dietrich bemühte sich, den Unmut des Gefährten zu dämpfen, auch die Kleinen seien zu achten, sie könnten mehr Kraft gesammelt haben als Große. Und er habe tatsächlich noch nie einen so schönen Garten gesehen.

Aber Witeges Wut entzündete sich weiter: »Wer sich bereits vor einem Zwerg duckt, vor dem kichert eine Maus. Ich kämpfte gern mit dreitausend und mehr dieser Winzlinge.«

Daraufhin forderte Laurin Witege zum Zweikampf. Witege schwang sich in den Sattel, legte den Speer ein. Der Zwergenkönig tat dasselbe. Beide banden die Helme fester und stoben wie fliegende Falken aufeinander zu. Aber Witege verfehlte den Wicht. Der hingegen traf ihn mit voller Wucht, warf ihn nieder in den Klee.

Geschwind zog der Zwerg sein Schwert, beugte sich über den Gefallenen und wollte ihm Hand und Fuß abschlagen. Und wäre Dietrich mit seiner Waffe nicht dazwischengegangen, hätte Laurin sich die als Beute genommen.

»Halt, das ist mein Mann!«, gebot der König, »nie wird es heißen: Dietrich von Bern sah zu, wie einem seiner Helden Hand und Fuß geraubt wurden.«

»Von dem Berner hörte ich viel. Aber auch falls du das bist, musst du Hand und Fuß lassen. Meine Rosen verlangen das.«

Wieder bot Dietrich Sühne und wollte den Zwerg anders abfinden. Als dieser das zurückwies, blieb dem König der Amelungen keine andere Wahl, als sich auf sein Pferd zu schwingen und gegen

Laurin anzutreten. Dietrich legte seinen Speer ein, da preschten drei Reiter heran, Meister Hildebrant, der rasende Wolfhart, der keinen Kampf ausließ, und Dietleib.

»Dietrich, du kennst die Zwerge nicht!«, rief Hildebrant seinem Herrn entgegen, »greife Laurin zu Fuß an! Schlag ihm den Schwertknauf um die Ohren.«

Dietrich tat, was sein Waffenmeister ihm riet, wandte sein Schwert um und versetzte Laurin einen Hieb auf den Helm, dass der Zwerg kurz seine Sinne verlor, dann aber flink in seine Tasche griff, die Tarnkappe herausholte und sie aufsetzte.

Plötzlich sah Dietrich den Gegner nicht mehr, schlug mit dem Schwert zwar wild um sich, traf aber kaum, während Laurin geschickt Hiebe austeilte und Dietrich schwere Wunden zufügte. Bald rann ihm Blut durch die Brünne.

Hildebrant fürchtete, der Zwerg würde Dietrich erschlagen, und rief ihm zu, sein Schwert wegzuwerfen und mit dem Gegner zu ringen. Laurin setzte auf seine Zwölfmännerkraft, versprach sich dadurch einen Vorteil und ging darauf ein. Mit aller Wucht rannte er Dietrich an, dass der in die Knie ging und beide in den Klee stürzten. Rasch sprang Dietrich wieder auf, packte den Zwerg am Gürtel, riss ihn hoch und schleuderte ihn zur Erde, dass der Gürtel riss und zu Boden fiel. Hildebrant nahm den Zaubergurt an sich.

Laurins Schreie gellten über Berg und Tal. »Lass mir mein Leben, lass mir mein Leben! Ich unterwerfe mich dir!«, flehte der Zwergenkönig, nun seiner Macht beraubt, Dietrich an, »alles, was ich habe, gehöre dir.«

Als Dietrich weiter auf den Zwerg einschlug, da wandte der sich hilfesuchend an Dietleib:

»Rette mich, Dietleib, für deine Schwester Künhild, die bei mir ist. Sonst kann ich dich nie zu ihr führen.«

Der Angerufene bat daraufhin seinen König:

»Gebt mir den kleinen Laurin!«

»Der fügte mir großen Schaden zu, das muss er büßen«, wies Dietrich seinen Gefährten ab. Als Dietrich weiter darauf beharrte, dem Zwerg ans Leben zu gehen, schwang Dietleib sich auf sein Pferd, riss Laurin an sich und entkam mit ihm über die Heide.

Rasch ließ Dietrich sein Ross holen und verfolgte Dietleib. Der hatte den Zwerg bereits im tiefen Tannenwald verborgen. Dietrich fiel darüber in großen Zorn, er senkte seinen Speer gegen Dietleib. Beide ritten einander mit solcher Wucht an, dass die Speere an ihren Schilden zerbrachen und die Schäfte durch die Luft schwirrten. Dann kämpften sie zu Fuß weiter. Der Klang ihrer Schwerter war eine halbe Meile weit zu hören, so groß war der Zorn beider. Dietleib gelang es, Dietrich den Schild aus der Hand zu schlagen.

»Beendet den Streit!«, verlangte Hildebrant und rief dem starken Witege und Wolfhart zu, Dietleib anzulaufen und vom weiteren Kampf abzuhalten.

Schließlich gelang es Hildebrant, Frieden zu stiften; auch Laurin, aus dem Versteck zurück, war darin eingeschlossen.

Dann fragte Dietleib den Zwergenkönig nach seiner Schwester. Laurin berichtete, wie er die schöne Künhild bei einer grünen Linde geraubt und in seinen Berg gebracht hatte, um sie zur Frau zu nehmen. Sie sei noch eine reine Jungfrau, beteuerte der Zwergenkönig.

»Lass mich meine Schwester sehen«, verlangte Dietleib, »und sprachst du wahr und will Künhild dich, gebe ich sie dir zur Frau.«

»Lasst uns alle Freunde werden«, schlug Laurin vor. Dietleib sah den Zwergenkönig bereits als Schwager und ging zuerst darauf ein. Dann schworen auch Hildebrant und Dietrich mit den anderen Beistand und Treue. Witege fürchtete von dem Zwerg Unheil und schloss sich nur widerwillig an.

Jetzt lud Laurin die Gefährten in sein Reich ein, lockte mit Gesang, Kurzweil und Spiel in seine mit Gold und Edelsteinen geschmückten Gemächer.

Die Gefährten berieten sich. Der weise Hildebrant kannte sich bei den Zwergen aus.

»Verzichteten wir aus Furcht, stünde uns das übel an; es wäre eine große Schande«, meinte der Waffenmeister.

»Selbst wenn wir in Gefahr geraten, will ich ergründen, wie das Reich Laurins beschaffen ist, und das Abenteuer bestehen«, meinte Dietrich. Was er noch nicht kannte, wollte er erfahren.

»Ich will die Schönheiten sehen, die Laurin versprach«, sagte Wolfhart.

Witege warnte erneut vor der Tücke des Zwergenkönigs, vermochte aber nicht, die Gefährten zurückzuhalten. Sie folgten Laurin auf eine Wiese. Bei einer Linde blühten viele Blumen, sangen seltene Vögel.

»Zergangen ist meine Schwere«, sagte Dietrich, »mein Kummer hat ein Ende. Wir sind nahe dem Paradiese.«

Ehe sie in den Berg hineinstiegen, versuchte Witege zum letzten Male, die Gefährten umzustimmen: »Misstraut Laurin! Listig lockt er uns in die Erde. Bleiben wir draußen unter der Sonne. Vielleicht kehren wir sonst nie zurück.«

»Seid ohne Sorge«, beruhigte Laurin, »wer wieder an die Luft will, steige herauf auf diese Wiese. Ich halte meinen Eid, brach meine Treue noch nie«, beteuerte der Zwergenkönig Dietrich und seinen Mannen.

Und so stiegen sie mit Laurin durch eine Felsentür in den Berg hinein. Dort wurden sie würdig empfangen, nahmen in einer Halle auf goldenen Bänken Platz. Die Tische waren von Elfenbein. Von den Wänden blitzten Edelsteine und ließen den Raum in hellem Licht erscheinen. Auch von Silber und Gold glänzte und funkelte es überall. Dietrich und seinen Gefährten wurde vom allerbesten Wein und Met eingeschenkt. Und die Schüsseln für die Speise waren von Silber.

Zur Kurzweil sangen Zwerge Lieder. Andere Wichte boten zur Erbauung Kampfspiele, schossen mit dem Speer um die Wette, warfen den Stein und sprangen darüber, so wie es auch von Brünhild auf Isenstein erzählt wird.

»Die Kurzweil gefällt, der Berg ist voll Freuden«, lobte Dietrich.

Dann erschien Künhild, begleitet von Zwerginnen, in feinste Seide gekleidet, geschmückt mit dem kostbarsten Geschmeide von Silber und Gold. Dietleibs Schwester trug eine goldene Krone und hieß Dietrich und seine Gefährten willkommen. Sie lobte seine Tugenden, seine großen Taten ohne Laster und Schande.

Künhild umarmte ihren Bruder Dietleib, küsste ihn, drückte ihn an ihre Brust und flüsterte ihm zu, ihre Freude bei den Zwergen sei dahin, sie wolle wieder hinaus zu den Menschen.

»Ich rette dich, und koste es mein Leben«, versicherte ihr der Bruder.

Dann wandte sich Laurin an Künhild und fragte um Rat, was er nach dem Schänden des Rosengartens Dietrich und seinen Gesellen antun solle. Wäre sein Gürtel nicht zerrissen, lägen sie längst alle erschlagen, sagte er. Und wäre ihr Bruder ihm nicht beigesprungen, hätte es ihn den Kopf gekostet.

»Wenn du sie strafst, gelobe mir, dass du keinem ans Leben

gehst«, bat Künhild den Zwergenkönig. Sie kannte seine Hartherzigkeit und wusste, mehr vermochte sie nicht zu erreichen. Die Fremden nicht zu töten, sicherte er ihr zu und steckte sich einen goldenen Zauberring an den Finger, mit dem er seine Zwölfmännerkraft zurückgewann. Dann bat er Dietleib in eine Kemenate und verlangte von ihm:

»Verlasse deine Gefährten, dann teile ich mit dir, was ich habe.«

»Eher verliere ich mein Leben, als dass ich meine Gefährten verrate«, widersetzte sich Dietleib.

»Dann bleibst du so lange hier, bis du dich eines Besseren besinnst«, entschied Laurin, ging und verschloss die Kemenate.

Darauf ließ er Dietrich und seinen Gefährten neuen Wein einschenken. Sie hatten bereits reichlich Met genossen, waren frohen Mutes und tranken arglos den Wein, der mit Schlafmittel vermischt war.

Laurin ließ die vier binden und in einen tiefen Kerker werfen. Dort lagen sie wehrlos. Dass sie im Berg gefangen waren und der Zwerg seine Treueschwüre brach, denen Dietrich vertraut hatte, brachte den König der Amelungen in solchen Zorn, dass das Feuer seines Atems die Fessel an seiner Hand versengte. Mit den befreiten Händen brach er die eiserne Kette aus armgroßen Ringen, womit er an den Füßen gefesselt war. Auch die Bande und Knebel der Gefährten zerriss er. Nun harrten die vier in der Tiefe aus und sannen darüber nach, wie zu entkommen wäre.

Inzwischen machte Künhild die Kemenate ausfindig, in der ihr Bruder eingesperrt war, verschaffte sich den Schlüssel und ging zu ihm. Dietleib wollte sofort durch die geöffnete Tür hinausstürmen.

»Folgst du nicht meinem Rat, verlierst du dein Leben«, warnte die Schwester und berichtete ihm vom Schicksal seiner Gefährten.

»Besäße ich Rüstung und Schwert, haute ich sie aus dem Kerker.«

»Und hättest du die Kraft von vier Männern, die Zwerge erschlügen dich doch, denn sie kämpfen unsichtbar. Hier, steck diesen Fingerring an, dann siehst du die Wichte trotz ihrer Tarnkappen.«

Dann fasste Künhild mit ihrer weißen Hand den Bruder und führte ihn rasch in jene Kammer, wo ihre Waffen verwahrt waren; dort wappnete sie ihn. Dietleib nahm auch die Waffen und das Rüstzeug seiner Gefährten auf, trug es heimlich bis zu dem Gewölbe, in dem Dietrich und seine Recken gefangen waren, und warf es ihnen hinab; der Lärm war laut im ganzen Berg zu hören. Dann stellte er sich mit seinem Schwert vor das Gewölbe.

Laurin erfuhr von Dietleibs Befreiung und blies in sein Kriegshorn, dass der Berg widerhallte. Von überall her wimmelten Zwerge heran, wohl tausend und mehr sammelten sich und drangen gegen Dietleib vor.

»Lasst keinen lebend entkommen!«, feuerte Laurin seine gerüsteten Wichte an. Aber so viele Dietleib auch erschlug, aus Gängen und Kammern rückten immer neue Kämpfer vor. Doch Dietrichs Recke fegte sie hinweg. Als der Zwergenkönig seine Verluste sah, lief er in furchtbarem Zorn den Kampfmüden an und versetzte ihm tiefe Wunden. Schon frohlockte Laurin, Dietleib zu fällen, da kam Hildebrant ihm zu Hilfe. Inzwischen hatten sich die vier Gefangenen gerüstet und stiegen aus dem Gewölbe herauf. Aber gegen wen hätten sie kämpfen können? Sie sahen keine Gegner. Da erinnerte Hildebrant sich an Laurins Gürtel, zog ihn aus der Tasche und gab ihn Dietrich. Der schnürte ihn um und sah nun die Zwerge, mähte sie reihenweise nieder und schützte seine Gefährten, bis Hildebrant seinem König zurief:

»An der rechten Hand trägt Laurin einen Ring, schlag ihm den Finger von der Hand und bring ihn mir!«

Dietrich kämpfte sich durch zu Laurin, der mit Hilfe seines Ringes Zwölfmännerkraft besaß und hart auf Dietrich einhieb. Beide schlugen sich grimmig mit ihren Schwertern. Wieder erfasste Dietrich wegen Laurins Treubruch ein so großer Hass, dass sein Atem vor Kampfeswut wie Feuer wurde und die Hitze dem Zwergenkönig den Schweiß durch die Ringe trieb. Schließlich gelang es, ihm den Finger mit dem Ring abzuhauen. Da erschrak der Zwergenkönig, denn seine Überkraft schwand dahin. Dietrich warf Hildebrant den Finger zu. Der Waffenmeister steckte den Ring an und sah nun ebenfalls seine Feinde.

Inzwischen war ein Zwerg vor den Berg gelaufen, dort blies er schrill in ein Horn. Daraufhin stürmten fünf Riesen mit langen Eisenstangen aus dem Wald und in den Berg hinein, den Zwergen zu Hilfe.

Nach dem Verlust seines Zauberringes hielt Laurin den Kampf für verloren. Als aber die Riesen mit ihren Eisenstangen angriffen und Dietrich bedrängten, fasste der Zwergenkönig neuen Mut.

Auch die Wichte, die in Ecken und Spalten geflohen waren, fegten wieder heran.

Erneut erklang gewaltiger Kampflärm. Da traten Witege und Wolfhart gerüstet aus ihrem Gewölbe, sahen ihre Gefährten wild um sich schlagen, konnten aber keine Feinde ausmachen.

»Wir verzagten zu keiner Zeit, bei keinem Kampf, sollen wir jetzt unsere Gefährten im Stich lassen?«, rief Witege.

»Wo Schwerter klirren, ist auch der Feind«, wütete Wolfhart.

Sie banden die Helme fester und packten ihre Schilde; da kam Künhild.

»Hier, steckt die beiden Ringe an!«, rief sie, »so seht ihr die Feinde. Steht euren Gefährten bei.«

Mit frischer Kraft und Reckenzorn griffen die beiden nun in den Kampf ein. Mit Mimung hieb Witege dem ersten Riesen ein Bein ab, dann den Kopf. Und Dietrich fällte mit Eckesachs den zweiten Riesen. Auch gegen das Schwert Nagelring kamen die Unholde mit ihren Eisenstangen nicht an; es zerhieb sie ohne Mühe.

Für Riesen und Zwerge gab es kein Entrinnen. Nachdem die Riesen erschlagen waren, wollte Laurin entweichen, wurde aber gefangen.

Wieder flehte der Zwergenkönig Dietrich an:

»In deiner Hand liegen mein Leib und Leben, aber erschlage mein Volk der Zwerge nicht; verschone sie, alle werden dir treu dienen.«

»Du brachst mir die Treue!«, rief Dietrich im Zorn, »das bleibt nicht ungerächt, du und alle, die dir angehören, euch geht's ans Leben!«

Da bat Künhild, Laurin und sein Volk zu schonen und am Leben zu lassen. Aber Dietrich blieb unerbittlich. Da ermahnte Hildebrant seinen König, auf die schöne Jungfrau zu hören, Laurin als Gefangenen mit nach Bern zu nehmen und die Zwerge in ihrem Berg für ihn hämmern zu lassen. Als auch die anderen Gefährten für die Zwerge eintraten, gab Dietrich schließlich nach.

Was an Gold, Silber und Edelsteinen im Berg zu finden war, wurde auf Saumtiere geladen und mit nach Bern geführt. Und Dietrich setzte Sintram, Laurins ranghöchsten Zwerg, zum Vogt über deren Reich ein. Sintram schwor Dietrich einen Treueeid. Und Dietleib nahm seine befreite Schwester mit.

In Bern feierte Dietrich den Sieg über die Zauberkraft des

Zwergenreiches. Laurin musste sich am Hofe zu Bern als Gaukler dem Spott aussetzen.

Später schwor Laurin dem Amelungenkönig erneut Treue. Wieder ging Dietrich darauf ein und ließ ihn in sein Reich zurückkehren. Diesmal hielt Laurin seinen Eid.

Dietrich bestand noch andere Abenteuer mit Zwergen. Aber davon soll nichts weiter erzählt werden, denn bald wurde er zu neuem Kampf gerufen.

Der Kampf gegen Herzog Rimstein

Dietrichs Oheim Ermrich, der König von Rom, ersuchte durch Boten um Hilfe gegen Herzog Rimstein, der fälligen Zins zurückhielt und jeglichen Tribut verweigerte.

Der Berner brach mit fünfhundert Recken auf, vereinigte sich mit dem Heer Ermrichs und zog mit ihm zur Burg Gerimsheim, in die Rimstein sich zurückgezogen hatte. Zwei Monate hielten die starken Mauern der Belagerung stand, doch die Vorräte waren bald erschöpft. Um einen Ausbruch vorzubereiten, erkundete der Herzog mit sechs Recken das feindliche Lager. Auf dem Rückweg, bereits in der Nähe des Tores, stießen sie auf einen Späher Dietrichs und griffen ihn an. Hätten sie geahnt, dass in der feindlichen Rüstung der Held Witege steckte, wären sie vielleicht vorbeigeprescht. Aber so musste Witege sich wehren und versetzte dem Herzog einen solchen Schlag, dass er ihm Helm, Kopf und Brünne samt Körper bis zum Gürtel spaltete. Danach flohen Rimsteins Mannen.

Dietrich und seine Recken empfingen Witege vor ihren Zelten.

»Seht, wie er sich brüstet«, argwöhnte Heime, »wieder wird er sich einer Tat rühmen.«

»Der Herzog ist tot«, verkündete Witege.

»Wer hat das getan?«, fragte ein Recke.

»Ich sah den Mann«, sagte Witege.

»Er steht vor uns«, meinte Heime bissig, »aber ist es ruhmvoll, einen krummen Alten zu erschlagen? Das hätte sogar eine Frau vermocht.«

Erneut flammte Streit zwischen Heime und Witege auf. Der riss Mimung aus der Scheide und wandte sich gegen Heime, und dieser zog Nagelring. Dietrich und seine Schwurbrüder stürmten dazwischen und trennten die beiden.

Heime habe ihn schon oft geschmäht, beschwerte sich Witege. Mimung kehre erst dann in die Scheide zurück, donnerte der Schmiedesohn, wenn es zwischen Heimes Kopf und Rumpf hindurchgegangen sei. »Als ich in der Schlacht gegen den Wilzenkönig auf der Walstatt lag, raubte Heime mir Mimung, als ob ich ein Feind wäre«, erinnerte er an dessen Schande.

Dietrich verlangte von Heime, endlich seine Bosheit gegen Witege aufzugeben. Und Heime schwor denn auch, seine Stichelei gegen den Gefährten sei bloßer Scherz gewesen. Widerstrebend gab sich Witege damit zufrieden.

Der Berner lobte den Waffengang gegen Rimstein und ließ dessen Tod Ermrich melden. Der befahl den Sturm seiner Recken auf die Burg und ordnete an, Wurfmaschinen heranzufahren. Auch mit Hilfe von Schleuderbränden wurde die Burg genommen. Nach dem Tod ihres Herzogs ergaben sich die Belagerten bald. Ermrich gestand der Stadt Schonung zu und setzte seinen Neffen Walter von Wasgenstein als Herzog ein.

Dietrich kehrte mit seinen Mannen nach Bern zurück. Eine Zeitlang waren keine großen Taten gefordert. Vielleicht hat das Dietrich geschmerzt; denn er meinte, ein Schwert, das Rost ansetze, wäre bald nicht mehr zu gebrauchen.

Der Ratgeber Sifka treibt Ermrichs Söhne in den Tod

Ermrich herrschte von Rom aus beinahe über alle Kleinkönige und Fürsten der Nachbarländer. Sein Reich dehnte sich von dem großen Gebirge im Norden, heute die Alpen geheißen, bis ans Adriameer. Er war in diesem Teil der Welt mächtigster Großkönig. Nur noch wenige Fürsten der Umgebung widersetzten sich seiner Oberherrschaft. Aber auch jene wollte Ermrich unterwerfen und sein Reich weiter ausdehnen. Bei all dem half ihm sein Ratgeber Sifka. Aber beiden wurde dessen Weib Odilia zum Verhängnis, so wird berichtet. Einer so schönen Frau sei Ermrich noch nie begegnet. Um ihr wenigstens ein Mal beizuliegen, sandte der König seinen Ratgeber mit dringenden Botschaften in eine entfernte Stadt. Und als Ermrich es so eingerichtet hatte, dass Odilia allein zu Hause war, schlich er ohne Gefolge zu ihr. Ob Odilia sich geehrt fühlte, ist nicht bekannt. Zwar widersetzte sie sich seinem Verlangen, wagte aber nicht, den König abzuweisen. Vielleicht sehnte sie sich heimlich nach einer Vereinigung mit dem Herrscher und ihr Widerstand war nur gekünstelt. Oder nahm der König sie tatsächlich mit Gewalt? Was wirklich geschah, bleibt im Dunkel.

Als Sifka von seinem Auftrag heimkehrte, empfing Odilia ihn weinend und klagte.

»Warum freust du dich nicht, wenn du mich siehst?«, fragte Sifka erstaunt.

Vielleicht hatte der König Odilia beim Verführen zugesagt, seine Frau zu verstoßen und sie zur Königin zu erheben. Wie leicht könnte sie dieser Verlockung erlegen sein und an das Versprechen geglaubt haben, das Ermrich dann, aus welchem Grunde auch immer, nicht einhielt. Nun heulte sie aus Enttäuschung und Hass und rächte sich.

»Seine Untat wirst du nie genug mit Bösem vergelten können«, stachelte sie ihren Mann auf.

»Sei guten Mutes«, sagte Sifka, »ich will es dem König in einer Weise heimzahlen, dass er es nie verwinden wird.« Dann ging der Ratgeber zu Ermrich, verneigte sich vor ihm, redete heiter und beriet ihn wie ehedem.

»Du bist der mächtigste König der Welt«, pries Sifka seinen Herrscher, »dir dienen große Fürsten und gewähren Tribut; verweigern dir kleine diese Ehre, beweisen sie dadurch ihre Feindschaft, wie der Herzog vom Wilzenland.«

Sifka riet, Ermrichs Sohn Friedrich als Boten zu senden, den Zins einzutreiben. Verweigere der Herzog weiter die Zahlung, werde ein Heer einfallen.

Ermrich tat, wie ihm geraten. Friedrich ritt mit sechs Recken ins Wilzenland und kam hinter der Grenze zu einer Burg. Der dort Ansässige war ein Schwurbruder Sifkas, von ihm eingeweiht, und der erschlug Friedrich und seine Recken.

Auch die Anschläge Sifkas auf die beiden anderen Söhne durchschaute der König nicht. Um Tribut von einem weiteren Fürsten einzufordern, empfahl der Ratgeber, Reginbald mit einem Schiff auszusenden. Das sei rascher und billiger. Ermrichs Sohn wählte das beste der drei im Hafen. Das brauche der König selber, sagte Sifka und wies ihm das schlechteste Schiff zu mit den Worten: »Dieses fordert den höchsten Mut.« Der Königssohn segelte los, und in einem Sturm brach das Schiff auseinander, so dass Reginbald mit seinen Gefährten ertrank.

Gegen den jüngsten und hoffnungsvollsten Sohn hetzte Sifka den König selber auf. Als sie zu dritt jagten, ritt der Ratgeber grimmig neben seinem König.

»Warum bist du so missmutig?«, fragte Ermrich.

»Mein Zorn ist kaum zu bezähmen. Samson fiel über meine Tochter her. Was kann ich dafür, dass sie ein so schönes Mädchen ist? Aber nur du darfst ihn für diese Schande strafen.«

Ohne seinen Sohn zur Rede zu stellen, riss er Samson an den Haaren. Der Schuldlose, auf eine derartige Züchtigung nicht gefasst, stürzte vom Pferd. Und Ermrichs Hengst zerstampfte den Jungen.

Der Angriff auf die Harlungen

Sifka trauerte am lautesten über den Tod der drei Königssöhne. Auch dadurch blieb unerkannt, wie er bald die Neffen des Königs verleumdete.

Odilia saß mit ihren Frauen bei der Königin und klagte über Egard und Aki, die Söhne von Herzog Dieter, Ermrichs verstorbenem Bruder. Die beiden seien so zügellos weibersüchtig, dass sie nicht einmal vor der Königin zurückschrecken würden. Das könne sie, Odilia, der Königin versichern. Nur damit sie sich schütze, flüstere sie ihr das zu.

Auch als Ermrich und Fritila, der Ziehvater dieser verwaisten Neffen, hinzukamen und reichlich tranken, verbarg die Königin ihren Zorn nicht. Und Odilia reizte weiter:

»Jetzt weht Süd- und Westwind, die Sonne brennt heiß, dazwischen ein Schauer warmer Regen. Da kommen bald Egard und Aki, dann wird kein Vogel und kein Wild Schutz haben.«

Ermrich trank und schwieg, da sagte die Königin:

»Jedesmal, wenn sie bei uns einfallen, verkriechen sich die Mägde.«

Noch schwieg der König und trank, lauschte den Frauen. Auch Fritila horchte schärfer, als die Königin weitersprach:

»Auch über mich wollen sie herfallen, wurde mir glaubhaft versichert, und sie sinnen darüber nach, wie sie es anstellen können.«

»Verschonen sie nicht einmal dich«, erboste sich der König, »wird es sie selbst treffen. Hängen sollen sie so hoch wie noch niemand vor ihnen.«

Als Fritila das hörte, verließ er unter einem Vorwand das Gemach, holte sein Ross und ritt, so schnell er konnte, heim zu seinen Ziehsöhnen.

Die hatten nicht im Sinne, in Ermrichs Hof einzufallen, sondern spähten von ihrer Burg auf den Fluss und sahen ihren Ziehvater herüberschwimmen. Da er keine Fähre abgewartet hatte, musste er wegen Gefahr in Eile sein.

Die Jungen trauten ihrem Oheim nicht zu, sie töten zu lassen, widersetzten sich Fritilas Rat, vor Ermrichs Heer zu fliehen, und suchten einen Vergleich. Egard und Aki sammelten ihre Mannen, ließen die Zugbrücke heben und wollten sich verteidigen.

Ermrich ließ die Burg umzingeln und schoss seine Bannerstange über die Mauer. Da rief Egard:

»Warum klagt ihr uns an? Weswegen wollt ihr unsere Burg einnehmen?«

»Was der Grund auch sei«, entgegnete Ermrich, »noch heute baumelt ihr am höchsten Ast.«

»Eher verlieren noch viele deiner Recken ihr Leben!«, rief Aki zurück.

Nach gegenseitigem Beschuss mit Pfeilen und Speeren ließ Ermrich Wurfmaschinen heranfahren und Feuerbrände in die Burg schleudern.

»Brechen wir aus und sterben ehrenhaft, statt zu verbrennen!«, rief Fritila. Mit sechzig Mannen stürmten sie aus dem Tor, lieferten sich mit den Recken des Königs einen harten Kampf und machten, ehe sie fielen, vierhundert seiner Leute nieder. Dann wurden die Brüder überwältigt. Ermrich ließ die Halbwüchsigen am höchsten Baum, der bei der Burg stand, hängen und erlag so auch dieser Hinterlist seines Ratgebers.

Ermrich vertreibt Dietrich von Bern

Nun stachelte Sifka Ermrich gegen Dietrich auf: »Seitdem er König geworden, will er so mächtig sein wie du. Ich fürchte, du musst dich gegen Anschläge rüsten.«

»Das Land der Amelungen gehörte meinem Vater«, meinte der König, »also käme es auch mir zu.«

»Senden wir Reinald mit sechzig Recken ins Amelungenland«, riet Sifka, »und fordern Abgaben. Werden sie verweigert, zeigt Dietrich dadurch Feindschaft.«

Der König ging auf diesen Vorschlag ein. Reinald zog mit seinen Leuten ins Amelungenland, woraufhin die Landorte dort ein Thing einberiefen. Bisher entrichtete die Volksversammlung Abgaben an Dietrich, wollte nun nicht auch noch an Ermrich zahlen und bat den Berner um Antwort.

Dietrich eilte mit zwölf Gefährten zum Thing und verkündete, solange er König der Amelungen sei, bekäme Ermrich von hier keinen Zins.

Heime und Witege, die früher mit Billigung Dietrichs an Ermrichs Hof gegangen waren, standen dabei, als Reinald seinem König berichtete:

»König Dietrich will so mächtig sein wie du. Wirst du das zulassen?«

»Da König Dietrich meine Forderung abwies, sucht er Streit. Den kann er haben«, verkündete Ermrich. »Wie kann er wagen, mir gleich zu sein? Er soll hängen, dann wird er sehen, wer größere Macht hat.«

»Unser Gott helfe König Dietrich!«, widersetzte Heime sich. »Dass du so viele Verwandte und Freunde umbringst, wirst du büßen müssen. Warum hörst du auf den boshaften Sifka?«

Auch Witege klagte Ermrich an: »Das ist die größte Schandtat, die je ein König beging, solange die Welt besteht.« Dann verließ Witege rasch den Saal des Herrschers, schwang sich auf sein Ross und preschte, so schnell er konnte, nach Bern.

Ermrich ließ sofort die Kriegshörner blasen und seine Mannen sich zum Aufbruch rüsten. Mit allen verfügbaren Recken ritt er Tag und Nacht, um Dietrich zu überrumpeln.

Witege erreichte um Mitternacht die Tore von Bern. Dietrich, dem die Ankunft gemeldet wurde, ging ihm entgegen und begrüßte ihn freundlich.

»Sifka verleumdete dich so, dass Ermrich dich hängen will«, berichtete Witege. »Morgen steht er mit einem so starken Heer, das du nicht besiegen kannst, vor der Burg.«

Rasch rief Dietrich alle Ratgeber und Großen zu sich und erklärte:

»Ermrichs Übermacht ist nicht standzuhalten; wir können ihn erwarten, uns mannhaft wehren und viele von seinen Recken mit in den Tod nehmen. Dann sterben wir als große Helden, gehen ehrenhaft unter. Keiner wird dann so gerühmt. Aber dann fehlen wir und können nichts mehr tun. Besser, wir sind weise, sammeln und rüsten uns, verlassen die Burg, ziehen uns zurück. Wir behalten unser Leben und fallen später unerwartet ein. Dazu rate ich.«

»Jetzt werden wir gezwungen, unser Reich zu räumen«, rief Hildebrant, »aber ich bin gewiss, wir kehren zurück. Wer für unseren König ist, waffne sich.«

Weil fast alle diesem Rat folgten, weinten wegen der Trennung Frauen und Mädchen.

Als die Recken sich gerüstet vor dem Ausritt in der Königshalle beim Wein versammelten, kam Heime hereingestürmt und meldete, Ermrich stehe mit fünftausend Berittenen und viel anderer Mannschaft kurz vor der Stadt.

Ehe Dietrich mit seinen achthundert Recken aufbrach, schwor Heime: »Weichen wir auch ohne Ehre vor Ermrichs Heer, so erwachse ihm daraus weit größerer Schaden.«

Hildebrant ritt Dietrichs Mannen mit dem Banner voran ins Langobardenland und entlang dem Gebirge, das heute die Alpen heißt, dann in Ermrichs Reich. Dort verwüsteten sie dessen Städte und Dörfer.

Heime und Witege hatten Dietrich verlassen und ritten wieder zu Ermrich. Zornig wandte Heime sich in Rom an den Großkönig:

»Du ließest deine Söhne Friedrich und Reginbald sterben, tötetest Samson selbst, hängtest die Söhne deines Bruders. Nun vertriebst du deinen Neffen Dietrich aus seinem Reich. Nur weil du auf Sifka hörst, den Feind und Verleumder.«

»Lange warnte ich dich vor Heime«, beklagte Sifka sich beim König, »nun ist er so hochmütig, dass er sogar wagt, dich zu verunglimpfen. Schick ihn in den Wald, wo sein Vater Pferde gehütet.«

»Hätte ich mein Schwert bei mir«, drohte Heime wütend, »erschlüge ich dich wie einen Hund.« Stattdessen hieb er Sifka mit der Faust auf die Wange, dass ihm fünf Zähne aus dem Mund fielen und der Ratgeber seinem König ohnmächtig vor die Füße stürzte.

Ermrich rief seine Mannen, Heime zu ergreifen und zu hängen. Aber da hätten sie ihn erst überwältigen müssen. Heime jedoch entkam ihnen, ergriff seine Waffen, schwang sich auf sein Ross und galoppierte durch das Burgtor. Sechzig Recken Ermrichs jagten ihm nach und hätten ihn wohl erreicht. Aber da trat Witege in das Tor und zog Mimung. Da stoppten die Reiter im Galopp ihre Pferde. Keiner wagte sich an der furchtbaren Waffe vorbei. So gelang Heime die Flucht in den Wald, wo er sich aufhielt und von dort Gehöfte Sifkas und des Königs überfiel und niederbrannte. Sifka wagte sich nur noch in Begleitung von sechzig Mannen außer Haus. Auch Ermrich lebte in Furcht vor Heime, der draußen in den Wäldern lag.

Weiter ist zu erzählen, wie Dietrich über das Gebirge zog und sich Bechlaren an der Donau näherte. Als das Markgraf Rüdeger erfuhr, ließ er Dietrichs Empfang vorbereiten und ritt mit Gotelind und seinen Mannen dem König entgegen. Zur Begrüßung schenkte die Markgräfin ihm eine Fahne, halb grün, halb rot, worauf ein goldener Löwe gemalt war; dazu Purpurstoff, wie ihn herrlicher noch nie jemand gesehen. Auch Rüdeger bewies wieder seine Freigebigkeit und verschenkte Waffen, Rosse, Gold und andere Kostbarkeiten an Dietrich und dessen Begleiter. Dann lud Rüdeger den vertriebenen König in seine Burg Bechlaren ein und bewirtete ihn und seine Recken großzügig.

Nach kurzem Aufenthalt machte sich Markgraf Rüdeger mit König Dietrich auf den Weg zu Etzel. Als dieser davon erfuhr, ritt auch er mit vielen Mannen und Fahnen dem vertriebenen König entgegen. Spielleute und Gaukler zeigten ihre Künste bei der freundlichen Begrüßung. Der Hunnenkönig begleitete Dietrich in seine Burg und richtete ihm zu Ehren ein Fest aus. Etzel lud ihn ein zu bleiben, solange er wolle. Dietrich nahm das mit Dank an und lebte viele Jahre bei ihm.

Dietrich bereitet eine Heerfahrt gegen Ermrich vor

Nach der Vertreibung durch seinen Oheim kämpfte Dietrich mit seinen Mannen in zahlreichen Feldzügen für Etzel. Sein Bruder Diether war inzwischen halbwüchsig und zeichnete sich vor anderen durch Mannhaftigkeit, Tapferkeit, Stärke und höfische Sitte aus. Gleichaltrig waren Etzels Söhne Erp und Ortwin. Die drei jagten und übten sich in Waffen gemeinsam. Jeder der drei liebte den anderen so, dass sie sich kaum trennen konnten. Etzel und die Königin mochten Diether nicht weniger als ihre beiden Kinder.

Dietrich begab sich öfter in die Halle der Königin. Aber von einem Besuch muss erzählt werden. Helche stand auf, empfing ihn freudig, ließ eine goldene Schale mit Wein füllen, reichte sie dem König selbst und sprach:

»König Dietrich, ich sehe dich betroffen. Was ist dir widerfahren?«

Der Amelungenkönig stand bedrückt von Schmerz und Trauer, Tränen rannen aus seinen Augen. Die Königin konnte sich nicht erinnern, Dietrich je so gesehen zu haben.

»Heute vor zwanzig Wintern wurde ich aus Bern vertrieben, aus meinem Raben und anderen reichen Städten. Niemals schmerzte mich der Verlust mehr. Zwar fand ich bei Etzel und dir gute Aufnahme. Aber warum sollte ich den Hunnen meinen Kummer verschweigen?«

»Oft standest du uns gegen Feinde bei, mit Rat und deinen Mannen. Bedrückt dich der Verlust deines Reiches, so ist es recht und billig, dir wieder dazu zu verhelfen. Ich mache den Anfang, überlasse dir meine beiden Söhne mit tausend Recken und bitte den König um Mannen.«

Einwänden Dietrichs, die Söhne seien zu jung für den Feldzug, begegnete Helche mit den Worten, man könne sie vom Kampf nicht verschonen.

Die Königin stand sogleich auf und ging, begleitet von Dietrich, in die Halle, wo Etzel saß. Der freute sich, dass beide zu ihm traten, ließ der Königin eine Goldschale mit Wein füllen und reichte sie ihr. Dann fragte er nach Neuigkeiten.

Helche sprach von Dietrichs Kummer über den Verlust seines Reiches und dass er es zurückgewinnen wolle. Wie oft habe er mit Eckesachs auch in Zweikämpfen Etzels Feinde besiegt. Nun wäre es billig, ihm bei der Zurückeroberung seines Landes mit einem Heer beizustehen.

Etzel war auf dieses Ansinnen nicht gefasst und erwiderte trotzig: »Warum bittet er nicht selbst? Oder ist er zu stolz? Will er lieber verzichten, falls ihm keine Hilfe angeboten wird?«

»Dietrich kann wohl selber bitten«, erwiderte Helche. »Aber ich hielt es für besser, wenn ich seine Sache vorbringe.« So sprach sie für Dietrich und auch von der Hilfe, die sie ihm zugesagt hatte.

»Gut, dass du mich an Dietrichs Taten für uns erinnerst«, lenkte nun Etzel ein, »und ihm Mannschaft stellst. Ich überlasse ihm Markgraf Rüdeger mit zweitausend Recken, die sind gut gewaffnet.«

»Wie richtig, dass die Königin mir beisprang«, beteuerte Dietrich und dankte auch dem König.

Während des ganzen Winters wurde der Kriegszug vorbereitet. Weit und breit waren die Schmiedehämmer zu hören. Außer Waffen wurden auch Sattelzeug und die Pferde für den Zug im Frühjahr vorbereitet.

Als die Zurüstungen für die Heerfahrt zu Ende gingen, trat Königin Helche eines Tages in jenen Garten mit Apfelbäumen, wo sich Etzels Söhne, der junge Diether und andere junge Burschen zu treffen pflegten.

»Meine lieben Söhne, nun waffnet euch für den Kampf an der Seite König Dietrichs.« Die Königin ließ ihnen Brünnenhosen reichen, die legten sie an, dann Brünnen, die waren licht wie Silber, aus hartem Stahl und mit rotem Gold besetzt, danach Helme, glänzend poliert wie Schwerter und ihre Nägel mit Gold verziert. Die Jungen im Garten staunten über die Rüstung der Königssöhne. Als die beiden ihre Helme festbanden, wurden zwei dicke Schilde gebracht, reich mit Edelsteinen besetzt und goldgeschmückt. Auch ein Banner mit Stange erhielten sie.

Die Gefährten bildeten einen Kreis um die Gerüsteten und beneideten sie noch mehr, als die Königin unter Tränen zu ihnen sprach: »Ich sehe, nie waren zwei Königssöhne besser zum Kampf gerüstet. Ich wünsche sehr, dass ihr heil heimkehrt, aber noch wichtiger ist, tapfer zu kämpfen, wenn nötig, und ruhmvoll aus der Schlacht zu kommen.«

Die jungen Hunnen drängten sich um die Gewaffneten.

Dann rief die Königin Dietrichs Bruder zu sich, legte beide Arme um seinen Hals, küsste ihn und sagte:

»Mein lieber Ziehsohn Diether, meine Söhne folgen deinem Bruder und dir, euer Reich zurückzugewinnen. Bleibt auch auf der Heerfahrt unzertrennlich.«

Diether dankte der Königin und versicherte ihr, die beiden heil wiederzubringen. »Aber fallen sie auf der Walstatt, kehre auch ich nicht zurück. Ich würde sie so lange rächen, bis ich neben ihnen läge.«

»Magst du dein Wort halten«, erwiderte die Königin und rüstete ihn mit Brünnenhosen und einer Brünne aus, die ebenfalls doppelt geschmiedet war, einem goldverzierten Helm, mit kostbaren Edelsteinen besetzt und oben spiegelblinkend, einem dicken Schild, mit Gold ausgelegt und einem Löwen aufgemalt. Noch nie sollen drei Königssöhne so prächtig nach höfischer Sitte mit Gold und Edelsteinen verziert in Rüstung und Waffen in die Schlacht gezogen sein, wird berichtet.

Für den Kriegszug Dietrichs sammelten sich die Recken in der Hauptstadt Etzels. Die Straßen waren erfüllt von Waffenlärm, Getöse und Pferdegewieher; die Stadt war so voll von Mannen und Pferden, dass kein Vorankommen war. Was der Nachbar sagte, war im Lärm und Geschrei nicht zu verstehen.

König Etzel stieg auf einen Turm und verkündete, wie das Heer ausrücken sollte:

»König Dietrich reite mit seinem Heer für sich aus, dann Markgraf Rüdeger mit meinen Recken; eine dritte Schar bilden alle Mannen, die sich hier sammelten, sie folgen meinen Söhnen und Diether.«

Die Königin gab ihre Söhne dem großen Kämpfer Hialprek in Obhut. »Ich schwöre«, beteuerte er, »nie kehre ich aus diesem Krieg ohne deine Söhne heim.« Die Königin dankte ihm.

»Auch ich stehe für das Leben deiner Söhne ein«, verkündete Dietrich.

Von dieser Heerfahrt der zehntausend Recken und zahlloser Knappen ist nun zu erzählen, dass Dietrich zwei seiner Leute als Boten aussandte, so schnell sie vermochten, Ermrich zu erreichen. Der Amelungenkönig wollte nicht heimlich in sein Reich einfallen, sondern ehrenhaft den Krieg erklären. Wolle Ermrich das Land verteidigen, solle er mit seinem Heer bis Raben ziehen. Die Boten erreichten den feindlichen König erst in Rom. Dort überbrachten sie ihre Botschaft und schmähten ihn, nannten ihn treulos und einen Verräter, der Dietrich mit Schande sein Reich genommen habe, was ihm nun heimgezahlt werde. Trotzdem beschenkte der König die Boten mit neuer Kleidung, guten Rossen und entließ sie in Freundschaft. Da er sich nun vorbereiten konnte, glaubte er sich dem Heer Dietrichs überlegen.

Ermrich sandte drei Tage und drei Nächte Vertraute in sein Land und ließ siebzehntausend Recken sammeln. Witege machte er zu seinem ersten Herzog.

Auch in den Straßen Roms drängten sich Gewaffnete, bei ihrem Lärmen konnte kaum einer das Wort eines anderen verstehen. Auch nur von einem Turm vermochte sich König Ermrich Gehör zu verschaffen:

»Mein lieber Freund Sifka, trage du mein Banner, führe mein Gefolge und sechstausend Recken, greife Dietrich an. Brächtest du mir nach der Schlacht Dietrichs Schwert, wärst du der Tapferste.«

Dann bestimmte er Reinald zum Anführer über fünftausend Recken und stachelte auch ihn an, Dietrich und dessen Bruder zu erschlagen. Witege übertrug er sechstausend Recken. Und auch von ihm verlangte er, Dietrich und Diether dürften nicht mit dem Leben davonkommen. Aber vor allem Etzels Söhne seien zu töten.

Witege beteuerte, zwar gegen die Hunnen und Etzels Söhne zu kämpfen, jedoch nicht gegen Dietrich und dessen Bruder.

Ermrichs Heer rückte aus und zog gegen Norden bis vor die Stadt Raben. Dort wurden südlich am Fluss Zelte aufgeschlagen, nördlich davon lagerten bereits die Scharen Dietrichs.

Meister Hildebrant wachte im Lager des Berners; und in der Nacht, als alle schliefen, ritt er am Ufer entlang und über eine Furt ans feindliche Ufer. Dort traf er in der Dunkelheit auf einen Reiter. Nach einigen Worten erkannten sie sich, und Hildebrant begrüßte seinen alten Freund Reinald, der jetzt im Heer Ermrichs stand. Auch Reinald wollte heimlich zu Dietrich, nun konnte er sich den Weg sparen und Hildebrant die Aufstellung des Heeres berichten. Obwohl er zu seinen Leuten stehen müsse, wünschte der Amelung Reinald Dietrich Glück.

Als die beiden dann am Fluss entlangritten, brach der Mond durch die Wolken. Sie überblickten im fahlen Licht die Lager der Heere. Reinald zeigte dem Waffenmeister das gelbe Zelt, in dem

Sifka schlief, der grimmigste Feind Dietrichs. In dem grünen Zelt nächtigte, wie Hildebrant ihn nannte: unser lieber Freund Witege, mit seinen Mannen. In dem schwarzen Zelt werde er selber ruhen.

Auf dem Wege, nun das Lager Dietrichs zu besichtigen, stellten sich ihnen fünf Männer entgegen. Die hielten die zwei für hunnische Kundschafter und griffen sie an. Reinald meinte, das seien seine Mannen, und wollte sie beschwichtigen. Aber es waren Sifkas Leute, und die glaubten Hildebrant zu erkennen und zerhieben seinen Helmhut, so dass der Waffenmeister zurückschlagen und dem Angreifer den Kopf vom Halse trennen musste. Reinald verbot weiteren Kampf. Da wandten Sifkas Wächter sich ab. Nun begleitete Reinald Hildebrant auf einen Ausblick am Ufer. Der Waffenmeister wies ihn auf Dietrichs Zelt mit den fünf Stangen, dann rechts auf das aus roter Seide mit neun Stangen, das des Königs Etzel, darin schliefen dessen Söhne und Diether. Links von Dietrichs Zelt schimmerte das grüne von Markgraf Rüdeger. Damit keine Freunde gegeneinander kämpfen würden, besprachen sie, welcher Heerbann gegen wen antreten sollte. Sifka wolle ohnehin gegen Dietrich ziehen, Reinald sich gegen die Hunnen Rüdegers wenden. Witege werde gegen die Etzelsöhne kämpfen; dass er damit auch Dietrichs Bruder zum Feind habe, müsse er auf sich nehmen. Dann küssten sie einander und begaben sich in ihre Lager.

Hildebrant ritt zu der Furt zurück, durch die er über den Fluss gekommen war. Reinald wandte sich seinem Lager zu. Da stellte sich ihm Sifka mit einer Schar Mannen in den Weg, wollte Hildebrant nachsetzen und ihn erschlagen.

»Willst du meinen Freund töten«, warnte Reinald, »musst du erst mit mir und meinen Recken kämpfen, die sofort zu mir stoßen.«

»Stehst du aufseiten unserer Feinde, fällst du von Ermrich ab?«, drohte Sifka als Heerführer seines Königs.

»Obwohl wir auch gegen meine Verwandten kämpfen, stehe ich Ermrich bei«, versicherte Reinald, »aber Hildebrant, der allein zurückreitet, mit Übermacht anzugreifen, kann ich nicht zulassen. Morgen in der Schlacht dürft ihr euch schlagen.«

Da verzichtete Sifka, Hildebrant nachzusetzen. Der erreichte in der Morgendämmerung Dietrichs Lager und berichtete ihm von seinem Treffen mit Reinald. Der Berner hieß auch das gut.

Die Schlacht

Noch vor Tagesanbruch ließ Dietrich die Posaune blasen und seine Recken sich zur Schlacht wappnen. Auch Rüdeger von Bechlaren und Herzog Naudung rüsteten ihre Scharen für den Kampf. Dann zogen sie durch jene Furt, die Hildebrant in der Nacht erkundet hatte.

Inzwischen waren auch die drei Heere Ermrichs bereit. Witege ritt auf seinem Ross Skemming mit dem gefürchteten Schwert, seine Scharen führte Bannerträger Runga, stärker als andere Riesenkerle. Seine Fahne war schwarz, Hammer, Zange und Amboss weiß daraufgemalt. Ihm entgegen ritt Herzog Naudung mit seinem Heer, hinter ihm Dietrichs Bruder Diether. In dieser Schar befanden sich auch die Söhne Etzels, behütet von dem Recken Hialprek. Die Rüstung und Waffen dieser Mannen waren mit rotem Gold versehen und leuchteten in der aufgehenden Sonne wie Feuer.

Reinald hatte seine Scharen sich waffnen lassen und führte sie dem Heer Markgraf Rüdegers entgegen.

Walter von Wasgenstein trug in Sifkas Heer das Banner Ermrichs; es hatte siebzig kleine Goldschellen, die beim Aufmarsch klingelten und das Klirren der Waffen übertönten. Ihnen entgegen ritt das Heer Dietrichs, an seiner Seite Hildebrant mit dem Banner aus weißer Seide, darauf ein goldener gekrönter Löwe. Die Fahne war ein Geschenk von Königin Helche und trug ebenfalls siebzig Goldschellen.

Jetzt ritten die sechs Heere gegeneinander. König Dietrich preschte auf seinem Ross Falke zuerst vor, schlug mit seinem berühmten Eckesachs nach beiden Seiten und hieb Reiter und Rosse nieder. Hildebrant kämpfte neben ihm und fällte manchen Mann, ebenso der tapfere Recke Wild-Ewer, der seinen Namen nicht zu Unrecht trug. Um Sifka herum wurden viele seiner Mannen erschlagen. König Dietrich feuerte seine Leute durch Schlachtrufe an: »Vorwärts, meine Mannen, wir siegten gegen Russen und Wilizen, jetzt gewinnen wir unser Erbland und Reich zurück!«

So angespornt kämpften seine Recken noch erbitterter. Der König selber schlug sich eine Gasse durch das feindliche Heer und kämpfte sich wieder zurück. Auch vor Wild-Ewer zitterten die Scharen Sifkas, denn wo der zuschlug, fielen dessen Recken. Als

Walter von Wasgenstein, Bannerträger Sifkas, sah, wie seine Leute vor Wild-Ewer zurückwichen, musste er ihn zu Fall bringen; er ritt gegen ihn an und rammte ihm seine Bannerstange durch die Brust, dass sie zwischen den Schulterblättern wieder herauskam. Wild-Ewer spürte seine tödliche Verletzung, brach vor seiner Brust den Speerschaft ab, schlug dem überraschten Wasgenstein ein Bein ab und traf ihn dann durch die Brünne in den Leib. Dann stürzten beide vom Pferd und lagen in ihrem Blute, nicht weit voneinander entfernt.

Als Sifka seinen mächtigsten und stärksten Feldherrn niedersinken sah, wandte er sich zur Flucht, auch seine Leute kämpften nicht mehr und folgten ihm. Doch Dietrich und seine Recken setzten ihnen nach und erschlugen noch die meisten. Aber Sifka entkam. Erst später brach Dietrich die Verfolgung ab.

Als Witege Sifka und dessen Mannen fliehen sah, begann er noch härter zu kämpfen, denn sonst, fürchtete er, ginge die ganze Schlacht verloren. Also ritt er den gegnerischen Feldherrn an. Ohnehin hatte Herzog Naudung genug seiner Leute gefällt. Es kam zum Zweikampf zwischen Witege und Naudung. Beide hieben erbittert aufeinander ein und deckten sich geschickt, bis es Wielands Sohn gelang, mit Mimung Naudungs Bannerstange zu durchhauen und danach den Herzog selbst in den Hals zu treffen. Als Diether und die Etzelsöhne sahen, wie Naudungs Kopf zur Erde flog, rief Ortwin Hialprek zu:

»Sahst du, wie dieser Hund Witege unseren Herzog erschlug? Auf, machen wir ihn nieder!«

Da Hialprek bei Königin Helche für die jungen Recken bürgte, wollte er die Hitzköpfe zurückhalten. Aber weil er selber vor Zorn und Rachelust bebte, gelang es ihm nur, Dietrichs Bruder und Erp vom Kampf abzubringen. Und so griffen er und Ortwin den starken Witege an. Runga preschte an dessen Seite. Und nach heißem Kampf, in dem Helme zerbeult und Brünnen aufgeschlitzt wurden, stürzten Hialprek und Ortwin tödlich getroffen von ihren Pferden. Nun konnten sich dessen Bruder Erp und Diether nicht mehr zurückhalten und griffen die beiden an. Dietrichs Bruder gelang ein mächtiger Hieb auf Rungas Helm, er spaltete ihn samt dem Kopf bis zum Hals. Inzwischen erschlug Witege den zweiten Sohn Etzels. Als Diether sah, wie auch Erp gefallen war, griff er mit unbezähmbarer Wut Witege an. Der wollte keinesfalls gegen Dietrichs

Bruder kämpfen. Aber Diether wollte seine Schwurbrüder und Hialprek rächen und griff ihn mit unbändiger Wut an. Witege deckte sich nur mit seinem Schild, fing mit dem Schwert die Hiebe des Jungen ab und rief:

»Bruder Dietrichs, lass ab von mir, ich schone dich, greife andere an!«

»Du Hund erschlugst meine Schwurbrüder Erp und Ortwin, aus Rache musst du fallen, sonst will ich nicht länger leben!«, schrie der Junge zurück und griff ihn mit doppelter Härte an. Witege führte noch immer keinen Schlag gegen Diether, schützte sich lediglich vor dessen Hieben und bat flehend, von ihm abzulassen: »Schlage ich nicht zurück, haust du mich bald nieder. Ich will dich nicht töten, das weiß mein Gott, es wäre Notwehr.«

Dietrichs Bruder setzte einen gewaltigen Hieb auf Witeges Helm, der hielt zwar stand, aber das Schwert glitt zur Seite und schlug den Kopf des Pferdes ab. So verlor das berühmte Ross Skemming sein Leben. Aber anstatt den Kampf abzubrechen, griff Diether weiter an. Auch vor dem Bruder des Freundes davonzulaufen, hätte Feigheit bedeutet. Also war Witege zum Kampf gezwungen und klagte: »Was ich nie wollte, muss ich tun, aus großer Not. Erschlage ich ihn nicht, verliere ich mein Leben.« Dann hob er Mimung gegen Diether und hieb ihn in den Rücken und auseinander, dass Dietrichs Bruder in zwei Hälften zur Erde fiel.

Inzwischen kämpfte das Heer des Markgrafen Rüdeger gegen das Ermrichs unter dem Feldherren Reinald. Ulfhard, Rüdegers Bannerträger, schlug sich den ganzen Tag mit großer Streitlust; durch ihn fielen Recken und Rosse. Wo er und sein Markgraf vordrangen, wichen die Reihen von Ermrichs Mannen. Und ihr Feldherr Reinald wütete in den Scharen der Hunnen. Aber so viel er und seine Recken auch erschlugen, vor Ulfhard drohten seine Leute zu fliehen. Da ritt Reinald ihn an und bohrte ihm seinen Speer durch Brünne und Brust, dass er zwischen den Schultern wieder herauskam. Als Rüdeger seinen Mann stürzen sah, hob er die Fahnenstange auf, schwang das Banner und griff ungestüm den feindlichen Fahnenträger an. Um ihn zu Fall zu bringen, hieb er ihn mit dem Schwert in den Hals, so dass der Kopf und die Fahnenstange zur Erde fielen. Dann drang er mit seinen Mannen weiter gegen Ermrichs Recken vor, die nach dem Fall ihres Banners und der Flucht Sifkas nicht mehr standhielten, ihre Pferde wandten und ebenfalls flohen. Da Reinald seine Leute nicht mehr zurückhalten konnte, musste er ihnen folgen.

Nun preschte ein Bote Rüdegers zu Dietrich, der noch immer Sifkas Leuten nachsetzte, und berichtete ihm vom Tod der drei Jungen und Herzog Naudungs.

Wie fluchte Dietrich da auf den elenden Hund Witege. »Was habe ich getan, dass Gott gegen mich einen so furchtbaren Tag verhängt?«, schrie er. »Wodurch bin ich schuldig? Während keine Waffe mich ritzte, fielen mein Bruder und die Söhne Etzels. Ich räche die Söhne oder sterbe.«

Dietrich gab Falke die Sporen und preschte an der Spitze seines Heeres zurück. Geschwind und grimmig wie ein Sturm fegte er über die Felder, dass keiner seiner Leute ihm folgen konnte, so von Hass und Zorn getrieben, dass Feuer aus seinem Munde stob. Als er auf Witeges Heer stieß, das als einziges der drei Heere Ermrichs noch standhielt, wichen dessen Recken einem Kampf mit ihm aus, so furchtbar brauste er daher.

»Witege, verfluchter Hund!«, rief Dietrich, »stelle dich mir, stirb für meinen Bruder. Oder fürchtest du den Kampf?«

Witege gab vor, nichts verstanden zu haben, und preschte noch schneller davon. Aber Dietrich blieb dicht hinter ihm und rief:

»Bleib stehen! Verlorst du alle Ehre? Fliehst vor einem Mann, der seinen Bruder rächen will.«

»Ich wehrte seine Hiebe nur ab«, erwiderte der Verfolgte, »aber da er mir ans Leben ging, musste ich zurückschlagen. Ich sühne mit Gold und Silber.«

»Du wirst büßen!«, schrie Dietrich zurück und setzte ihm weiter nach. Nicht einmal die Furcht, als feige zu gelten, veranlasste Witege anzuhalten, so furchtbar tobte Dietrich. Und Witege wird gespürt haben, nicht nur ein wütender König jagte ihn.

Mit letzter Kraft erreichte Witege die See. Am Ufer glaubte Dietrich ihn endlich zu treffen. Aber der Verfolgte galoppierte ins Wasser. Der Speer des Königs blieb im Ufersand stecken. Von Witege war nichts mehr zu sehen. Nach der Überlieferung rettete ihn eine Meerfrau, seine Ahnin, und nahm ihn auf. Oder suchte er wie mancher den Tod im Wasser, aus Schmerz und Schuld?

Dietrich ritt zurück auf das Schlachtfeld. Über seinen gefallenen Bruder beugte er sich zuerst, legte seinen zerhauenen Schild beiseite und nahm den von Diether, dann trat er vor die toten

Etzelsöhne. »Lieber wäre ich schwer getroffen, als euch zu verlieren! Nie mehr werde ich zu König Etzel zurück können.«

Das sagte er auch seinen Mannen.

Wie oft geschehe es in der Schlacht, dass Helden hoher Abstammung fielen, versuchten Rüdeger und andere Anführer Dietrich zu trösten, er solle sich über den Sieg freuen. Und sie versicherten, bei Etzel für Dietrich zu sprechen.

»Auch ich bürgte für die Söhne«, klagte Dietrich.

Die Anführer um Rüdeger erklärten, mit Dietrich hier zu bleiben und weiter mit um sein Reich zu kämpfen. Aber nach dem Verlust von Etzels Söhnen wollte Dietrich nicht weiter gegen Ermrich ziehen. Zu viele Hunnen seien bereits für sein Reich gefallen. Lieber kehre er doch mit ihnen zurück.

Dann zog das Heer langsam heim in Etzels Land. Dietrich weigerte sich, mit Rüdeger das Herrscherpaar aufzusuchen, und blieb in einem Haus abseits.

So trat der Markgraf nur mit wenigen Begleitern in die Halle und grüßte ihn.

»Willkommen, mein Feldherr, Markgraf Rüdeger«, empfing ihn der Hunnenherrscher. »Siegten die Hunnen gegen Ermrich? Lebt König Dietrich?«, fragte er.

Rüdeger berichtete über die Schlacht und wie Dietrich Sifka in die Flucht geschlagen hatte, beklagte aber den Verlust der Königssöhne und Herzog Naudungs.

Da brach die Königin in lautes Weinen aus. »Dietrich bürgte für ihr Leben!«, rief sie und verfluchte ihn.

»Wer fiel mit meinen Söhnen?«, forschte Etzel weiter.

Rüdeger berichtete vom Tod Hialpreks und Wild-Ewers und anderer Tapferer und wie Dietrich auch seinen Bruder Diether verlor. Mit Freude vernahm Etzel, dass seine Hunnen mehrfach so viele von Ermrichs Leuten erschlagen und den Rest in die Flucht getrieben hatten.

Als Königin Helche von Diethers Tod erfuhr und wie Dietrich aus Rache für ihre Söhne Witege ins Meer gejagt hatte, nahm sie ihren Fluch zurück.

»Die drei Jungen trugen die besten Waffen, aber sie fielen dennoch. Wem der Tod bestimmt ist, für den gibt es keinen Schutz«, suchte Etzel Trost auch für seine Frau. »Und wo ist mein guter Freund Dietrich?«

Der König erfuhr, warum Dietrich und Hildebrant Etzel nicht unter die Augen treten wollten. Da sandte er zwei Recken nach ihnen. Ihr Sinn sei zu bedrückt, ihr Kummer zu groß, um vor den König zu kommen, ließen diese ausrichten.

Da ging die Königin selbst zu dem Ort, wo sich Dietrich verbarg. »Guter Freund Dietrich«, sagte sie, »wie schlugen sich meine Söhne? Fielen sie tapfer?«

»Sie standen füreinander ein, kämpften als Helden«, berichtete Dietrich schmerzvoll, »wollten den Tod ihres Herzogs und Hialpreks rächen. Und mein Bruder fiel gegen Witege, der deine beiden Söhne tötete.«

Da legte Helche ihre Hände um den Hals Dietrichs, küsste ihn und sagte:

»Guter Freund Dietrich, folge mir in die Halle des Königs. Sei uns willkommen, die Götter fordern in der Schlacht oft die Besten, so war es eben bestimmt. Beklagen wir die Toten, aber komme jetzt mit zu den Lebenden!«

Nach diesen Worten folgte Dietrich Helche in die Königshalle. Etzel stand auf, hieß ihn willkommen und küsste ihn. Der Amelungenkönig bekam den alten Ehrenplatz. Ihre Freundschaft blieb so fest wie ehedem.

Zwei Jahre nach der siegreichen Rabenschlacht kam eine gefährliche Krankheit über die Königin. Sie fürchtete, ihr zu erliegen, und ließ Dietrich rufen. Der versicherte ihr, falls das einträfe, verlöre er seinen besten Freund. Sie beschenkte ihn mit fünfzehn Mark roten Goldes und Purpurkleidern, so kostbare hatte noch keiner gesehen. Und Helche verband Dietrich mit ihrer Nichte Herrat.

»Eine solche Frau zu verlieren ist für König Etzel schwerer als der Verlust von einem großen Teil seines Landes«, beteuerte Dietrich und hielt sein Weinen nicht zurück.

Dann ließ Helche nach Hildebrant rufen und schenkte ihm ihren besten Goldring. Hildebrant und alle, die bei ihm standen, weinten.

Die Königin spürte ihre Kräfte schwinden, sandte rasch nach Etzel Boten und sprach schon gebrochen:

»Mächtiger König Etzel, bald scheide ich von euch, warte nicht lange, suche dir keine böse, sondern eine gute Frau. Guter Herrscher Etzel, wähle keine Frau der Burgunden, keine von Aldrians Geschlecht. Schlägst du meinen Rat aus, bringt das großes Unheil.«

Nach diesen Worten starb die Königin.

Die Klagen waren im ganzen Land zu hören. Keiner kannte eine Königin mit größerer Güte und edlerem Sinn. Niemand erinnerte sich, dass man je so geweint hatte. Nie gewänne ein Hunnenherrscher wieder eine solche Königin, hieß es.

Dietrich kehrt heim

Nach Helches Tod nahm Etzel, gegen ihren Rat, die verwitwete Kriemhild aus dem burgundischen Königsgeschlecht zur Frau. Und am Hofe des Hunnenherrschers geschah, was schon berichtet wurde: Im Kampf gegen die Burgunden, im Saal Etzels eingeschlossen, verlor Dietrich alle seine Mannen. Nicht nur die befreundeten burgundischen Könige Gunter, Gernot und Giselher sowie Hagen von Tronje fielen, sondern auch der geliebte Markgraf Rüdeger. Nur Meister Hildebrant blieb ihm, dem er jetzt seinen Kummer mitteilte:

»Warum war ich so lange fern von meinem Reich? Sollen wir hier altern und verdorren? Lieber falle ich für mein Land und meine Stadt Bern, als dass ich bei den Hunnen vor Gram gebrechlich werde. Und wir dienten ihnen lange genug.«

»Was verloren wir nicht alles, auch durch Sifkas Tücke«, pflichtete Hildebrant bei. »Obwohl Ermrich große Übermacht hat, sterbe auch ich lieber im Kampf gegen ihn, als dass ich hier ehrlos ergraue.«

Ihm sei erzählt worden, sagte Hildebrant, er habe einen Sohn mit Namen Hadubrant, und der sei Herzog von Bern; seine Frau Oda könne vor seiner Flucht schwanger gewesen sein. Falls sein Sohn dort Herzog wäre, meinte Dietrich, sei das ein großes Glück.

»Wie wollen wir fahren?«, fragte Hildebrant.

»Uns fehlt ein Heer«, bedauerte Dietrich, »ich möchte unerkannt heimreiten, nur du und ich. Ein zweites Mal fliehe ich nicht aus dem Amelungenland«, beteuerte er, »da will ich fallen oder mein Reich zurückgewinnen, das schwöre ich.«

»Zwar sind wir nur zwei, aber wir kehren heim. Soll das König Etzel erfahren?«

»Mein Entschluss ist so fest, kein König kann daran rütteln. Erst wenn unsere Pferde gesattelt sind, soll er es wissen.«

Wir folgen jener Überlieferung, nach der Etzel den Kampf gegen die Burgunden überlebte.

Frau Herrat, Helches Nichte, wollte mit Dietrich in sein Land ziehen.

Hildebrant hatte für diesen Abend drei Rosse gesattelt, ein viertes mit Gold, Edelsteinen und Reisevorrat beladen. Dann ermahnte er Dietrich, von Etzel Abschied zu nehmen. Der Amelungenkönig ging vor Etzels Schlafgemach. Als engen Freund des Königs ließen die Wächter ihn auch gewaffnet eintreten und Etzel wecken. Der König wunderte sich, dass Dietrich gerüstet allein vor ihn trat, und gewährte ihm ein Gespräch unter vier Augen. Etzel wunderte sich noch mehr, als er von Dietrichs Absicht erfuhr, und fragte:

»Wo sind deine Mannen? Wo ist dein Heer?«

»Ich habe keines. Ich werde mit Hildebrant heimlich zurückkehren.«

»Mein guter Freund, König Dietrich«, beschwor Etzel den Amelungen, »bleibe noch eine Zeit hier; möchtest du das nicht, stelle ich dir ein Hunnenheer.«

»Dank für deine Hochherzigkeit, deine Freundschaft. Es fielen schon genug Hunnen für mich.«

Etzel begleitete Dietrich bis vor das Burgtor. Beide verabschiedeten und küssten sich. Etzel war bekümmert, Dietrich nicht ehrenvoll entlassen zu können.

»Unser Gott schütze dein Reich! Wir sehen uns als Freunde wieder!« Nach diesen Worten Etzels schwang Dietrich sich auf Falke und preschte Hildebrant und Herrat nach.

Sie ritten an der Donau entlang durch Bechlaren. Bei der verlassenen Burg hielt Dietrich sein Ross an und sprach:

»Markgraf, wärst du nicht gegen die Burgunden gefallen, käme ich in deinen Saal. Als ich mein Reich verlor, empfingst du mich wie einen König, bester und freigebigster aller Helden.«

Auch Hildebrant und Herrat gedachten in Schmerz des großen Markgrafen und priesen, wie er vor dem Kampf in Etzels Saal seinem Feind Hagen den besseren Schild übergeben hatte.

Dann zogen sie weiter, hielten sich tagsüber im Walde auf und ritten nachts. Trotzdem drang Kunde von ihrem Aufenthalt an

Herzog Elsung, einen Nachkommen jenes Elsung, den Dietrichs Großvater einst erschlug. Dafür wollte nun Herzog Elsung der Junge Blutrache nehmen und griff mit zweiunddreißig Recken Dietrich an.

Herrat warnte sie, gegen die Übermacht zu kämpfen. Aber statt sich in den Wald zu retten, machten Dietrich und sein Waffenmeister ihre Pferde fest und zogen ihre Schwerter.

»Liebe Herrat, weine nicht«, beruhigte Dietrich sie, »sei vergnügt, bis wir fallen, aber warum sollten wir nicht siegen?«

Die Schar galoppierte heran und sah die schöne Herrat, da forderte Amelung, ein Neffe von Herzog Elsung: »Überlasst ihr uns die Frau, behaltet ihr euer Leben.«

Das lehnte Hildebrant höhnisch ab.

»Noch nie prahlte ein Alter so hochfahrend«, sagte einer von Elsungs Leuten.

»Deine Dummheit ist zu groß für dein Alter«, entgegnete Dietrich.

»Gebt eure Waffen ab!«, verlangte Amelung von Hildebrant, »sonst reiß ich dich am Bart.«

»Eher liegt deine Hand abgehauen im Gras«, erwiderte Hildebrant. »Wer überhaupt ist euer Anführer?«

Aus Ärger über die anmaßende Frage hieb einer von Elsungs Leuten gegen Hildebrants Helm. Der Waffenmeister schlug mit Balmung zurück und spaltete dem Voreiligen Helm, Kopf und Brust, dass Feuer aus seiner Brünne stob. Nach dem Kampf an Etzels Hof und Hagens Tod, wird erzählt, soll Hildebrant Siegfrieds Schwert besessen haben. In dem Gefecht, das mit der Schar des Herzogs ausbrach, fällte Dietrich nach einigen Feinden auch den jungen Herzog selbst. Da merkten dessen Mannen, dass sie es mit keinen gewöhnlichen Recken zu tun hatten. Dietrich tötete sieben, Hildebrant neun der Angreifer. Nun hieb Amelung grimmig gegen den Waffenmeister. Die anderen Mannen Elsungs flohen vor Dietrich. Hildebrant schlug Amelung zu Boden und verlangte dessen Waffen. Der Junge war verwirrt, dass ein Graubart ihn überwältigt hatte, und erfüllte die Forderung.

»Amelung, guter Kerl«, sagte Dietrich nun und wollte Neuigkeiten aus dem Süden von ihm wissen; dafür solle er Leben und Waffen behalten, als Buße für den Tod des alten Herzogs Elsung.

Amelung berichtete, Ermrichs Leib sei aufgedunsen und habe

offene Wunden. Da habe Sifka geraten, ihn aufzuschneiden und Fett abzutrennen, aber davon sei es nicht, wie versprochen, besser, sondern weit schlechter geworden. Ob Ermrich noch lebe, wisse er nicht.

Da lachten König Dietrich und sein Waffenmeister.

Hildebrant und Hadubrant

Der Amelungenkönig und Hildebrant zogen weiter nach Süden über das große Gebirge, das heute die Alpen heißt. Dort fragte der Waffenmeister einen Holzfäller, wer in der Stadt Bern herrsche.

»Hadubrant, der Sohn von Hildebrant«, erwiderte der Mann.

»Was für einer ist das?«, fragte Hildebrant.

»Ein Recke von großer Tatkraft, aber auch grimmig und unnachgiebig, besonders zu seinen Feinden. Er will allen überlegen sein.«

»Was weißt du noch zu berichten?«, forschte der Waffenmeister.

»Ermrich in Rom soll tot sein.«

Dann traf Hildebrant in der nahen Stadt auf Konrad, den Sohn des ansässigen Herzogs, und erfuhr, dass Ermrich tatsächlich gestorben sei und der tückische Hund Sifka herrsche. Und Hadubrant habe Boten zu Dietrich an den Hof Etzels gesandt, damit er heimkehre. Hadubrant wolle die Stadt Bern nicht an Sifka ausliefern. Hildebrant solle mit zu Konrads Vater Herzog Ludwig in die Stadt kommen. Aber der Waffenmeister wollte sich draußen in der Nähe des Waldes aufhalten, in dem Dietrich mit Herrat wartete. Also brach Herzog Ludwig mit seinen Mannen auf und folgte Hildebrant zu Dietrich. Der Herzog und sein Sohn fielen vor Dietrich auf die Knie, küssten seine Hand und hießen ihn als ihren König und Herren willkommen.

Dietrich wollte nicht mit Ludwig in dessen Stadt ziehen, denn er hatte gelobt, vor Bern keine andere Stadt zu betreten. So blieb der Herzog bei reichlich Trank und Speise bei seinem König im Wald; und sie berieten, was zu tun sei. Inzwischen machte sich Hildebrant auf den Weg, seinen Sohn aufzusuchen.

»Triffst du ihn, begegne ihm umsichtig und in höfischer Sitte«, riet Konrad dem Waffenmeister, »und lass ihn wissen, dass du sein

Vater bist; sonst könnte es sein, er erschlägt dich, so ungestüm ist er.«

»Und woran erkenne ich Hadubrant?«

»Er reitet ein weißes Ross, die Nägel in seinen Schuhen sind golden, sein Schild blinkt weiß wie frisch gefallener Schnee, darauf ist eine Stadt gemalt. Kein anderer Recke gleicht ihm. Ihm standzuhalten, bist du zu alt«, warnte Konrad.

Hildebrant ritt nun die Straße nach Bern, da kam ihm ein Mann entgegen. Nach der Farbe des Pferdes und Schildes musste es Hadubrant sein. Der sah den Fremden in Waffen und unerschrocken auf sich zukommen, ohne jedes Zeichen von Demut oder angedeuteter Verbeugung. Also wolle der ihn zum Kampf aufreizen, dachte Hadubrant. Er band seinen Helm fest, hob seinen Schild, legte den Speer ein und preschte auf Hildebrant los. Der machte sich rasch zum Anritt fertig. Die Speere krachten auf die gegnerischen Schilde, die zwar standhielten, aber die Schäfte splittern ließen. Der Alte war eher vom Pferde als der Junge und schwang sein Schwert. Wortlos hieben sie gegeneinander, aber sie schienen noch nicht in einer Weise zu kämpfen, dass sie sich töten wollten. Und als sie nach einer Zeit ermüdeten, ließen sie voneinander ab, setzten die Schilde auf die Erde und lehnten sich darauf.

Erst jetzt betrachteten sie einander genauer.

Hildebrant, der ältere und erfahrenere Kämpfer, begann zu fragen:

»Wer ist dein Vater? Von welcher Sippe stammst du? Nennst du mir einen Namen, weiß ich die anderen. In dem Reich kenne ich jedes Geschlecht.«

Hadubrant antwortete:

»Weise Männer sagten mir, mein Vater heiße Hildebrant; er floh mit König Dietrich und vielen seiner Mannen. Hildebrant ließ in Bern seine junge Frau zurück, das Kind war ohne Erbe und noch ohne Worte. Er war bei dem freudlosen Mann, Dietrichs liebster Recke, mit ihm floh er vor Ermrichs Feindschaft. Immer kämpfte er an der Spitze der Schlachten, jeder Held kannte ihn. Ich glaube nicht, dass er noch lebt.«

»Noch nie sprachst du mit einem so nahen Verwandten, auch du, Irmingott, großer Herrscher im Himmel, sollst das wissen.« Und Hildebrant wand sich geflochtene Ringe von den Armen, Geschenke Etzels, und wollte sie Hadubrant geben. Aber der wies sie zurück:

»Alter Hunne, du bist listig, täuschest mich mit Worten und lockst mit Ringen. So alt wie du bist, so viel Betrug führst du im Schilde. Willst mich heimlich mit dem Schwert anfallen. Seefahrer erzählten, Hildebrant, Herbrants Sohn, fiel für seinen König.«

Nicht nur das Feuer seiner Jugend reizte Hadubrant zum Kampf. Listige Hunnen hatten ihn schon früher zu täuschen versucht.

»An deinen Rüstungen sehe ich, du dienst einem reichen Herren, keiner vertrieb dich aus diesem Reich, wie es Hildebrant traf. Waltender Gott, nun vollzieht sich das Unheil, schreckliches Schicksal. Dreißig Jahre in der Fremde, stets in den Scharen der Recken, kämpfte ich in vielen Schlachten, erlitt bei keiner Burg den Tod. Nun wird das eigene Kind mich erschlagen, oder ich werde ihm zum Mörder.«

Hadubrant begegnete dem Fremden feindselig. Dieser alte Graubart sein Vater?, sann er. So geschickt versuchte noch kein Hunne, ihn zu täuschen. Er schwieg, gab aber dem Fremden zu verstehen, dass der wohl aus Angst schwatze.

»Da dich so nach Kampf gelüstet, so höre, Ostrecken sind nicht feige. Hadubrant, versuche nun, mir Rüstung und Waffen zu nehmen.«

Nun hoben sie erneut die Schwerter, schritten gegeneinander, hieben gegen die weißen Schilde, bis diese immer kleiner wurden. Schließlich warfen sie die Reste beiseite und setzten sich ungedeckt ihren Waffen aus. Hildebrant wird sich nur gewehrt, jeden tödlichen Schlag vermieden haben. Aber nachdem auch ihre Brünnen zerschlagen waren, Vater und Sohn bluteten, wird Hildebrant, einen tödlichen Hieb abwehrend, seinen Sohn erschlagen haben.

Nach einer jüngeren Erzählung warf Hildebrant den Sohn nieder und setzte ihm das Schwert auf die Brust. Noch jetzt verschwieg der Junge seinen Namen. »Da mich eine so alte Graugans besiegt, liegt mir nichts mehr am Leben.«

»Willst du dein Leben behalten, sag mir schnell, ob du mein Sohn Hadubrant bist, dann bin ich dein Vater Hildebrant.«

Darauf erwiderte Hadubrant: »Bist du mein Vater Hildebrant, so bin ich dein Sohn Hadubrant.«

Daraufhin gab Hildebrant den zu Boden Geworfenen frei. Hadubrant kam rasch auf die Füße. Sie erkannten sich und küssten einander.

Dann stiegen sie auf ihre Pferde und ritten nach Bern.

Dort empfing sie Hadubrants Mutter. Sie sah den Sohn blutig und verwundet, begann zu weinen und fragte nach dem, der ihm das angetan.

»Gern ertrage ich diese Wunde«, sagte Hadubrant frohgemut, »mein Vater schlug sie mir, Hildebrant, er reitet neben mir.«

Die Mutter begrüßte Hildebrant freudig, umarmte und küsste ihn.

Dietrich gewinnt sein Reich zurück

Nun ließ Hadubrant durch Boten die Großen der Stadt Bern in die Königshalle rufen und verkündete, König Dietrich befinde sich im Amelungenland und fordere sein Reich zurück.

»Wollt ihr König Dietrich? Oder unterwerft ihr euch dem Übeltäter Sifka?«, fragte Hildebrant die Versammelten.

»Wir wehrten uns gegen Sifka und warten auf Dietrich! Lieber sterben wir mit ihm, als dass wir uns Sifka ausliefern!«, riefen viele.

Alle stimmten zu. Manche dankten Gott, bald König Dietrich zu sehen. Andere zweifelten, ob Dietrich überhaupt im Amelungenland wäre.

»Unser König ist gekommen, Hildebrant hat ihn begleitet und sitzt hier neben mir. Er ist mein Vater.«

»Willkommen, Hildebrant!«, riefen alle.

»Wollt ihr Dietrich zum König haben«, erklärte Hadubrant, »so nehmt eure Pferde und Waffen und reitet ihm entgegen.«

So verließ am nächsten Tag Hildebrant mit fünfhundert Recken die Stadt und begab sich in den Wald, wo Dietrich und Herzog Ludwig sich aufhielten. Hildebrant, Hadubrant und die anderen Recken verbeugten sich vor dem König. Der stand auf, ging ihnen entgegen und küsste Hadubrant.

Dann ritten sie alle nach Bern. Hildebrant trug die Fahne. Und Hadubrant war zur Rechten Dietrichs, reichte ihm die Hand und gab ihm einen kleinen goldenen Ring mit den Worten:

»Mächtiger König, seit Ermrich starb, der mich über diese Stadt setzte, verwehrte ich Sifka, hier zu herrschen. Mit diesem kleinen Ring gehen ich, meine Recken, die Stadt Bern und das ganze Amelungenland an dich zurück.«

Dietrich dankte und wollte es allen lohnen.

Gaukler und Spielleute aus der Stadt zogen Dietrich und seinen Begleitern entgegen, erfreuten sie durch Gesang und Kurzweil. Dann beschenkten Recken und Bürger der Stadt ihren König mit Pferden, Waffen, Kostbarkeiten und Gehöften. So gelangte Dietrich festlich geleitet in sein Königshaus zurück und nahm, an seiner Seite Hildebrant und Hadubrant, wieder auf seinem Herrschersessel Platz. Dietrich sandte Boten ins Land. Gesandte von Städten und Kastellen huldigten dem alten und neuen König.

Einige Tage später ritt Dietrich mit starker Mannschaft zu einer nahen Stadt und berief dort ein Thing ein, wo er erklärte, dass Sifka ein fast unbesiegbares Heer sammle und damit ins Amelungenland vorrücken wolle, um es zu unterwerfen.

»Wollt ihr mich oder Sifka zum König?«, fragte er auf dem Thing die Bürger und versicherte: »Ich und meine Mannen fliehen nicht vor Sifkas Heer.«

Alle auf dem Thing Versammelten stimmten für König Dietrich. »Lieber fallen wir mit dem König der Amelungen, als dass wir Sifka auch nur einen Pfennig zahlen«, riefen sie.

Daraufhin sandte Dietrich Boten ins Land und ließ ein Heer aufstellen. Als sich alle gewappnet hatten, zog er mit achttausend Recken dem Heer Sifkas entgegen. Bald kam es zu einer großen Schlacht. Hildebrant ritt mit Dietrichs Fahne dem König voran. Während die Amelungen in die Reihen von Sifkas Recken Schneisen schlugen, fiel ein zweites Heer mit siebentausend Mann, von Rom kommend, Dietrichs Scharen in den Rücken. Dagegen warf sich Dietrich mit seinen Recken. Und Hadubrant kämpfte weiter gegen Sifkas Hauptheer. Hildebrants Sohn haute nach rechts und links mit solcher Wucht, dass Pferde und Reiter zu Boden sanken. So schlug er sich bis zu Sifka durch. Zunächst hieb er dessen Fahnenträger die Hand und die Fahnenstange ab. Dann griff Hadubrant mit unbändiger Wut den feindlichen Heerführer selbst an und versetzte ihm harte Schläge. Auch Sifka schlug unerbittlich zurück. Der Zweikampf währte lange, bis der junge, ungestüme

Herzog dem alten Ratgeber Ermrichs beikam und ihm Helm und Kopf spaltete.

Da stimmten die Amelungen Siegesgeschrei an. Und als die Anführer in Sifkas Heer vom Tod ihres selbsternannten Königs erfuhren, brachen sie den Kampf ab und ergaben sich Dietrich.

Der zog bald mit seinem Heer nach Rom. Unterwegs stießen sie auf keinen Widerstand. Die Mächtigen der Städte und Burgen trauerten Sifka wenig nach und unterwarfen sich König Dietrich. Mit einem großen Heer zog er in Rom ein und begab sich in die Königshalle. Dort krönte Hildebrant den König der Amelungen mit Ermrichs Krone. Dessen Mannen wurden nun Dietrichs Untertanen, viele aus Freundschaft, andere aus Furcht vor dem neuen Herrscher.

Von nun an regierte Dietrich in Rom und ließ große Bauten errichten, auch Standbilder von sich und seinem Ross Falke. Er herrschte gerecht und war so mächtig, dass keiner sein Reich anzugreifen und auch sonst sich mit ihm zu vergleichen wagte. Herzog Hadubrant wurde Herrscher im Norden des großen Reiches. Meister Hildebrant lehnte ein Herzogtum ab und blieb, solange er lebte, an der Seite seines Königs.

Nach einiger Zeit erkrankte Hildebrant. König Dietrich saß Tag und Nacht bei seinem getreuen Waffenmeister.

»Ich glaube, ich sterbe«, sagte Hildebrant eines Tages, »ich bitte dich, gewähre nun meinem Sohn deine Freundschaft. Er soll meine Waffen erben und stets für dich streiten.«

Kurz darauf starb Hildebrant. König Dietrich beweinte ihn und ließ eine große Totenfeier ausrichten. Alle lobten Hildebrants Treue zu seinem König, seine Tapferkeit und Freigebigkeit. Der Waffenmeister soll hundertundfünfzig Jahre alt geworden sein, behaupten einige, andere sprechen sogar von zweihundert Jahren.

Nicht lange nach Hildebrant starb auch Dietrichs Frau Herrat. Sie hatte ihren Gemahl stets zum Guten angehalten und war ihrer Sanftmut wegen hoch geschätzt.

Nachdem Heime von Sifkas Tod erfahren, hatte er die Wälder verlassen und seine Überfälle und Brandschatzungen aufgegeben. Er hörte von einem Riesen, der Wohnorte plünderte und großes Unheil stiftete. Um sich wieder Ruhm zu erwerben, forderte Heime den Unhold zum Kampf. Dabei gelang es Heime, den Schlägen des Riesen geschickt auszuweichen und ihm die Schwerthand abzuschlagen. Als der Unhold sich fallen ließ, um Heime zu erdrücken, ging der auf ihn zu und gelangte zwischen dessen Beine. Von dort versetzte Heime ihm den Todesstoß.

Davon drang Kunde an Dietrichs Hof. Der König ließ über den Helden nachforschen und Heime, der sich verborgen gehalten, ausfindig machen. Dann lud der Berner ihn an seinen Hof, empfing ihn festlich und machte ihn zum Anführer seines Gefolges. Einmal zog Heime gegen einen Riesen, der sich König Dietrich widersetzte und die Zahlung von Zins verweigerte. Heime hatte noch nie einen so großen Riesen gesehen. Der lag in seiner Höhle und grunzte: »Ich habe keine Lust, aufzustehen und dich zu erschlagen.« Statt ihn am Boden zu durchbohren, wartete Heime, wie es die Ehre des Recken gebot, bis der Riese aufgestanden war und eine Eisenstange ergriffen hatte. Mit der hieb er so furchtbar und geschickt zu, dass Heime zu spät auswich, in die Luft geschleudert wurde und bereits dort starb.

Als Dietrich hörte, dass sein Freund gefallen war, zog er aus Rache in Waffen und gerüstet zu dem Unhold. Der Riese schwang wieder seine Eisenstange, aber Dietrich sprang ihm entgegen und hieb ihm blitzschnell die Hände ab. Dann fügte er dem Handlosen tödliche Wunden zu.

Das war der letzte große Zweikampf mit Eckesachs gegen einen Riesen, von dem berichtet wird.

Im Alter schwanden Dietrichs Kräfte. Aber wenn er Waffen zu führen hatte, war seine Hand noch immer stark genug. Gern jagte er Tiere, an die sich andere Recken nicht heranwagten. Einmal sah er einen stattlichen Hirsch, wie noch keiner ihn zu Angesicht bekommen; dem wollte der König unbedingt nachsetzen. Aber ehe sein Pferd bereit war, schwang er sich auf ein schwarzes Ross, das plötzlich bei ihm stand, und sprengte davon. Es war weit schneller als Falke und überholte die flinkesten Vögel.

»Dietrich, wann kehrst du zurück?«, riefen seine Gefährten.

»Wenn die Götter es wollen!«, kam es vom König.

Niemand vermag zu sagen, was aus Dietrich von Bern geworden ist.

Nach Erzählungen weiser Männer jagt er im Sturm dahin. Er warnt vor Gefahr und Unheil. Und manche erfuhren schon seinen Beistand.

Anhang

Glossar

Ägir (anord. *Ægir*, von *ægir* ›Meer‹) Meeresriese, auch Gott des Meeres genannt

Agnarr Sohn des Königs Geirrod

Aki Neffe König Ermrichs vom Harlungengeschlecht

Alberich zauberkundiger Zwerg, später im Dienst der Nibelungen Hüter des Horts

Aldrian Vater Hagens

Alfen, Alben (anord. *álfr* ›Albe, Elf‹) Wesen, meist den Göttern nahestehend (Lichtalfen), aber auch den Zwergen (Schwarzalfen)

Alvis (anord. *allviss* ›allwissend‹) weiser Zwerg, wird von Thor überlistet

Amal Stammvater des Geschlechts der Amaler (Amelungen)

Amelrich Held im Bayernland; Hagen gibt sich gegenüber dem Fährmann an der Donau als A. aus

Amelung Neffe Herzog Elsungs

Amelungen Königsgeschlecht nach dem historischen ostgotischen Geschlecht der Amaler; sein bedeutendster Herrscher ist Dietrich von Bern

Amilias Schmied bei König Nidung, für den auch Wieland arbeitet

Andhrimnir (anord., ›Der dem Ruß Ausgesetzte‹) kocht in Walhall den Eber Sährimnir

Andvari (anord., ›Der Vorsichtige‹) Zwerg, besitzt einen kostbaren Schatz

Angrboda (anord., ›Die Kummer Verkündende‹) Riesin; mit ihr zeugt Loki den Fenriswolf, die Midgardschlange und die Hel

Asen (anord. *áss* ›Ase, Gott‹, Pl. *æsir*, deutbar aus der indogerm. Wurzel **ans* ›atmen‹) eines der beiden Göttergeschlechter (neben den Vanen) der germanischen Mythologie, öfter auf Krieg und Herrschaft gerichtet. Neben Göttervater Odin und seiner Frau Frigg sind Thor, Balder, Tyr, Heimdall und Bragi bedeutende Asen

Asgard (anord. *Ásgarðr* ›Wohnsitz der Asen‹) Wohnstätte der Asen; hier befinden sich Walhall und Odins Hochsitz Hlidskjalf

Ask (anord. *askr* ›Esche‹) Mann des ersten Menschenpaares, von drei Göttern aus Baumstämmen geschaffen

Astold Burgherr von Melk an der Donau

Audumla (anord. *Auðumla* ›Die reiche hornlose Kuh‹) Urkuh, leckt Buri, den Stammvater der Götter, aus dem Eis

Balder (anord. *Baldr*, deutbar als ›Herr, Fürst‹ oder ›Kraft‹) Asengott, Sohn von Odin und Frigg, wird nach Anstiftung durch Loki von Höd getötet

Balmung Schwert Siegfrieds, anord. *Gram*

Baugi (anord., ›Der Krumme‹) Riese

Bergelmir (anord., ›Der wie ein Bär Brüllende‹) Urriese; überlebte, als die Götter Ymir töteten und in dessen Blut alle Riesen ertränkten

Bern sagenhafter Ort, alter deutscher Name für das historische Verona (nicht Bern in der Schweiz)

Berserker (anord. *berserkr* ›Bärenhäuter‹) durch ›Berserkerwut‹ besonders tapfere Krieger, oft im königlichen Gefolge und Odin geweiht

Bifröst (anord. *Bifrǫst* ›Der schwankende Weg‹) Brücke zwischen Asgard und Midgard, Regenbogen genannt

Biterolf Herrscher in Dänemark, Vater Dietleibs

Blödel Bruder Etzels

Blutgang Schwert Heimes

Bödwild Tochter König Nidungs, Frau Wielands

Bölverk (anord. *Bǫlverkr* ›Der Übel stiftet‹) Odin gewinnt unter diesem Namen den Dichtermet zurück

Boltram Hildebrant nennt sich so bei seiner ersten Begegnung mit Witege

Bragi (anord., ›Der Erste, Vornehmste‹) Gott der Dichtkunst

Brisingamen (von anord. *brisingr* ›Feuer‹) kostbarer, glänzender Halsschmuck der Göttin Freyja

Brokk (anord. *Brokkr*, Herkunft ungewiss) Bruder des Zwerges und kunstfertigen Schmiedes Sindri

Brünne Brustpanzer

Bruno Vertrauter des Königs Harald Kampfzahn, später nimmt Odin Brunos Gestalt an

Brynhild, Brünhild (anord. *Brynhildr*, von anord. *brynja* ›Brünne, Brustpanzer‹) Walküre, wird von Sigurd (Siegfried) befreit; Königin auf Isenstein, dann Gunters Frau

Buhurt Kampfspiel, bei dem Reiterscharen miteinander streiten

Burgunden germanischer Stamm mit Königssitz in Worms

Buri (anord., ›Erzeuger, Vater‹) Stammvater der Götter

Burr (anord., ›Sohn‹) Vater von Odin, Vili und Vé

Dankrat 1. verstorbener König der Burgunden, seine Frau ist Ute; 2. Vertrauter des Königs Nidung

Dankwart Bruder Hagens

Dieter Bruder Ermrichs, Vater Akis und Egards vom Geschlecht der Harlungen

Diether Bruder Dietrichs von Bern

Dietleib Sohn des Dänenherrschers Biterolf, Gefolgsmann Dietrichs von Bern

Dietmar König von Bern, Vater Dietrichs

Dietrich von Bern König von Bern (d. i. Verona), anord. *Þiðrekr*. Das historische Vorbild der Sagengestalt ist Theoderich der Große (453–526)

Draupnir (anord., ›Der Tropfer‹ oder ›Der Träufler‹) Odins Ring, von dem jede neunte Nacht acht gleich schwere Ringe abtropfen

Droma (anord. *Dromi* ›Fessel‹) zweite Fessel für den Fenriswolf

Ecke Riese, der Dietrich von Bern herausfordert

Eckesachs Schwert, geschmiedet von Alberich; zuerst gehörte es Ecke, dann Dietrich von Bern

Eckewart Markgraf am Hofe der Burgunden

Egard Neffe König Ermrichs vom Harlungengeschlecht

Egil Bruder Wielands

Einherjer (anord. *einheri* ›Der allein kämpft‹) gefallene Kämpfer, von Walküren nach Walhall geholt

Eldhrimnir (anord., ›Der vom Feuer Berußte‹) Kessel in Walhall

Eldir (anord., ›Der Feueranzündende‹) Diener des Meeresriesen Ägir

Elli (anord., ›Alter‹) Amme des Riesen Utgard-Loki; Thor besteht mit ihr einen Ringkampf

Else Markgraf in Bayern, Bruder Gelpfrats

Elsung Herzog im Amelungenland

Embla (anord. Baumname, deutbar als ›Ulme‹) Frau des ersten Menschenpaares, das von drei Göttern aus Baumstämmen geschaffen wurde

Ermrich König von Rom, Onkel Dietrichs von Bern. Der Name des Ostgotenkönigs Ermanerich (Ermrich) tritt in der Sage an die Stelle Odoakers (433–493), des historischen Gegenspielers Theoderich des Großen

Erp Sohn Etzels mit Helche

Etzel König der Hunnen, anord. *Atli*. Das historische Vorbild ist Attila (gest. 453)

Fafnir (anord., ›Der Umfasser‹) Sohn des Bauern Hreidmar, Bruder des Schmiedes Regin; verwandelt sich in einen Drachen, den Sigurd (Siegfried) tötet

Falke Pferd Dietrichs von Bern

Fasolt Bruder des Riesen Ecke, fordert Dietrich von Bern zum Zweikampf

Fenriswolf (anord. *Fenrir*, deutbar als ›Moorgestrüppwolf‹) Wolf, von Loki mit der Riesin Angrboda gezeugt, Feind der Götter; zunächst von ihnen gefesselt, reißt er sich vor dem Weltende los, kämpft mit Odin und verschlingt ihn

Fimafeng (anord. *Fimafengr* ›Der eilig Vorrat Herbeischaffende‹) Diener des Meeresriesen Ägir

Fjalar (anord. *Fjalarr*, Herkunft unsicher) Zwerg, tötet gemeinsam mit seinem Bruder Galar den weisen Kvasir

Fjölnir (›der Vielweise‹) so nennt sich u.a. Odin bei seiner Begegnung mit Siegfried

Folkvang (anord. *Folkvangr* ›Feld des Volkes‹) Wohnstätte der Göttin Freyja

Forseti (anord., ›Der Vorsitzende‹) Sohn von Balder und Nanna, gilt neben Tyr als Gott des Rechts

Freki (anord., ›Der Gierige‹) einer von Odins Wölfen

Frey (anord. *Freyr* ›Herr‹) Fruchtbarkeitsgott vom Geschlecht der Vanen, Sohn des Njörd, Bruder der Freyja; er besitzt den Eber Gullinborsti

Freyja (anord., ›Herrin, Frau‹) Vanengöttin, Tochter des Njörd, Schwester des Frey, wird in Liebesangelegenheiten angerufen, fährt einen mit Katzen bespannten Wagen, besitzt den kostbaren Goldschmuck Brisingamen und ein Falkengewand

Friedrich Sohn König Ermrichs

Frigg (anord., ›Geliebte‹) wichtigste Göttin der Asen, Frau Odins, Mutter Balders, Göttin der Frauen und der Familie; sie besitzt ein Falkengewand

Fritila Ziehvater von Aki und Egard, den Neffen König Ermrichs

Fulla (anord., ›Fülle‹) Dienerin Friggs, bewahrt deren Schuhe und Schatzkiste

Galar (anord. *Galarr* ›Schreier‹) Zwerg, tötet gemeinsam mit seinem Bruder Fjalar den weisen Kvasir

Gangrad (anord. *Gangráðr* ›Entgegen-Rater‹) unter diesem Namen tritt Odin in den Wissenswettstreit mit Vafthrudnir

Garm (anord. *garmr* ›Hund‹) brüllender Hund am Eingang zum Totenreich

Gefjon (anord., ›Die Geberin‹) Göttin, verleiht Glück und Fruchtbarkeit

Geirrod (anord. *Geirroðr*) Pflegekind Odins, später König; unter dem Namen Grimnir stellt Odin ihn auf die Probe

Geirröd (anord. *Geirrøðr*, ›Speerschutz‹) Riese, lockt Thor waffenlos in sein Gehöft und versucht ihn zu töten

Gelpfrat Herr im Bayernland, Elses Bruder

Gerd (anord. *Gerðr*, verschieden deutbar) Riesenmädchen von großer Schönheit; Frey gewinnt es

Gere Markgraf am Hofe der Burgunden

Geri (anord., ›Der Gierige‹) einer der beiden Wölfe Odins

Gernot König der Burgunden, jüngerer Bruder Gunters

Gibich König im Dienste Etzels

Gilling (anord. *Gillingr* ›Der Lärmer‹) Riese beim Raub des Metes

Ginnungagap (anord., ›Gähnender Schlund‹) Urschlucht vor der Entstehung der Welten; »der mit magischen Kräften erfüllte Urraum« (de Vries)

Giselher König der Burgunden, jüngster Bruder von Gunter und Gernot

Gjallarbru (anord., ›Brücke über den Fluss Gjöll‹) Jenseitsbrücke

Gjallarhorn (anord., ›Das lauttönende Horn‹) Horn des Gottes Heimdall, er warnt mit ihm die Götter beim Anbrechen der Ragnarök

Gjalp (anord., ›Die Schreierin‹) Riesin, Tochter Geirröds

Gjöll (anord. *gjǫll* ›Lärm; Die Brüllende‹) unterirdischer Fluss, an der Grenze zum Reich der Hel

Gleipnir (anord., ›Verschlinger‹) Fessel, mit der es den Göttern gelingt, den Fenriswolf zu binden

Glitnir (anord., ›Der Glänzende‹) Wohnstätte des Gottes Forseti

Gode (anord. *goði* ›heidnischer Priester‹) auf Island kultischer und politischer Vorsteher der kleinsten Thinggemeinschaft

Gotelind Markgräfin, Frau Rüdegers von Bechlaren

Gramaleif Hauptmann der Räuber, gegen die Witege kämpft

Gram anord. Name für Siegfrieds Schwert

Grani anord. Name für Siegfrieds Pferd

Greip (anord., ›Griff‹) eine Tochter des Riesen Geirröd

Grid (anord. *Griðr* ›Heftigkeit‹) Riesin, leiht Thor ihren Zauberstab, ihre Eisenhandschuhe und ihren Kraftgürtel

Gridarwol (anord., ›Stab der Gridr‹) Zauberstab der Grid

Grim Riese, kämpft mit Hild gegen Dietrich von Bern

Grimnir (anord., ›Der Maskierte‹) unter diesem Namen stellt Odin seinen Pflegesohn Geirrod auf die Probe

Groa (anord. *groa* ›wachsen‹) Seherin
Gullinborsti (anord., ›Der mit den goldenen Borsten‹) goldborstiger Eber des Gottes Frey
Gullveig zauberkundige Vanin, verteilt Gold an die Menschen, löst den Krieg der beiden Göttergeschlechter aus
Gungnir (anord., ›Der Schwankende‹) Odins Speer, den nichts aufhält
Gunnlöd (anord. *Gunnlǫð* ›Einladung zum Kampf‹) Tochter des Riesen Suttung; Odin betört sie und raubt den Dichtermet
Gunter 1. König der Burgunden, ältester der drei Königsbrüder, anord. *Gunnarr*; 2. Sohn von Siegfried und Kriemhild in Xanten am Rhein
Gyffi mythischer schwedischer König
Gymir (anord., ›Meer‹ oder ›Der Winterliche‹) Riese, Vater der Gerd, um die Frey werben lässt
Hadeburg eine der beiden Meerfrauen an der Donau, die Hagen weissagen
Hadubrant Sohn Hildebrants
Hagen von Tronje Halbbruder der drei Burgundenkönige am Hofe zu Worms, Onkel Ortwins von Metz; anord. *Högni*
Halsberge Halsschutz über dem Brustpanzer
Harald Kampfzahn dänischer König, Odin geweiht
Harbard (anord. *Hárbarðr* ›Graubart‹) unter diesem Namen verweigert Odin als Fährmann seinem Sohn Thor die Überfahrt
Harlungen Fürstengeschlecht im Reich Ermrichs
Hati (anord., ›Hasser‹) Wolf, verfolgt den Mond
Hawart dänischer Fürst, im Dienste Etzels
Heidrun Himmelsziege, steht auf dem Dach von Walhall; aus ihrem Euter fließt Met als Getränk für die Einherjer
Heimdall (anord. *Heimdallr*, etymologisch mehrdeutig) Asengott, Wächter bei der Asenbrücke Bifröst in Asgard, warnt vor den Ragnarök mit dem Gjallarhorn
Heime Abkömmling der Familie Studas, Gefährte Dietrichs von Bern
Hel (noch in ahd. *helan* ›verbergen‹) unterirdische Welt der Toten, die nicht im Kampf gefallen sind; auch Herrscherin dieser Welt, die Tochter Lokis und der Riesin Angrboda
Helche Königin der Hunnen und Frau Etzels
Helferich Recke Dietrichs von Bern
Helgrind (anord., ›Zaun von Hel‹) Umzäunung der Unterwelt Hel
Herbrant Vater Hildebrants

Hermod (anord. *Hermóðr*) Gott, reitet zur Hel, um seinen Bruder Balder zurückzuholen

Herrat Nichte Königin Helches, mit Dietrich von Bern verbunden

Herse Vorsteher eines Gaues (Bezirkes) in Norwegen, zuständig für Kriegswesen und Gerichtsbarkeit

Herwör Walküre, Frau Wielands

Hialprek Recke im Dienste Etzels, beschützt dessen Söhne

Hild Riesin mit Zauberkräften, Trollweib, kämpft mit Grim gegen Dietrich von Bern

Hildebrant Waffenmeister Dietrichs von Bern; im »Hildebrantslied« wird der Zweikampf mit seinem Sohn Hadubrant dargestellt

Hildegrim Helm Hilds, dann im Besitz Dietrichs von Bern

Hildegund Gefährtin Walters von Spanien bei seiner Flucht von Etzels Hof

Hlidskjalf (anord. *Hliðskjálf* ›Aussichtsturm‹) Odins Hochsitz oder Wachtturm; von ihm aus blickt er über alle Welten

Hnikar (›der Aufhetzer‹) so nennt sich u.a. Odin bei seiner Begegnung mit Siegfried

Höd (anord. *Hǫðr* ›Kämpfer‹) blinder Asengott, tötet durch Lokis Anstiftung Balder

Hönir (anord. *Hœnir*, etymologisch unklar) Gott der Asen, die ihn nach dem Krieg mit den Vanen als Geisel übergeben

Hördis anord. Name für Siegfrieds Mutter

Holmgang Zweikampf, ursprünglich auf einem Holm, einer kleinen Flussinsel, ausgetragen, später auf einem abgesteckten Platz an Land

Hornboge Markgraf, Gefährte Dietrichs von Bern

Hort mythischer, unerschöpflicher Schatz der Nibelungen

Hraudung (anord. *Hraudungr* ›Der Zerstörer‹) Vater von Geirrod und Agnarr

Hreidmar zauberkundiger Bauer, Vater Fafnirs und Regins

Hringhorni Schiff mit einem Kreis am Steven, in dem Balder verbrannt wurde

Hrossharsgrani Name, unter dem Odin auftritt

Hrungnir (anord., ›Lärmer‹) Riese, fordert Thor zum Zweikampf und wird von ihm erschlagen

Hugi (anord., ›Gedanke, Sinn‹) am Hofe des Riesen Utgard-Loki ein Läufer, mit dem Thjalfi um die Wette rennt

Huginn (anord., ›Der Gedanke‹) einer der beiden Raben (vgl. *Muninn*) Odins, die dieser zur Erkundung in die Welten aussendet

Hunding nach nord. Überlieferung erschlagen seine Söhne Siegfrieds Vater

Hunold Kämmerer am Hofe der Burgunden

Hvergelmir (anord., ›Der brausende Kessel‹) Urquelle in Niflheim; aus ihr strömen Flüsse nach Süden; auch Quelle unter der Weltenesche Yggdrasill

Hymir (anord., etwa ›Bedecker, Verdunkler‹) Riese, Stiefvater des Gottes Tyr

Hyrrokkin (anord., ›Die vom Feuer Gerunzelte‹) Riesin, stößt für Balders Bestattung dessen Schiff ins Wasser

Idun (anord. *Iðunn* ›Die Verjüngende‹ oder ›Die Tätige‹) Frau des Asengottes Bragi; sie reicht den Göttern die Äpfel der Jugend

Ingram Anführer von Wegelagerern, denen sich Heime anschließt

Iring Markgraf von Dänemark, in Etzels Diensten

Irmingot wahrscheinlich asächs. Name für den anord. Kriegsgott *Tyr* (ahd. *Ziu*)

Irnfried thüringischer Fürst im Dienste Etzels

Isung Gaukler, von Dietleib beschenkt

Ivaldis Söhne Zwerge, kunstfertige Schmiede, Söhne des Ivaldi; sie fertigen Sifs Goldhaar, Odins Speer Gungnir und das Schiff Skidbladnir

Jarl nach dem König höchster Titel in Norwegen

Jarnsaxa (anord., ›Die mit dem Eisenmesser‹) Riesin, Thor zeugte mit ihr Magni

Jörd (anord. *Jǫrð*, von *jǫrð* ›Erde‹) Erdgöttin, Odin zeugte mit ihr Thor

Kebse nicht rechtmäßig angetraute Nebenfrau, Konkubine

Konrad Sohn Herzog Ludwigs im Amelungenland

Kriemhild Königstochter am Hofe der Burgunden, Schwester Gunters, Gernots und Giselhers, Frau Siegfrieds; anord. *Guðrún*

Künhild Schwester Dietleibs, von Laurin geraubt

Kvasir (anord., etymologisch unklar) Mann von größter Weisheit, entstanden nach dem Krieg der Asen und Vanen, als beide zum Zeichen des Friedens in einen Kessel spuckten und ihren Speichel mischten

Läding (anord. *Læðing*) erste Fessel für den Fenriswolf

Laurin Zwergenkönig, in dessen Rosengarten Dietrich von Bern eindringt

Lif (anord., ›Leben‹) einer der beiden Menschen, die die Ragnarök überleben

Lifthrasir (anord. *Lifþrasir* ›Der von Leben Strotzende‹) einer der beiden Menschen, die die Ragnarök überleben

Logi (anord., ›Flamme, Lohe‹) am Hofe des Riesen Utgard-Loki das personifizierte Feuer, mit dem Loki um die Wette isst

Loki (anord., wahrscheinl. ›Feuer‹) seiner Herkunft nach Riese, von den Asengöttern aufgenommen und manchmal als Ase bezeichnet; er nutzt den Göttern besonders als Gefährte Thors, aber er zeugt auch drei Weltfeinde und veranlasst Balders Tod

Lüdegast Dänenkönig, im Kampf gegen die Burgunden von Siegfried gefangen und nach Worms gebracht

Lüdeger König der Sachsen, nach der Niederlage gegen die Burgunden von Siegfried als Geisel nach Worms gebracht

Ludwig Herzog im Amelungenland

Magni (anord., ›Der Starke‹) Sohn Thors

Mani (anord., ›Mond‹) Mond

Met bierähnlicher, gegorener Honigwein

Midgard (anord. *Miðgarðr* ›Wohnstätte der Mitte‹) Welt der Menschen in der Mitte, von den Asengöttern durch einen Wall gegen Utgard geschützt, über die Asenbrücke Bifröst mit Asgard verbunden

Midgardschlange (anord. *Miðgarðsormr* ›Weltschlange‹) eines der drei von Loki und der Riesin Angrboda gezeugten Ungeheuer, Hauptfeinde der Götter und Menschen, zunächst als ›Band der Erde‹ die Menschenwelt umschlungen haltend, aber auch Meerungeheuer und Feindin von Thor

Mime Schmied, bei dem Wieland in die Lehre geht, auch Lehrmeister Siegfrieds

Mimir (anord.) Mann von großer Weisheit, behütet den nach ihm benannten Brunnen, wird nach dem Krieg zwischen Vanen und Asen von diesen als Geisel übergeben

Mimung berühmtes Schwert, geschmiedet von Wieland für seinen Sohn Witege, später im Besitz Dietrichs von Bern

Mjöllnir (anord. *Mjǫllnir* ›Der Zermalmer‹) Thors Hammer, der nach jedem Wurf in seine Hand zurückkehrt, Waffe des Gewitter- oder Donnergottes, Werkzeug, auch zur Weihe für Fruchtbarkeit und Bestätigung von Verträgen eingesetzt

Modgud (anord. *Moðguðr* ›zorniger Kampf‹) bewacht die Jenseitsbrücke Gjallarbru

Modi (anord. *Móðí* ›Der Zornige‹) Sohn Thors

Mökkurkalfi (anord., ›Nebelbein‹) Lehmriese beim Kampf von Thor gegen Hrungnir

Mundilfari (anord., ›Der sich nach bestimmten Zeiten bewegt‹) Vater des Sohnes Mani (Mond) und der Tochter Sol (Sonne)

Muninn (anord., ›Der sich Erinnernde‹) neben Huginn einer der beiden Raben Odins, die dieser zur Erkundung aussendet

Muspell (anord. *Muspellr* ›Zum Weltuntergang gehörender Riese‹) in Muspellsheim herrschender Riese

Muspellsheim (anord. *Muspellsheimr* ›Welt des Muspell‹) feurige Gegend im Süden; aus deren Hitze und Funken entsteht Ymir

Näntwin König in Etzels Diensten

Nagelring Schwert, geschmiedet von Alberich, der es dem Riesen Grim für Dietrich von Bern raubt; später erhält es Heime

Naglfar (anord., ›Nagelschiff‹, eigtl. ›Totenschiff‹) Schiff aus den Nägeln der Toten, dient in den Ragnarök den Weltfeinden zum Angriff

Nanna (anord., Etymologie unsicher) Frau des Gottes Balder; bei dessen Tod bricht ihr das Herz, sie wird mit ihm verbrannt

Narfi Sohn Lokis

Naudung Herzog im Dienste Etzels

Nibelung Sohn des Königs der Nibelungen, Bruder von Schilbung

Nibelungen ›Nebelland‹ im Norden, aus dem der sagenhafte Hort stammt. Der Name wird später auf die Burgunden übertragen

Nidhögg (anord. *Niðhǫggr* ›Der grimmig Hackende‹) leichenfressender Drache, wohnt unter einer der Wurzeln der Weltenesche Yggdrasill

Nidung König, an dessen Hof Wieland der Schmied wirkt

Niflheim (anord. *Niflheimr* ›Die dunkle Welt, Nebelwelt‹) eisige Welt im Norden, Gegensatz zu Muspellsheim im Süden

Njörd (anord. *Njǫrðr*, wahrscheinl. ›Kraft‹) Vanengott der Fruchtbarkeit und Schifffahrt, Vater der Geschwister Frey und Freyja, heiratet das Riesenmädchen Skadi

Noatun (anord., ›Schiffsplatz‹) Wohnort von Njörd

Nornen (anord. *norn* ›Die Raunende‹, Pl. *nornar*) Schicksalsfrauen, auch Schicksalsgöttinnen genannt; am Brunnen der Urd bei der Weltenesche wirken drei Nornen: Urd bestimmt die Vergangenheit, Verdandi die Gegenwart, Skuld die Zukunft; außerdem gibt es zahlreiche andere Nornen

Od (anord. *odr*) Mann der Freyja

Oda 1. Frau Hildebrants, Mutter von Hadubrant; 2. Frau Biterolfs, Mutter von Dietleib

Odilia Frau Sifkas

Odin (anord. *Oðinn* ›Wut‹ oder ›Verstand‹) Vater der Asengötter (im Deutschen *Wodan*), sein Großvater ist Buri als Stammvater der Götter, sein Vater Burr oder Borr. Odins Brüder sind Vili und Vé, seine Söhne u.a. Thor, Balder und Tyr; seine Frau ist Frigg. Odin ist der Gott des Krieges, der Dichtkunst, der Runen und der Toten

Ortlieb Sohn Kriemhilds mit Etzel

Ortwin Sohn Etzels mit Helche

Ortwin von Metz Neffe Hagens, am Hofe der Burgunden

Otwin Sohn König Nidungs

Pilgrim Bischof von Passau, Bruder Utes, Onkel Kriemhilds und ihrer Brüder

Raben sagenhafter Ort, historisch Ravenna; dort trug sich die Rabenschlacht der Sage zu

Ragnarök (anord. *ragnarǫk*, Pl., ›Götterschicksal‹, auch ›Götteruntergang‹ aus *ragna* und *rǫk*, später fälschlich aufgefasst als *ragnarøkkr* ›Götterdämmerung‹) Weltuntergang, letzter Kampf der Götter gegen die Weltfeinde

Ran (anord., Etymologie umstritten) Frau des Meeresgottes Ägir, sammelt in einem Netz die im Meer Ertrunkenen

Ratatosk (anord. *Ratatoskr* ›Nagezahn, Bohrerzahn‹) Eichhörnchen, läuft am Stamm der Weltenesche auf und nieder, schürt Streit zwischen dem Adler in den Zweigen und Nidhögg unter einer Wurzel

Rati (anord., ›Bohrer‹) Bohrer auf der Suche nach dem Met

Regin (anord. *Reginn* ›Der Mächtige‹) 1. Schmied, bei dem nach altnordischer Überlieferung Siegfried aufwächst, Bruder Fafnirs; 2. Bote König Nidungs

Reginbald 1. Herzog von Venedig, Vater Hildebrants; 2. Sohn König Ermrichs

Reinald Gefolgsmann Dietrichs von Bern und Ermrichs

Riesen Urbewohner der Welt, von ihnen stammen die Götter ab; es gibt böse Riesen wie die Thursen und Trolle, aber auch weise Riesen wie Vafthrudnir

Rig (anord. *Rígr*, air. *rig* ›König‹) Name, unter dem sich Heimdall in die Menschenwelt begibt und die Stände schafft

Rimstein Herzog auf Burg Gerimsheim

Rind (anord. *Rindr*, etymologisch verschieden deutbar) Königstochter; Odin zeugt mit ihr Vali, den Rächer Balders und Töter Höds

Ring Neffe des Königs Harald Kampfzahn und dessen Kriegsgegner

Rispe Pferd Heimes

Röskva (anord. *Rǫskva* ›Die Mutige, Tüchtige‹) Schwester von Thjalfi, dem Diener Thors

Rüdeger von Bechlaren Markgraf Etzels an der Donau, im heutigen Pöchlarn

Rumold Küchenmeister am Hofe der Burgunden

Rumung Herzog der Walachen, in Etzels Diensten

Runen (anord. *rún* ›Geheimnis, Zauberzeichen‹) germanische Schrift- und Symbolzeichen, vor allem zur Wikingerzeit. Odin gilt als Erfinder und Gott der Runen

Runga Bannerträger Witeges

Sährimnir (anord. *Sæhrimnir*, verschieden ableitbar) Eber in Walhall, von dessen Fleisch täglich die Einherjer gespeist werden

Samson Sohn König Ermrichs

Saumtiere Pferde zum Tragen von Lasten

Schilbung Bruder Nibelungs im Nibelungenland

Schlagfider Bruder Wielands

Schwämmel Spielmann Etzels, einer seiner beiden Werber um Kriemhild

Schwertleite festliche, mit einem Eid verbundene Verleihung des Schwertes; junge Recken wurden mit dieser Zeremonie für wehrhaft und mündig erklärt

Seid (anord. *seidr* ›Zauber‹) besondere Magie

Siegfried 1. König von Xanten am Rhein und Herr der Nibelungen, anord. *Sigurðr*, von Odin abstammend; 2. Sohn von Gunter und Brünhild in Worms

Sieglind Mutter Siegfrieds, Königin in Xanten

Siegmund König in Xanten am Rhein, Vater Siegfrieds

Sif (anord. ›Verwandte‹) Asin, Thors Frau, besitzt langes goldblondes Haar

Sifka Ratgeber König Ermrichs; mhd. *Sibich*

Sigelint eine der beiden Meerfrauen an der Donau, die Hagen weissagen

Sigi Urgroßvater Siegfrieds, soll ein Sohn Odins sein

Sigrun (anord. *Sigrune*) Walküre

Sigstadt Neffe Dietrichs von Bern

Sigstaf Räuber, gegen den Witege kämpft

Sigurd (anord. *Sigurðr*, von *sigr* ›Sieg‹) Held in der nordischen Mythologie, Töter des Drachen Fafnir

Sigyn (anord. *sigr* ›Sieg‹) Asengöttin, Lokis Frau

Sindold Mundschenk am Hofe der Burgunden

Sindri (anord. *sindr* ›Sinter, Schlacke‹) Zwerg und kunstfertiger Schmied, schafft den Eber Gullinborsti, den Ring Draupnir und den Hammer Mjöllnir

Sintram ranghöchster Zwerg nach König Laurin, von Dietrich als Vogt eingesetzt

Skadi (anord. *Skaði*, verschieden deutbar) Tochter des Riesen Thjazi, Frau des Gottes Njörd, Göttin der Jagd und des Schilaufes

Skemming Pferd Wielands, später seines Sohnes Witege; Bruder Rispes

Skidbladnir (anord. *Skiðblaðnir*) Schiff des Gottes Frey, das beste aller Schiffe

Skirnir (anord., ›Der Strahlende‹) Gefährte und Diener des Vanengottes Frey, dem er Gerd zu gewinnen hilft

Skjöld (anord. Skjöldr ›Schild‹) Sohn Odins, Ahnherr des Geschlechtes der Skjöldungen

Sköll (anord. *skǫll* ›Spott‹) grimmiger Wolf, jagt die Sonne

Skrymir (anord., ›Prahler‹) Riese, andere Gestalt des Riesen Utgard-Loki

Sleipnir (anord., ›Der rasch Gleitende‹) Odins achtbeiniges Pferd, gezeugt von Loki als Stute mit dem Hengst Svadilfari des Riesenbaumeisters

Sol (anord., ›Sonne‹) Sonne

Starkad (anord. *Starkaðr*) von Odin bevorzugter Held, vollzieht die Opferung Vikars für Odin

Studas Familie Heimes

Studfuß Räuber, gegen den Witege kämpft

Surt (anord. *Surtr* ›Der Schwarze‹) Feuerriese, im Erdinnern hausend, bei den Ragnarök ein Hauptgegner der Götter

Suttung (anord. *Suttungr*, Etymologie unklar) Riese, dem Odin den Dichtermet raubt

Svadilfari (anord. *Svaðilfari* ›Der eine unheilvolle Fahrt macht‹) Hengst jenes Riesen, der den Göttern den Burgwall baut (Riesenbaumeister)

Tanngnostr (anord., ›Zähneknirscher‹) einer von Thors Böcken

Tanngrisnir (anord., ›Zahnknisterer‹) einer von Thors zwei Böcken

Tarnkappe mantelähnlicher Umhang mit Kapuze, macht den Träger unsichtbar und verleiht ihm Zwölfmännerkraft

Thing (anord. *þing* ›Versammlung‹) gesetzgebende Versammlung der freien Männer

Thjalfi (anord. *Þjálfi*, etymologisch unklar) Thors Gefährte und Diener, gilt als schnellster Läufer

Thjazi (anord. *Þjazi*, etymologisch verschieden deutbar) Riese, Vater von Skadi, raubt in Adlergestalt Idun mit ihren Äpfeln der Jugend

Thökk (anord. *Þǫkk* ›Dank, Lohn‹) Riesin, verweigert nasse Tränen, die nötig wären, um Balder aus der Hel zurückzuweinen

Thor (anord. *Þórr*, ältere Form *þunarr*, ahd. *donar* ›Donner‹) Gewittergott, erster Sohn Odins, stärkster Ase, besonderer Freund der Menschen; er verteidigt mit seinem Hammer Mjöllnir Midgard und Asgard gegen die Riesen

Thrudheim (anord. *Thruðheimr* ›Kraftheim‹) Wohnsitz Thors

Thrym (anord. *þrymr* ›Lärm‹) ein König der Riesen, der Thors Hammer raubt und später von ihm erschlagen wird

Thrymheim (anord. *þrymheimr*) Wohnstätte von Thjazi und seiner Tochter Skadi

Thurs, Pl. Thursen (anord. *þurs* ›Riese, Unhold‹) besonders bösartige Riesen, ähnlich den Trollen; als gefährlichste galten die Hrimthursen, die Reifriesen

Troll (anord., ›Unhold‹) bösartiger Riese; manche besitzen Zauberkräfte

Tŷr (anord., ahd. *Ziu*, germ. **Tiwaz*, griech. *Zeus*, lat. *Jupiter*) Himmels- und Kriegsgott, auch Gott des Rechts; er lässt sich, um den Fenriswolf fesseln zu können, von diesem die rechte Hand abbeißen

Ulfhard Bannerträger Rüdegers von Bechlaren

Urd (anord. *urðr* ›Unglück, Schicksal‹) Norne, bestimmt das Schicksal, auch Schicksalsgöttin genannt

Ute verwitwete Königin der Burgunden, Mutter von Kriemhild, Gunter, Gernot und Giselher sowie von Hagen

Utgard (anord. *Útgarðr* ›Welt außerhalb‹) Gebiet außerhalb der von Menschen (Midgard) und Göttern (Asgard) bewohnten Welten; Wohnort der Riesen und Trolle

Utgard-Loki Riese, narrt an seinem Hof durch Sinnestäuschungen Thor und dessen Gefährten

Vafthrudnir (anord. *Vafþrúðnir* ›kräftig im Verwickeln‹) Riese, sehr alt und weise, führt mit Odin einen Wissenswettstreit und unterliegt

Vali (anord., Etymologie unklar) 1. Sohn Odins und Rinds, rächt Balder; 2. Sohn Lokis

Vanen (anord. *Vanir*, etymologisch vieldeutig) zweites Göttergeschlecht (neben den Asen) in der germanischen Mythologie, vor allem Fruchtbarkeitsgottheiten. Stammvater ist Njörd, sein Sohn ist Frey und seine Tochter Freyja. Nach dem Krieg mit den Asen kommt es zu dauernder Versöhnung mit ihnen

Vē (anord., ›Heiliger Ort‹) Odins Bruder

Vegtam (anord. *Vegtamr* ›Der Reisegewohnte‹) Name, unter dem Odin die Seherin Völva nach dem Schicksal Balders befragt
Vidar (anord. *Viðarr* ›Der Weitherrschende‹) Sohn Odins; nach dessen Tod rächt er den Vater und tötet den Fenriswolf
Vikar (anord. *Vikarr* ›Der mit dem Weihehaar‹) norwegischer König, wird mit Starkads Hilfe dem Odin geopfert
Vili (anord., ›Wille‹) einer der beiden Brüder Odins
Völsung anord. Name für Siegfrieds Großvater
Völsungen Königsgeschlecht, von Völsung und Odin abstammend
Völva (anord. *Vǫlva* ›Stabträgerin‹) Wahrsagerin, von Odin nach der Deutung von Balders Träumen befragt
Volker von Alzey Recke und Spielmann am Hofe der Burgunden
Waberlohe (anord. *vafrlogi* ›unstet flackerndes Feuer‹) Flammenwall zum Schutz um Wohnstätten, besonders von Jungfrauen
Wade Riese, Vater von Wieland dem Schmied
Wärbel Spielmann Etzels, wirbt für ihn mit Schwämmel um Kriemhild
Walhall (anord. *Valhǫll* ›Die Wohnung der Gefallenen‹) in der Halle sammelt Odin die Einherjer für den letzten Kampf gegen die Weltfeinde
Walküre (anord. *valkyrja* ›Die die Toten auswählt‹) Frau, die nach Odins oder eigenem Willen Tote vom Schlachtfeld für Walhall auswählt
Walter von Spanien Jugendgefährte Hagens aus seiner Zeit am Hofe Etzels
Walter von Wasgenstein Neffe König Ermrichs, in dessen Dienst
Waske Schwert Irings
Wieland berühmtester Schmied am Hofe Nidungs, tötet dessen Söhne und entkommt mit einem Flughemd aus Federn
Wild-Ewer Recke Dietrichs von Bern
Wimur Fluss, den Thor durchschreitet
Witege Sohn Wielands, Gefährte Dietrichs von Bern, später Heerführer in Ermrichs Dienst
Wolfhart Neffe Hildebrants, in Dietrich von Berns Gefolge
Wolfwin von Amelungen Verwandter Dietrichs von Bern, in dessen Gefolge
Yggdrasill (anord., ›Eibensäule‹ oder ›Schreckenspferd‹, gemeint ist der Baum, an den sich Odin selbst hängt) Weltenesche, Weltenbaum, Versammlungsstätte der Götter
Ymir (anord., ›Zwilling, Zwitter‹) Urwesen, zweigeschlechtlich. Die ersten Götter töteten es und bauten daraus die Welten

Literaturhinweise

Göttersagen

Ausgaben

Edda. Die Lieder des Codex regius nebst verwandten Denkmälern. Hrsg. von Gustav Neckel. Bd. 1: Text. 4., umgearb. Aufl. von Hans Kuhn. Heidelberg 1962. – Bd. 2: Kurzes Wörterbuch. Von Hans Kuhn. 5., verb. Aufl. Ebd. 1983.

Snorra Sturlusonar Edda. [Hrsg. und bearb. von] Finnur Jónsson. Kopenhagen 1931.

Die Lieder der Edda. Hrsg. von Barend Sijmons und Hugo Gering. Bd. 3: Kommentar. Halle 1927.

Baetke, Walter: Wörterbuch zur altnordischen Prosaliteratur. Berlin [5]1993.

Vries, Jan de: Altnordisches etymologisches Wörterbuch. Leiden 1962.

Übersetzungen

Edda. Übertr. von Felix Genzmer. Einl. und Anm. von Andreas Heusler und Felix Genzmer. 2 Bde. Jena 1912–20. (Thule. 1. 2.) – Neuausg. Düsseldorf/Köln 1963.

Die Edda. Götterdichtung, Spruchweisheit und Heldengesänge der Germanen. Übertr. von Felix Genzmer. Eingel. von Kurt Schier. München 1992.

Die Götterlieder der Älteren Edda. Auswahl. Nach der Übers. von Karl Simrock neu bearb. und eingel. von Hans Kuhn. Stuttgart 1960. – Neuausg. Ebd. 1991.

Die jüngere Edda. Übertr. von Gustav Neckel und Felix Niedner. Jena 1925. (Thule. 20.) – Neuausg. Düsseldorf/Köln 1966.

Gylfaginning / Snorri Sturluson. Texte, Übers., Komm. von Gottfried Lorenz. Darmstadt 1984.

Isländersagas. Übertr. und hrsg. von Rolf Heller. 2 Bde. Leipzig 1982.

Die Edda des Snorri Sturluson. Ausgew., übers. und komm. von Arnulf Krause. Stuttgart 1997.

Nachschlagewerke

Kulturhistorisk leksikon for nordisk middelalder. 22 Bde. Kopenhagen 1956–78.

Reallexikon der Germanischen Altertumskunde. Begr. von Johannes Hoops. 2., neu bearb. und erw. Aufl. Hrsg. von Herbert Jankuhn [u.a.] Bd. 1–35.

Berlin / New York 1973–2007. [Bis 2011 mit 62 Erg.-Bdn.] – Register-Bde. 1 und 2. Ebd. 2008.
Hauck, Karl: Brakteatenikonologie. In: Ebd. Bd. 3. 1978. S. 361–401.
Schier, Kurt: Edda, Ältere. In: Ebd. Bd. 6. 1986. S. 355–394 [über die *Lieder-Edda*].
Weber, Gerd Wolfgang: Edda, Jüngere. In: Ebd. Bd. 6. 1986. S. 394–412 [über die *Snorra Edda*].
Simek, Rudolf: Lexikon der germanischen Mythologie. 3., völlig überarb. Aufl. Stuttgart 2006. [Mit umfangreichen Literaturhinweisen.]
– / Pálsson, Hermann: Lexikon der altnordischen Literatur. 2., wesentlich verm. und überarb. Auflage. Stuttgart 2007.

Forschungsliteratur

Baetke, Walter: Kleine Schriften. Geschichte, Recht und Religion im germanischen Schrifttum. Hrsg. von Kurt Rudolph und Ernst Walter. Weimar 1973.
Dumézil, Georges: Loki. Aus dem Frz. übers. von Inge Köck. Darmstadt 1959.
Grimm, Jacob: Deutsche Mythologie. Göttingen 1835. – Nachdr. 3 Bde. Frankfurt a.M. / Berlin / Wien 1981.
Nordal, Sigurdur (Hrsg.): Völuspá. Hrsg. und komm. von S. N. Aus dem Isländ. übers. von Ommo Wilts. Darmstadt 1980.
Simek, Rudolf: Religion und Mythologie der Germanen. Darmstadt 2003.
Ström, Åke V.: Germanische Religion. In: Å. V. S. / Harald Bieznis: Germanische und Baltische Religion. Stuttgart 1975. (Die Religionen der Menschheit. 19,1.)
Uecker, Heiko: Geschichte der altnordischen Literatur. Stuttgart 2004.
Vries, Jan de: Altgermanische Religionsgeschichte. 2 Bde. Berlin 1956–57.
– Altnordische Literaturgeschichte. 2 Bde. Berlin 1964–67.
Weber, Gerd Wolfgang: Wyrd. Studien zum Schicksalsbegriff der altenglischen und altnordischen Literatur. Bad Homburg / Berlin / Zürich 1969.

Heldensagen

Ausgaben

Edda. Die Lieder des Codex regius nebst verwandten Denkmälern. Hrsg. von Gustav Neckel. Bd. 1: Text. 4., umgearb. Aufl. von Hans Kuhn. Heidelberg 1962. – Bd. 2: Kurzes Wörterbuch. Von Hans Kuhn. 5., verb. Aufl. Ebd. 1983.

Vǫlsunga saga ok Ragnars saga loðbrókar. Udgivet for Samfund til udgivelse af gammel nordisk litteratur ved Magnus Olsen. 1. hæfte. København 1906.
Saga Didriks konungs af Bern. Udgivet af C. R. Unger. Christiania 1853.
Deutsches Heldenbuch. Tl. 1. Hrsg. von Oskar Jänicke. Biterolf und Dietleib, Laurin und Waberlin. Berlin 1866. – Tl. 2. Hrsg. von Ernst Martin. Alpharts Tod, Dietrichs Flucht und Rabenschlacht. Ebd. 1866. – Tl. 5. Hrsg. von Julius Zupitza. Dietrichs Abenteuer. Berlin 1870.
Das Nibelungenlied. Zweisprachig. Hrsg. und übertr. von Helmut de Boor. Leipzig 1959.
Das Nibelungenlied. Mittelhochdeutscher Text und Übertragung. Hrsg., übers. und mit einem Anh. von Helmut Brackert. 2 Tle. Frankfurt a. M. 1995.
Das Nibelungenlied. Mhd./Nhd. Nach dem Text von Karl Bartsch und Helmut de Boor ins Neuhochdeutsche übers. und komm. von Siegfried Grosse. Durchges. und verb. Ausgabe Stuttgart 2002.
Das Nibelungenlied. Mhd./Nhd. Nach der Handschrift B hrsg. von Ursula Schulze. Ins Nhd. übers. und komm. von Siegfried Grosse. Stuttgart 2010.

Baetke, Walter: Wörterbuch zur altnordischen Prosaliteratur. 5. Aufl. Berlin 1993.
Matthias Lexer: Mittelhochdeutsches Taschenwörterbuch. 38. Aufl. Stuttgart 1992.

Übersetzungen

Die Heldenlieder der Älteren Edda. Übers., komm. und hrsg. von Arnulf Krause. Stuttgart 2001.
Nordische Nibelungen. Die Sagas von den Völsungen, von Ragnar Lodbrog und Hrolf Kraki. Übertr. von Paul Hermann. München 1993.
Die Geschichte Thidreks von Bern. Übertr. von Fine Erichsen. Jena 1924. (Thule. 22.)

Forschungsliteratur

Zur germanisch-deutschen Heldensage. Hrsg. von Karl Hauck. Darmstadt 1961. (Wege der Forschung. 14.)
Europäische Heldendichtung. Hrsg. von Klaus von See. Darmstadt 1978. (Wege der Forschung. 500.)
Heldensage und Heldendichtung im Germanischen. Hrsg. von Heinrich Beck. Berlin / New York 1988. [Mit umfangreichen Literaturhinweisen.]

Germanische Religionsgeschichte. Quellen und Quellenprobleme. Hrsg. von Heinrich Beck [u.a.]. Berlin / New York 1992.

Brackert, Helmut: Nibelungenlied und Nationalgedanke. Zur Geschichte einer deutschen Ideologie. In: Mediaevalia litteraria. Festschrift für Helmut de Boor. Hrsg. von Ursula Hennig und Herbert Kolb. München 1971.

Curschmann, Michael: »Nibelungenlied« und »Klage«. In: Die deutsche Literatur des Mittelalters. Verfasserlexikon. 2. Aufl. Bd. 6. Berlin / New York 1987. Sp. 926–969.

Düwel, Klaus: Hildebrandslied. In: Die deutsche Literatur des Mittelalters. Verfasserlexikon. 2. Aufl. Bd. 3. Berlin / New York 1981. Sp. 1240–56.

Ehrismann, Otfrid: Nibelungenlied. Epoche – Werk – Wirkung. München 1987.

Gschwantler, Otto: Zeugnisse der Dietrichsage in der Historiografie von 1100 bis gegen 1350. In: Heldensage und Heldendichtung im Germanischen. Hrsg. von Heinrich Beck. Berlin / New York. 1988. S. 35–80.

Heinzle, Joachim: Das Nibelungenlied. München/Zürich 1987.

– Die Nibelungen. Lied und Sage. Darmstadt 2005.

Höfler, Otto: Theoderich der Große und sein Bild in der Sage. In: O. H.: Kleine Schriften. Hrsg. von Helmut Birkhan. Hamburg 1992. S. 393–416.

Kaiser, Gerd: Deutsche Heldenepik. In: Neues Handbuch der Literaturwissenschaft. Bd. 7: Europäisches Hochmittelalter. Hrsg. von Henning Krauss. Wiesbaden 1981. S. 181–205.

Kuhn, Hugo: »Dietrichs Flucht« und »Rabenschlacht«. In: Die deutsche Literatur des Mittelalters. Verfasserlexikon. 2. Aufl. Bd. 2. Berlin / New York 1980. Sp. 116–127.

Marold, Edith: Wandel und Konstanz in der Darstellung der Figur des Dietrich von Bern. In: Heldensage und Heldendichtung im Germanischen. Hrsg. von Heinrich Beck. Berlin / New York 1988. S. 149–182.

Rosenfeld, Hellmut: Dietrichdichtung. In: Reallexikon der Germanischen Altertumskunde. 2. Aufl. Bd. 5. Berlin / New York 1984. S. 430–442.

Schröder, Franz Rolf: Mythos und Heldensage. In: Zur germanisch-deutschen Heldensage. Hrsg. von Karl Hauck. Darmstadt 1961. (Wege der Forschung. 14.) S. 285–315.

Schulze, Ursula: Nibelungenlied. In: Deutsche Dichter. Hrsg. von Gunter E. Grimm und Frank Rainer Max. Bd. 1. Stuttgart 1989 [u.ö.]. (Reclams Universal-Bibliothek. 8611.) S. 142–163.

See, Klaus von: Was ist Heldendichtung? In: Europäische Heldendichtung. Hrsg. von Klaus von See. Darmstadt 1978. (Wege der Forschung. 500.) S. 1–38.

Vries, Jan de: Heldenlied und Heldensage. München 1961.
Vries, Jan de: Theoderich der Große. In: J. de V.: Kleine Schriften. Hrsg. von Klaas Heeroma und Andries Kylstra. Berlin 1965. S. 77–88.
Wisniewski, Roswitha: Mittelalterliche Dietrichdichtung. Stuttgart 1986.

Nachwort

Ursprünglich wurde germanische Dichtung mündlich überliefert; die Runen, vor allem magischen Zwecken dienend, enthalten kaum eine schriftliche Zeile Poesie; die fehlt wohl auch aus der Zeit der gotischen Bibelübersetzung. Das althochdeutsche *Hildebrantslied* und der altenglische *Beowulf* sind älteste Handschriften germanischer Heldensagen. Göttermythen sind aus diesem Raum nicht überkommen; mit der Christianisierung wurden sie im deutschen Sprachgebiet am radikalsten ausgelöscht. Während die Missionierung der Germanenstämme durch die Goten – ihr Arianismus kam heidnischen Vorstellungen entgegen – und später die süddeutscher Stämme weitgehend gewaltfrei verlief, musste Karl der Große mehrere Kriege führen, um die Sachsen zu unterwerfen. Im Jahre 772 ließ er die heilige Säule Irminsul zerstören und zehn Jahre später an der Aller, so wird berichtet, 4500 Sachsen hinrichten, auch deshalb, weil sie ihren alten Göttern nicht abschwören wollten.

Aufgrund historischer, sozialer und geographischer Besonderheiten Islands erhielt sich auf der Insel germanische Dichtung am längsten; germanische Götterlieder sind nur hier überliefert. In den *Edda*-Texten und Sagas stehen auch frühe Heldenlieder des Nibelungenkreises, der Wielandsage und der Dietrichdichtung. Die Götter- und Heldensagen dieser Ausgabe gründen sich auf diese Quellen.

Dänemark und Norwegen wurden durch Königsmacht christianisiert. Auf Island, zwar abgelegen, aber in regen Kontakten zu den Nachbarn, bestand noch das altgermanische Gemeinwesen: das Althing entschied alle wichtigen Angelegenheiten. Eine zentrale staatliche Macht fehlte. Der norwegische König Olaf Tryggvason nahm kurz vor der Jahrtausendwende Isländer, die in Norwegen an Land gingen, als Geiseln, um auch auf diese Weise den Inselfreistaat zur Annahme des Christentums zu zwingen. Zahlreiche Isländer hatten durch Handelsfahrten in christliche Nachbarländer ihren alten Glauben verloren oder zweifelten ihn an. Auf der Insel drohte auf dem Althing im Jahre 1000 ein bewaffneter Zusammenstoß zwischen Anhängern des traditionellen und des neuen Glaubens. Dem Rat des Gesetzessprechers der Isländer ist es zu danken, dass die Gegner auf diesem Althing um des Friedens und der Einigkeit ihres Landes willen einen Vergleich schlossen. Sie nahmen zwar das Christentum an, aber durften heimlich weiter ihren alten Göttern opfern. Kindesaussetzung Neugeborener und Pferdefleischessen blieben erlaubt.

Während in Deutschland neben dem Althochdeutschen und Altsächsischen eine Zeitlang das Lateinische Literatursprache war, riss in Island der Strom der altnordischen Dichtung nicht ab. Geschichten von Göttern und anderen mythischen Gestalten, Alfen, Riesen und Zwergen, wurden auch in christlicher Zeit über Jahrhunderte hin weitererzählt. Weder das Latein als Kirchensprache noch das Zölibat der oft von Goden abstammenden Bischöfe setzte sich durch. So konnten insbesonders im 13. Jahrhundert viele Mythen und Sagen in der Volkssprache aufgezeichnet werden – in einer Blütezeit europäischer Kultur, als das *Nibelungenlied* auf Mittelhochdeutsch niedergeschrieben wurde und Walther von der Vogelweide dichtete. Die Isländer haben zudem eine ungewöhnlich lebendige Dichtertradition, die bis heute weiterwirkt.

I

Die germanischen Stämme bildeten zwar keinen festen Verband (Kulte und Mythen entwickelten sich räumlich und zeitlich verschieden), aber nach vergleichenden Untersuchungen überwogen bis zum Eindringen des Christentums bestimmte Gemeinsamkeiten der Nordgermanen und der Stämme auf dem Festland. Nach Baetke dürfen wir – auch wenn neuerdings Einwände zunehmen – eine gewisse innere Einheitlichkeit des germanischen Geisteslebens (ebenso wie der Sprache) historisch für genügend erwiesen halten.[1] Das gilt für den Kern des Götterpantheons und den Gebrauch der Runen. Folglich sind die Mythen der Nord- und die der mitteleuropäischen Germanen verwandt.

Vom nordischen Odin lässt sich auf Wodan schließen, vom nordischen Thor auf Donar. Bei Frigg und Freyja erhielt sich im Grunde die Namensgleichheit. Die Göttererzählungen der Germanen-Stämme auf deutschem Gebiet waren wahrscheinlich roher

1 Vgl. Walter Baetke, »Das objektive Moment in der germanischen Religion«, in: W. B., *Kleine Schriften*, S. 44–55.

im Vergleich zu jenen in den späteren nordischen Mythen, die nach unserer Kenntnis als reifste Ausgestaltung der germanischen Mythologie angesehen werden können.

Eine der beiden umfassendsten Quellen der nordischen Mythologie ist die *Snorra Edda,* das vom Isländer Snorri Sturluson um 1220 verfasste Dichterlehrbuch (in vier Haupt-Handschriften überliefert), in dessen erstem Teil »König Gylfis Blendung« (»Gylfaginning«) die Welt und ihre Götter vom Anfang bis zu ihrem Untergang beschrieben werden. In diesem Prosatext werden einzelne Strophen aus Liedern zitiert, die 1643 in einer Handschrift erstmals wieder aufgefunden wurden. Diese heute *Lieder-Edda* genannte Sammlung von Götter- und Heldenliedern wurde in der zweiten Hälfte des 13. Jahrhunderts aufgezeichnet. Die Stoffe reichen einige Jahrhunderte zurück, wurden mündlich überliefert und umgeformt. Einzelne Strophen und Splitter mögen aus dem 9. oder gar 8. Jahrhundert stammen. Mythische Erzählungen finden sich ebenfalls in Snorris *Heimskringla* (*Weltkreis*), einem Werk über frühe norwegische Geschichte. Zu den wichtigsten Quellen gehören außerdem: die Dichtung der Skalden, die Sagas, die lateinischen *Gesta Danorum* über frühe dänische Geschichte, verfasst von Saxo Grammaticus (um 1140 – um 1220), Zeugnisse aus der Römerzeit wie Tacitus' *Germania,* Schriften über die Christianisierung wie die Viten der Bekehrer oder Adams von Bremen lateinisch geschriebene *Geschichte der Hamburgischen Kirche* (1072–76). Immer bedeutsamer werden archäologische Funde wie Grabstätten, Bilddenkmäler, Goldbrakteaten, Runensteine, Felszeichnungen, Moorleichen. Ortsnamen und andere Quellen können außerdem herangezogen werden.

Snorri Sturluson verdanken wir eine gewisse, wenn auch lückenhafte Systematisierung der mythologischen Überlieferung von der Entstehung der Welt bis zum Untergang der germanischen Götter, jedenfalls für Island im 13. Jahrhundert.

Neben dem wahrscheinlich älteren Göttergeschlecht der Vanen, Fruchtbarkeitsgottheiten, lebt und wirkt das größere Geschlecht der Asen, vornehmlich als Götter des Krieges und der Herrschaft gedeutet. Die Asen wohnen in Asgard, ehemals als hoher Berggipfel, später als Himmel gedacht, ähnlich wie in einer großen Familie. Frigg, die Frau des Asen-Göttervaters Odin, ist Beschützerin der Frauen und der Liebenden. Odin hat mit ihr den Sohn Balder, Gott des Lichtes und Frühlings, den schönsten und edelsten Asen. Er und damit die Welten sind gefährdet durch die Mächte der Zerstörung, vor allem durch die Riesen. Loki, der zwiespältige Riesensohn, gilt als Vater der drei Weltfeinde, des Fenriswolfes, der Midgardschlange und der Hel. Er wird in die Gemeinschaft der Götter aufgenommen und später zum Anstifter von Balders Tod. Odin kennt die Gefahr, weiß aber nicht, wann die Weltfeinde angreifen werden. Das ist den Nornen vorbehalten. Trotz großer Taten gelingt es den Asen nicht, den Untergang der Welt abzuwenden. Es kommt zu den Ragnarök, dem Götteruntergang, fälschlich auch als ›Götterdämmerung‹ verstanden.

Adam von Bremen berichtete um die Jahrtausendwende aus Uppsala über Götterbilder von Thor, dem ersten Sohn Odins, als dem mächtigsten Gott zwischen Odin und Frey. Der Mehrheit des Volkes galt Thor als Hauptgott und Ase schlechthin. Mit seinem Hammer Mjöllnir straft er die Feinde der Welt und der Menschen, weiht Ehen und Verträge, schenkt durch Gewitter Fruchtbarkeit. Viele Ortsnamen bezeugen die Verehrung Thors, jedoch wenige die Odins. Während man den arglosen Thor für den besten Freund der Menschen hielt, galt Odin vielen als heimtückisch und undurchschaubar. Er ist Gott der Dichtung und Herr des Krieges. Im Kampf gegen die Vanen warf Odin als erster seinen Speer Gungnir und brachte so den ersten Krieg in die Welt. Im *Harbard-Lied* verspottet Odin in Gestalt eines Fährmannes Thor, der mit zerfetzten Hosen und seinem Tragkorb von seinem Vater nicht übergesetzt wird. Walhall, Odins Halle der gefallenen Krieger (in der *Völuspá*, dem frühen, etwa zwischen 950 und 1000 entstandenen wichtigsten Gedicht der *Lieder-Edda* nicht näher beschrieben), wird später von den Skalden, den Dichtern an den Höfen der Herrscher, als Paradies der Helden besungen.

Doch Odin darf nicht in erster Linie als Verderber der Welt gedeutet werden. Er leistet einen Sommer lang die Arbeit von neun Knechten, um den Göttern den Dichtermet zurückzuholen, opfert ein Auge, um mehr Weisheit zu gewinnen und den Bestand der Welt zu sichern. Die Krieger in Walhall sammelt er für die Verteidigung gegen die Weltfeinde.

Die Grundinhalte vieler nordischer Mythen dürften in eine sehr frühe Zeit zurückreichen. Die Gestalt Balders entspringt nicht (wie manchmal behauptet) christlichem Einfluss, sondern ist, wie Haucks Brakteatenforschung nachzuweisen vermag, ein alter germanischer Mythos aus der Völkerwanderungszeit. Der Konflikt zwischen Loki und Balder stammt sogar, wie Dumézil zeigen konnte, aus indogermanischer Zeit; er fand bei den Osseten, einem kaukasischen Bergvolk, einen parallelen Mythos.

Als die Mythen in Island aufgezeichnet wurden, bestand dort das Christentum bereits seit über 200 Jahren, und auch der vorurteilsfreieste Chronist war Christ oder christlich gebildet. Schon die mündliche Überlieferung war seit dem 9. Jahrhundert, vor allem über Irland und England, christlichen Einflüssen ausgesetzt gewesen. In den ersten Jahrhunderten nach der Jahrtausendwende wurden nur Benediktiner- und Augustinerklöster errichtet; Benediktiner befassten sich intensiv mit Geschichte auch vor dem Christentum und waren für Überliefertes aus der Vergangenheit offen; darauf weist Kurt Schier ausdrücklich hin.[2] Und Heiko Uecker hebt den Einfluss der irischen Kirche hervor, deren Mission sanfter war als die der römischen Kirche.[3] Trotzdem wird christliches Gedankengut gewirkt haben. So schrieb Snorri beispielsweise von Odin als Allvater, von einem höchsten und reinsten Ort Gimlé, einer Art Himmel, und gab dem Totenreich, obwohl es bei den Germanen kein Strafort war, Züge der christlichen Hölle mit Qualen. Nach einer Umfrage glauben aber noch um 1995 über 50 % aller Isländer an Elfen. Aus dem bis heute dort verbreiteten Glauben an Geister und Seeungeheuer darf vielleicht auch auf den an Heidnisches vor über 800 Jahren geschlossen werden.

In Deutschland kam es Anfang des 19. Jahrhunderts (zur Zeit der Romantik) zu einer umfassenden Beschäftigung mit der germanischen Mythologie. Erste *Edda*-Übersetzungen inspirierten Wagner für seine Opern. In der Zeit des nationalen Überschwanges der Deutschen und besonders im Nationalsozialismus wurde bei der Rezeption germanischer Mythen der Kampf und das Machtstreben der Götter überbetont. Dem dienten statt *Edda*-Überset-

2 Einleitung zu der von Felix Genzmer übersetzten *Edda*-Ausgabe, München 1992, S. 19.

3 Heiko Uecker, *Geschichte der altnordischen Literatur*, S. 16.

zungen vorwiegend populäre Schriften. Bis heute konnte die germanische Mythologie von dieser ideologischen Belastung nicht gänzlich befreit werden. Die vorurteilsfreie Rückkehr zu den Quellen ist unerlässlich. Dabei ist die Rezeption der nordischen Mythologie vor allem in Island zu berücksichtigen.

Viele christliche Chronisten und spätere Interpreten neigten dazu, der Götterwelt die eigene duale Sicht überzustülpen, die Gestalten in gute und böse zu scheiden. Aber nach nordischen Quellen sind beispielsweise die Riesen nicht von Anfang an dumm und böse. Es gibt sehr alte, weise Riesen wie Vafthrudnir. Und viele Riesen werden nur durch den Eidbruch der Götter zu Feinden. Loki gerät durch sein produktives Draufgängertum in Konflikte und wird erst im Handlungsverlauf zum Verderber. Zwischen Riesen und Göttern besteht ursprünglich keine Kluft, denn die Götter stammen von den Riesen ab. Das ›Riesische‹ in ihnen stirbt nie ganz und wird ihnen schließlich zum Verhängnis.

Die germanische Götterwelt erweist sich nicht als statisch, sondern dynamisch. Das Weltgeschehen enthält zahlreiche, auch konträre Möglichkeiten, abhängig vom Handeln der Akteure. In diesem Sinne unterliegen die Götter auch keinem von vornherein unabänderlichen Schicksal, wie es ältere Auffassungen sahen. Die Götter verursachen vielmehr ihren Untergang auch durch eigenes Handeln. Der Bruch der Eide mit dem Riesenbaumeister bleibt nicht ohne Folgen. Nach Untersuchungen von G. W. Weber stammt das »wyrd« als fatalistisches Schicksal aus christlich-mittelalterlicher Weltsicht und wurde später von christlichen Chronisten in die altnordischen Texte eingebracht, vielleicht um dem Heidentum besser begegnen zu können.[4]

Im Grunde ist den Göttern der Kampf gegeneinander fremd. Nach dem Krieg zwischen den beiden Göttergeschlechtern, der Asen und Vanen, kommt es zu dauerhafter Aussöhnung. Garantie dafür ist der Austausch von Geiseln und das Zubilligen gleicher Rechte. Zwar gilt Odin als Vater der Asen-Götter, doch die Götter und Göttinnen herrschen als Gemeinschaft, erörtern täglich im Rat, wie die Feinde abzuwehren und die Welten zu erhalten sind. Die Götter übernehmen für die Menschen Verantwortung. Noch

4 Eine ähnliche Ansicht vertrat zuvor bereits Walter Baetke.

bevor die Asen ihre eigene Wohnstätte befestigen, bauen sie einen Schutzwall um die Menschenwelt. Um den gefährlichsten Weltfeind, den Fenriswolf, zu überlisten und zu fesseln, lässt der Kriegsgott Tyr sich von ihm die rechte Hand abbeißen.

Die nordischen Götter werden kaum als strafende, Furcht einflößende Mächte dargestellt. Sie fordern von den Menschen keine bedingungslose Unterwürfigkeit. Götter und Menschen verhalten sich eher wie Eltern und Kinder. Die Götter haben menschliche Züge, sie sind nicht unsterblich, nicht allmächtig, nicht allwissend und haben liebenswerte Schwächen.

Die nordische Mythologie ist in keinem einheitlichen Gedankengebäude oder gar geschlossenen Text überkommen; die meisten Texte enthalten verschiedene Überlieferungsschichten. Einige gelten als weitgehend authentisch, andere als spätere dichterische Ausschmückung. Daraus ergeben sich für die Nachgestaltung besondere Schwierigkeiten. Snorris Prosa-Edda steckt zwar den Rahmen des Weltgeschehens ab, aber in zahlreichen Liedern der *Edda* fehlen oft logische oder ursächliche Bezüge zum Ganzen. Um die isoliert stehenden und sich zum Teil widersprechenden Lieder (sie waren in Prosa zu übertragen) als Weltgeschehen zu erzählen, waren sie vom Autor im Rahmen dieser Nachgestaltung zusammenzufügen.

Der vorliegende Text folgt weitgehend der Deutung des isländischen Forschers S. Nordal in seiner Schrift *Völuspá*. Ergebnisse moderner Forschung wurden berücksichtigt.

Diese Nachgestaltung enthält alle wichtigen im nordischen Raum überlieferten Göttermythen und deren Gestalten. Einbezogen wurden einige nordische Heldensagen, in denen Götter in irdische Belange eingreifen. Die Stoffe selbst wurden nach den Quellen möglichst getreu zu erschließen und das in manchen deutschen Übersetzungen der Lieder verlorene Urwüchsige der Originale zu bewahren gesucht. Angestrebt wurde ein moderner Zugang zu dem Archaischen der altnordischen Texte. Als Grundlage dienten für die *Snorra Edda* die Ausgabe von Finnur Jónsson und für die *Lieder-Edda* die Ausgabe von Hans Kuhn.

II

Im Unterschied zu Märchen und Göttermythen wachsen Heldensagen aus historischen Ereignissen und Gestalten und beziehen sich vorwiegend auf die Zeit der Völkerwanderung, die mit dem Angriff der Hunnen auf das Ostgotenreich im Jahr 370 und seiner Zerstörung begann und mit der Errichtung des Langobardenreiches 568 in Italien endete.

Im Jahre 436 vernichtete der römische Feldherr Aetius mit hunnischen Hilfstruppen einen großen Teil des Volkes der Burgunden samt dem Königshaus. Dieser Volksstamm hatte sich damals am Rhein in der Gegend um Worms angesiedelt. Überliefert sind die Königsnamen Gundahari, Gundomar und Gislahari. Im folgenden Jahrhundert herrschte in Worms (daran erinnert eine Tafel am Dom) kurze Zeit die Westgotin Brunichild, Gemahlin des Frankenkönigs Sigibert I., der 575 auch infolge von Brunichildis Machtkämpfen ermordet wurde.

Wahrscheinlich verschmolzen mehrere historische Personen zum Siegfried der Sage. Auch ein vertriebener Merowingerspross könnte am Burgundenhof zu viel Macht erlangt haben. Liedkerne könnten bis zu Arminius zurückreichen.

Attila herrschte zwar zu der Zeit, als das Burgundenreich zerstört wurde, war jedoch an der Schlacht selbst nicht beteiligt. Der Hunnenherrscher starb im Jahre 453 in der Hochzeitsnacht mit der germanischen Nebenfrau Ildico. Daraus wurde Blutrache der Ostgotin für den Tod ihrer Verwandten gefolgert; ein Motiv früher Sagenbildung um Atli (Etzel). Die Kämpfe zwischen Völkern verdichten sich in der Sage zu Gefechten zwischen Helden; der Untergang eines Königshauses vollzieht sich im Saal des Hunnenherrschers.

Für den Dietrich von Bern der Sage lässt sich das historische Vorbild genauer in Theoderich dem Großen bestimmen. Geboren wurde er erst Monate nach Attilas Tod und rund 18 Jahre nach der Vernichtung der Burgunden. In der Sage werden sie zu Zeitgenossen. Als Achtjähriger kam Theoderich für zehn Jahre als Geisel an den Kaiserhof von Byzanz, erhielt dort umfassende Bildung und wurde nach dem Tod seines Vaters König der Ostgoten. Germanische Söldner hatten Odoaker zum Heerkönig ausgerufen, und er hatte den letzten weströmischen Kaiser Romulus gestürzt. Der oströmische Kaiser Zeno sandte Theoderich mit einem großen

Heer gegen Odoaker nach Italien, den er nach einigen siegreichen Schlachten in Ravenna belagerte; da er ihn nicht endgültig besiegen konnte, traf er mit ihm ein Übereinkommen und tötete ihn schließlich eigenhändig mit einem Hieb von der Schulter bis zur Hüfte. Daraufhin begründete Theoderich im Jahr 493 das Ostgotenreich in Italien. Aber in der Sage wurde aus der erfolgreichen Königsherrschaft ein dreißigjähriges Exil am Hofe Etzels; entstanden wahrscheinlich aus dem Erzählkern von der Geiselgefangenschaft in Byzanz.

In jener Zeit wanderten die Völker, vernichteten andere oder wurden vernichtet, verschmolzen mit ansässigen oder fremden – das erstreckte sich über weite Teile des heutigen Europa. Nicht nur historische Personen wie Theoderich der Große sind, nach heutigem Sprachgebrauch, ›übernational‹, auch die Sagen über sie und ihre Zeit haben in diesem Sinne ›europäischen‹ Charakter; neben den im deutschen Raum aufgezeichneten Sagen stehen meist frühere altnordische Texte.

Älteste Lieder oder Prosastücke über den Untergang der Burgunden dürften bei diesem Volk selbst und bei den Franken ins 5. und 6. Jahrhundert zurückreichen. Die Entstehungsgeschichte des mittelhochdeutschen *Nibelungenliedes* war Gegenstand umfassender germanistischer Forschung. Karl Lachmann konstruierte zwanzig Lieder als Ursprung der Sage; Andreas Heusler meinte, das Epos sei durch »Aufschwellung« eines Liedes entstanden. Zu den wichtigsten Überlieferungen gehören in der altnordischen *Edda* erhaltene, um 1270 aufgezeichnete Heldenlieder, von denen einzelne wie das *Alte Atlilied* und das *Alte Sigurdlied* aus dem 9. Jahrhundert stammen dürften. Nach Vorlage dieser Lieder entstand Mitte des 13. Jahrhunderts die *Völsungensaga*, ein Prosatext, in den auch Lieder eingingen, die heute verloren sind. Und nach Berichten von Männern aus Bremen, Münster und Soest wurde wahrscheinlich um 1250 in Bergen in Norwegen die *Thidrekssaga* verfasst, in der auch Sagen über den Burgundenuntergang enthalten sind.

Vom mittelhochdeutschen *Nibelungenlied* existieren 11 mehr oder weniger vollständige Handschriften und 23 Fragmente. Die Handschrift B wird heute meist als älteste Abschrift eines unbekannten »Originalliedes« angesehen und liegt auch den Ausgaben von Helmut de Boor und Helmut Brackert zugrunde. Die Handschrift C (Felix Genzmer hat sie übersetzt) gilt als eine Bearbeitung unter christlichem Einfluss; sie entlastet Kriemhild und weist Hagen als Hauptübeltäter aus. Die meisten Handschriften enthalten als Anhang die *Klage*, eine später hinzugefügte Fortsetzung, klerikal belehrend und das Lied kommentierend. Als Entstehungsraum des *Nibelungenliedes* ergibt sich aus der Wertung bestimmter Personen im Text wie des Bischofs Pilgrim als Onkel Kriemhilds und ihrer Königsbrüder sowie Rüdegers von Bechlaren (heute Pöchlarn an der Donau) und aus der geographischen Kenntnis das Donaugebiet zwischen Passau und Wien. Geschrieben wurde diese Heldensage um 1200.

Die Grenzen zwischen Mythen und Sagen sind fließend. Wenn Brünhild mit ihren Riesenkräften durch keinen »menschlichen« Recken, sondern nur durch Siegfried mit Zauber bezwingbar ist, unterstreicht das ihre Walkürennatur, die ins Mythische, d.h. hier in die Welt höherer Wesen, hineinragt. Siegfried ist später gebannt von Kriemhilds höfischer Weiblichkeit. Für die über alle Maßen Schöne (»daz in allen Landen niht schœneres mohte sin«)[5] harrt der Held ein Jahr am Burgundenhof aus, ohne die Angebetete zu sehen, besiegt Sachsen und Dänen und verhilft seinem König Gunter zur schier unbezwingbaren Brünhild. Bereits durch seine Herkunft ist Siegfried eine mythische Gestalt, was viel weniger auf die drei burgundischen Könige zutrifft. Insofern können Sagen mehr oder weniger Mythisches enthalten, es ist für sie jedoch keine Bedingung. Heldensagen können aus Preisliedern auf Siege oder Heerführer entstehen, es dabei belassen oder später Mythen aufnehmen. Aber Sagen können auch aus Kulten und Ritualen erwachsen. Der vielfältigen Sagenbildung sollte jedenfalls kein theoretisches Schema aufgepresst werden.

Meist stammen die Sagenkerne aus vorchristlicher bzw. einer Zeit, in der sich das Christentum noch nicht durchgesetzt hatte; Mythisches wurde später oft durch christliche Schreiber oder Chronisten zurückgedrängt, nur bruchstückhaft oder gar nicht mehr aufgenommen. Das zeigt sich, verglichen mit altnordischer Überlieferung, auch im mittelhochdeutschen *Nibelungenlied*.

Die folgenreiche Rezeption des *Nibelungenliedes* stellt auch dessen Neuerzählung vor besondere Schwierigkeiten. Keine deut-

5 *Das Nibelungenlied*, Ausg. de Boor, Str. 2.

sche Dichtung des Mittelalters wurde wohl so intensiv auf die eigene Geschichte bezogen und aufgenommen. Napoleonische Besetzung und Befreiungskriege führten Anfang des 19. Jahrhunderts in Deutschland zur Beschäftigung mit mittelalterlicher Tradition. Im Jahre 1806 wird aus Berlin von überfüllten öffentlichen Lesungen der Nibelungendichtung durch Friedrich Heinrich von der Hagen berichtet. Die Beschäftigung mit deutscher Vergangenheit, durch die Romantiker befördert, wurde zu einem geistigen Impuls der Befreiungskriege. Im Kampf um deutsche Einigung diente das Heldenepos der Nibelungen als ein Kern nationaler Identifikation; seitdem allerdings wurde es mehr und mehr für nationalistische Bestrebungen missbraucht. Einzelne Motive wie die Gefolgschaftstreue und Gestalten wie Hagen wurden aus dem Stoffzusammenhang gerissen und isoliert, fanden Eingang in die Sprache der Politik und des Alltags. Erinnert sei an den programmatischen Ausspruch Fürst von Bülows 1909 im Reichstag, in dem er den Österreichern »Nibelungentreue« zusicherte; davon sprach auch Kaiser Wilhelm II. zu Kriegsbeginn 1914. Strategische Operationen im Ersten Weltkrieg hießen Siegfriedlinie, Hagenangriff, Alberichbewegung, Brünhildstellung. Und Paul von Hindenburg, Chef der obersten Heeresleitung und späterer Reichspräsident, schrieb: »Wie Siegfried unter dem hinterlistigen Speerwurf des grimmen Hagen, so stürzte unsere Front; vergebens hatte sie versucht, aus dem versiegenden Quell der heimatlichen Kraft neues Leben zu trinken.«[6] Die bekannte Dolchstoßlegende vom Ende des Ersten Weltkrieges hat hier ihre Wurzel. Und der Nationalsozialismus suggerierte, er verwirkliche jenes in den Sagen beschriebene mythisch-heldische Leben. In einer Rede im Sportpalast verglich Hermann Göring den Kampf der deutschen Truppen im Kessel von Stalingrad mit den im Saal eingeschlossenen Nibelungen am Hofe Etzels.[7]

Die politische Verwertung der Siegfriedsage oder des Nibelungenstoffes blieb nicht ohne ästhetische Konsequenzen. In diesem Zusammenhang stehen wohl die Worte Gerd Kaisers, dass »die geistigen Traditionen, in deren Rahmen das Nibelungenlied den Deutschen wichtig wurde, heute eher Peinlichkeiten auslösen [...].

6 Zit. nach: Heinzle, *Das Nibelungenlied*, S. 36.

7 Abgedr. in: *Völkischer Beobachter*, 3. Februar 1943.

Es ist, als sei nach dem Exorzismus der nationalistischen Ideologien in Deutschland um das Nibelungenlied ein Vakuum entstanden, das nach Auffüllung trachtet, eine Leerstelle, die nach sinnhafter Antwort über die gegenwärtige Stellung dieses Werkes in der deutschen Bildungs- und Nationalgeschichte verlangt.«[8]

In der vorliegenden Neuerzählung wird ein Beitrag zur Standortbestimmung versucht. Für kritische Neubewertung nötige Rückkehr zu den Quellen verlangt auch Betrachtung der Umstände, unter denen die Texte entstanden.

Jener Rezeption, die schicksalhaften Untergang und Todessyndrom betont, lag die um 1200 entstandene mittelhochdeutsche Fassung des *Nibelungenliedes* zugrunde. Der Untergang der burgundischen Könige mit den tragischen Verstrickungen eines Rüdeger von Bechlaren, das Massensterben an Etzels Hof, kann mit der Krisensituation Deutschlands in jener Zeit in Zusammenhang gesehen werden.

Der frühe Tod Kaiser Heinrichs VI. 1197 in Italien führte zu einer der schwersten politischen Erschütterungen des deutschen Reiches im Mittelalter. Ausdruck dessen ist die Wahl bzw. Krönung zweier rivalisierender deutscher Könige im Jahre 1198, sowohl des Staufers Philipp von Schwaben, Heinrichs Bruder, als auch des ihm feindlichen Welfen Otto IV. Galt den meisten Zeitgenossen das Reich noch unter Kaiser Barbarossa (1152–90) als stark und geschlossen, geriet es nun in Fehden und Unsicherheit. Berichtet wird von düsterer Stimmung, von Angst. Manchen soll ein Gespenst auf schwarzem Pferd erschienen sein, das auf Befragen geantwortet habe, es sei der alte König von Bern und verkünde dem Reich Unheil und Elend. Den christlichem Heilsdenken Verpflichteten erschien das als Einwirken satanischer Kräfte. So heißt es, der Teufel habe Kriemhild geraten, mit ihrem Bruder Gunter zu brechen (»Ich wæne der übel valant Kriemhilde daz geriet, daz si sich mit friuntschefte von Gunthere schiet«)[9]. Nicht Kriemhild spinnt die Rachefäden, sondern der Teufel gibt es ihr ein. Später, nach der Ankunft der Burgunden an Etzels Hof, als Warnung bezeichnenderweise Dietrichs von Bern an Gunter und Hagen, wird Kriemhild

8 Kaiser, »Deutsche Heldenepik«, S. 185.

9 *Das Nibelungenlied*, Ausg. de Boor, Str. 1394.

selbst Teufelin (»valandinne«[10]) genannt. Das *Nibelungenlied* kann somit als Warnung an die Zeitgenossen aufgefasst werden, als beklemmendes Bild einer Gesellschaft, die sich von innen her zerstört.

In die scheinbar heile höfische Welt der Burgunden bricht Siegfried ein, will durch Zweikampf König Gunter Reich und Macht abgewinnen. Erwähnt werden Siegfrieds Unverwundbarkeit, seine Tarnkappe, das Wunderschwert Balmung und der unerschöpfliche Hort; diese Attribute mythisch-archaischer Vorzeit »stören« ein Worms, wo alles anscheinend auf geordnete Weise geschieht. Auch nur erinnert wird, dass Siegfried und Brünhild sich aus früher Zeit kennen. Allerdings scheint diese mythische Vorzeit in der Handlung der mittelhochdeutschen Fassung durch, und sie gibt Anlass zu ganz anders motivierten Sinnkonstruktionen. Als Brünhild Siegfried das erste Mal neben Kriemhild sitzen sieht, vermag die walkürenhafte Kämpferin, die einen Felsblock weiter wirft als der stärkste Recke, ihr Weinen nicht zu unterdrücken; wohl auch aus Schmerz als betrogene Braut. Denn nach früherer altnordischer Überlieferung hatte Siegfried die von einer Waberlohe eingeschlossene Brünhild befreit und ihr Liebe und Treue geschworen.

Im *Nibelungenlied* bestimmt Kriemhilds Rache für den Mord an Siegfried das Geschehen in der zweiten Hälfte. Auch weil sie Mittel sieht, sich an Hagen zu rächen, nimmt sie Etzels Werbung an. Was dem Dichter für dieses Konzept an Überlieferung im Wege war, veränderte oder ließ er weg. Brünhild wird im zweiten Teil noch einmal, jedoch ohne notwendigen Zusammenhang, genannt.[11] Kriemhilds und Siegfrieds Sohn Gunter, der ein »Abbild« oder eine »Wiedergeburt« ihres unverzichtbaren Geliebten hätte sein können und den sie seit ihrer Abreise mit Siegfried aus Xanten anscheinend nie mehr sieht, wird überhaupt nicht mehr erwähnt. So ist es auch gutes Recht des Dichters, über dreißig Jahre nach Siegfrieds Ermordung Kriemhild täglich noch weinen und klagen zu lassen.

In den mittelhochdeutschen Fassungen veranlasst Kriemhild, die Brüder einzuladen, um sich so an Hagen und vielleicht auch an

10 Ebd., Str. 1748.
11 Ebd., Str. 1484.

Gunter zu rächen. Aber nach der erwähnten altnordischen Überlieferung der *Edda* lädt Atli (Etzel) die Brüder aus Goldgier ein, er will von ihnen den Hort erpressen. Gudrun (im *Nibelungenlied* Kriemhild) warnt ihre Brüder, freut sich deshalb bei deren Ankunft in der Etzelburg über ihre starke Rüstung. Zu den im mittelhochdeutschen Text bewahrten Splittern früherer Fassungen gehören die »vielen neuen Schilde« und »weißen Halsberge« der Burgunden.[12] Da Gunter in dieser altnordischen Fassung den Hort nicht preisgibt, lässt Atli angreifen. Högni (Hagen) wird umgebracht, Gunter in die Schlangengrube geworfen. Aus Rache für den Tod ihrer Brüder lässt Gudrun Atli im Saalbrand umkommen, danach sucht sie selber den Tod.

Christlicher Auffassung widersprach diese Sippenrache. Bei weiterer dichterischer Ausgestaltung trat an ihre Stelle Rache für den Gattenmord. Und die baierische Überlieferung idealisierte den machtbesessenen Atli zu einem passiven gutherzigen Etzel. Aus dem Machtkampf um die mythische Kraft des Hortes wurde Rache am Mörder Siegfrieds.

Auch von göttlicher Herkunft Siegfrieds wird im *Nibelungenlied* nichts mehr erzählt. Als bedeutendster König des Völsungengeschlechts stammt er nach altnordischen Texten von Odin/Wodan ab, dieser ist nach der Völsungensaga sein Ururgroßvater. Mehrfach griff der Gott in Siegfrieds Leben ein, bewahrte ihn durch klugen Rat beim Drachenkampf vor dem Tode. Dietrich von Bern hat ebenfalls göttliche Vorfahren. Als mächtigster König des Geschlechtes der Amaler stammt er von Gaut ab, was nur ein anderer Name für Odin ist. Aus dem mythischen Grund der Nibelungensage wurde wohl deren intensive Rezeption gespeist und ihr durch Richard Wagners Opern zu größter Popularität verholfen.

Dietrich von Bern steht über den in Kämpfe am Etzelhof verstrickten Helden des *Nibelungenliedes,* warnt rechtzeitig, bemüht sich dann um Versöhnung und Ausgleich. Kaum ein zweiter Held erreicht diese menschliche Größe. Hebbel lässt am Schluss seiner Nibelungen-Trilogie den gescheiterten Etzel seine Herrschaft an Dietrich übertragen.

Theoderich der Große, der wohl größte germanische Herrscher

12 Ebd., Str. 1717.

der Völkerwanderungszeit, wurde in der Dichtung mythisiert. Weder fällt Dietrich wie Gernot und Rüdeger auf der Walstatt, noch wird er feige erschlagen wie Siegfried, sondern er wird überzeitlich entrückt, lebt weiter als berittener Anführer des Wilden Heeres, als Mahner vor Gefahr und Beschützer der Bedrängten. Berichte, wonach er als Strafe für Verfehlungen (Tod des Papstes Johannes) an seinem Lebensende von einem schwarzen Pferd in die Hölle entführt worden sein soll, sind wohl christlichen Eiferern geschuldet.

Wie damals üblich, dürften noch zu Theoderichs Lebzeiten erste Lieder entstanden sein. Aber in späterer Sagenbildung wurde aus dem erfolgreichen Herrscher der Gütige und Dulder im Exil. Bemerkenswert ist der schwedische Runenstein von Rök aus dem 9. Jahrhundert mit einem Text auf Theoderich als Reiter. Karl der Große sah in Theoderich sein Vorbild und ließ dessen Reiterstandbild von Ravenna nach Aachen holen. Historische Berichte und Sage liegen hier dicht beieinander.

Die Beliebtheit und Volkstümlichkeit dieses Herrschers förderte eine reiche Dietrich-Dichtung. An die historische Gestalt schließen sich vor allem die mittelhochdeutschen Epen *Rabenschlacht* (entstanden um 1270) und *Dietrichs Flucht* (entstanden um 1280) an. Sie beziehen sich auf Dietrichs Kampf mit Ermanerich (Ermrich), die Vertreibung aus seinem Reiche und dessen Rückeroberung; historisch liegt dem Theoderichs Kampf mit Odoaker zugrunde (aus dem historischen Verona wurde in der Sage Bern, aus dem historischen Ravenna, wo noch heute Theoderichs Grabmal steht, Raben und die Rabenschlacht). Märchenhafte Dietrich-Dichtung und Epen wie *Biterolf* und *Dietleib, Ortnit* und *Alpharts Tod* folgten.

In der *Thidrekssaga* ist Dietrichs Leben von Anfang bis zum Ende zusammenhängend überliefert. Nicht nur deshalb wurde sie der vorliegenden Nachgestaltung zugrunde gelegt, sondern auch, weil dort manche Konflikte und Figuren weniger in Gut und Böse polarisiert sind. Widga/Witege und Heime sind keine bloßen Verräter, sie geraten zwischen die Fronten und erscheinen dadurch vielschichtiger; eine im Vergleich zum strengeren und ernsteren deutschen Heldenbild offenere skandinavische Sicht. Von märchenhafter Dietrichdichtung wurde im vorliegenden Text das *Eckenlied* und der *Laurin* (Ende des 13. Jahrhunderts) eingefügt.

Einbezogen wurde außerdem das *Hildebrantslied* (um 810). In diesem einzigen erhaltenen althochdeutschen Heldenlied treffen zur Zeit der Rabenschlacht Hildebrant und Hadubrant aufeinander. Der im Lied fehlende Schluss ist in Strophe 4 von Hildebrants Sterbelied der *Edda* erkennbar; Hildebrant wurde im Kampf gezwungen, seinen Sohn zu töten. Historisch korrekt ist hier Dietrichs Gegner noch Odoaker.

Berichtet wird um 500 von einer Rugierkönigin Giso, die zwei Schmiede einsperren und für sich Schmuck fertigen ließ. Als ihr kleiner Sohn in die Werkstatt kam, drohten sie ihn zu töten, falls sie nicht freikämen. Die Königin beugte sich und ließ die Schmiede laufen. Durch Verknüpfung mit antiken Erzählungen wie vom Schmied Dädalus, der mit selbstgefertigten Flügeln aus König Minos' Gefangenschaft entflog, entstand daraus die Wielandsage.

In der ältesten erhaltenen Überlieferung steht das *Wielandlied* am Anfang der Heldensagen der *Edda*. Danach rächt der gefangene und gelähmte Schmied sich an seinem goldgierigen König, indem er dessen beide Söhne tötet, die Tochter schwängert und mit dem von ihm gefertigten Federgewand für immer entkommt. Aber nach der jüngeren Prosafassung der *Thidrekssaga* kehrt Wieland nach dem Tod des Königs zu dessen Sohn, der Königstochter und dem gemeinsamen Sohn Witege zurück. Es kommt zu Aussöhnung, Hochzeit, längerem Aufenthalt am Königshof und späterer Heimkehr mit Frau und Sohn.

Die Übertragbarkeit eines Textes vergangener historischer Epochen (wie der höfisch-feudalen) in die Sprache der spätbürgerlichen Zeit wird von Helmut Brackert grundsätzlich angezweifelt.[13] Eine literarische Neuerzählung muss gewisse Defizite hinnehmen und sollte historische Treue anstreben.

Auch die im Vergleich zur Dietrichdichtung weniger verzweigte Überlieferung des *Nibelungenliedes* enthält Textvarianten; selbst einzelne Handschriften wie B sind scheinbar durch Unstimmigkeiten und Widersprüche gekennzeichnet. Der Dichter respektierte das Erzählte, wollte bestimmte Fakten wahren, durch-

13 Vgl. *Das Nibelungenlied*, Ausg. Brackert, Tl. 1, S. 268.

drang das Material nicht vollständig, sondern sammelte und bereitete auf.[14] Nicht nur das Archaische der Sage, auch das Verschachteln mehrerer Überlieferungsschichten führt zu diesem ›Ungefügen‹ im Text.

Eine glättende Bearbeitung würde das und damit den Kern des Mythischen auflösen. Mythen – ernst genommen (freie Gestaltung oder Satire scheiden hier aus) – erfordern eine ihnen adäquate Erzählhaltung und Sprache. Sprunghafte, scheinbar rational nicht motivierte Handlungen müssen für sich selbst stehen. So täuscht Siegfried seine ehemalige Geliebte Brünhild und zwingt ihr den ungewollten und schwachen Gunter auf; Hagen köpft Etzels Sohn Ortlieb und verbaut so jegliche Versöhnung mit dem Hunnenherrscher. Logische oder gar psychologische Erklärungen verbieten sich, zwängen den Texten einen noch problematischeren Sinn auf.

Der Neuerzählung der Burgundensage liegt das *Nibelungenlied* als deren reichste und poetischste Ausgestaltung zugrunde; früher Überliefertes wurde einbezogen. Übernommen wurde der im *Nibelungenlied* gegebene Erzähler, der auch widersprüchliches, sich ausschließendes Geschehen berichten kann. Etzel wirbt um Kriemhild also auch des Hortes wegen. Etzel fördert Kriemhilds rachesüchtige Einladung ihrer Brüder an seinen Hof, weil er auf diese Weise den Hort zu gewinnen hofft. In dieser Verknüpfung beider Interessen steht neben dem bekannten Schluss, wonach Kriemhild Gunter töten ließ, Hagen enthauptet und selbst durch Hildebrant fällt, die erwähnte altnordische Version. Auch dieser Erzähler verzichtet absichtlich auf Wertungen. Hagens Tötung Siegfrieds wird weder missbilligt noch als nötige Tat für den Bestand des Burgundenreiches gerechtfertigt.

Das Mehrdeutige des Mythischen wie auch der überlieferten Texte wird bei vorliegender Nachgestaltung zu erhalten versucht. Sprachlich wird manches Alte bewahrt in einzelnen Worten, formelartigen Wendungen oder auch im für die damalige Erzählung typischen bedeutsamen Wechsel der Anredeformen von »du« zu »Ihr«. Angestrebt wurde eine Synthese zwischen Archaischem und Modernem. Statt »minne« (gegenwärtig nur noch scherzhaft gebraucht) wurde beispielsweise »Liebe« gesetzt, der »Recke« ist

14 Vgl. Curschmann, »›Nibelungenlied‹ und ›Klage‹«, Sp. 946 f.

noch heute gebräuchlich; da im Text eine vormittelalterliche Zeit angenommen wird, fehlt dagegen der Begriff des Ritters. So mag manches der Nachgestaltung nicht nur archaisierend, sondern auch spröde erscheinen – es wurde bewahrt, damit der Ton der alten *mæren* nicht verstummt.

Reiner Tetzner